세상이 변해도
배움의 즐거움은
변함없도록

시대는 빠르게 변해도
배움의 즐거움은
변함없어야 하기에

어제의 비상은
남다른 교재부터
결이 다른 콘텐츠
전에 없던 교육 플랫폼까지

변함없는 혁신으로
교육 문화 환경의 새로운 전형을
실현해왔습니다.

비상은 오늘, 다시 한번
새로운 교육 문화 환경을 실현하기 위한
또 하나의 혁신을 시작합니다.

오늘의 내가 어제의 나를 초월하고
오늘의 교육이 어제의 교육을 초월하여
배움의 즐거움을 지속하는 혁신,

바로, 메타인지 기반 완전 학습을.

상상을 실현하는 교육 문화 기업 비상

메타인지 기반 완전 학습

초월을 뜻하는 meta와 생각을 뜻하는 인지가 결합한 메타인지는
자신이 알고 모르는 것을 스스로 구분하고 학습계획을 세우도록 하는
궁극의 학습 능력입니다. 비상의 메타인지 기반 완전 학습 시스템은
잠들어 있는 메타인지를 깨워 공부를 100% 내 것으로 만들도록 합니다.

자율학습시
비상구
완자로 53

생활과 윤리

Structure

01 | 핵심 내용 파악하기

이 단원에서 꼭 알아야 하는 핵심 개념을 확인하고, 친절하게 설명된 내용 정리로 생활과 윤리 교과 내용을 이해할 수 있습니다.

이 단원에서 학습해야 할 핵심 개념을 한눈에 파악할 수 있습니다

교과서에서 다루는 내용을 명확하게 정리하고, 어려운 개념이나 용어, 사례 등에는 친절한 설명을 덧붙였습니다.

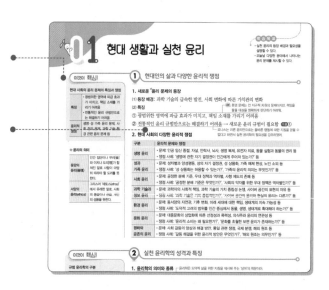

03 | 다양한 유형의 내신 문제 풀기

학교 시험에 자주 출제되는 유형의 문제들을 단계별로 풀어보면서 실력을 향상시킬 수 있습니다. 또한 시험에서 비중이 높아진 서술형 문제도 자신 있게 대비할 수 있습니다.

04 | 수능 문제로 1등급 정복하기

사고력과 변별력을 요구하는 수능 유형의 문제를 풀면서 실력을 향상시키고 난이도 있는 시험 문제에도 자신감을 얻을 수 있습니다.

한눈에 보이는 정리 비법, 간단한 문제
로 확인하는 개념, 함께 알아 두어야 할
자료 등을 선생님이 강의하듯 꼼꼼하게
정리하였습니다.

학교 시험은 물론 수능에도 출제될 가
능성이 높은 중요 자료를 질문과 답변
형식으로 철저하게 분석하였습니다.

05 | 통합형 문제로 마무리하기

대단원의 핵심 내용을 한눈에 정리하고, 통합형 문제까지
풀어 보면서 대단원 학습을 최종 점검할 수 있습니다.

06 | 주제별 논술형 문제

교과 내용에서 강조하는 논술 주제들을 별도 구성하고, 논
술 포인트, 자료 분석 등을 통해 입체적인 논술 답안을 제공
하였습니다.

Ⅱ. 생명과 윤리
윤리적 성찰 및 실천 성향

주제 04 성에 관한 고정 관념

다음을 읽고 물음에 답하시오.

(가) 남성들은 스스로가 강인해야 하고, 여성보다 우월해야 하며, 분노 이외의 슬픔이나 두려움 등의
감정을 드러내지 않아야 한다는 고정 관념을 가지고 있다. 남성들을 둘러싸고 있는 이러한 고정
관념의 틀인 '맨박스'에서 벗어나 남성성에 대한 잘못된 인식을 돌아봐야 한다.
— 모리, 『맨박스(Man Box)』

(나) 페이스북 최고 운영책임자(COO) 셰릴 샌드버그가 '밴 보시(Ban Bossy)' 캠페인을 발했다. 이 캠
페인은 '우두머리 행세를 하는' 또는 '으스대는'이라는 뜻의 '보시(bossy)'라는 표현을 쓰지 말자는
운동이다. 이 표현은 앞에 나서는 것을 좋아하고 적극적으로 행동하는 여자아이에게 사용하는
부정적인 말로, 여자가 남자처럼 적극적으로 행동하는 것은 좋지 않다는 성에 대한 고정 관념을
바탕으로 하고 있다.

1 (가), (나)에 나타나는 사회·문화적 성에 대한 고정 관념 때문에 발생할 수 있는 문제점을 서술하시오.

Contents

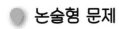

완자와 내 교과서 비교하기

현대의 삶과 실천 윤리

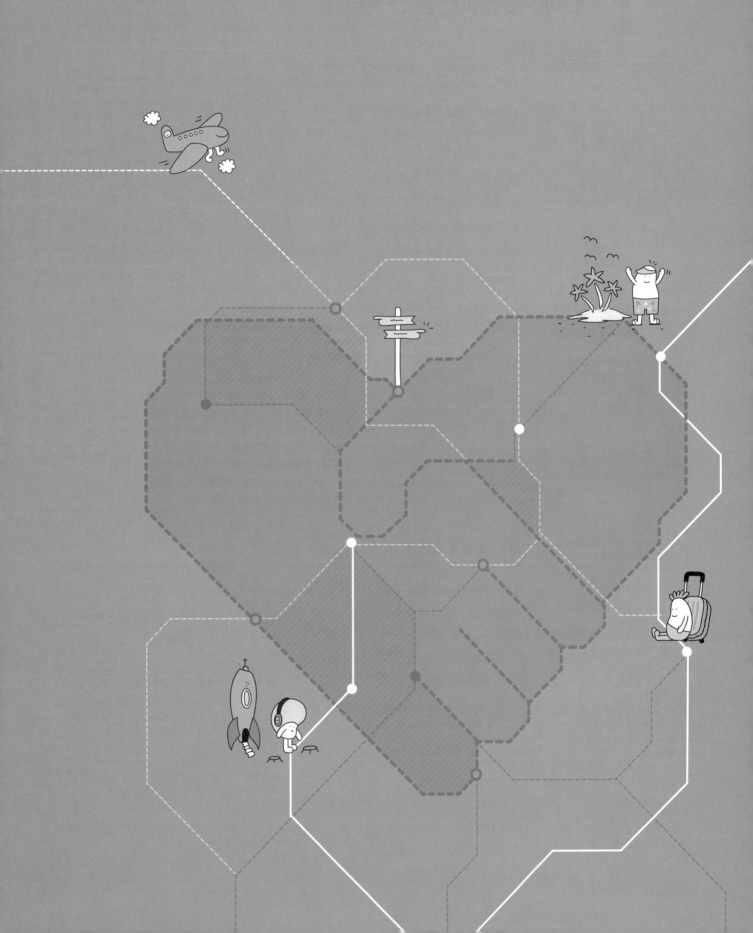

01 현대 생활과 실천 윤리

학 습 목 표
• 실천 윤리의 등장 배경과 필요성을 설명할 수 있다.
• 오늘날 다양한 분야에서 나타나는 윤리 문제를 제시할 수 있다.

① 현대인의 삶과 다양한 윤리적 쟁점

이것이 핵심!

현대 사회의 윤리 문제의 특징과 쟁점

특징	• 광범위한 영역에 파급 효과가 미치고, 책임 소재를 가리기 어려움 • 전통적인 윤리 규범만으로는 해결하기 어려움
윤리적 쟁점	생명·성·가족 윤리 문제, 사회 정의 문제, 과학 기술·환경 관련 윤리 문제 등

★ 윤리의 의미

동양의 윤리(倫理)	인간 집단이나 무리[倫]와 이치나 도리[理]가 합쳐진 말로 사람이 마땅히 따라야 할 도리를 뜻한다.
서양의 윤리(ethics)	그리스어 '에토스(ethos)'에서 유래한 말로, 사회의 풍습이나 관습, 개인의 성품을 뜻한다.

1. 새로운 *윤리 문제의 등장

(1) **등장 배경**: 과학 기술의 급속한 발전, 사회 변화에 따른 가치관의 변화

(2) **특징**

> 예 환경 문제는 전 지구적 차원의 문제이지만, 책임을 물을 대상을 명확하게 판단하기 어려워.

① 광범위한 영역에 파급 효과가 미치고, 책임 소재를 가리기 어려움

② 전통적인 윤리 규범만으로는 해결하기 어려움 → 새로운 윤리 규범이 필요함 **자료①**

> 요나스는 이론 윤리만으로는 올바른 행동에 대한 지침을 얻을 수 없다고 하면서 실천 윤리학의 필요성을 강조하였어.

2. 현대 사회의 다양한 윤리적 쟁점

구분	윤리적 문제와 쟁점
생명 윤리	• 문제: 인공 임신 중절, 자살, 안락사, 뇌사, 생명 복제, 유전자 치료, 동물 실험과 동물의 권리 등 • 쟁점 사례: '생명에 관한 자기 결정권이 인간에게 주어져 있는가?' 등
성과 가족 윤리	• 문제: 성차별과 양성평등, 성의 자기 결정권, 성 상품화, 가족 해체 현상, 노인 소외 등 • 쟁점 사례: '성 상품화는 허용할 수 있는가?', '가족의 윤리적 의미는 무엇인가?' 등
사회 윤리	• 문제: 공정한 분배 기준, 우대 정책과 역차별, 사형 제도의 존폐 등 • 쟁점 사례: '공정한 분배 기준은 무엇인가?', '사회의 약자를 위한 우대 정책은 역차별인가?' 등
과학 기술과 정보 윤리	• 문제: 과학자의 사회적 책임, 과학 기술의 가치 중립성 논쟁, 사이버 공간의 표현의 자유 등 • 쟁점 사례: '과학 기술은 가치 중립적인가?', '사이버 공간의 윤리와 현실의 윤리는 다른가?' 등
환경 윤리	• 문제: 동서양의 자연관, 기후 변화, 미래 세대에 대한 책임, 생태계의 지속 가능성 등 • 쟁점 사례: '도덕적 고려의 범위를 인간 중심에서 동물, 생명, 생태계로 확대해야 하는가?' 등
문화 윤리	• 문제: 대중문화의 상업화에 따른 선정성과 폭력성, 의식주와 윤리의 연관성 등 • 쟁점 사례: '윤리적 소비는 왜 필요한가?', '문화를 초월한 보편 윤리가 존재하는가?' 등
평화와 공존의 윤리	• 문제: 사회 갈등의 양상과 해결 방안, 통일 관련 쟁점, 국제 분쟁, 해외 원조 등 • 쟁점 사례: '갈등 해결을 위한 윤리적 방안은 무엇인가?', '해외 원조는 의무인가?' 등

② 실천 윤리학의 성격과 특징

이것이 핵심!

규범 윤리학의 구분

이론 윤리학	윤리적 판단과 행위의 근본 원리를 탐구
실천 윤리학	이론 윤리학을 토대로 윤리 문제의 해결책 모색

★ 공리주의
행위의 결과가 가져다주는 쾌락이나 행복을 그 도덕 판단 기준으로 보는 견해

★ 의무론
행위에 대한 도덕 판단은 의무와 원칙에 따라 이루어져야 한다고 보는 견해

★ 덕 윤리
도덕적 행동이 행위자의 덕에 따라 정해진다고 보는 견해

1. 윤리학의 의미와 종류
> 윤리학은 도덕적 삶을 위한 지침을 제시해 주는 '당위'의 학문이야.

(1) **의미**: 인간이 살아가면서 지켜야 할 도덕적인 행동의 기준이나 규범을 탐구하는 학문으로 규범 윤리학, 메타 윤리학, 기술 윤리학으로 구분할 수 있음 **교과서 자료**

(2) **규범 윤리학의 구분**
> 꼭! 이론 윤리학과 실천 윤리학 모두 도덕적 실천을 지향하며, 우리가 추구해야 할 바람직한 삶의 방향을 안내해.

구분	이론 윤리학	실천 윤리학(응용 윤리학, 문제 중심 윤리학)
성격	윤리적 판단과 행위를 위한 근본 원리를 탐구하고, 이에 대한 정당화에 초점을 둠	이론 윤리학에서 제시하는 도덕 원리를 현대 사회의 여러 윤리 문제에 적용하여 구체적인 해결책을 찾고자 함
예시	*공리주의, *의무론, *덕 윤리 등	생명 윤리, 정보 윤리, 환경 윤리, 문화 윤리 등

2. 실천 윤리학의 특징
> 왜? 구체적인 윤리 문제를 해결하려면, 그 문제와 관련된 다양한 전문적 지식과 정보가 필요하기 때문이야.

(1) **학제적 성격**: 다양한 분야의 학문을 함께 탐구함

(2) **실천적 성격**: 이론 윤리학에서 도출한 도덕 원리를 활용하여 삶의 구체적인 윤리적 문제 상황을 해결하고자 함 **자료②**
> 꼭! 이론 윤리학과 실천 윤리학은 유기적인 관계를 맺고 있음을 알 수 있어.

완자 자료 탐구

내 옆의 선생님

자료 ① 과학 기술의 발전에 따른 윤리적인 숙고의 필요성

> 기술의 발전을 통해 인간은 점점 더 많은 힘을 가지게 된다는 의미에서 기술은 인간의 힘의 행사이며 동시에 인간 행위의 한 형식이다. 인간의 행위는 도덕적으로 숙고되어야 하며, 인간의 힘의 행사 역시 마찬가지이다. …… 힘의 변증법에서 세 번째 단계의 힘은 우리가 기술의 발전에 내재한 무한한 진보의 이념을 지혜의 도움으로 제한할 수 있어야 비로소 가능하게 된다.
> – 요나스, 『책임의 원칙』

독일의 생태 철학자 요나스는 과학 기술의 발전으로 인간의 힘이 점점 커지고 있으며, 이러한 힘의 행사에 대한 이성적인 숙고가 필요하다고 보았다. 아울러 그는 과학 기술의 영향에 대한 윤리적 논의가 과학 기술의 발전 속도를 따라가지 못하는 현상을 '윤리적 공백'이라고 부르며 실천 윤리학의 필요성을 주장하였다.

수능이 보이는 교과서 자료 윤리학의 구조

규범 윤리학은 인간의 도덕적 행위를 뒷받침하는 도덕 원리나 인간의 성품을 탐구하고, 이를 바탕으로 도덕적 문제의 해결 방안을 제시하고자 한다. 메타 윤리학은 도덕적 언어의 의미 분석과 도덕적 추론의 타당성 검증을 통해 윤리학의 학문적 성립 가능성을 모색한다. 기술 윤리학은 도덕 현상과 문제를 기술하고, 그 인과 관계를 설명하고자 한다. ─ 메타 윤리학이나 기술 윤리학은 분석과 기술에 중점을 두기 때문에 다양한 윤리 문제의 해결 방안을 제시하는 데 한계가 있어.

자료 ② 실천 윤리학의 성격

> 실천(혹은 응용) 윤리학이란 삶의 실천적 영역에서 제기되는 도덕 문제를 이해하고자 하는 모든 체계적인 탐구를 포괄하는 학문 분야를 말한다. 예를 들어 의학, 기업 등과 관련된 문제뿐만 아니라 고용 평등이나 사형 제도 등의 사회적 관심사 역시 실천 윤리학의 주제가 된다. 또한 …… "윤리 문제를 어떻게 해결할 것인가?"를 주제적인 물음으로 다루고 있다. 즉 실천 윤리학에서는 구체적인 윤리 문제가 일차적 물음이고, 윤리 이론이나 도덕 원리는 이차적 의미를 지닌다.
> – 김상득, 『서양 철학의 눈으로 본 응용 윤리학』

이론 윤리학과 실천 윤리학 모두 윤리 문제를 해결하고 도덕적 실천을 지향한다는 공통점이 있다. 하지만 실천 윤리학은 윤리 이론이나 도덕 원리를 규명하기보다는 현대 사회에서 발생하는 여러 윤리 문제들의 구체적인 해결책을 모색하는 것에 집중한다는 점에서 이론 윤리학과 차이가 있다. ─ 이론 윤리학은 도덕 원리나 도덕적 정당화의 이론적인 근거를 제시하는 데 관심을 가져.

자료 **하나 더 알고 가자!**

윤리학(ethics)의 어원

> 탁월성[덕]은 두 종류가 있다. 지적 탁월성은 가르침에 의해 생겨나고 성장하기 때문에 경험과 시간이 있어야 한다. 한편 성품적 탁월성은 습관의 결과로 생겨난다. 이런 이유로 성품과 관련된 '에티케'라는 말은 습관을 의미하는 '에토스'라는 말을 변형해서 얻어진 것이다.
> – 아리스토텔레스, 『니코마코스 윤리학』

어원에 비추어 볼 때, 윤리학은 실천과 깊은 연관이 있다. 따라서 윤리학은 우리가 어떤 문제를 마주했을 때 올바른 실천을 하도록 안내해 준다.

완자샘의 탐구 강의

• 규범 윤리학과 비교하여 메타 윤리학이나 기술 윤리학이 가지는 한계점을 서술해 보자.
올바른 삶의 방향을 안내하거나 도덕적 문제를 해결하기 위한 방안을 제시하지 않는다는 점에서 한계가 있다.

함께 **보기** 15쪽, 1등급 정복하기 2

문제로 확인할까?

실천 윤리학의 등장 배경으로 볼 수 없는 것은?

① 급속한 과학 기술의 발전
② 새로운 윤리적 딜레마의 발생
③ 사회 변화에 따른 가치관의 변화
④ 기술 발전에 따른 윤리적 공백 발생
⑤ 쟁점 해결을 위한 전통적인 윤리 규범의 필요성 대두

⑤ 图

1 다음 설명에 해당하는 용어를 쓰시오.

동양에서는 마땅히 따라야 할 도리를 뜻하고, 서양에서는 사회의 풍습이나 관습, 개인의 성품을 뜻하는 용어이다.

2 다음 윤리적 쟁점을 탐구하는 실천 윤리학의 분야를 〈보기〉에서 골라 기호를 쓰시오.

보기
ㄱ. 생명 윤리　　　　ㄴ. 정보 윤리　　　ㄷ. 환경 윤리
ㄹ. 성과 가족 윤리　　ㅁ. 평화와 공존 윤리

(1) 성의 상품화는 허용할 수 있는가? (　　)

(2) 생명에 관한 자기 결정권이 인간에게 주어져 있는가?
(　　)

(3) 지구촌 이웃을 위한 해외 원조를 실천하는 것은 도덕적 의무인가? (　　)

(4) 사이버 공간에서 표현의 자유를 제한하는 것은 국민의 알 권리를 위축하는가? (　　)

(5) 도덕적 고려의 범위를 인간 중심에서 동물, 생명, 생태계 전체로 확대해야 하는가? (　　)

3 다음 설명이 맞으면 ○표, 틀리면 ✕표를 하시오.

(1) 현대 사회에서 발생하는 윤리 문제는 과거에 비해 더욱 단순해졌다. (　　)

(2) 메타 윤리학은 도덕 언어의 의미를 분석하고 도덕 추론의 타당성을 검토한다. (　　)

(3) 이론 윤리학은 실천 윤리학보다 도덕 원리를 현실에 적용하여 구체적 삶의 도덕 문제를 해결하는 데 집중한다.
(　　)

4 다음 설명에 해당하는 윤리학의 분야를 쓰시오.

도덕적 관습이나 풍습 등을 경험적으로 조사하여 명확하게 기술(記述)하고, 기술된 현상들 간의 인과 관계를 설명하는 데 주된 관심을 둔다.

01 (가)에 대한 옳은 설명을 〈보기〉에서 고른 것은?

(가) 은/는 인간으로서 지켜야 할 행동의 기준이자 규범의 역할을 하며, 이러한 기준과 규범을 탐구하는 학문을 (가) 학이라고 한다.

보기
ㄱ. 객관적 진리와 과학적 지식 탐구가 목적이다.
ㄴ. 당위의 형식으로 제시되는 규범과 가치의 총체이다.
ㄷ. 사회생활과는 관계없는 개인의 생활 규칙을 말한다.
ㄹ. 사람으로서 마땅히 행하거나 지켜야 할 도리를 뜻한다.

① ㄱ, ㄴ　　　　② ㄱ, ㄷ　　　　③ ㄴ, ㄷ
④ ㄴ, ㄹ　　　　⑤ ㄷ, ㄹ

02 중요
밑줄 친 '새로운 윤리 문제'의 특징으로 볼 수 **없는** 것은?

생명 과학 기술의 발전으로 인류는 질병을 치료하고, 생명을 연장할 수 있게 되어 풍요로운 삶을 살게 되었다. 하지만 이러한 기술을 원칙 없이 사용할 경우 인간의 존엄성이 훼손되는 문제를 가져올 수 있다. 또 정보 통신 기술이 발전하면서 전 지구가 하나의 네트워크로 연결되어 국제 교류의 장이 마련되었고, 다양한 지식과 정보에 대한 접근성이 높아졌다. 그러나 사이버 폭력, 사생활 침해, 저작권 침해와 같은 <u>새로운 윤리 문제</u>가 발생하기도 한다.

① 한 가지 문제가 다른 분야에 미치는 영향력이 크다.
② 기술의 발전으로 문제의 책임 소재를 밝히기 쉬워졌다.
③ 전통적인 윤리 규범만으로는 해결하기 어려운 문제가 생겼다.
④ 과거에는 옳다고 여겼던 신념에 수정이 필요할 수 있음을 알게 한다.
⑤ 과학 기술이 급속하게 발전하는 만큼 새로운 문제도 **빠**르게 늘어난다.

03 (가), (나)에 대한 설명으로 가장 적절한 것은?

(가) 윤리학은 '좋은(good)'과 '옳은(right)'이라는 언어의 의미를 분석하는 데 주력해야 한다.

(나) 윤리학은 '어떻게 사는 것이 옳은 것인가?'와 같은 규범적 질문에 대한 해답을 제시해야 한다. 이를 바탕으로 보편적인 도덕 원리를 정립하여 인간을 올바른 삶으로 이끄는 나침반이 되어야 한다.

① (가)는 도덕적 관행을 서술하는 것에 집중한다.

② (가)는 인간의 도덕적 행동과 관련한 보편적 원리를 탐구한다.

③ (나)는 윤리학이 도덕적 당위보다 현상의 진위 판별에 주목해야 한다고 본다.

④ (나)는 도덕적 언어를 분석함으로써 윤리학의 학문적 성립 가능성을 검증하고자 한다.

⑤ (나)는 도덕규범의 체계를 구축하고, 윤리적 문제를 해결하는 토대를 제공하고자 한다.

04 (가)에 들어갈 진술로 가장 적절한 것은?

윤리학은 도덕 판단의 기준을 명확히 제시할 수 있는 보편적 원리를 정립하고, 이를 정당화하는 것을 과제로 삼아야 한다. 그런데 문화 전반의 제도와 관행에 초점을 두고 사회 구조와 기능 속에 존재하는 도덕 현상에 대해 과학적으로 기술하는 것을 윤리학의 목표로 삼아야 한다는 입장이 있다. 나는 이러한 입장이 [(가)   ]고 생각한다.

① 도덕적 추론의 타당성을 입증해야 함을 강조하고 있다

② 도덕적 현상을 가치 중립적으로 서술해야 함을 모르고 있다

③ 도덕적 관행을 객관적인 사회 현상으로 바라보는 일에 취약하다

④ 도덕적 관습이 가지는 현실적 문제를 해결하는 것에 집중하고 있다

⑤ 도덕 원리나 도덕적 정당화의 이론적인 근거를 제시해야 함을 간과하고 있다

05 (가), (나)에 대한 옳은 설명만을 〈보기〉에서 있는 대로 고른 것은? ☆중요

실천을 위한 학문으로서 윤리학은 [(가)]와/과 [(나)](으)로 구분할 수 있다. [(가)]은/는 윤리적 판단과 행위 원리를 탐구하고, 이에 대한 정당화에 초점을 둔다. [(나)]은/는 현대 사회의 여러 윤리 문제에 도덕 원리를 적용하여 구체적인 규범과 원칙을 마련하고 윤리 문제를 해결하는 데 초점을 둔다.

보기

ㄱ. (가)에는 공리주의, 의무론, 덕 윤리 등이 있다.

ㄴ. (가)는 윤리적 행위를 정당화하기 위한 이론적인 근거를 제시하고자 한다.

ㄷ. (나)는 이론 분석과 정당화를 통해 원리를 도출하는 데 관심을 둔다.

ㄹ. (나)에는 생명 윤리, 정보 윤리, 환경 윤리, 평화와 공존 윤리 등이 있다.

① ㄱ, ㄴ　　② ㄱ, ㄷ　　③ ㄴ, ㄷ

④ ㄱ, ㄴ, ㄹ　　⑤ ㄱ, ㄷ, ㄹ

06 다음 글이 강조하고자 하는 내용으로 옳은 것은?

기술의 발전을 통해 인간은 점점 더 많은 힘을 가지게 된다는 의미에서 기술은 인간의 힘의 행사이며 동시에 인간 행위의 한 형식이다. 인간의 행위는 도덕적으로 숙고되어야 하며, 인간의 힘의 행사 역시 마찬가지이다. …… 힘의 변증법에서 세 번째 단계의 힘은 우리가 기술의 발전에 내재한 무한한 진보의 이념을 지혜의 도움으로 제한할 수 있어야 비로소 가능하게 된다.

① 과학 기술의 발전을 윤리학적 논의로 규제해서는 안 된다.

② 과거의 윤리적 쟁점과 딜레마 상황이 현재에도 반복되고 있다.

③ 과학 기술을 활용하는 인간의 행위는 윤리적으로 숙고되어야 한다.

④ 미래의 윤리적 문제 상황보다는 현재의 문제 상황에 집중해야 한다.

⑤ 문제 해결 방안을 제시하기보다는 윤리 이론을 구축하는 데 집중해야 한다.

07 표는 윤리학의 구분을 보여 준다. (가)에 비해 (나)가 지닌 특징을 옳게 말한 사람만을 〈보기〉에서 있는 대로 고른 것은?

윤리학의 구분	
윤리학	특징
(가)	도덕적 행위에 대한 이론적 분석과 정당화를 다룸
(나)	윤리 이론을 구체적인 삶의 문제에 적용하고 응용함

보기

갑: 다양한 학문 분야의 전문적 지식을 요구합니다.
을: 윤리 이론을 활용하여 현대 사회의 윤리적 문제를 극복하고자 합니다.
병: 윤리적 문제의 해결에 적용 가능한 윤리 이론의 탐구를 최종 목표로 설정합니다.
정: 현실의 윤리적 문제를 해결하기 위해 다른 학문과 독자적으로 탐구 목표를 설정합니다.

① 갑, 을　　　② 을, 정　　　③ 병, 정
④ 갑, 병, 정　　⑤ 을, 병, 정

08 갑~병의 관점에 대한 설명으로 옳지 <u>않은</u> 것은?

갑: 최근 노인 소외 현상에 대한 사회적 관심이 높아지고 있습니다. 윤리학은 노인 소외 현상과 관련된 사실들을 기술하고, 그 사실들 간의 인과 관계를 객관적으로 설명하는 것을 목표로 삼아야 합니다.
을: 아닙니다. 윤리학은 도덕 원리를 고려하여 노인 소외 현상의 문제점과 같은 구체적인 윤리 문제를 해결하는 데 주안점을 두어야 합니다.
병: 모두 중요한 것을 놓치고 있습니다. 노인 소외 현상의 현실적 문제를 해결하기에 앞서 논의에 사용되고 있는 도덕적 언어들의 의미를 명확히 분석해야 논리적 타당성을 입증할 수 있습니다.

① 갑은 도덕 현상을 가치 중립적으로 서술하고자 한다.
② 을은 도덕 개념과 현상에 대하여 과학적으로 분석한다.
③ 을은 문제 해결을 위한 도덕적 대안의 탐구를 강조한다.
④ 병은 '… 해야 한다.'와 같은 표현의 의미 분석에 집중한다.
⑤ 갑은 을, 병과 달리 문화 현상에 대한 객관적 기술에 집중한다.

● 정답친해 03쪽

01 다음을 읽고 물음에 답하시오.

(가) 윤리학은 도덕적 행위에 대한 이론적 분석과 정당화를 다룸으로써 현실의 윤리 문제를 해결하는 토대를 제공하며, 도덕 판단의 근거가 되는 도덕 원리를 체계화해야 한다.
(나) 윤리학은 실제의 윤리적 문제 상황에서 윤리 이론을 적용하여 인간의 삶에 구체적이고 실천적인 지침을 제공해 주어야 한다.

(1) (가), (나)에 해당하는 윤리학의 사례를 각각 <u>두 가지</u> 쓰시오.

(2) (가), (나)의 윤리학이 서로 어떤 관계에 놓여 있는지 서술하시오.

길잡이 (가)는 이론적 분석과 정당화, (나)는 실제의 윤리적 문제 해결에 주목한다는 점을 바탕으로 (가)와 (나)의 관계를 서술한다.

02 (가), (나)는 오늘날 새롭게 제기되고 있는 실천 윤리학의 영역들이다. 각 영역들에서 제기되고 있는 윤리적 쟁점의 사례를 서술하시오.

　(가)　영역은 사회 정의에 관한 윤리 문제를 다룬다. 사회 정의는 분배적 정의, 교정적 정의 문제로 나눠 볼 수 있다. 한편,　(나)　영역은 과학 기술의 발달과 정보 통신 기술의 발달로 새롭게 생겨나고 있는 윤리 문제들을 다룬다. 특히 정보 통신 기술의 발달은 누리 소통망(SNS)과 같은 다양한 매체를 사용하면서 나타날 수 있는 윤리 문제를 가져오게 되었다.

길잡이 각 영역과 관련하여 대표적으로 제기되고 있는 윤리적 쟁점들을 떠올려 서술한다.

STEP 3 · 1등급 정복하기

1 다음 서양 사상가의 주장으로 옳은 것은?

> 인간은 행위하는 존재이므로 윤리는 반드시 있어야 한다. 행위는 인과적 파급 효과를 산출하기 때문에 행위의 힘이 커질수록 윤리적 책임은 더욱 강조되어야 한다. 따라서 과학 기술로 인해 인간이 갖게 되는 새로운 행위 능력을 규제할 새로운 윤리가 요청되는 것이다. 이러한 새로운 윤리 없이는 기술 능력을 실현시키고자 하는 압력으로 인해 심각한 윤리적 문제가 발생하게 될 것이다.

① 기술의 발달로 인해 인간이 윤리적 책임으로부터 자유로워질 수 있다.
② 기존의 윤리만으로도 전 지구적 차원의 윤리적 문제들을 해결할 수 있다.
③ 과학 기술의 부정적인 영향보다는 긍정적인 영향에만 주목할 필요가 있다.
④ 새로운 윤리학은 행위의 동기가 선하다면 그 결과에 대한 책임을 면제해 주어야 한다.
⑤ 기술에 대한 윤리적 성찰이 과학 기술의 발전 속도를 따라가지 못할 때 윤리적 공백이 발생한다.

> **실천 윤리학의 등장 배경**
>
> **완자쌤의 시험 꿀팁**
>
> 요나스는 현대 사회의 과학 기술 발전에 따른 새로운 윤리학의 필요성을 강조한 학자이다. 실천 윤리학의 필요성을 강조하는 맥락과 관련하여 요나스의 사상이 출제될 수 있으므로 그의 입장을 파악해 둔다.

2 다음 글에서 알 수 있는 실천 윤리학의 학문적 특징으로 가장 적절한 것은?

> 생명 윤리는 역동적 학문으로, 과학 기술이 발달하면서 함께 발전하였다. 생명 윤리는 다양한 학문 분야가 얽혀 있는 것이 특징이다. 그래서 윤리적 관점이나 기준을 가지는 게 중요한데, 이러한 관점을 가질 때는 감정적이기보다는 이성적으로 성찰해야 한다. 또한 생명법은 법을 이용해 인간 몸을 착취하고 인간 생명을 침해하는 모든 방식을 금지해야 한다.
> – 평화신문, 2016. 5. 1.

① 도덕적 언어의 의미 분석을 중시한다.
② 도덕 현상에 대하여 가치 중립적으로 기술한다.
③ 도덕적 관행과 문화 현상을 탐구하는 일을 강조한다.
④ 인접한 여러 학문과 연계하여 탐구하는 학제적 성격을 지닌다.
⑤ 도덕 판단을 뒷받침하는 원리의 탐구를 궁극적 목표로 삼는다.

> **실천 윤리학의 특징**
>
> **완자 사전**
>
> • **가치 중립적**
> 어떤 특정한 가치관이나 태도에 치우치지 않는 것

현대 윤리 문제에 대한 접근

이것이 핵심!

동양 윤리의 접근

유교 윤리	• 도덕적 인격 완성 중시 • 도덕적 공동체 실현 중시 • 자연과 인간의 조화 추구
불교 윤리	• 연기와 자비 강조 • 내면의 성찰을 통한 깨달음과 도덕적 실천 중시
도가 윤리	• 평등 강조 • 자연스럽고 소박한 삶 중시 • 인간을 자연의 일부로 이해

★ 충(忠)
거짓이나 꾸밈없이 자신의 참된 마음에 최선을 다하는 것

★ 서(恕)
"내 마음을 미루어 다른 사람을 헤아린다."라는 뜻으로, "내가 하기 싫은 일을 다른 사람에게 시키지 말라."라는 논어의 구절을 통해 잘 드러난다.

★ 열반(涅槃)
영원한 진리를 깨달아 모든 번뇌의 속박과 고통에서 벗어난 평온한 상태를 의미한다.

★ 해탈(解脫)
번뇌의 얽매임에서 풀리고 미혹의 괴로움에서 벗어난 경지를 의미한다.

★ 불살생(不殺生)
승려가 지켜야 할 열 가지 계율 중 하나로, 살아 있는 것을 죽이지 말라는 계율

★ 살생유택(殺生有擇)
신라의 원광법사가 화랑에게 전해 준 세속오계 중 하나로, 살아 있는 것을 죽일 때는 가려야 한다는 계율

★ 좌망(坐忘)
가만히 앉아서 자신을 구속하는 일체의 것에 대해 잊어버리는 것

★ 심재(心齋)
마음을 비워 깨끗하게 하는 것

① 동양 윤리의 접근

1. 유교 윤리적 접근 (자료 ①)

> 유교에서는 타인과의 관계를 중시한다는 점을 알 수 있어. 이는 도덕적 공동체를 이루는 바탕이 되기도 해.

성격	도덕적 인격 완성 중시	• 공자: *충과 *서 등의 덕목을 제시하면서 타인을 존중·배려하고, 인간에 대한 사랑인 인(仁)을 실천하라고 주장함 • 맹자: 누구에게나 주어진 선한 마음(사단)을 바탕으로 욕구를 조절하고 수양한다면 이상적 인간상인 성인, 군자가 될 수 있다고 주장함
	도덕적 공동체 추구	• 정명(正名): 사회 구성원 각자가 자신의 역할과 신분에 맞는 덕을 실현해야 함(공자) • 오륜(五倫)이나 효 사상을 강조함 — 인간관계에서 지켜야 할 다섯 가지 의무로, 부자유친, 군신유의, 부부유별, 장유유서, 붕우유신을 말해. • 모두가 더불어 잘 사는 도덕적인 이상 사회를 지향함(대동 사회)
	자연과 인간의 조화 추구	천인합일(天人合一): 하늘과 사람이 하나라고 봄
의의		• 현대 사회의 물질 만능주의나 인간 소외 등의 문제 해결에 도움을 줌 • 공동체주의 윤리 제시: 지나친 개인주의와 이기주의, 반인륜 범죄의 진단과 해결에 기여함 • 생명의 소중함을 알게 하여 환경 보호에 기여함

> 꼭! 유교 윤리는 자기 수양의 자세를 강조하므로 도덕규범을 지키려는 마음이 느슨해지는 현상인 '도덕적 해이 현상'을 극복하는 데 도움을 줄 수 있어.

2. 불교 윤리적 접근

성격	연기에 대한 깨달음 강조	• 연기(緣起): 모든 존재와 현상은 여러 가지 원인[因]과 조건[緣]의 결합으로 생겨나 상호 의존하고 있음 (자료 ②) • 연기를 깨달으면 자기가 소중하듯 남도 소중하다는 자비(慈悲)의 마음이 생김
	평등적 세계관 제시	모든 존재가 불성을 지니고 있고, 깨달음을 얻으면 누구나 부처가 될 수 있다는 점에서 모두 평등하다고 봄 — 누구나 가지고 있는 부처의 마음이자 부처가 될 가능성을 의미해.
	깨달음의 실천 강조	• 진리에 대한 깨달음을 통해 고통에서 벗어나 *열반 또는 *해탈이라는 이상적 경지에 이를 수 있다고 봄 • *불살생과 *살생유택 등의 계율을 실천하도록 함 — 생명의 존엄성을 일깨워 주었어. • 보살: 깨달음을 얻어 중생을 구제하고자 하는 대승 불교의 이상적 인간상 → 자비의 실천으로 대립과 갈등을 해결하고 화해와 조화를 지향함
의의		• 환경 파괴, 생명 경시 풍조에 따른 윤리적 문제 해결에 시사점을 제공함 • 참선 수행을 통해 마음의 평화와 행복을 얻을 수 있음 • 사회적 갈등 혹은 일상의 사소한 갈등 해결에 도움을 줌

3. 도가 윤리적 접근

> 꼭! 도가 윤리에서는 무위(無爲)의 다스림이 이루어지는 소국 과민을 이상 사회로 제시했어. 소국 과민은 영토가 작고 인구가 적은 나라라는 뜻이야.

성격	자연스럽고 소박한 삶 강조	• 도(道): 우주의 근원이자, 만물의 변화 법칙 • 노자: "도는 자연을 본받아 어긋나지 않는다." → 자연의 질서에 순응할 것을 강조함 • 노자의 무위자연(無爲自然): 인위적으로 강제하지 않고 자연스러운 도(道)의 흐름에 맡겨야 함
	평등적 세계관 제시 (자료 ③)	• 장자의 제물(齊物): 세상 만물을 차별하지 않고 한결같이 보는 상태 • 장자의 *좌망과 *심재: 모든 차별이 소멸되어 정신적으로 자유로운 경지인 소요(逍遙)에 이르는 수양법
의의		• 마음의 안정을 주고, 현대 사회의 인간성 상실 등의 문제 해결에 기여함 • 내면의 자유를 추구함으로써 부와 명예 등의 세속적 가치에 대한 집착을 버리게 함 • 환경 문제를 근본적으로 해결하기 위한 사고방식 전환의 계기를 마련해 줌

> 꼭! 도를 체득하여 물아일체의 경지에서 소요와 제물을 실천하는 이상적 인간상으로 지인(至人), 진인(眞人), 신인(神人) 등을 제시하였어.

자료 ① 유교의 인간관

> • 하늘이 사람을 내시니, 사물이 있으면 법칙이 있도다. 사람이 떳떳한 성품을 간직하고 있으므로 이 아름다운 덕(德)을 좋아한다. — 「시경」
>
> • 하늘이 명한 것을 성(性)이라 하고, 성에 따르는 것을 도(道)라 하고, 도를 닦는 것을 교(教)라 한다. — 「중용」
>
> • 자신의 마음을 다 발휘한 사람은 자신의 본성을 알게 되고, 본성을 알면 하늘을 알게 된다. 자신의 마음을 보존하고 본성을 배양하는 것이 곧 하늘을 섬기는 방법이다. — 「맹자」

유교에서는 하늘[天]을 인간에게 도덕적 본성을 부여하는 존재라고 보았다. 따라서 인간은 하늘로부터 도덕적 본성을 받았기 때문에 지속적인 수양을 하면 누구나 도덕적으로 완성된 존재인 성인이나 군자가 될 수 있다고 보았다. 또한 유교에서는 자신의 몸과 마음을 수양한 후 다른 사람을 편안하게 하는 '수기이안인(修己而安人)'의 가르침을 강조하였다.
└ 유교에서의 하늘은 도덕적 존재로서의 의미를 가지지만, 도가에서의 하늘은 인간과 직접 관련이 없는 자연법칙으로서의 의미를 가져.

자료 ② 연기(緣起)의 의미

> 이것이 있기 때문에 저것이 있고, 이것이 생기기 때문에 저것이 생긴다. 이것이 없기 때문에 저것이 없고, 이것이 사라지기 때문에 저것이 사라진다. 비유하면 세 개의 갈대가 아무것도 없는 땅 위에 서려고 할 때 서로 의지해야 설 수 있는 것과 같다. 만일 그 가운데 한 개를 제거해 버리면 두 개의 갈대는 서지 못하고, 그 가운데 두 개의 갈대를 제거해 버리면 나머지 한 개도 역시 서지 못한다. 세 개의 갈대는 서로 의지해야 설 수 있는 것이다. — 「잡아함경」

연기설은 불교의 근간이 되는 사상이다. 연기는 모든 존재와 현상이 다양한 원인과 조건에 따라서 생겨난다는 뜻으로, 삶과 우주를 설명하는 가장 근본적인 진리이다. 일체의 사물은 혼자만의 힘으로 생성하거나 발전할 수 없고, 반드시 원인[因]과 조건[緣]의 결합을 필요로 한다는 것이다. ── 불교에서는 연기성을 깨닫지 못하면 만물이 고정된 실체가 없다는 것을 모르고 삼독(三毒), 즉 탐욕[貪], 분노[瞋], 어리석음[癡]에 빠져 고통받게 된다고 보고 있어. 따라서 팔정도와 삼학을 수행하여 연기를 깨달아야 한다고 강조해.

자료 ③ 「장자」에 드러난 자기중심적 사고의 폐해

> 옛날에 바닷새가 노나라 교외로 날아와 앉자, 노나라 임금은 그 새를 맞아 잔치를 열어 아름다운 음악을 연주하고 성대한 음식으로 대접하였다. 그러나 새는 도리어 눈이 어지럽고 근심과 슬픔에 잠겨 고기 한 점 먹지 못하고 술 한 모금 마시지 못한 채 사흘 만에 죽었다. — 「장자」, 「지락(至樂)」 편

장자는 사람들이 세상 만물을 평등하게 바라보지 않고 개인적 편견에 사로잡혀 자기중심적으로 바라보기 때문에 선악(善惡), 시비(是非), 미추(美醜), 자타(自他) 등의 대립과 차별이 발생한다고 보았다. 장자는 도(道)의 관점에서 보면 세상 만물은 평등한 가치를 지니므로 자기중심적으로 사물을 바라보는 자세를 버리고 모든 것을 차별하지 않는 제물의 경지에 이를 것을 강조하였다.

자료 하나 더 알고 가자!

맹자의 성선설

사덕	사단	
인(仁)	측은 지심	불쌍하고 가엾게 여기는 마음
의(義)	수오 지심	불의를 부끄러워하고 미워하는 마음
예(禮)	사양 지심	공경하고 양보하는 마음
지(智)	시비 지심	옳고 그름을 가려내는 마음

맹자는 누구나 우물에 빠지려는 아기를 보면 '불쌍히 여기는 마음'이 드는 것을 통해 인간에게는 선한 본성이 있다고 하였다. 그는 인간이라면 누구나 '인의예지'라는 사덕과 '측은, 수오, 사양, 시비의 마음'이라는 사단을 가지고 태어난다고 보았다.

문제 로 확인할까?

불교의 연기설에 대한 설명과 거리가 먼 것은?

① 상호 의존성을 강조한다.
② 자비의 마음을 가지게 한다.
③ 만물에 독립적인 것은 없다고 본다.
④ 고정된 자아를 인식하는 것이 옳다고 본다.
⑤ 고통에서 벗어나는 데 필요한 깨달음을 담고 있다.

④ 답

자료 하나 더 알고 가자!

상선약수(上善若水)의 가르침

> 가장 선한 사람은 물과 같다. 물은 만물을 이롭게 하면서도 다투지 않고[不爭], 뭇사람들이 싫어하는 곳에 머문다[謙虛]. 그러므로 도에 가깝다. — 노자, 「도덕경」

노자는 무위자연의 삶을 물에 비유하여 "최고의 선은 물과 같다[上善若水]."라고 하였다. 이처럼 노자는 물과 같이 겸허와 부쟁의 덕을 실천하여 인위나 위선에서 벗어나 자연의 덕에 따르는 삶을 살 것을 강조하였다.

02 현대 윤리 문제에 대한 접근

이것이 **핵심!**

서양 윤리의 접근

의무론	• 칸트, 자연법 윤리 • 의무에 따르는 행위가 옳음
공리주의	• 벤담, 밀 • 공리의 원리에 따름
덕 윤리	• 아리스토텔레스, 매킨타이어 • 유덕한 품성 강조
도덕 과학적 접근	• 신경 윤리학, 진화 윤리학 • 인간의 도덕성에 대한 과 학적 해명을 도움

★ 공리주의의 구분

행위 공리주의	"어떤 행위가 최대의 유용성 을 낳는가?"를 중시하고, 행 위 자체의 결과를 윤리적 의 사 결정의 기준으로 삼는다.
규칙 공리주의	"어떤 규칙이 최대의 유용 성을 낳는가?"를 중시하고, 더 큰 유용성을 산출하는 규칙을 윤리적 의사 결정의 기준으로 삼는다.

★ 벤담의 쾌락과 고통 계산법
강도, 지속성, 확실성, 근접성, 생산성,
순수성, 범위 등의 기준으로 쾌락과
고통의 총량을 계산할 수 있다고 주장
한다.

★ 의무론과 공리주의의 한계
현대 덕 윤리는 의무론과 공리주의가
행위자 내면의 도덕성과 인성의 중요
성을 간과하며, 공동체가 중시하는 용
기나 진실성 등의 덕목을 무시한다고
비판하였다.

② 서양 윤리의 접근

1. 의무론적 접근
┌ 의무론은 언제 어디서나 우리가 따라야 할 보편타당한 법칙이 존재하고, 우리의
└ 행위가 이 법칙에 부합하는가에 따라 옳고 그름을 판단하는 관점이야.

(1) 칸트 윤리 (자료 ④)

도덕 법칙의 인식	이성적이고 자율적인 인간은 보편적 도덕 법칙을 의식할 수 있음
윤리적 의사 결정	• 도덕 법칙을 따르려는 의무 의식과 선의지에서 나온 행위만이 옳다고 봄 • 어떤 준칙을 보편화 가능성과 인간 존엄성의 관점에서 검토하여 문제가 없을 때에 도덕 법칙으로 받아들여야 함 └ 도덕 법칙과 구별되는 개인적 행위 규칙이야.
의의	보편 윤리를 확립하여 도덕 판단의 확고한 근거를 제시하고, 인간 존엄성과 인권을 보호하 는 데 기여함
한계	단지 판단의 형식만을 제공하여 구체적인 행위 지침을 제시하지 못함

(2) 자연법 윤리
┌ 자연법 윤리의 핵심 명제는 "선을 행하고 악을 피하라."라는 것이야.

자연법	인간 본성에 의거하는 절대적인 법, 모든 인간에게 자연적으로 주어져 있는 보편적인 법
윤리적 의사 결정	• 자연의 질서를 따르는 행위는 옳고 그것을 어기는 행위는 그름 • 자연의 질서: 인간이 본성적으로 지니는 자연적 성향으로 자기 보존, 종족 보존, 신과 사 회에 대한 진리 파악을 제시함(아퀴나스)
의의	생명의 불가침성 및 존엄성, 인간 양심의 자유, 만민 평등의 자연법적 권리를 도출함
한계	행위의 자유로운 선택을 제한할 수 있음

2. 공리주의적 접근 ── 행위의 동기보다는 이익과 행복이라는 결과를 강조해.

(1) *공리주의: 쾌락(행복)을 가져다주는 행위는 옳고, 고통(불행)을 가져다주는 행위는 그름

(2) 벤담과 밀의 공리주의
꿀! 이 도덕 원리는 공리의 원리, 유용성의 원리라고도 불려.

벤담	• 개인과 사회 전체의 행복은 서로 연결됨 → '최대 다수의 최대 행복' 원리를 제시함 (교과서 자료) • 양적 공리주의: 모든 쾌락은 질적으로 같으며 양적인 차이만 있고 *쾌락은 계산 가능함
밀	질적 공리주의: 쾌락의 양뿐만 아니라 질의 차이도 고려해야 함
시사점	가장 좋은 결과를 가져오는 대안 도출 가능, 사익과 공익의 조화를 위한 방법 제시
한계	내면적 동기 소홀, 다수의 이익 추구로 인한 소수의 권리 침해 가능성

3. 계약론적 접근
왜? 계약론에서는 계약이 상호성에 입각해 있고, 당사자 사이에 이성적으로 합의해서
도출된 결과라고 보기 때문이야.

(1) **도덕적 행위의 근거**: 사회 구성원 공동의 의지에서 비롯된 계약에서 찾음

(2) **의의**: 현대 계약론에서는 타고난 불평등한 여건 해소와 계약의 공정성 확보를 중시함

4. 덕 윤리적 접근 ┌ 잠깐! 고대 그리스 철학자인 아리스토텔레스의 사상에 뿌리를 두고 있으며, 매킨타이어로 대표되는 현대
의 덕 윤리에서는 행위에 초점을 두는 의무론, 공리주의와 달리 행위자에게 초점을 두고 있어.

성격	*의무론과 공리주의의 한계를 극복하고자 함 → 유덕한 품성 함양과 선한 행위의 습관화 강조, 공 동체의 전통과 역사 강조, 구체적이며 맥락적인 도덕 판단 중시 (자료 ⑤)
윤리적 의사 결정	보편타당한 원리나 규칙에 따르라고 하기보다 "정직한 사람이 되어라.", "정직한 사람이 할 법한 행위를 하라."라고 요구함 ─ 성품에서 자연스럽게 우러나오는 행위를 추구하므로 도덕적 실천력을 높일 수 있어.
의의	개인의 실천을 강조하고, 어떤 사람이 되고 어떤 삶을 살아야 하는지 논의함
한계	구체적 상황에서의 도덕 판단과 행위 강조 → <u>윤리적 상대주의로 흐를 우려가 있음</u>

5. 도덕 과학적 접근 ┌ 어떤 삶을 살아야 하는지보다는 인간이 어떤 요인 때문에 도덕적으로
행동하는지 그 과정을 규명하는 데 초점을 두고 있어.

신경 윤리학	도덕적 판단 과정에서의 이성과 정서의 역할, 인간의 자유 의지나 공감 능력 등을 과학적 측정 방 법을 통해 입증하고자 함 예 뇌 전면 영상 촬영
진화 윤리학	인간이 이타적 행위를 하는 것은 생존과 번식에 도움이 되기 때문이라고 봄

보편적으로 타당한 도덕 원칙이란 없으며, 선과 악, 옳고 그름에 대한
기준이 개별적으로 존재한다는 관점을 의미해.

자료 4 칸트의 도덕 법칙

- 네 의지의 준칙이 언제나 동시에 보편적 입법의 원리가 되도록 행위하라. ── 보편화 가능성을 강조해.
- 너 자신과 다른 모든 사람들을 결코 한낱 수단으로서가 아니라, 항상 동시에 목적 그 자체로서 대하도록 행위하라. ── 인간 존엄성을 강조해.
  ─ 칸트, 『실천 이성 비판』

칸트의 도덕 법칙은 정언 명령의 형태로 제시된다. 정언 명령은 행위의 결과와 무관하게 행위 자체가 선(善)이므로 무조건 수행해야 하는 명령을 말한다. 이와 반대로 가언 명령은 '만일 ~한다면, ~하라.'와 같이 일정한 조건이 붙는 명령으로, 도덕 법칙이 될 수 없다.

수능이 보이는 교과서 자료 옳은 행위의 기준

- 인간은 목적 자체로서 존재하며, 단지 이런저런 의지가 임의로 사용할 수 있는 수단으로 존재하지 않는다. 인간은 자신의 모든 행위가 자신을 향한 것이든 아니면 다른 사람을 향한 것이든 간에 항상 동시에 하나의 목적으로 간주하여야 한다. ─ 칸트, 『윤리 형이상학 정초』
- 공리의 원리란 모든 행위에 관해 그것이 우리의 행복을 증진하느냐 혹은 감소하느냐에 따라 좋다거나 혹은 나쁘다고 평가하는 원리이다. ─ 벤담, 『도덕과 입법의 원리 서설』
- 어떤 행위가 옳다거나 절제 있다는 것은 그것이 옳은 사람 혹은 절제적인 사람이 항상 행하는 바와 같은 행위인 경우이다. …… 그러한 행위를 하되 옳고 절제적인 사람이 하듯 행하는 사람은 옳은 사람이요, 절제 있는 사람이다. ─ 아리스토텔레스, 『니코마코스 윤리학』

우리는 다양한 이론 윤리의 접근법을 바탕으로 실제의 윤리 문제를 해결할 수 있다. 이때 우리는 각각의 접근법에서 제시하는 도덕 판단의 기준을 토대로 윤리적 문제 상황에서 옳고 그름을 판단할 수 있다.

자료 5 다양한 현대 윤리적 접근

- **책임 윤리적 접근:** 이미 행한 행위의 결과에 대한 책임을 묻는 전통적 의미에서 벗어나, 하지 않은 행위, 해야 할 행위에 대한 책임까지 다양한 유형의 책임을 강조하는 접근 방법이다. 이에 따라 책임의 범위와 대상도 미래 세대나 생태계로 확장하고자 한다.
- **배려 윤리적 접근:** 배려 윤리는 구체적인 인간관계에서의 관심과 공감 등을 중시하고 배려를 강조한다. 그래서 공동체 안에서 다른 사람을 보살피고 배려하는 관계에 주목한다.
- **담론 윤리적 접근:** 담론은 갈등을 해결하기 위한 의사소통 행위를 말한다. 담론 윤리적 접근에 따르면 도덕은 의사소통과 같은 이성적 존재들 간의 상호 작용과 관련된 규범 체계이다. 이러한 규범 체계에 따라 의사소통하면서 윤리적 문제를 해결할 수 있다고 본다.

최근 현대 사회의 다양한 윤리적 문제에 대한 해결 방안을 모색하기 위해 책임 윤리나 배려 윤리, 담론 윤리 등의 다양한 윤리적 접근법이 주목받고 있다. 이는 덕 윤리적 접근처럼 의무론이나 공리주의적 접근법이 지닌 한계를 극복하고자 한다는 점에서도 의의가 있다.
└ 윤리 문제의 맥락이나 행위자의 특성 및 감정 등을 배제하고 도덕 원리만을 강조한다고 비판받았어.

자료 하나 더 알고 가자!

칸트의 선의지

이 세상에서, 아니 이 세상 밖에서까지라도 제한 없이 선하다고 생각할 수 있는 것은 오직 선의지뿐이다.
─ 칸트, 『윤리 형이상학 정초』

선의지는 의무를 따르려는 의지를 말한다. 칸트는 감정이나 욕구와 같은 자연적 경향성이 아니라 도덕 법칙을 따라야 한다는 의무 의식과 선의지에 근거한 행위만 도덕적 가치를 지닌다고 보았다.

완자샘의 탐구 강의

- 칸트 윤리, 공리주의 윤리, 덕 윤리에서 제시하는 옳은 행위의 기준을 정리해 보자.

칸트 윤리	선의지, 도덕 법칙에 따른 행위
공리주의 윤리	'최대 다수의 최대 행복'이라는 원리에 따라 쾌락과 행복을 증진하는 행위
덕 윤리	유덕한 성품을 내면화하여 자연스럽게 우러나오는 행위

함께 보기 23쪽, 1등급 정복하기 2

문제 로 확인할까?

다양한 현대 윤리적 접근이 의무론이나 공리주의적 접근을 비판하는 내용으로 옳은 것은?

① 행위자 중심의 윤리이다.
② 공동체적 삶을 중시한다.
③ 구체적인 맥락에 집중한다.
④ 보편적 도덕 원리에만 관심을 둔다.
⑤ 유덕한 사람의 특징에 대해 고민한다.

⑦ 달

STEP 1 핵심 개념 확인하기

1 다음 설명이 맞으면 ○표, 틀리면 ✕표를 하시오.

(1) 공자는 타인을 존중하고 배려하며 인(仁)을 실천하라고 주장한다. ( )

(2) 불교에서는 모든 존재와 현상이 여러 원인과 조건이 결합되어 생겨난다고 본다. ( )

(3) 도가 사상은 현대인들이 세속적 가치를 추구하며 자유롭게 살아가는 데 기여한다. ( )

2 다음 설명에 해당하는 용어를 〈보기〉에서 골라 기호를 쓰시오.

보기
ㄱ. 제물   ㄴ. 보살   ㄷ. 대동 사회

(1) 깨달음을 얻어 중생을 구제하고자 하는 대승 불교의 이상적 인간상 ( )

(2) 유교 사상에서 제시하는 이상향으로, 모두가 더불어 잘 사는 도덕적 이상 사회 ( )

(3) 도가 사상에서 제시하는 이상적인 경지로, 만물을 차별하지 않고 한결같이 보는 상태 ( )

3 윤리 이론과 그에 대한 관점을 옳게 연결하시오.

(1) 의무론 •

(2) 공리주의 •

(3) 덕 윤리 •

• ㉠ '최대 다수의 최대 행복'을 기본 원리로 제시하는 관점

• ㉡ 누구나 따라야 할 보편타당한 법칙이 존재한다는 관점

• ㉢ 보편적 원리나 법칙보다는 유덕한 품성 함양을 강조하는 관점

4 다음 설명에 해당하는 서양 윤리의 이론을 쓰시오.

도덕 판단 과정에서 이성과 정서의 역할 등을 과학적으로 입증하고자 한다. 그래서 도덕 판단이나 윤리 문제에 관한 객관적인 정보를 제공해 준다.

STEP 2 내신 만점 공략하기

01 다음 동양 윤리적 접근에 대한 설명으로 옳은 것은?

꾸밈없이 진실한 마음으로 상대를 대하며, 자신이 원하지 않는 일을 남에게 하지 말라는 '충서(忠恕)'와 같은 덕목을 통해 타인에 대한 존중과 배려를 강조한다.

① 적절한 상과 벌을 통해 질서 있는 국가를 만들고자 한다.

② 정신적 수양을 통해 신선과 같은 경지에 이르고자 한다.

③ 개인의 도덕적 인격 완성과 도덕적 공동체의 실현을 중시한다.

④ 현대 사회의 지나친 공동체주의로 인한 문제점을 해결할 수 있다.

⑤ 깨달음을 얻어 중생을 구제하는 보살을 이상적 인간으로 제시한다.

02 다음 글의 관점에서 주장할 내용으로 옳은 것은?

삶이 괴로운 이유는 살아가면서 만날 수밖에 없는 끝없는 욕망과 욕망을 채우지 못해서 오는 고통 때문이다. 현실 세계는 욕망과 고통으로 가득 차 있다고 생각한다. 여기서 벗어나기 위해 우리는 집착을 끊고 진리를 깨닫기 위해 수행해야 한다.

① 이성적 존재만이 불성(佛性)을 가지고 태어난다.

② 인간 이외의 모든 존재는 인간을 위한 도구로 활용될 수 있다.

③ 세상의 모든 존재들은 독립적으로 생겨나고 주체적으로 살아간다.

④ 자비의 실천을 통해 대립을 해결하고 조화로운 세계를 이루고자 한다.

⑤ 자신의 몸과 마음을 먼저 수양하고 난 뒤, 다른 사람들을 다스려야 한다.

03 (가), (나)에서 설명하는 동양 윤리적 접근과 관련된 용어를 옳게 연결한 것은?

> (가) 인위적으로 강제하지 않고 자연스러운 도(道)의 흐름에 따라 살아가는 삶의 태도이다.
> (나) 모든 존재와 현상은 여러 가지 원인[因]과 조건[緣]의 결합으로 생겨나 상호 연결되어 있다.

	(가)	(나)
①	소요	열반
②	자비	해탈
③	열반	소요
④	해탈	자비
⑤	무위자연	연기설

04 다음 동양 사상가가 긍정의 대답을 할 질문으로 가장 적절한 것은?

> 물오리는 비록 다리가 짧지만 그것을 길게 이어 주면 괴로워하고, 학의 다리는 길지만 그것을 짧게 잘라 주면 슬퍼한다. 이러한 까닭으로 본래부터 긴 것을 잘라서는 안 되며, 본래부터 짧은 것을 이어 주어서도 안 된다. …… 가장 올바른 길을 가는 사람은 태어난 그대로의 자연스러운 모습을 잃지 않는다.

① 인간의 악한 본성을 변화시켜야 하는가?
② 물질적으로 풍요로운 삶을 추구해야 하는가?
③ 세상 만물을 차별하지 않고 평등하게 보아야 하는가?
④ 인간은 무위자연의 법칙에 따라 자연을 지배해야 하는가?
⑤ 선과 악을 분별하여 성인과 군자의 경지에 올라야 하는가?

05 (가), (나)의 윤리적 접근이 지닌 현대적 의의로 적절하지 않은 것은?

> (가) 효제(孝悌)와 같은 가족 윤리와 함께 공동체의 질서를 강조하며 인간의 주체적인 도덕 실천을 중시한다.
> (나) 생로병사(生老病死)의 끊임없는 삶의 고통에서 벗어나 열반의 상태에 도달하기 위한 깨달음을 추구한다.

① (가): 이기주의를 극복하는 데 도움이 된다.
② (가): 노인 문제를 해결하는 데 시사점을 준다.
③ (나): 참선 수행으로 내면의 행복을 얻을 수 있다.
④ (나): 생명의 소중함을 일깨우고 환경 보호에 기여한다.
⑤ (가), (나): 좌망, 심재 등의 수양을 통해 내면의 자유를 추구하게 한다.

06 갑의 관점에서 〈문제 상황〉 속 A에게 제시할 수 있는 조언으로 가장 적절한 것은?

> 갑: 너 자신과 다른 모든 사람의 인격을 결코 단순히 수단으로 대우하지 말고, 언제나 동시에 목적으로 대우하도록 행위해야 한다.
>
> 〈문제 상황〉
> A는 친구를 만나기 위해 약속 장소로 향하던 중에 길을 잃고 울고 있는 아이를 발견하였다. A는 친구와의 약속을 지키기 위해 그냥 지나쳐 가야 할지, 길 잃은 아이를 도와야 할지 고민하고 있다.

① 동정심과 같이 자연스럽게 생기는 정념에 따라 행동해야 한다.
② 더 높은 차원의 행복과 쾌락을 얻을 수 있는 선택을 해야 한다.
③ A와 친구, 아이 등 모두의 고통을 경감시킬 수 있는 선택을 해야 한다.
④ 인간 존엄성을 존중하고 보편화 가능한 도덕 법칙에 따라 행동해야 한다.
⑤ 구체적인 상황과 맥락을 고려하여 공동체의 구성원을 배려하는 선택을 해야 한다.

07 다음과 같은 관점에서 〈문제 상황〉의 'N 씨 부부'에게 제시할 수 있는 조언으로 가장 적절한 것은?

도덕은 모든 인간에게 자연적으로 주어진 항구 불변하고 보편적인 법에 근거해야 한다. 신과 자연에 대한 직관적 통찰이 없는 행위는 도덕적 행위라고 할 수 없다.

〈문제 상황〉

N 씨 부부는 딸의 치료를 위해 선택적 출산이 필요하다는 의료진의 말을 들었다. 부부가 의료진의 말에 따른다면, 선택적 출산으로 태어난 아기의 골수를 딸에게 이식할 수 있게 된다. 그래서 그들은 딸과 동일한 유전자를 지닌 배아를 선택하여 출산하는 것에 대해 고민하고 있다.

① 배아 선택이 신의 섭리에 부합하는지 검토해야 한다.
② 가족을 살리려는 선의지에 따라 출산을 결정해야 한다.
③ 유용성의 원리에 따라 모두를 행복하게 하는 결정을 내려야 한다.
④ 이 선택이 딸의 올바른 품성 함양에 도움이 되는지 검토해야 한다.
⑤ 선택적 출산을 통해 생명 과학의 발전에 기여할 수도 있음을 알아야 한다.

08 다음 글의 관점에 대한 옳은 설명을 〈보기〉에서 고른 것은?

덕은 역사와 전통을 가진 공동체에 내재된 선의 성취를 통해서 얻어진다. 인간은 서사적 존재로서 자신의 삶을 전체적으로 이해하고 실천에 참여할 때 유덕한 사람이 된다.

보기

ㄱ. 도덕적 판단을 내릴 때 구체적인 상황과 맥락을 배제한다.
ㄴ. 공동체 구성원으로서 더불어 사는 삶과 올바른 품성을 추구한다.
ㄷ. 개인의 유덕한 성품보다 도덕 원리나 규칙이 도덕 판단의 기준이 된다.
ㄹ. '어떤 행동을 할 것인가?'가 아니라 '어떤 사람이 될 것인가?'에 주목한다.

① ㄱ, ㄴ   ② ㄱ, ㄷ   ③ ㄴ, ㄷ
④ ㄴ, ㄹ   ⑤ ㄷ, ㄹ

서술형 문제

01 (가) 사상의 관점에서 (나)의 윤리 문제에 대한 극복 방안을 서술하시오.

(가) 괴로움에서 벗어나기 위해 자신의 내면을 성찰해야 한다. 성찰은 집착과 번뇌에서 벗어나 자신의 불성(佛性)을 깨닫게 하는 수행 방법이다. 이러한 수행 과정에서 사람들은 자신의 참된 모습을 발견하고 마음의 평화와 행복을 얻는다.

(나) 몇 년 전 한 설문 조사에서 "10억 원이 생긴다면 1년간 감옥에 가는 것도 무릅쓰겠다."라고 답한 고등학생이 44%에 이르는 것으로 드러났다.

길잡이 현대 사회의 물질 만능주의를 극복할 수 있는 방안을 동양 윤리의 접근 방법과 연관 지어 서술한다.

02 (가) 사상의 관점에서 (나)의 A에게 해 줄 수 있는 조언을 서술하시오.

(가) 최대 행복의 원리는 행위의 선악을 판단할 때, 행복을 증가시키는 경향에 비례하여 선하고, 불행을 증가시키는 경향에 비례하여 악하다고 본다.

(나) 불치병을 앓고 있는 소녀는 회복이 불가능한 상황에서 인공호흡기를 착용하고 튜브로 영양을 공급받으며 생활하고 있다. 지친 소녀와 경제적으로 곤란에 처한 가족은 의사 A에게 안락사를 요청해 왔다. A는 그 요구를 수용해야 할지 고민하고 있다.

길잡이 공리주의적 접근에서 도덕의 판단 기준으로 삼는 공리의 원리를 바탕으로 서술한다.

022 I. 현대의 삶과 실천 윤리

STEP 3 1등급 정복하기

평가원 응용

1 (가) 사상의 입장에서 볼 때, (나)에 대한 설명으로 가장 적절한 것은?

> (가) 어진[仁] 사람만이 능히 사람을 좋아하고 미워할 수 있으며, 자신이 서고자 할 때 남도 서게 해 주고 자신이 목적을 이루고자 할 때 남도 이루게 해 준다. 따라서 자신이 하기 싫은 일은 남에게도 시키지 말아야 한다[恕].
>
> (나) 군자의 효는 집에서만 드러나는 것이 아니다. 집안에서의 효가 온 세상의 어버이를 공경하는 것으로 드러난다. 어른과 어린이는 하늘이 내려 준 질서이다. 형이 형되는 까닭과 아우가 아우되는 까닭에서 어른과 어린이의 도리가 비롯된다.

① 인간으로서의 도리는 가정 내에서만 실천해야 함을 알 수 있다.
② 장유(長幼)의 도리는 형제자매 사이에서만 중시되어야 함을 보여 준다.
③ 효제는 인간관계에서 지켜야 할 기본적인 도리의 출발점임을 알 수 있다.
④ 현대 사회에서도 친구들끼리의 위계질서 확립이 필요하다는 점을 보여 준다.
⑤ 가족 간의 도리를 실천하는 일보다 사회 질서를 확립하는 일이 우선함을 알 수 있다.

> **유교 윤리적 접근**
>
> **│ 완자 사전 │**
>
> **• 효제**
> 부모에 대한 효도와 형제에 대한 우애를 통틀어 이르는 말

2 (가)～(다)의 윤리적 접근에 대한 설명으로 옳지 <u>않은</u> 것은?

> (가) 도덕적 판단의 기준을 행위의 결과가 가져다주는 쾌락이나 행복으로 보는 관점
> (나) 행위자에 초점을 두어 도덕적 행동이 행위자의 덕(德)에 따라 정해진다고 보는 관점
> (다) 선의지에서 비롯된 행위, 즉 도덕 법칙에 대한 존경심에서 나오는 행위만이 옳다고 보는 관점

① (가)는 '최대 다수의 최대 행복'이라는 원리에 따라 옳고 그름을 판단한다.
② (나)는 도덕적 행위에서 근본 원리보다 행위자의 성품과 덕성을 더 중시한다.
③ (다)는 도덕 판단 기준은 결과와 무관하게 요구되는 의무에 따라 정해진다고 본다.
④ (가), (다)는 윤리 문제의 맥락이나 행위자의 특성을 간과한다는 점에서 비판받기도 한다.
⑤ (나), (다)는 윤리 문제를 해결하기 위해 훌륭한 사람이 갖춘 덕에 주목해야 한다고 주장한다.

> **서양 윤리적 접근**
>
> **완자쌤의 시험 꿀팁**
>
> 다양한 윤리적 접근 방법을 비교하는 문제가 출제된다. 따라서 다양한 윤리 사상의 특징을 정리해 둔다.

윤리 문제에 대한 탐구와 성찰

학 습 목 표
• 도덕적 탐구와 윤리적 성찰 과정의 중요성을 인식할 수 있다.
• 도덕적 탐구와 윤리적 성찰을 일상에 적용할 수 있다.

이것이 핵심!

도덕적 탐구의 특징과 방법

특징	당위적 차원에 주목, 윤리적 딜레마 활용, 정서적 측면 고려
방법	윤리적 쟁점 또는 딜레마 확인 → 자료 수집 및 분석 → 입장 채택 및 정당화 근거 제시 → 최선의 대안 도출 → 반성적 성찰 및 입장 정리

★ 도덕적 추론의 형식과 사례

도덕 원리(원리 근거): 생명을 해치는 것은 옳지 않다.(A=B)

↓

사실 판단(사실 근거): 뇌사를 죽음으로 인정하는 것은 생명을 고의로 해치는 것이다.(C=A)

↓

도덕 판단(결론): 뇌사를 죽음으로 인정하는 것은 옳지 않다.(C=B)

이처럼 도덕적 추론은 삼단 논법과 유사한 추론 과정을 거친다.

1 도덕적 탐구의 방법

1. 도덕적 탐구의 의미와 특징

의미	• 도덕적 사고를 통해 도덕적 의미를 새롭게 구성하는 지적인 활동 • 도덕 원리와 사실 판단을 조사, 분석, 비교, 평가하며 타당한 결론을 내리는 과정
특징	• 당위적 차원에 주목: 가치와 규범의 탐구에 집중하고, 도덕적 실천을 중시함 • 윤리적 딜레마를 활용한 도덕적 추론으로 이루어지고, 이성적 측면과 정서적 측면을 함께 고려함 자료①

⌐ **VS** 이성적 측면은 논리적·비판적 사고 등을, 정서적 측면은 공감과 배려, 수치심 등의 도덕적 정서를 가리켜.

2. 도덕적 탐구의 중요성과 방법

(1) **도덕적 탐구의 중요성**: 다양한 윤리 문제 해결, 윤리적 가치관 정립, 역지사지(易地思之)의 태도 함양

꿀! 도덕적 탐구에서 도덕적 책임과 배려의 범위를 인간에서 동물, 식물 등으로 확대하는 일도 고려해야 해.

(2) **도덕적 탐구 방법의 단계**

일반적으로 토론은 '주장, 반론, 재반론, 정리하기'의 순서로 이루어져.

① 윤리적 쟁점 또는 딜레마 확인	문제의 핵심, 관련된 사람들의 관계, 발생 원인 등 파악
② 자료 수집 및 분석	다양한 자료 수집과 분석
③ 입장 채택 및 정당화 근거 제시	자신의 입장 채택 후 정당화 근거의 타당성을 확보하기 위해 도덕 원리 검사 방법 적용, 공감과 배려 같은 도덕적 정서 고려
④ 최선의 대안 도출	토론을 통해 최선의 해결책 도출
⑤ 반성적 성찰 및 입장 정리	탐구 과정에서 달라진 생각, 참여 태도 등에 대한 성찰

(3) **도덕적 추론의 필요성**: 도덕적 탐구 과정에서 옳고 그름을 판단하는 '도덕 원리'와 참과 거짓을 구분하는 '사실 판단'을 근거로 하여 논리적으로 도덕 판단을 내리는 사고 과정이 필요함

꿀! 올바른 도덕 판단을 내리기 위해서는 비판적 사고가 반드시 필요해.

이것이 핵심!

윤리적 성찰의 중요성과 방법

중요성	• 도덕적 자각의 계기 • 인격 성숙에 도움
방법	일일삼성, 거경, 참선, 산파술

★ 일일삼성(一日三省)

증자가 제시한 "남을 돕는 데 정성스럽게 하였는가?", "친구와 교제하는 데 신의를 다하였는가?", "스승에게 배운 것을 잘 익혔는가?"라는 세 가지 물음이다.

★ 거경(居敬)

마음을 한곳으로 모아 흐트러짐이 없게 하는 수양 방법이다. 홀로 있을 때도 도리에 어긋나지 않도록 몸과 마음을 바르게 하고, 언행을 신중히 하는 신독(愼獨)은 거경의 실천 방법 중 하나이다.

2 윤리적 성찰과 실천

1. 윤리적 성찰

(1) **윤리적 성찰의 의미와 중요성**

의미	생활 속에서 자신의 마음가짐과 행동, 그 속에 담긴 자신의 정체성과 가치관을 윤리적 관점에서 깊이 있게 반성하고 살피는 태도
중요성	• 도덕적 자각을 하는 계기가 됨 → 소크라테스: "성찰하지 않는 삶은 살 가치가 없다." 자료② • 윤리적 실천 능력을 높임으로써 도덕적 성장을 도모할 수 있음 → 인격 함양

(2) **윤리적 성찰의 방법** ┌ '과거의 도덕적 경험 회상 → 과거의 경험 분석 / 현재에 적용 → 미래의 비전에 대한 새로운 통찰'의 과정으로 이루어지기도 해.

동양	유교의 *일일삼성과 *거경, 불교의 *참선 등 ┌ 자신의 맑은 본성을 찾아 바르게 살아가기 위해 앉아서 하는 수행법이야.
서양	소크라테스의 산파술: 끊임없는 질문을 통해 자신의 무지를 자각할 수 있도록 돕는 방법

(3) **도덕적 토론**: 상대방과 서로 입장 차이를 좁히면서 도덕적 쟁점에 대한 해결책을 찾는 활동으로 개인적 차원의 성찰을 넘어, 공동체적 차원의 성찰로 이끌어 줌 교과서 자료

⌐ **Q?** 개인 차원의 도덕적 탐구나 성찰이 타당한지 점검할 수 있기 때문이야.

2. 윤리적 실천

(1) **도덕적 탐구와 윤리적 성찰 및 윤리적 실천의 관계**: 도덕적 탐구와 윤리적 성찰이 조화를 이루고, 이를 바탕으로 윤리적 실천이 이루어져야 함

⌐ 꿀! 이러한 일련의 과정을 '윤리함'이라고 해.

(2) **윤리적 실천을 위한 자세**: 도덕적 습관을 기르고, 선의지를 강화해야 함

자료 ① 비판적 사고의 중요성

> 비판적 사고란 어떠한 상황에서든 내가 할 수 있는 최선의 생각을 활용할 수 있도록 해 주는 숙련된 기술이다. 비판적 사고를 하는 사람의 가장 큰 특징 중 하나는 좋은 근거가 나타났을 때 자신의 마음을 바꿀 수 있다는 것이다. 조금 더 합리적인 사람이 되기 위해서는 언제든지 내가 틀릴 수 있고 다른 사람이 옳을 수도 있다는 가능성을 염두에 두어야 한다. 이를 위해서는 '나도 틀릴 수 있어. 타당한 이유가 있다면 내 생각을 바꿀 거야.'라고 늘 마음속으로 말하는 연습을 하며 내가 세상을 바라보는 새로운 방식에 얼마나 열려 있는지를 늘 되돌아보아야 한다.
>
> – 폴, 엘더, 『왜 비판적으로 사고해야 하는가?』

비판적 사고 능력은 빠르게 변화하고 있는 현대 사회에서 당면한 문제가 무엇인지 파악하고, 문제 해결에 필요한 정보가 무엇인지 찾아내며, 올바른 해결책을 제시하는 능력이다. 우리는 이러한 비판적 사고의 과정을 통해 윤리 문제의 쟁점을 이성적으로 검토할 수 있다.

자료 ② 성찰하는 삶의 중요성

> 여러분은 재물과 명성과 명예에 대해서는 최대한 마음을 쓰지만, 사리 분별과 진리 그리고 정신의 훌륭함에 대해서는 생각도 않고 염려하지도 않습니다. 이 점이 부끄럽지 않습니까? 재물에서 덕이 생기는 것이 아니라 덕에 의해 재물이나 그 밖의 모든 것이 사적으로든 공적으로든 좋은 것이 됩니다. 저는 신이 이 나라에 달라붙게 한 등에입니다. …… 저는 온종일 어디서나 여러분에게 달라붙어서 여러분을 일깨우고 설득하며 나무라기를 절대 그만두지 않는 그런 사람으로서 말씀입니다.
>
> – 플라톤, 『소크라테스의 변론』

소크라테스는 사회적인 명성과 명예, 그리고 재물을 중시한 아테네 시민들의 가치관을 비판하며, 자신과 타인의 삶을 검토하는 것이 자신의 소명이라고 하였다. 그 과정에서 그는 아테네 시민들에게 자신의 삶을 돌아보고, 진리와 정신의 훌륭함을 추구하지 않는 점을 부끄럽게 여겨야 한다며 성찰의 중요성을 강조하였다.

수능이 보이는 교과서 자료 토론의 중요성

> 모든 토론을 침묵하게 하는 것은 인간의 절대 무오류성을 가정하는 것이 된다. 하지만 인간은 끊임없이 잘못 판단하고 잘못 행동하면서 살아간다. 우리 인류는 스스로의 과오로부터 벗어나지 못한다는 사실을 이론적으로는 항상 명심하고 있다. 하지만 불행하게도 실제로 자신이 판단을 내릴 때에는 이를 거의 문제 삼지 않는다. 왜냐하면 …… 자기가 지극히 확실하다고 느끼는 의견이 자기 자신도 범할 수 있는 과오의 한 사례일지도 모른다는 가정을 스스로 받아들이는 사람은 거의 없기 때문이다.
>
> – 밀, 『자유론』

우리는 토론을 통해 자신의 오류를 발견할 수 있고, 오류를 범할 가능성을 예방하기 위한 대안을 모색할 수 있다. 더불어 문제 해결을 위한 주관적인 의견이 토론을 통해 보편적인 지식으로 발전할 수 있다. ┌─ 토론을 통해 많은 의견 사이에서 서로 공통적인 것을 인정하는 '상호 주관성'을 확보할 수 있어.

자료 하나 더 알고 가자!

도덕 원리 검사의 방법

역할 교환 검사	도덕 원리를 자신에게 적용해도 받아들일 수 있는지 확인하는 것
보편화 결과 검사	도덕 원리를 모든 사람에게 적용했을 때 나타나는 결과에 문제가 없는지 확인하는 것
포섭 검사	선택한 도덕 원리를 더 일반적인 도덕 원리에 따라 판단하는 것
반증 사례 검사	상대방의 도덕 원리에 반대되는 사례를 제시하며 반박하는 것

윤리적 정당화 근거의 타당성을 확보하기 위해서는 사실 판단의 참과 거짓을 확인하고, 도덕 원리를 검토해야 한다.

문제 로 확인할까?

윤리적 성찰에 대한 설명으로 옳지 않은 것은?

① 윤리적 관점에서 자신을 살핀다.
② 궁극적으로 도덕적 실천에 기여할 수 있다.
③ 도덕적 앎과 실천의 간격을 좁혀 줄 수 있다.
④ 인생의 중요한 시기에만 일회적으로 진행한다.
⑤ 가치관과 정체성을 윤리적 관점에서 반성할 수 있다.

⑦ 目

완자샘의 탐구 강의

• 토론의 중요성을 서술해 보자.
토론은 주관적 관점을 타인의 시각에서 조망함으로써 문제를 객관적으로 인식하게 해 주고, 이는 문제 해결의 토대가 된다.

함께 보기 29쪽, 1등급 정복하기 2

STEP 1 핵심 개념 확인하기

1 다음 설명이 맞으면 ○표, 틀리면 ×표를 하시오.

(1) 도덕적 탐구는 사회 및 자연 현상을 객관적으로 탐구하는
것이다. ( )

(2) 도덕적 탐구를 통해 역지사지(易地思之)의 자세를 기를 수
있다. ( )

(3) 도덕적 추론은 도덕 원리와 사실 판단을 근거로 하여 논리
적으로 도덕 판단을 내리는 과정이다. ( )

(4) 소크라테스는 "성찰하지 않는 삶은 살 가치가 없다."라고
말하며 윤리적 성찰의 중요성을 강조하였다. ( )

2 도덕적 탐구 과정의 순서를 〈보기〉에서 찾아 순서대로 나열하
시오.

> **보기**
> ㄱ. 자료 수집 및 분석
> ㄴ. 최선의 대안 도출
> ㄷ. 입장 채택 및 정당화 근거 제시

윤리적 쟁점 또는 딜레마 확인 → ( ) → ( ) →
( ) → 반성적 성찰 및 입장 정리

3 다음 설명에 해당하는 용어를 쓰시오.

> 생활 속에서 자신의 마음가짐, 행동, 또는 그 속에 담긴 자신
> 의 정체성과 가치관에 관하여 윤리적 관점에서 깊이 있게 반
> 성하고 살피는 태도이다.

4 윤리적 성찰의 방법과 그에 대한 설명을 옳게 연결하시오.

(1) 거경 •
  • ㉠ 마음을 한곳으로 모아 흐트러짐이
    없게 한다.

(2) 참선 •
  • ㉡ 맑은 본성을 찾아 바르게 살아가기
    위해 앉아서 하는 수행이다.

STEP 2 내신 만점 공략하기

01 (가)에 대한 옳은 설명을 〈보기〉에서 고른 것은?

> (가) (이)란 도덕적 사고를 통해 도덕적 의미를 새롭게
> 구성하는 지적 활동을 말하며, 도덕 현상을 이해하고 윤리
> 문제를 해결하기 위한 탐구의 방법을 중시한다.

> **보기**
> ㄱ. 도덕적 실천보다 도덕적 가치관 정립만을 위해 필요하다.
> ㄴ. 참과 거짓을 분명하게 밝히는 사실 탐구는 배제해야
>   한다.
> ㄷ. 다른 사람의 입장에 공감하며 배려할 줄 아는 능력이
>   필요하다.
> ㄹ. 도덕 원리와 사실 판단을 조사, 분석, 비교, 평가하는
>   과정이 포함된다.

① ㄱ, ㄴ   ② ㄱ, ㄷ   ③ ㄴ, ㄷ
④ ㄴ, ㄹ   ⑤ ㄷ, ㄹ

☆중요
02 다음 대화에서 을이 내린 결론이 타당하지 않다고 평가
할 수 있는 이유로 가장 적절한 것은?

A국은 대기 오염이 상당히
심각하다고 해. 또 B국은
쓰레기 문제가 심각하대.

두 나라 모두 환경 오염이
심각하구나. 결국 인류는
환경 오염을 막을 수 없어.

갑   을

① 두 나라에 대한 공감 능력이 부족했기 때문이다.
② 두 나라에 대한 배려적 사고가 부족했기 때문이다.
③ 올바른 전제로부터 타당하게 결론을 도출했기 때문이다.
④ 추론의 정당성을 높여 주는 도덕적 분노가 부족했기 때
문이다.
⑤ 근거의 적절성을 따져 보는 비판적 사고가 결여되었기
때문이다.

03 다음 도덕적 추론 과정에서 (가)에 들어갈 판단의 내용으로 옳은 것은?

> 도덕 원리: 사람들에게 이익을 가져다주는 일은 옳다.
> 사실 판단: _____(가)_____
> 도덕 판단: 뇌사를 죽음으로 인정하는 것은 옳다.

① 누군가의 생명을 해치는 것은 옳지 않다.
② 뇌사를 죽음으로 보는 것은 의학의 발전에 해가 된다.
③ 뇌사를 죽음으로 인정하는 것은 생명을 고의로 해치는 것이다.
④ 뇌사를 죽음으로 인정하면 존엄하게 죽을 권리를 침해하게 된다.
⑤ 뇌사를 죽음으로 인정하면 많은 사람에게 장기 이식을 할 수 있다.

04 밑줄 친 부분에 쓰인 타당성 검토 방법으로 옳은 것은?

> 연주는 모둠별로 해결해야 하는 수행 평가를 하던 중에, 여러 친구들이 자신의 과제를 스스로 해결하지 않고 다른 한 친구의 것을 베끼는 모습을 보게 되었다. 연주도 귀찮은 마음에 베껴야겠다는 생각이 문득 들었다. 그러나 곧 '만약 모두가 이렇게 남의 것을 베껴도 된다고 생각하면서 살아가면 어떻게 될까?' 하는 걱정이 들었다.

① 사실 근거의 진위 여부를 검토해 보는 것
② 원리 근거를 보편적으로 적용해도 정당한지 생각해 보는 것
③ 원리 근거를 상위의 원리에 포섭하여 정당한지 확인해 보는 것
④ 원리 근거의 정당성을 반박할 수 있는 새로운 사례를 검토해 보는 것
⑤ 원리 근거를 자신에게 적용했을 때 받아들일 수 있는지 확인해 보는 것

05 다음 단계에 해당하는 도덕적 탐구 과정에 대한 설명으로 옳은 것은?

> 윤리적 쟁점 또는 딜레마에 관한 자신의 입장을 채택하고, 이에 관한 정당화 근거를 제시하는 과정이다.

① 문제의 핵심과 발생 원인을 파악한다.
② 토론을 통해 최선의 해결책을 도출한다.
③ 도덕적 정서의 측면은 고려하지 않는다.
④ 역할 교환 탐색과 같은 방법을 활용한다.
⑤ 탐구 과정에서 달라진 생각 등을 정리한다.

06 밑줄 친 '이것'을 실천하는 방법으로 옳지 않은 것은?

> 이것은 과거에 있었던 자신의 행동, 생각, 감정, 도덕 판단 등의 경험이 오늘날 삶에 미치는 영향을 분석하여 앞으로 지향해야 할 행동과 인격 성향을 찾아보는 사고 과정이다. 이것에서는 도덕 원리와 모범적인 도덕 행동, 인격 특성을 판단의 준거로 사용하여 자신의 경험이 도덕적으로 좋고 나쁜지 또는 옳고 그른지를 판단한다.

① 도덕적 관점에서 내면과 외면을 모두 응시한다.
② 먼지 낀 거울을 매일 닦듯이 지속적으로 실천한다.
③ 도덕적 경험을 바탕으로 도덕적 삶의 실천 방향을 모색한다.
④ 인간의 오류 가능성을 부정하고 인격 완성을 위해 노력한다.
⑤ 거경이나 일일삼성의 가르침을 지침으로 삼아 실천할 수 있다.

07 다음 글을 쓴 사람이 중시하는 삶의 모습과 거리가 먼 것은?

> 나는 날마다 다음 세 가지 점에서 나의 몸을 살핀다. 첫째, 남의 일이라고 해서 소홀히 하지는 않았는가? 둘째, 벗과 사귀면서 신의를 지키지 못한 일은 없는가? 셋째, 배운 것을 제대로 익히지 못한 것은 없는가?

① 매일 자신의 삶을 반성하는 시간을 가져야 한다.
② 하루하루 더 나은 자신의 모습을 이루어 가야 한다.
③ 윤리적 성찰을 통해 올바른 인격을 기르도록 노력해야 한다.
④ 타인의 일에 간섭하기보다는 자신의 일을 하는 데 집중해야 한다.
⑤ '이대로 살아도 괜찮은가?', '바르게 산다는 것은 무엇인가?' 등의 질문을 던지며 살아야 한다.

08 밑줄 친 부분의 도덕 판단을 뒷받침할 수 있는 근거로 가장 적절한 것은?

> 이 씨는 현재 간암 말기 환자로 1년 동안 투병 중이다. 그의 아내인 박 씨는 남편의 주치의이고, 남편이 회복될 가능성이 전혀 없다는 것을 잘 알고 있다. 남편은 날마다 극심한 고통에 시달리고 있고, 그도 자신의 상태를 잘 알고 있다. 그는 고통에 시달리며 죽음을 기다리는 것보다 차라리 고통 없이 죽는 편이 더 낫다는 생각이 들었다. 그래서 아내에게 치사량의 수면제로 자신이 조금이라도 더 편하게 죽도록 도와 달라고 요청하였다. 하지만 의사인 아내 박 씨는 남편의 고통은 너무나 안타깝지만 남편의 요청을 들어줄 수는 없다고 생각하고 있다.

① 고통은 해악이므로 고통을 줄여야 한다.
② 우리나라에서 안락사가 법으로 폭넓게 허용되고 있다.
③ 자살을 조력하는 행위는 생명의 존엄성을 훼손하는 것이다.
④ 남편의 처지에서 생각해 볼 때 고통 없이 죽는 편이 더 낫다.
⑤ 고통을 겪고 있는 환자들이 죽음을 선택할 수 있게 해 주어야 한다.

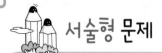

● 정답친해 07쪽

01 표는 도덕적 탐구의 과정을 나타낸 것이다. (가)에 들어갈 말을 쓰고, 이 단계에서 실행해야 할 사항을 서술하시오.

> 윤리적 쟁점 또는 딜레마 확인
>
> ⬇
>
> 자료 수집 및 분석
>
> ⬇
>
> 입장 채택 및 정당화 근거 제시
>
> ⬇
>
> (가)
>
> ⬇
>
> 반성적 성찰 및 입장 정리

(길잡이) 자신의 입장을 채택하고 정당화한 뒤에 무엇을 실행해야 하는지 생각해 보고, 그 내용을 서술한다.

02 다음을 읽고 물음에 답하시오.

> (가) 버릇은 사람의 뜻을 견고하지 못하게 하고, 행실을 독실하지 못하게 한다. …… 마음을 깨끗이 씻어 털 끝만한 남은 줄기마저 없게 하고, 때때로 깊이 반성하는 공부를 더 해 이 마음으로 하여금 옛날 물든 더러움을 한 점이라도 없게 한 뒤라야 학문에 나아가는 공부를 말할 수 있다.
>
> (나) 무엇이 인간의 참된 삶인지를 성찰하고, 마음을 한곳으로 모아 흐트러짐이 없게 하고, 몸가짐을 삼가 덕성을 함양하는 것이다.

(1) (가), (나)에서 공통으로 강조하는 것은 무엇인지 쓰시오.

(2) (1)에서 답한 내용과 도덕적 탐구가 윤리적 실천과 어떤 관계를 맺어야 하는지 서술하시오.

(길잡이) 삶에서 윤리적 실천이 어떻게 이루어져야 하는지 서술한다.

STEP 3 1등급 정복하기

수능 응용

1 다음은 도덕적 추론에 관한 필기 내용이다. ㉠~㉣에 대한 설명으로 옳지 않은 것은?

> 1. 의미: ㉠ 도덕 원리와 사실 판단을 근거로 하여 논리적으로 도덕 판단을 내리는 사고 과정
> 2. 도덕적 추론 과정
>   (1) 대전제: ㉡ 종의 다양성을 훼손하는 행위는 허용되어서는 안 된다.
>   (2) 소전제: ㉢
>   (3) 결론: ㉣ 동물 복제는 허용되어서는 안 된다.

① ㉠은 도덕적 탐구의 과정에서 윤리적 딜레마를 해결하기 위해 필요하다.
② ㉡은 유사한 상황에 있는 행위자에게 보편적으로 적용이 가능해야 한다.
③ ㉢에는 '동물 복제는 멸종 위기의 동물을 보전하는 방법을 제공한다.'라는 내용이 들어가야 한다.
④ ㉣은 어떤 행위의 옳고 그름을 판단하는 규범적 가치를 지닌다.
⑤ ㉣의 적절성은 ㉡의 타당성과 ㉢의 참·거짓 여부를 바탕으로 판단해야 한다.

> **도덕적 추론**
>
> **완자샘의 시험 꿀팁**
>
> 도덕적 추론은 도덕적 탐구를 통해 윤리적 문제를 해결하기 위한 사고 과정이다. 도덕적 추론의 형식을 응용하는 문제가 출제되었으므로 도덕적 추론의 과정을 잘 알아 둔다.

2 다음 글이 강조하고자 하는 토론 참여의 자세로 옳은 것은?

> 모든 토론을 침묵하게 하는 것은 인간의 절대 무오류성을 가정하는 것이 된다. 하지만 인간은 끊임없이 잘못 판단하고 잘못 행동하면서 살아간다. 우리 인류는 스스로의 과오로부터 벗어나지 못한다는 사실을 이론적으로는 항상 명심하고 있다. 하지만 불행하게도 실제로 자신이 판단을 내릴 때에는 이를 거의 문제 삼지 않는다. 왜냐하면 자기가 과오를 범할 수 있으리라는 것은 누구나 다 잘 알고 있지만, 자기 자신이 과오를 범할 수 있는 가능성에 대해 어떤 예방책이 필요하다고 생각하거나 또는 자기가 지극히 확실하다고 느끼는 의견이 자기 자신도 범할 수 있는 과오의 한 사례일지도 모른다는 가정을 스스로 받아들이는 사람은 거의 없기 때문이다.
> — 밀, 『자유론』

① 소수의 의견에 오류가 있다면 토론에서 제외시켜야 한다.
② 학문적 권위가 있는 사람에게 발언 기회를 더 많이 주어야 한다.
③ 일반적으로 받아들여지는 주장을 소수의 사람들에게 강제해야 한다.
④ 타당한 반론이 제기되어도 자신의 주장에 확신을 가지고 밀어붙여야 한다.
⑤ 인간은 오류를 저지를 가능성이 있는 존재이므로 다른 사람에게 침묵을 강요하지 않도록 유의해야 한다.

> **토론과 성찰의 중요성**

01 현대 생활과 실천 윤리

1. 현대인의 삶과 다양한 윤리적 쟁점

(1) 새로운 윤리 문제의 등장

등장 배경	과학 기술의 급속한 발전, 사회 변화에 따른 가치관 변화
특징	• 파급 효과가 광범위하고 책임 소재를 가리기 어려움 • 전통적인 윤리 규범만으로는 해결이 어려움

(2) 현대 사회의 다양한 윤리적 쟁점: 생명 윤리, 성과 가족 윤리, 사회 윤리, 과학 기술과 정보 윤리, 환경 윤리, 문화 윤리, 평화와 공존의 윤리 등

2. 실천 윤리학의 성격과 특징

(1) 윤리학의 의미와 종류

(❶　　　)	윤리적 판단과 행위 원리를 탐구하고 이에 대한 정당화에 초점을 둠 ⑩ 공리주의, 의무론, 덕 윤리 등
실천 윤리학	이론 윤리를 윤리 문제 해결에 적용하여 구체적인 규범과 원칙을 마련함 ⑩ 생명 윤리, 환경 윤리 등

(2) 실천 윤리학의 특징: 여러 학문과 연계하여 (❷　　　)으로 탐구하고, 구체적인 윤리 문제를 해결하고자 함

02 현대 윤리 문제에 대한 접근

1. 동양 윤리의 접근

(1) 유교 윤리적 접근

성격	• 도덕적 인격 완성 중시: 충서(忠恕), 인(仁)의 실천 강조 • 도덕적 공동체 실현 추구: 정명(正名), 오륜(五倫), 효의 실천 강조, 도덕적 이상 사회인 '(❸　　　)' 추구
의의	• 물질 만능주의, 인간 소외 문제 해결에 기여 • 지나친 개인주의와 이기주의, 반인륜 범죄 해결에 기여

(2) 불교 윤리적 접근

성격	• 연기에 대한 깨달음과 그에 따른 실천 강조 • 평등적 세계관 제시: 모든 존재가 (❹　　　)을 지니므로, 누구나 깨달음을 얻어 부처가 될 수 있음
의의	• 생명 경시 풍조, 환경 파괴 문제 해결에 시사점 제공 • 마음의 평화와 행복을 얻는 수양법 제시, 갈등 해결에 기여

(3) 도가 윤리적 접근

성격	• 자연의 질서에 순응할 것을 강조함: (❺　　　) • 평등적 세계관 제시: 좌망(坐忘)과 심재(心齋)의 실천 → 제물(齊物), 소요(逍遙)의 경지
의의	• 세속적 가치에 대한 집착에서 벗어나도록 도와줌 • 환경 문제의 근본적 해결을 위한 사고 전환의 계기가 됨

2. 서양 윤리의 접근

(1) 의무론적 접근

칸트 윤리	• 도덕 법칙을 따르려는 의무 의식과 (❻　　　)에서 나온 행위만이 옳은 행위 • 보편화 가능성과 인간 존엄성 존중 → 도덕 법칙 성립
자연법 윤리	• 자연의 질서에 따르는 행위가 옳은 행위 • 생명의 불가침성 및 존엄성, 자유와 평등의 권리 도출

(2) 공리주의적 접근

벤담	'최대 다수의 최대 행복(공리의 원리)'이라는 도덕 원리 제시, (❼　　　) 공리주의 추구
밀	쾌락의 양뿐만 아니라 질적 차이도 고려해야 함

(3) 현대 윤리의 다양한 접근

(❽　　　) 적 접근	• 의무론, 공리주의 윤리의 한계를 극복하고자 함 • 유덕한 품성 함양과 선한 행위의 습관화 강조
도덕 과학적 접근	인간의 도덕성과 윤리적 문제를 과학에 근거하여 탐구

03 윤리 문제에 대한 탐구와 성찰

1. 도덕적 탐구의 방법

특징	당위적 차원에서 윤리적 딜레마를 활용한 도덕적 추론 + 정서적 측면 고려
과정	윤리적 쟁점 또는 딜레마 확인 → 자료 수집 및 분석 → 입장 채택 및 정당화 근거 제시 → 최선의 대안 도출 → 반성적 성찰 및 입장 정리

2. 윤리적 성찰과 실천

성찰 방법	일일삼성, 거경, 참선, 산파술 등
실천	도덕적 탐구와 윤리적 성찰의 조화를 바탕으로 도덕적 행위를 실천해야 함

● 정답 ● ① 이론 윤리학 ② 학제적 ③ 군자(성인) ④ 불성 ⑤ 무위자연 ⑥ 선의지 ⑦ 양적 ⑧ 덕 윤리

대단원
실력 굳히기

01 (가), (나)의 관점에 대한 설명으로 옳은 것은?

관점	특징
(가)	어떤 원리가 윤리적 행위를 위한 근본 원리로 성립할 수 있는지를 연구함
(나)	현대인의 삶의 영역에서 제기되는 다양한 윤리 문제를 해결하는 것을 목표로 삼음

① (가)의 영역에는 생명 윤리, 정보 윤리, 환경 윤리 등이 있다.

② (가)는 가치 있는 삶의 방향을 제시해야 한다는 점을 간과하고 있다.

③ (나)는 구체적인 윤리적 문제를 어떻게 해결할 것인지에 관심을 둔다.

④ (나)는 윤리학이 도덕적 현상을 기술하는 데 집중해야 한다고 강조한다.

⑤ (가), (나)는 인간의 윤리적 행위를 탐구하고, 그에 대한 이론적 정당화에 초점을 둔다.

02 ㉠~㉢에 대한 설명으로 옳은 것은?

▶ 지식 Q&A

윤리학은 어떻게 구분할 수 있나요?

▶ 답변하기

┗ 갑: 윤리학은 보통 ㉠ 규범 윤리학, ㉡ 메타 윤리학, ㉢ 기술 윤리학으로 구분할 수 있어요. 그리고 규범 윤리학은 다시 이론 윤리학과 실천 윤리학으로 구분할 수 있지요.

① ㉠은 가치 중립적 관점에서 문제를 해결하기 위해 노력한다.

② ㉠은 도덕 원리를 바탕으로 윤리 문제의 해결 방안을 모색한다.

③ ㉡은 현상들 간의 인과 관계를 설명하는 데 주된 관심을 둔다.

④ ㉢은 윤리학의 학문적 성립 가능성에 대해 고찰한다.

⑤ ㉢은 '선과 악은 무엇인가?'와 같은 질문을 규범적으로 탐구한다.

03 (가), (나)에 대한 옳은 설명을 〈보기〉에서 고른 것은?

[(가)]은/는 윤리학의 문제가 올바른 대답으로 '해결'될 수 있는 문제가 아니라 언어 분석으로 '해소'되어야 할 문제라고 생각하는 윤리학의 한 분야이다. 그런데 과학 기술의 급속한 발달과 시대의 변화에 따라 정치, 경제, 의료, 환경 등 현대인의 다양한 삶의 영역에서 새롭게 제기되는 윤리 문제들을 해결하기 위한 [(나)]이/가 등장하였다.

보기

ㄱ. (가): 도덕적 진술이 당위적 진술이어야 함을 강조한다.

ㄴ. (가): 도덕적 신념을 표현하는 용어와 진술들을 논리적으로 분석한다.

ㄷ. (나): 윤리 이론의 실생활 적용이 중요함을 강조한다.

ㄹ. (나): 도덕적 관습에 대한 객관적 서술에 치중하고 있다.

① ㄱ, ㄴ ② ㄱ, ㄷ ③ ㄴ, ㄷ
④ ㄴ, ㄹ ⑤ ㄷ, ㄹ

04 ㉠, ㉡에 대한 설명으로 옳은 것은?

교사: 유교 윤리의 특징에 대해 말해 볼까요?

갑: 유교 윤리는 인격 완성을 추구합니다. 그래서 맹자가 주장한 ㉠ 성선설을 바탕으로 수양할 것을 강조합니다.

을: 그뿐만 아니라 도덕적 공동체를 중시하여 이상 사회의 모습으로 ㉡ 대동 사회를 제시했습니다.

① ㉠: 인간은 누구나 사단(四端)을 가지고 있다고 본다.

② ㉠: 소인(小人)에게는 도덕적 본성이 부여되지 않았다고 본다.

③ ㉡: 무위의 통치를 통해 사회의 안정을 추구해야 한다고 본다.

④ ㉡: 도덕과 예의보다는 형벌과 무력으로 백성을 교화해야 한다고 본다.

⑤ ㉠, ㉡: 욕심과 집착으로 인해 고통받는 중생을 구제하고자 한다.

05 ㉠~㉤에 대한 설명으로 옳은 것은?

> **수행 평가**
>
> ◎ 다음 불교 윤리의 주요 개념을 조사하시오.
>
> > ㉠ 연기(緣起)　　㉡ 불성(佛性)　　㉢ 자비(慈悲)
> >
> > ㉣ 보살(菩薩)　　㉤ 해탈(解脫)

① ㉠: 모든 존재와 현상은 서로를 원인이나 조건으로 하여 생겨나고 사라진다.

② ㉡: 자신의 깨달음을 구하고 중생을 구제하고자 하는 이상적 인간상이다.

③ ㉢: 번뇌의 얽매임에서 풀려나고 미혹의 괴로움에서 벗어난 이상적 경지이다.

④ ㉣: 모든 것이 상호 관계 속에서 존재함을 깨달아 남을 가엾게 여기는 마음이다.

⑤ ㉤: 부처가 될 수 있는 잠재적 가능성이다.

06 다음과 같이 주장한 동양 사상가가 긍정의 대답을 할 질문으로 옳은 것은?

> 옛날의 진인(眞人)들은 출생도 기뻐하지 않았고, 죽음도 싫어하지 않았다. 태어난 것을 기뻐하지 않거니와 되돌아가는 것을 거부하지도 않았다. 의연히 가고 의연히 올 따름이다. 자기 생명의 시작을 잊지도 않거니와 제 명대로 죽는 것도 억지로 추구하지 않았다. 생명을 받으면 기뻐하고 그것을 잃었으면 자연으로 다시 되돌아간 것이다. 이것이 바로 인간의 마음으로써 도(道)를 덜어 내지 아니하고, 인위로써 자연을 돕지 않는다는 것이다.

① 인간을 자연 만물의 지배자로 보아야 하는가?

② 인의(仁義)를 바탕으로 도덕 정치를 실현해야 하는가?

③ 고통에서 벗어나 열반(涅槃)의 경지에 이르러야 하는가?

④ 세속적 가치에 따른 차별이나 시비선악의 분별에서 벗어나야 하는가?

⑤ 좌망(坐忘)과 심재(心齋)의 수양법을 전하여 타인을 교화해야 하는가?

07 다음 사상가의 관점에만 모두 'V'를 표시한 학생은?

> 인간을 목적으로 대우하는 것은 그를 무조건적 가치를 가진 존재로 인식하는 것이다. 이러한 인식은 우리가 그 존재에 대해 그의 자율을 존중하도록 한다.

주장＼학생	갑	을	병	정	무
도덕 법칙은 정언 명령의 형태를 띤다.	V	V			V
모든 준칙은 보편화 가능한 도덕 법칙이 된다.	V	V	V	V	
자연적 경향성을 따르는 행위가 가장 도덕적 가치가 있다.				V	
인간은 이성적 존재로서 보편적 도덕 법칙을 인식할 수 있다.		V	V	V	V

① 갑　　② 을　　③ 병　　④ 정　　⑤ 무

08 (가)에 해당하는 옳은 내용만을 〈보기〉에서 있는 대로 고른 것은?

오늘은 자연법 윤리의 도덕성 판단 기준에 대해서 알아보겠습니다.

(1) 학습 주제: 자연법 윤리적 접근

(2) 학습 내용
 • 도덕적 행위의 기준: [(가)]에 따르는 행위는 옳고, 그것을 어기는 행위는 그르다.

> **보기**
>
> ㄱ. "선을 행하고 악을 피하라."라는 핵심 명제를 강조한다.
> ㄴ. 모든 인간에게 자연적으로 주어져 있는 보편인 법이다.
> ㄷ. 인간의 자연적 생명권 보장보다는 개인의 자유로운 선택을 중시한다.
> ㄹ. 자기 보존, 신과 사회에 대한 진리 파악 등을 자연적 성향으로 본다.

① ㄱ, ㄴ　　② ㄷ, ㄹ　　③ ㄱ, ㄴ, ㄷ

④ ㄱ, ㄴ, ㄹ　　⑤ ㄴ, ㄷ, ㄹ

09 (가)의 갑, 을의 주장을 (나)의 그림으로 탐구할 때, A~C에 들어갈 옳은 질문만을 〈보기〉에서 있는 대로 고른 것은?

(가)	갑: 배고픈 돼지보다는 배고픈 인간이 낫고, 만족한 바보보다는 불만족스러운 소크라테스가 낫다. 공리의 원리는 어떤 종류의 쾌락이 다른 종류의 쾌락보다 훨씬 더 바람직하고, 한층 더 가치 있다는 점을 인정한다. 을: 쾌락과 고통만을 평가함에 있어 고려해야 할 것은 강력성, 지속성, 확실성, 원근성이다. 그러나 쾌락과 고통의 가치가 그것을 낳는 행위의 영향을 평가한다는 목적을 위하여 고찰되는 경우에는, 다산성과 순수성을 계산에 넣어야 한다.
(나)	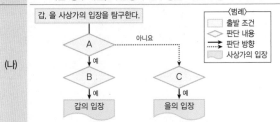

보기

ㄱ. A: 쾌락의 양뿐만 아니라 질적 차이도 고려해야 하는가?

ㄴ. B: 개인의 쾌락과 함께 사회 전체의 쾌락을 추구해야 하는가?

ㄷ. C: 유용성 증대가 도덕 판단의 기본 원리인가?

ㄹ. C: 질적으로 수준 높은 쾌락은 어떠한 고통도 가져오지 않는가?

① ㄱ, ㄴ ② ㄱ, ㄷ ③ ㄴ, ㄹ
④ ㄱ, ㄴ, ㄷ ⑤ ㄴ, ㄷ, ㄹ

10 다음과 같이 주장한 사람이 지지할 내용으로 가장 적절한 것은?

정의로운 일들을 행함으로써 정의로운 사람이 되며, 절제 있는 일들을 행함으로써 절제 있는 사람이 됩니다. 우리는 모자람과 지나침으로 말미암아 파괴되는 경향이 있습니다. …… 중용을 실천함으로써 품성의 덕을 기를 수 있습니다.

① 덕 윤리는 행위자의 내면의 도덕성을 간과한다.
② 선의지를 따르는 행위만을 도덕적이라고 여긴다.
③ 꾸준한 실천을 통해 올바른 습관을 형성해야 한다.
④ 특수한 맥락을 배제하고 확고한 원리에 따라야 한다.
⑤ 품성의 덕은 옳은 행위를 실천하려는 마음가짐만으로도 형성된다.

11 표는 도덕적 추론의 과정을 나타낸 것이다. 각각의 과정에 대한 설명으로 옳지 <u>않은</u> 것은?

㉠ 대전제	(가)
㉡ 소전제	무임승차는 법을 어기는 행위이다.
㉢ 결론	무임승차는 옳지 않다.

① ㉠은 보편적인 도덕 원리이다.
② ㉠은 ㉡과 달리 그 내용이 참인지 거짓인지 검토해 보아야 한다.
③ ㉠~㉢에서는 논리적·비판적 사고 능력이 필요하다.
④ (가)에 들어갈 내용은 '법을 어기는 행위는 옳지 않다.'이다.
⑤ ㉢은 도덕 원리와 사실 판단을 근거로 하여 도덕 판단을 내린 것이다.

12 다음 대화에서 (가)에 들어갈 용어에 대한 설명으로 옳은 것은?

사람들이 서로 (가) 하는 것은 매우 중요해. 이 과정을 통해서 자신의 잘못을 바로잡을 수 있거든. 갑

 을 맞아. 자신의 의견만이 옳다는 생각에 빠져 (가) 에 참여하기를 거부하는 사람은 도태되고 말 거야.

다수가 옳다고 여기는 의견에 대해서도 잘못된 점은 없는지 윤리적으로 성찰하면서 (가) 에 참여해야 해. 갑

① 다수의 의견이 곧 진리임을 확인하는 과정이다.
② 자신의 정체성과 가치관을 성찰하는 것과는 무관하다.
③ 절대적 진리의 불변성을 인정하고 받아들이는 과정이다.
④ 인간이 지닌 무오류성을 전제로 하는 의사소통 과정이다.
⑤ 자신의 생각이 지닌 한계와 오류 가능성을 염두에 두고 행한다.

생명과 윤리

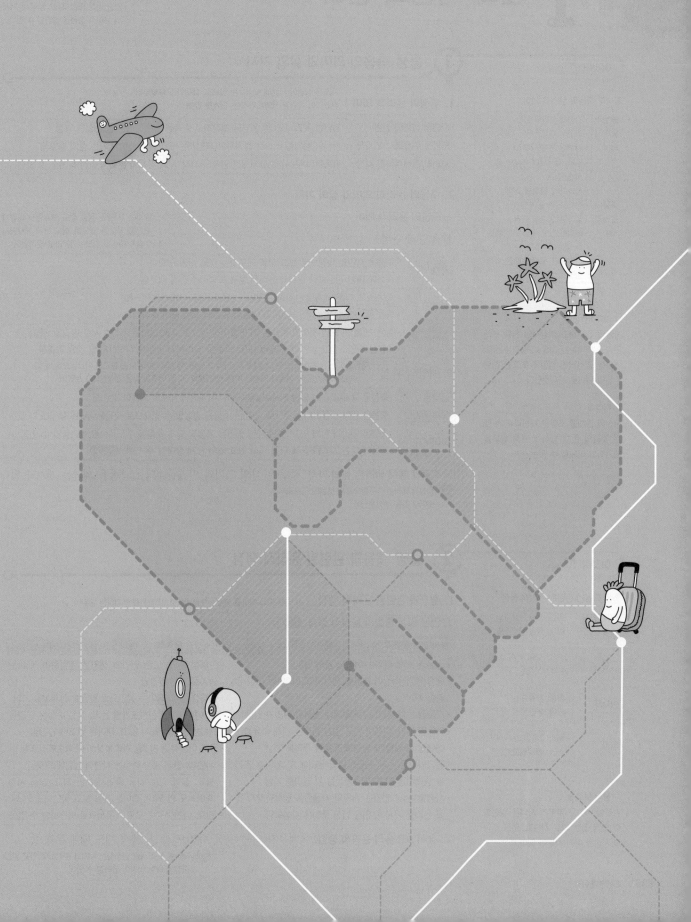

01 삶과 죽음의 윤리

이것이 핵심!

출생과 죽음의 윤리적 의미

출생의 윤리적 의미	• 자연적 성향의 실현 • 도덕적 주체로서의 시작 • 사회적 존재로서의 시작
죽음의 윤리적 의미	• 공자: 죽음보다 현세의 윤리적 삶 강조 • 석가모니: 윤회의 과정 • 장자: 기가 흩어진 것 • 플라톤: 영혼의 해방 • 에피쿠로스: 죽음은 경험할 수 없는 것 • 하이데거: 죽음에 대한 자각 강조

★ **이데아(idea)**
사물의 완전하고 이상적인 원형 또는 본질을 의미하는 것으로, 플라톤은 이데아를 감각적인 경험을 초월한 참된 존재의 의미로 사용하였다.

★ **현존재**
자신의 존재를 포함한 자신과 관계 맺는 것들의 존재 방식에 관해 물음을 제기하고 이해할 수 있는 존재

① 출생·죽음의 의미와 삶의 가치

1. 출생의 윤리적 의미
└ 새로운 생명이 세상에 태어나는 것으로, 태아가 모체로부터 분리되어 독립된 생명체가 되는 단계를 말해.

자연적 성향의 실현	자연법 윤리의 관점: 생명을 보전하고 종족을 보존하려는 성향 실현 과정
도덕적 주체로서의 시작	자신의 행위를 스스로 결정하고 책임지는 도덕적 주체로서 사는 삶의 출발점
사회적 존재로서의 시작	공동체의 구성원으로서 인간관계의 시작, 사회 유지와 문화적 소산의 계승 및 발전

2. 죽음의 윤리적 의미와 삶의 가치

(1) **죽음의 윤리적 의미**

① 동양의 관점

> 공자는 "사람을 섬길 줄도 모르면서 어떻게 귀신을 섬길 수 있으며, 삶도 아직 모르면서 어떻게 죽음을 알겠는가?"라고 말하였어.

공자	• 죽음을 자연의 과정으로 보고 이를 애도하는 것을 마땅하게 여김 • 죽음에 대한 관심보다 현세의 윤리적 삶과 도덕적 실천을 강조함
석가모니	• 죽음은 또 다른 세계로 윤회하는 것임 → 삶과 죽음이 하나[生死一如] • 죽음[死]은 생(生)·노(老)·병(病)과 더불어 인간의 고통 중의 하나임
장자	• 삶은 기(氣)가 모인 것이고 죽음은 기가 흩어진 것으로, 사계절의 운행처럼 서로 연결됨 자료① • 죽음은 자연스럽고 필연적인 과정이므로 죽음을 슬퍼하거나 삶에 집착하지 말 것을 강조함

꿀! 윤회는 중생이 죽은 뒤 그 업(業)에 따라 또 다른 세계에 태어난다는 불교의 가르침으로, 윤회 과정에서 인간의 선행과 악행에 따른 업보[業]가 죽음 이후의 삶을 결정한다고 보았어.

② 서양의 관점

플라톤	죽음은 육체에 갇혀 있던 영혼이 해방되어 *이데아의 세계로 되돌아가는 것
에피쿠로스	죽음은 원자가 흩어지는 것으로, 인간은 죽음을 경험할 수 없으므로 죽음을 두려워할 필요가 없음
하이데거	죽음은 인간과 함께 있고, *현존재인 인간은 동물과 달리 죽음을 주체적으로 받아들일 수 있음 → 죽음에 대한 자각을 통해 더욱 의미 있고 가치 있게 살아갈 수 있음 자료②

(2) **죽음을 통해 바라본 삶의 가치**: 죽음은 삶의 의미와 인간관계의 소중함을 깨닫는 계기가 됨

잠깐! 정신적 쾌락을 추구함으로써 죽음의 공포로부터 벗어날 것을 주장하였어.

이것이 핵심!

출생·죽음과 관련된 윤리적 쟁점

인공 임신 중절	• 찬성: 선택 옹호주의 • 반대: 생명 옹호주의
자살	인격과 생명 훼손, 사회에 부정적 영향
안락사	• 찬성: 자율성 존중 • 반대: 생명 존엄 강조
뇌사	• 뇌사를 죽음으로 인정 • 심폐사를 죽음으로 인정

★ **생식 보조술**
임신이 어려운 부부가 자녀를 임신할 수 있게 돕는 의료 시술로, 인공 수정과 시험관 아기 시술이 있다.

② 출생·죽음과 관련된 윤리적 쟁점

1. 출생과 관련된 윤리적 쟁점
└ 임신 중에 태아를 인위적으로 분리하여 임신을 종결하는 행위야.

(1) **인공 임신 중절의 윤리적 쟁점** 자료③

찬성(선택 옹호주의) 여성의 선택권을 우선시하는 입장이야.	반대(생명 옹호주의) 태아의 생명권을 우선시하는 입장이야.
• 소유권 논거: 태아는 여성의 몸의 일부임 • 생산 논거: 여성이 태아를 생산하므로 태아에 대한 권리를 지님 • 자율권 논거: 자기 신체에 대해 선택할 권리가 있음 • 평등권 논거: 여성이 인공 임신 중절에 대해 자유롭게 선택할 수 있을 때 남성과 동등한 권리를 지님 • 정당방위권 논거: 정당방위의 권리에 따라 일정 조건을 충족하면 인공 임신 중절을 할 권리를 지님 • 사생활 논거: 인간은 개인의 사생활을 침해당하지 않을 권리를 가지며, 인공 임신 중절은 사생활임	• 존엄성 논거: 모든 인간의 생명은 존엄하며, 태아는 생명을 가진 인간임 • 잠재성 논거: 태아는 성인으로 발달할 잠재성을 가짐 • 무고한 인간의 신성불가침 논거: 잘못이 없는 인간을 해치는 행위는 옳지 않고, 태아는 무고한 인간임 • 윤리 이론적 논거 꿀! 이를 불살생계(不殺生戒)라고 해. – 자연법: 인공 임신 중절은 자연적 성향에 어긋남 – 불교: 살아 있는 것을 죽여서는 안 되고, 남을 시켜 죽여서도 안 되며, 죽이는 것을 보고 묵인해도 안 됨 – 칸트: 인간을 수단으로 대우하므로 보편화할 수 없음

(2) **생식 보조술의 윤리적 쟁점**: 비배우자 인공 수정, 대리모 출산, 생식 세포 매매 문제 등

잠깐! 태아를 인격체로 인정하는 시기와 관련하여 인공 임신 중절에 대한 입장이 달라질 수 있어.

자료 ① 장자와 에피쿠로스의 죽음에 관한 관점

- 기가 변해서 형체가 생기며, 형체가 변해서 생명을 갖추게 된다. 이제 다시 생명이 죽음으로 변한 것뿐이다. 마치 춘하추동이 서로 되풀이하여 운행함과 같다.　　　　　　　　 – 장자, 『장자』
- 죽음은 사실 우리에게 아무것도 아니다. 우리가 살아 있는 한 죽음은 우리와 함께 있지 않으며, 죽음에 이르면 우리는 존재하지 않는다. 죽음은 산 사람이나 죽은 사람 모두와 아무런 상관이 없다.　　　　　　　　 – 에피쿠로스, 『쾌락』

장자는 죽음이 자연스러운 과정이므로 죽음에 관해 슬퍼하거나 집착하지 말라고 하였다. 에피쿠로스는 인간은 죽음을 경험하지 못하므로 죽음을 의식하거나 두려워할 필요가 없다고 보았다. 두 사상가는 죽음을 두려움의 대상으로 보지 않는다는 공통점이 있다.

자료 ② 죽음에 관한 자각을 강조한 하이데거

- 미리 달려가 봄은 가장 고유한 극단적인 존재 가능을 이해할 수 있는 가능성, 다시 말해서 '본래적 실존'의 가능성임이 입증된다.
- 자신이 죽는다는 사실을 자각하는 것은 단순한 삶의 종말이 아니라 삶이 시작되는 사건이다. ─ 삶의 유한성에 대한 깨달음과 죽음을 대하는 태도에 따라 삶의 모습은 다르게 나타나.

독일의 철학자 하이데거는 죽음은 인간과 함께 있고, 현존재인 인간은 죽음을 주체적으로 받아들일 수 있다고 보았다. 죽음 앞으로 미리 달려가 보는 것은 인간이 자신에게 다가올 죽음을 자각하는 것을 의미하며, 이로써 삶을 더 가치 있고 충실하게 살 수 있다.

자료 ③ 낙태죄에 관한 헌법 재판소의 합헌 및 위헌 의견

- **합헌 의견**: 헌법이 태아의 생명을 보호하는 것은 태아가 인간이 될 예정인 생명체라는 이유 때문이다. 태아가 독립해 생존할 능력이 있다거나 사고 능력, 자아 인식 등 정신적 능력이 있는 생명체라는 이유 때문이 아니다. 의학의 발전으로 태아가 모태를 떠난 상태에서 생존할 가능성이 점점 높아지고 있는 현실과 그 성장 속도 역시 태아에 따라 다른 현실을 감안하면 임신 기간 또는 생물학적 분화 단계를 기준으로 태아에 대한 보호의 정도를 달리할 것은 아니다. 또한 낙태를 처벌하지 않거나 형벌보다 가볍게 제재한다면 현재보다도 훨씬 더 낙태가 만연할 수 있다.
- **위헌 의견**: 현대 의학의 수준에서 태아가 임신 24주까지는 자존적 생존 가능성이 전혀 없다고 보고 있다. 따라서 임신부의 생명이나 건강을 현저히 저해할 우려가 있는 등 특별한 사정이 있을 때에는 낙태를 허용하는 것이 바람직하다. 특히 임신 초기인 1~12주까지의 태아는 신경 생리학적 구조나 기능을 갖추지 못해 고통을 느끼지 못하며, 임신부의 합병증과 사망률도 현저히 낮으므로 임신 초기에는 임신부의 자기 결정권을 존중해 낙태를 허용해 줄 필요가 있다.

우리나라 법률에서는 형법상 낙태를 금지하고 있다. 이에 인공 임신 중절을 금지하는 법이 헌법에 위반된다며 헌법 소원이 청구되었고, 헌법 재판소는 재판관 여덟 명의 4(합헌) 대 4(위헌)의 의견으로 합헌 결정을 발표하였다. 인공 임신 중절을 찬성하는 입장에서는 여성의 자기 결정권을 중요시하고, 이를 반대하는 입장에서는 태아의 생명권을 우선시한다. 이와 관련하여 태아를 인격체로 인정하는 시기에 대한 논란도 제기되고 있다.

정리 비법을 알려줄게!

장자와 에피쿠로스의 죽음관

장자	에피쿠로스
• 죽음은 기가 흩어지는 것임	• 죽음은 인간을 이루던 원자가 흩어지는 것임
• 삶과 죽음은 연결된 순환 과정임	• 인간은 죽음을 경험할 수 없음
• 죽음을 슬퍼하거나, 삶에 집착하지 말아야 함	• 죽음을 두려워할 필요가 없음

문제 로 확인할까?

죽음에 관한 하이데거의 입장으로 가장 적절한 것은?
① 죽음을 의식하지 말아야 한다.
② 죽음의 공포에서 벗어나야 한다.
③ 죽음을 직시하고 자각해야 한다.
④ 죽음보다 내세를 중요시해야 한다.
⑤ 죽음을 슬퍼하거나 삶에 집착하지 말아야 한다.

③ 답

자료 하나 더 알고 가자!

인공 임신 중절의 예외적 허용

모자 보건법 제14조 ① 의사는 다음 각 호의 어느 하나에 해당되는 경우에만 본인과 배우자(사실상의 혼인 관계에 있는 사람을 포함한다. 이하 같다.)의 동의를 받아 인공 임신 중절 수술을 할 수 있다. 1. 본인이나 배우자가 대통령으로 정하는 우생학적 또는 유전학적 정신 장애나 신체 질환이 있는 경우 2. 본인이나 배우자가 대통령으로 정하는 전염성 질환이 있는 경우 3. 강간 또는 준강간에 의하여 임신된 경우 4. 법률상 혼인할 수 없는 혈족 또는 인척간에 임신된 경우 5. 임신의 지속이 보건 의학적 이유로 모체의 건강을 심각하게 해치고 있거나 해칠 우려가 있는 경우

우리나라는 낙태죄 조항으로 인공 임신 중절을 금지하지만, 모자 보건법에서 임신 24주 이내 태아에 대해 일부에 한하여 인공 임신 중절을 허용하고 있다.

삶과 죽음의 윤리

★ 안락사
불치병으로 극심한 고통을 겪는 환자의 생명을 인위적으로 단축하는 행위

★ 연명 치료
말기 암 환자나 뇌사자의 경우처럼 정상적인 신체 회복이 어려워 단지 생명을 연장하기 위해 인공 의료 장치에 의존하는 치료

★ 존엄사
인간으로서 지녀야 할 최소한의 품위와 가치를 지키면서 죽을 수 있게 하는 행위

★ 뇌사
뇌의 모든 기능이 회복 불가능할 정도로 정지된 상태로, 생명 유지에 필요한 소뇌나 뇌간의 기능을 일부 유지하고 있는 식물인간과는 달리 뇌사자는 자발적 호흡이 불가하고 수일 내에 심장과 폐 기능이 정지한다.

★ 심폐사
심장 박동과 호흡이 완전히 정지한 상태로, 전통적으로는 심폐사를 죽음의 기준으로 간주하였다.

★ 뇌사와 관련된 법 규정
우리나라의 「장기 등 이식에 관한 법률」에 따르면 뇌사 추정자의 장기 등을 기증하기 위하여 뇌사 판정을 받으려는 사람은 뇌사 추정자의 검사 기록 및 진료 담당 의사의 소견서를 첨부하여 뇌사 판정 기관의 장에게 뇌사 판정 신청을 해야 한다. 뇌사 판정 신청은 뇌사 추정자의 가족이 하는 것이 원칙이다. 하지만 뇌사 추정자의 가족이 없는 경우에는 법정 대리인 또는 진료 담당 의사가 할 수 있다.

2. 자살의 윤리적 문제점

(1) 자살에 관한 윤리적 관점

꼭! 자기 보전의 의무를 위배해서는 안 된다고 주장하였어.

유교	부모로부터 물려받은 신체를 훼손하지 않는 것이 효의 시작이며, 자살은 불효임
불교	자살은 살아 있는 것을 죽여서는 안 된다는 불살생(不殺生)의 계율을 어기는 것임
그리스도교	신으로부터 받은 생명을 스스로 끊어서는 안 되기 때문에 자살은 옳지 않음
아퀴나스	• 자살은 인간의 자연적 성향인 자기 보존을 거스르기 때문에 금지해야 함 • 자살은 공동체를 훼손하며 신을 거스르는 행위임 — 자살이 자연법에 어긋나는 행위라고 보고 있어.
칸트	자살은 자신의 인격을 수단으로 이용하는 것이며, 인간을 그 자체로 존중해야 함 〔교과서 자료〕
쇼펜하우어	자살은 문제를 해결하는 것이 아니라 회피하는 것에 불과함

(2) 자살의 윤리적 문제

Q₩? "자살은 인간의 존재와 의식이 죽음으로 어떻게 변화하느냐 하는 실험이다. 그러나 그것은 어리석은 실험이다. 왜냐하면 대답을 들어야 할 의식까지도 제거해 버리기 때문이다."라고 말하였어.

① 인격과 생명을 훼손하는 행위: 자살은 한 번뿐인 소중한 생명과 인격을 해치는 행위임

② 자아실현의 가능성 차단: 자살은 삶의 단절을 초래하여 자아를 실현할 가능성을 없애 버림

③ 사회에 부정적 영향: 자살은 주변 사람에게 큰 슬픔을 주고, 사회적 문제로 발전할 수 있음
└ 아리스토텔레스는 "자살은 올바른 이치에 어긋나는 행위이며 공동체(polis)에 대한 부정의한 행위이다."라고 하였어.

3. ★안락사의 윤리적 쟁점

(1) 안락사의 구분

환자의 동의 여부	자발적 안락사	• 환자가 안락사에 직접적으로 동의한 경우 • 윤리적 문제: 환자의 선택이 이성적 판단에 의한 것인가? 환자의 선택이라고 해서 자살을 인정할 수 있는가?
	비자발적 안락사	• 환자가 판단 능력을 상실했거나 의식이 없을 때 가족이나 국가의 요구에 의해 시행되는 안락사 • 윤리적 문제: 가까운 사람이라 해도 타인의 생명을 결정지을 권리가 있는가?
	반자발적 안락사	환자가 반대하는 상황에서 이루어져 살인으로 보므로 윤리적 논의에서 제외됨
시행 방법	적극적 안락사	약물이나 독극물 투여 등과 같은 구체적인 행위로 환자의 생명을 단축함
	소극적 안락사	• 연명 치료를 중단하여 자연스럽게 죽음에 이르게 함 • 인간답게 죽을 권리를 강조하여 ★존엄사와 연결 짓기도 함

(2) 안락사에 관한 찬성과 반대 입장 〔자료 4〕

찬성	• 환자의 자율성과 삶의 질 강조: 인간은 자율적 존재로 죽음을 선택할 권리와 인간답게 죽을 권리를 가짐 • 공리주의 관점: 연명 치료는 환자와 가족에게 부담을 주며, 의료 자원의 효율적 사용에 부합하지 않음
반대	• 생명의 존엄성 강조: 생명은 소중하며, 인간은 죽음을 인위적으로 선택할 권리를 가지고 있지 않음 • 자연법 윤리의 관점: 죽음을 인위적으로 앞당기는 안락사는 자연의 질서에 어긋남 • 의무론적 관점: 고통을 완화하기 위해 생명을 버리는 것은 생명을 수단시하는 행위이므로 옳지 않음 • 의료인의 책무 강조: 의료인의 의무는 생명을 살리는 것이므로 죽음을 앞당기는 의료 행위는 옳지 않음

4. ★뇌사의 윤리적 쟁점 〔자료 5〕

현재 대부분의 나라에서는 뇌사를 죽음으로 인정하고 있고, 우리나라는 장기 기증을 전제로 한 경우에만 뇌사를 죽음으로 인정하고 있어.

찬성(뇌사를 죽음으로 인정하는 입장)	반대(★심폐사를 죽음으로 인정하는 입장)
• 뇌사자가 존엄하게 죽을 수 있는 권리를 존중해야 함 • 뇌 기능이 정지하면 인간으로서 고유의 활동을 할 수 없고, 가까운 시기에 심장과 폐의 기능도 정지하기 때문에 이미 죽음의 단계에 들어선 것임 • 한정된 의료 자원의 효율적인 이용에 도움이 되고, ★뇌사자의 장기로 다른 환자의 생명을 구할 수 있음 • 장기적 연명 치료로 인한 부담을 줄일 수 있음	• 연명 의료 기기를 이용하면 짧은 시간이나마 호흡과 심장 박동이 유지되므로 아직 죽음에 이른 것이 아님 • 뇌사 인정은 생명을 수단으로 여기는 것이며, 실용주의 관점은 생명의 존엄성을 경시하는 것임 • 뇌사를 인정한다면 사망 시점을 명시할 수 없으며, 여러 가지 법적인 문제가 발생할 수 있음 • 뇌사 판정 과정에서 오류가 있을 수 있음

└ 꼭! 뇌사에 대한 실용주의 관점이야.

완자 자료 탐구

 내 옆의 선생님

수능이 보이는 교과서 자료 **칸트의 자살 반대 논증**

> 정언 명령은 "네가 너 자신의 인격에서나 다른 모든 사람의 인격에서 인간을 항상 동시에 목적으로 대하고, 결코 한낱 수단으로 대하지 않도록 그렇게 행위하라."라고 명한다. 자살하려는 사람은 과연 자신의 행위가 목적 그 자체로서의 인간성의 이념과 양립할 수 있는가를 스스로 물을 것이다. 만약 그가 힘겨운 상태에서 벗어나기 위해 자신의 생명을 파괴하는 것이라면, 그는 자신의 인격을 생이 끝날 때까지 견딜 만한 상태로 보존하기 위한 한낱 수단으로 이용하는 것이다. 그러나 인간은 물건이 아니므로 한낱 수단으로 사용될 수 있는 것이 아니며, 오히려 그의 모든 행위에서 항상 목적 그 자체로 보아야 한다. – 칸트, 「윤리 형이상학 정초」

칸트는 자살은 보편 법칙이 될 수 없으며, 목적 그 자체인 인간성의 이념과 양립할 수 없다고 보았다. 또한 그는 자살이 인간을 수단으로 이용하고, 인간을 목적으로 대하라는 정언 명령에 어긋나는 행위이므로 옳지 않다고 주장하였다.

완자샘의 탐구 강의

• 칸트가 자살을 반대하는 이유로 제시한 근거를 서술해 보자.
인간은 항상 인간을 목적으로 대해야 한다. 그러나 자살은 인간이 고통에서 벗어나기 위해 자신을 수단으로 이용하는 행위이기 때문에 옳지 않다.

함께 보기 44쪽, 1등급 정복하기 **2**

자료 4 안락사 허용 법안에 관한 논쟁 안락사법에 찬성하는 사람들은 고통스럽게 시한부 삶을 사는 환자들에게 존엄하게 죽을 권리가 있다고 주장함.

> 최근 말기 암으로 시한부 삶을 선고받은 미국 캘리포니아주 브리타니 메이나드 씨가 안락사 시술을 통해 스스로 목숨을 끊었다. 2014년 11월 안락사를 허용하는 오리건주로 거주지를 옮겨 안락사 시술을 받은 것이다. 이 사건으로 인해 캘리포니아주 의회는 안락사 허용 법안을 가결하게 되었고, 안락사 찬반 논쟁이 뜨거워졌다. 안락사법에 반대하는 사람들은 "이 법안이 죽음을 강요할 수도 있고, 저소득층과 건강 보험 혜택을 충분히 받지 못하는 환자들의 경우, 병원비에 대한 부담으로 가족들에게 안락사의 압력을 받을 가능성도 있다."라고 주장한다. – 뉴시스, 2015. 9. 12.

안락사법을 찬성하는 입장에서는 극심한 고통을 겪는 시한부 환자들에게 존엄하게 죽을 권리가 있다고 주장한다. 반면에 안락사법에 반대하는 입장에서는 이 법안이 환자들에게 죽음을 강요할 수도 있고, 경제적으로 어려움에 처한 환자들이 병원비에 대한 부담으로 가족들에게 반자발적 안락사의 압력을 받을 수도 있다고 주장한다.

자료 하나 더 알고 가자!

안락사 허용의 조건

• 자율적 판단: 충분한 의료 정보를 토대로 환자 스스로 동의해야 함
• 고통 경감: 환자의 고통을 최대한 줄이기 위한 목적이여야 하고, 경제적 비용 등 다른 이유 때문에 시행해서는 안 됨
• 의료진 시행: 반드시 의사가 시행해야 함

안락사는 환자의 자율성과 생명의 존엄성을 바탕으로 의료인의 책무를 함께 고려하여 신중하게 논의되어야 한다.

자료 5 뇌사자의 장기 이식 문제

> 인공호흡기의 도움으로 뇌사 상태 환자의 심장과 폐의 기능이 유지되는 경우는 간장이나 신장 등 많은 장기의 기능이 그대로 유지될 수 있다. …… 뇌사 상태일지라도 아직 심장과 맥박이 뛰고 그 밖의 장기들이 활동하고 있을 때 장기들을 떼어 냄으로써 그 환자의 남은 생명을 단축하는 것은 일종의 안락사라는 지적을 받을 수 있다. 장기 이식을 위해 뇌사 상태의 환자에게서 장기를 떼어 내는 경우에는 극도의 신중한 태도가 요구된다. – 박찬구, 「생활 속의 응용 윤리」

우리나라는 법률에 의해 장기 이식을 위한 뇌사를 죽음으로 인정하고 있다. 하지만 뇌사를 죽음의 판정 기준으로 삼는 데 반대하는 사람들은 장기 이식을 위해 뇌사 문제에 접근하는 것은 생명의 존엄성을 경시하는 것이라고 주장한다. 따라서 뇌사를 판정하는 것은 존엄한 생명과 관련된 문제이므로 엄격하고 신중하게 이루어질 필요가 있다.

문제로 확인할까?

뇌사를 죽음으로 인정하는 입장의 근거로 가장 적절한 것은?
① 오판 가능성이 존재한다.
② 생명의 존엄성을 경시한다.
③ 사망 시점을 명시할 수 없다.
④ 사회적으로 악용될 가능성이 있다.
⑤ 장기 이식을 통해 다른 생명을 구할 수 있다.

⑤

STEP 1 핵심 개념 확인하기

STEP 2 내신 만점 공략하기

1 빈칸에 들어갈 용어를 쓰시오.

( )은 생명이 태어나는 것으로, 태아가 모체로부터 분리되어 새로운 생명체가 되는 단계이다. 이는 자연법 윤리의 관점에서 볼 때 인간이 자신의 생명을 보전하고자 하는 과정에 해당한다.

2 다음 설명에 해당하는 죽음의 의미를 주장한 사상가를 〈보기〉에서 골라 기호를 쓰시오.

보기
ㄱ. 장자   ㄴ. 플라톤   ㄷ. 에피쿠로스

(1) 죽음은 사계절의 운행처럼 자연스러운 과정이다. (   )

(2) 죽음은 영혼이 이데아의 세계로 돌아가는 것이다. (   )

(3) 살아 있는 동안에 죽음을 경험할 수 없으므로 죽음을 두려워할 필요가 없다.   (   )

3 인공 임신 중절에 관한 입장의 논거를 옳게 연결하시오.

(1) 찬성 •   • ㉠ 모든 인간의 생명은 존엄하며, 태아는 생명을 가진 인간이다.

(2) 반대 •   • ㉡ 태아는 여성 몸의 일부이고, 여성은 태아에 대한 권리를 가진다.

4 다음 설명이 맞으면 ○표, 틀리면 ×표를 하시오.

(1) 불교에서는 불살생의 계율에 따라 자살을 반대한다. (   )

(2) 칸트는 자살은 인간이 고통에서 벗어나기 위해 인격을 목적으로 대하는 행위라고 보았다.   (   )

5 다음 괄호 안의 내용 중 알맞은 말에 ○표를 하시오.

(1) (의무론적, 공리주의적) 관점에서는 연명 치료와 안락사를 하는 것의 사회적 이익을 비교하여 안락사를 허용한다.

(2) (자발적 안락사, 비자발적 안락사)의 경우 환자의 선택이 이성적 판단에 의한 것인지의 여부가 쟁점이 될 수 있다.

6 ( )는 뇌의 모든 기능이 회복 불가능할 정도로 정지된 상태를 말한다.

01 밑줄 친 부분과 관련 있는 출생의 윤리적 의미로 가장 적절한 것은?

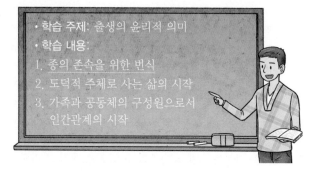

• 학습 주제: 출생의 윤리적 의미
• 학습 내용:
  1. 종의 존속을 위한 번식
  2. 도덕적 주체로 사는 삶의 시작
  3. 가족과 공동체의 구성원으로서 인간관계의 시작

① 자연적 성향의 실현
② 신체적·정신적 독립
③ 자율적 주체로서의 시작
④ 사회적 존재로서의 출발점
⑤ 이전 세대의 문화유산 계승

02 다음은 사상가들과의 가상 대담이다. 갑, 을의 입장으로 가장 적절한 것은?

사회자: 인간의 죽음에 대해 어떻게 생각하십니까?
갑: 죽음은 우리에게 아무것도 아닙니다. 왜냐하면 우리가 존재하는 한 죽음은 우리와 함께 있지 않으며, 죽음이 오면 우리는 이미 존재하지 않기 때문이지요.
을: 본래 아무것도 없었는데 순식간에 변화하여 기가 생기고, 기가 변화하여 형체가 생기고, 형체가 변화하여 생명이 생기고, 생명이 변화하여 죽음이 됩니다.

① 갑: 죽음은 또 다른 세계로 윤회하는 과정이다.
② 갑: 죽음을 통해 영혼이 육체로부터 자유롭게 될 수 있다.
③ 갑: 현존재인 인간은 죽음을 주체적으로 받아들일 수 있다.
④ 을: 죽음은 인간이 피할 수 없는 네 가지 고통 중 하나이다.
⑤ 을: 삶과 죽음은 연결된 과정이므로 죽음을 너무 슬퍼할 필요가 없다.

03 다음 사상가의 죽음에 대한 관점으로 가장 적절한 것은?

> 인간은 언제나 죽음과 함께하고 있다. 죽음을 외면하지 말고 죽음은 항상 자신의 것이라는 사실을 인지하면서 살아가야 한다.

① 죽음은 인간을 이루던 원자가 흩어지는 것이다.
② 인간은 죽음을 통해 또 다른 세계로 윤회하게 된다.
③ 죽음에 대한 자각을 통해 삶을 의미 있게 살 수 있다.
④ 죽음은 자연의 과정으로 이를 애도하는 것이 마땅하다.
⑤ 죽음은 경험할 수 없는 것이므로 인간에게 아무것도 아니니다.

04 밑줄 친 베라의 행동을 찬성하는 근거로 적절한 것을 〈보기〉에서 고른 것은?

> 1950년대 영국의 평범한 가정주부 베라는 원치 않는 임신으로 곤경에 처한 여성들의 낙태를 돕는 일을 하였다. 하지만 순수한 마음에서 어려운 여성들을 도운 베라는 경찰에 붙잡혀 법의 심판을 받는다.   – 영화 「베라 드레이크」

> **보기**
> ㄱ. 태아는 여성 몸의 일부이고 여성의 소유이다.
> ㄴ. 태아는 성인으로 발달할 잠재성을 가지고 있다.
> ㄷ. 여성은 자신의 삶을 자율적으로 선택할 수 있다.
> ㄹ. 무고한 인간을 죽이는 행위는 잘못이고, 태아는 무고한 인간이다.

① ㄱ, ㄴ   ② ㄱ, ㄷ   ③ ㄴ, ㄷ
④ ㄴ, ㄹ   ⑤ ㄷ, ㄹ

05 다음은 서술형 평가 문제와 학생 답안이다. ㉠~㉤ 중 적절하지 <u>않은</u> 것은?

> **서술형 평가**
>
> ◎ 문제: 인공 임신 중절에 대한 자신의 입장과 그 이유를 적절한 근거를 들어 논술하시오.
> ◎ 학생 답안
> 나는 인공 임신 중절에 반대한다. ㉠ 모든 인간의 생명은 존엄하며, 태아도 인격체이므로 보호해야 한다. ㉡ 인공 임신 중절은 인간을 수단으로 대우하는 행위이다. 만약 ㉢ 인공 임신 중절을 허용하는 사회가 되면 생명 경시 풍조가 심각해질 수 있다. 또한 ㉣ 무고한 인간을 해치는 것은 도덕적으로 옳은 일이 아니며, ㉤ 임신부는 자기방어와 정당방위의 권리를 가진다.

① ㉠   ② ㉡   ③ ㉢   ④ ㉣   ⑤ ㉤

06 ☆중요 (가)에서 제기한 문제에 대한 (나) 사상가의 견해로 가장 적절한 것은?

> (가) 우리나라는 몇 년째 계속 경제 협력 개발 기구(OECD)에 속한 나라 중에서 자살률이 높은 나라라는 불명예를 안고 있다. 특히 유명한 인물이 자살할 경우 동조 자살로 인해 사람들의 자살이 늘기도 한다.
> (나) 힘든 상태를 벗어나기 위해 자신을 파괴한다면, 그는 하나의 인격을 단순히, 죽을 때까지 고통스럽지 않게 지내기 위한 하나의 수단으로서만 이용하는 것이다.

① 자살은 부모로부터 받은 신체를 훼손하는 행위이므로 옳지 않다.
② 신으로부터 받은 생명을 스스로 끊어서는 안 되기 때문에 자살은 옳지 않다.
③ 자살은 인간 존재와 의식이 죽음으로 어떻게 변화하느냐 하는 어리석은 실험이다.
④ 자살은 자율적 인간으로서 지켜야 할 도덕 법칙을 위반하는 행위이므로 옳지 않다.
⑤ 자살은 올바른 이치에 어긋나는 행위이며 공동체(polis)에 대한 부정의한 행위이다.

07 다음 사상가들의 공통적인 입장으로 가장 적절한 것은?

> • 네가 너 자신의 인격에서나 다른 모든 사람의 인격에서 인간을 항상 동시에 목적으로 대하고, 결코 한낱 수단으로 대하지 않도록 그렇게 행위하라. — 칸트
> • 자살해서는 안 되는 이유는 다음과 같다. 첫째, 만물은 본래 자신을 사랑하고 자신의 생명을 유지하고자 하는 자연적 성향을 지니고 있는데, 자살은 이러한 자연적 성향을 거스르기 때문이다. — 아퀴나스

① 자살은 자기 보전을 거스르는 행위이므로 옳지 않다.
② 자살은 주변 사람에게 슬픔을 주기 때문에 해서는 안 된다.
③ 자살은 고통에서 벗어나기 위해 인격을 도구로 이용하는 것이다.
④ 신만이 생명을 거둘 수 있으므로 자살은 신을 모독하는 죄악이다.
⑤ 자살은 삶을 인위적으로 종결함으로써 문제를 회피하는 행위이다.

08 밑줄 친 '이 관점'에서 긍정의 대답을 할 질문으로 옳은 것은?

> 이 관점에서는 불치병을 앓고 있는 환자에게 연명 치료를 하는 것은 환자 본인과 가족에게 심리적·경제적 부담을 주며, 제한된 의료 자원을 효율적으로 사용해야 하는 사회 전체의 이익에도 부합하지 않는다고 주장한다.

① 생명권은 경제적 유용성보다 우선적으로 추구되는가?
② 죽음을 인위적으로 앞당기는 행위는 자연의 질서에 어긋나는가?
③ 의료인의 기본 의무는 생명을 살리는 것이므로, 의료인이 환자의 죽음을 앞당겨서는 안 되는가?
④ 가족의 경제적 부담을 덜기 위해 안락사를 선택하는 것은 환자의 인격과 생명을 수단시하는 것인가?
⑤ 안락사를 시행하는 것과 그렇지 않은 경우를 비교해 환자의 고통을 줄이고 이익을 가져오는 선택을 하는가?

09 (가)에 들어갈 적절한 내용을 〈보기〉에서 고른 것은?

> 안락사에 대한 자신의 생각을 이야기해 봅시다.
>
> 저는 안락사를 허용하면 안 된다고 생각합니다. 왜냐하면 (가)
>
> 우리나라에서도 안락사를 허용해야 합니다.

보기
ㄱ. 안락사는 인간 생명의 존엄성을 훼손하기 때문입니다.
ㄴ. 안락사는 환자의 자율성을 존중하는 선택이기 때문입니다.
ㄷ. 인간은 자신의 죽음을 인위적으로 선택할 권리가 없기 때문입니다.
ㄹ. 인간은 인간으로서 최소한의 품위를 유지하면서 죽을 권리를 가지기 때문입니다.

① ㄱ, ㄴ　　　② ㄱ, ㄷ　　　③ ㄴ, ㄷ
④ ㄴ, ㄹ　　　⑤ ㄷ, ㄹ

10 안락사에 대한 설명으로 옳은 것은?

① 안락사를 찬성하는 입장에서는 환자의 자율성과 삶의 질을 중시한다.
② 자연법 윤리의 관점에서는 안락사가 자연의 질서에 부합한다고 본다.
③ 안락사를 반대하는 입장에서는 무의미한 연명 치료를 중단해야 한다고 주장한다.
④ 비자발적 안락사는 환자의 선택이 이성적 판단에 의한 것인지가 문제가 될 수 있다.
⑤ 적극적 안락사는 연명시킬 수 있는 의료 행위를 하지 않고 죽음에 이르게 하는 경우를 말한다.

11 뇌사를 죽음으로 인정하는 입장의 논거로 적절하지 <u>않은</u> 것은?

① 뇌사자의 장기를 장기 이식에 활용할 수 있다.
② 실용주의 관점은 인간의 가치를 위협할 수 있다.
③ 뇌사 상태에서 생명을 연장하는 행위는 무의미하다.
④ 뇌사자가 존엄하게 죽을 수 있는 권리를 존중해야 한다.
⑤ 뇌 기능의 정지는 이미 죽음의 단계에 들어선 것을 의미한다.

12 다음 글에 나타난 뇌사에 대한 입장으로 가장 적절한 것은?

> 뇌사 인정에 따르는 문제 가운데 죽음의 정의에 대한 문제가 있다. 인공호흡기의 도움으로 뇌사 상태 환자의 심장과 폐의 기능이 유지되는 경우는 간장이나 신장 등 많은 장기의 기능이 그대로 유지될 수 있다. 따라서 생물학적으로 볼 때 그는 완전히 죽은 상태에 있는 것이 아니다. 죽음이 하나의 과정이라면 뇌사는 죽어 가는 하나의 단계에 불과할 뿐이므로, 그것은 결코 죽음을 규정하는 필요 충분조건이 될 수 없다.

① 뇌사자의 장기를 이식하여 더 많은 생명을 살릴 수 있어야 한다.
② 뇌사를 죽음으로 판정하면 의료 자원의 효율적 이용에 도움이 된다.
③ 뇌사자의 가족은 환자의 고통을 덜어 주기 위해 뇌사를 죽음으로 인정하자는 요구를 할 수 있다.
④ 뇌의 죽음이 인간 고유의 기능을 수행할 수 없음을 의미하므로 뇌사를 죽음으로 인정해야 한다.
⑤ 뇌사 상태일지라도 아직 심장과 맥박이 뛰기 때문에 남은 생명을 단축하는 것에 신중한 태도가 요구된다.

서술형 문제

● 정답친해 11쪽

01 갑의 입장에서 을이 말한 밑줄 친 '이것'에 대한 주장을 서술하시오.

> 갑: 기가 변해서 형체가 생기며, 형체가 변해서 생명을 갖추게 된다. 이제 다시 생명이 죽음으로 변한 것뿐이다. 마치 춘하추동이 서로 되풀이하여 운행함과 같다.
> 을: 사람을 제대로 섬길 줄 모르면서 어떻게 귀신을 섬길 수 있으며, 삶에 대해서도 아직 제대로 모르면서 어떻게 <u>이것</u>에 대해 알려 하는가?

길잡이 장자와 공자가 삶과 죽음에 대해 이야기한 내용을 바탕으로 서술한다.

02 다음을 읽고 물음에 답하시오.

> 안락사는 환자의 동의 여부와 시행 방법에 따라 구분할 수 있는데, 환자의 직접적인 동의가 있을 경우에 이루어지는 안락사를 ___(가)___ (이)라고 한다.

(1) (가)에 들어갈 용어를 쓰시오.

(2) (가)를 찬성하는 논거를 <u>두 가지</u> 서술하시오.

길잡이 환자의 권리와 공리주의 관점을 고려하여 안락사를 찬성하는 논거를 서술한다.

03 (가)의 사상을 토대로 (나)의 주장에 대한 반론을 서술하시오.

> (가) 다른 모든 이들을 결코 한낱 수단으로서가 아니라, 항상 동시에 목적 그 자체로서 대해야 한다.
> (나) 오늘날 장기 이식 기술이 발달함에 따라, 뇌사를 죽음의 기준으로 인정하면 많은 생명을 살릴 수 있다.

길잡이 칸트의 정언 명령에 근거하여 뇌사를 죽음으로 인정하는 입장에 대한 반론을 서술한다.

STEP 3 1등급 정복하기

1 (가), (나)의 입장에 대한 설명으로 가장 적절한 것은?

> (가) 전생에 뿌려진 씨앗은 이번 생에 받는 것이고, 다음 생에 거둘 열매는 이번 생에 행하는 바로 그것이다.
>
> (나) 기(氣)가 변해서 형체가 생기며, 형체가 변해서 생명을 갖추게 된다. 이제 다시 생명이 죽음으로 변한 것뿐이다. 마치 춘하추동이 서로 되풀이하여 운행함과 같다.

① (가) – 죽음을 알려고 하기보다 현세의 윤리적 삶에 더욱 충실할 것을 강조한다.
② (가) – 죽음은 인간을 이루던 원자가 분리되어 개별 원자로 돌아가는 것이라고 본다.
③ (나) – 자신의 죽음을 자각할 때 더욱 의미 있고 가치 있게 살 수 있다고 본다.
④ (나) – 죽음은 인간의 자연스러운 과정이므로 죽음을 슬퍼할 필요가 없다고 본다.
⑤ (가), (나) – 정신적 쾌락을 추구함으로써 죽음의 공포로부터 벗어날 것을 강조한다.

죽음에 관한 동양 사상의 입장

> **완자샘의 시험 꿀팁**
>
> 죽음의 윤리적 의미에 관한 사상가들의 관점을 파악하는 문제가 자주 출제된다. 죽음을 바라보는 불교와 도가의 입장의 특징과 차이점을 정리해 둔다.

수능 응용

2 (가)의 갑, 을의 입장을 (나) 그림으로 탐구할 때, A~C에 들어갈 적절한 질문을 〈보기〉에서 고른 것은?

> (가)
> 갑: 힘든 상태를 벗어나기 위해 자신을 파괴한다면, 그는 하나의 인격을 단순히 죽을 때까지 고통스럽지 않게 지내기 위한 하나의 수단으로서만 이용하는 것이다. 인간은 결코 사물이 아니고, 따라서 단순히 수단으로만 사용될 수 있는 것이 아니다.
>
> 을: 자살은 인간의 존재와 의식이 죽음으로 어떻게 변화하느냐 하는 실험이다. 그러나 그것은 어리석은 실험이다. 왜냐하면 대답을 들어야 할 의식 그 자체까지도 제거해 버리기 때문이다.

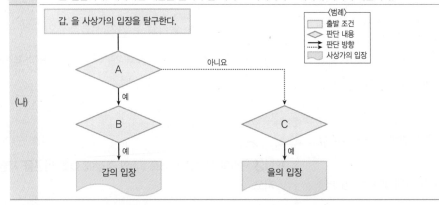

보기

ㄱ. A: 자살은 공동체를 훼손하며 신을 거스르는 행위이기 때문에 하지 말아야 하는가?
ㄴ. B: 자살은 자기의 생명을 보전해야 할 의무를 위반하는 것인가?
ㄷ. B: 이성적이고 자율적인 인간은 죽음을 선택할 권리를 가졌는가?
ㄹ. C: 자살은 문제를 해결하는 것이 아니라 회피하는 것인가?

① ㄱ, ㄴ ② ㄱ, ㄷ ③ ㄴ, ㄷ ④ ㄴ, ㄹ ⑤ ㄷ, ㄹ

자살의 윤리적 문제

> **완자샘의 시험 꿀팁**
>
> 자살에 관한 칸트와 쇼펜하우어의 관점을 파악하고, 순서도에서 긍정 또는 부정의 대답을 할 수 있는 질문을 선택한다.

3 갑, 을 사상의 관점에서 〈사례〉의 A에게 해 줄 수 있는 조언으로 가장 적절한 것은?

> 갑: 자기 자신과 다른 모든 이들을 결코 한낱 수단으로서가 아니라, 항상 동시에 목적 그
> 자체로서 대해야 한다.
> 을: 정당한 행위에 대한 판단 근거는 결국 유용성뿐이다. 유용성은 되도록 많은 사람에게
> 행복을 가져다주는 '최대 다수의 최대 행복'을 의미한다.
>
> 〈사례〉
>
> 말기 암에 걸린 A 환자는 고가의 치료 비용 때문에 가족이 은행에 큰 빚을 진 것을 알게
> 되었다. A 환자는 더 이상 항암 치료가 효과가 없고 치료를 계속하면 가족의 경제적 부담
> 만 더 늘게 될 것이라고 생각해 안락사를 해 달라고 의사에게 요구하였다.

① 갑: A 환자 스스로의 요구라 할지라도 생명을 단축하는 행위는 인간의 존엄성을 훼손
하기 때문에 안락사를 해서는 안 돼.
② 갑: 환자의 심리적·신체적 고통이 점점 커지는 것은 사회 전체의 이익에 부합하지 않
기 때문에 A 환자의 요구를 받아들여야 해.
③ 갑: 회복 불가능한 환자에게 무의미한 연명 치료를 하는 것은 환자와 가족에게 큰 부
담이 되기 때문에 A 환자의 요구를 받아들여야 해.
④ 을: 안락사에 대한 A 환자의 동의가 이성적 판단에 의한 것인지를 반드시 확인한 후
에 안락사를 시행해야 해.
⑤ 을: 인간의 죽음을 인위적으로 앞당기는 행위는 자연의 질서에 어긋나고 신을 거스르
는 것이기 때문에 A 환자의 요구를 받아들여서는 안 돼.

> **안락사의 윤리적 쟁점**
>
> **| 완자 사전 |**
>
> • 유용성
> 소용이 있고 이용할 만한 특성으
> 로, 공리주의에서는 유용성에 근거
> 하여 이해관계가 있는 모든 사람의
> 쾌락이나 행복을 증진하거나 감소
> 하는 정도에 따라 어떤 행위의 옳
> 고 그름을 판단한다.

4 (가)에 들어갈 내용으로 가장 적절한 것은?

> 갑: 당신은 인공 임신 중절을 허용해야 한다고 생각하십니까?
> 을: 인공 임신 중절을 허용해서는 안 됩니다. 왜냐하면 태아의 생명을 보호하는 것은 태
> 아가 인간이 될 예정인 생명체라는 이유 때문입니다. 의학의 발전으로 태아가 모체를
> 떠난 상태에서 생존할 가능성이 점점 높아지고 있는 현실과 그 성장 속도 역시 태아
> 에 따라 다른 현실을 감안하면 임신 기간 또는 생물학적 분화 단계를 기준으로 태아
> 에 대한 보호의 정도를 달리해서는 안 될 것입니다.
> 갑: 그렇다면 당신은 [(가)]고 생각하는군요.

① 임신부의 자기 결정권이 태아의 생명권보다 우선한다
② 태아는 신체적·정신적 발달을 거쳐 성인이 될 수 있는 가능성이 있다
③ 태아가 모체 밖에서 성장할 수 있는 시기부터 인간으로 인정할 수 있다
④ 태아는 여성의 신체에 속해 있고, 여성은 자신의 신체에 대한 권리가 있다
⑤ 태아는 사고 능력과 자아 인식이 형성되지 않으므로 도덕적 주체로 볼 수 없다

> **인공 임신 중절의 반대 논거**
>
> **완자샘의 시험 꿀팁**
>
> 여성의 선택권을 인정하는 입장과
> 태아의 생명권을 인정하는 입장을
> 기준으로 인공 임신 중절 찬반 논
> 거를 파악하는 문제가 주로 출제된
> 다. 인공 임신 중절을 반대하는 입
> 장에서, 태아의 인간으로서의 지위
> 를 어떻게 바라보는지 파악해 둔다.

02 생명 윤리

이것이 핵심!

생명 복제와 유전자 치료에 관한 논쟁	
생명 복제	• 동물 복제 • 인간 배아 복제 • 인간 개체 복제
생식 세포 유전자 치료	• 찬성: 유전 질환 치료 및 예방, 경제적 효용 확대 • 반대: 의학적 부작용, 우생학 조장, 분배 정의 훼손, 유전적 사생활 침해
유전 형질 개량	• 찬성: 개인의 선호와 자율적 선택 존중, 사회적 향상 • 반대: 미래 세대의 자율적 삶 제약, 유전적 격차와 차별

★ 배아 복제
체세포 핵 이식 기술을 활용하여 세포 복제 후 배아 단계까지만 발생을 진행시키는 것

★ 개체 복제
체세포 복제로 만든 배아를 자궁에 착상하여 완전한 개체로 자라게 한 뒤 태어나게 하는 것

★ 모를 권리
특정인의 삶을 예언함으로써 그의 삶을 제약할 수 있는 정보를 당사자가 모른 채로 있을 권리로, 이러한 정보에는 유전 정보, 인간 개체 복제에서 원본 인간의 삶에 대한 정보 등이 있다.

★ 유전자 치료
세포 안에 정상 유전자를 넣어 유전자의 기능을 바로잡거나 이상 유전자를 바꾸어 질병을 치료하는 방법

★ 적극적 우생학과 소극적 우생학
적극적 우생학은 원하는 유전 형질이 나타나도록 유전적 처치를 하는 것이고, 소극적 우생학은 문제가 되는 유전 형질이 나타나지 않도록 유전적 처치를 하는 것이다.

1 생명 복제와 유전자 치료 문제

1. 생명 윤리와 생명의 존엄성
꼭! 생명 과학 기술의 부작용으로 인해 발생할 수 있는 문제를 해결하고, 생명 과학 기술의 바람직한 발전과 연구 방향 제시를 위해 생명 윤리가 필요해.

(1) 생명 윤리: 생명을 책임 있게 다루기 위한 윤리학적 숙고 → 생명의 존엄성에 관한 인식을 바탕으로 생명 과학 기술의 윤리적 정당성과 한계를 성찰함 자료①

(2) 생명의 존엄성에 관한 윤리적 관점
도가에서는 자연스럽게 태어나고 자라는 것을 인위적으로 조장하는 일이 바람직하지 못하다고 주장하였어.

동양	부모로부터 물려받은 생명을 소중히 여기는 유교의 효, 생명의 상호 의존 관계를 강조한 연기설과 불살생을 통해 생명의 보존을 주장한 불교, 도가의 무위자연(無爲自然) 등
서양	생명의 존엄성을 강조한 의무론, 신의 피조물인 생명은 존엄성과 일정한 위계를 가진다고 본 그리스도교, 자연의 질서를 중요시한 아퀴나스, 슈바이처의 생명 사상 등

슈바이처는 그의 저서 「문화와 윤리」에서 "생명을 보존하고 촉진하는 것은 좋은 일이며, 그것을 파괴하고 억제하는 것은 나쁜 일이다."라고 말하였어.

2. 생명 복제의 윤리적 쟁점
(1) 동물 복제에 관한 논쟁
생명 복제는 동일한 유전 형질을 가진 생명체를 만드는 기술로, 체세포 핵 이식을 통해 복제 양 돌리를 만드는 데 성공하면서 다른 포유류에서도 복제가 가능해졌어.

찬성	동물 복제를 통해 우수한 품종 개발 및 유지, 희귀 동물 보존, 멸종 동물 복원이 가능함
반대	자연의 질서 위배, 종의 다양성 훼손, 동물을 인간의 유용성을 위한 도구로 사용함

(2) 인간 복제에 관한 논쟁
난자와 정자가 수정된 후 8주 이내의 세포로, 각종 신체 기관으로 분화하기 전의 세포야.

★배아 복제	찬성	• 복제 과정에서 이용하는 배아를 아직 완전한 인간으로 보기 어려움 • 생식 초기에 관한 연구, 인체 조직 및 장기 복구, 질병 치료 등에 활용할 수 있음
	반대	• 복제 배아는 인간으로서의 도덕적 지위를 지닌 생명이므로 보호되어야 함 자료② • 복제 과정에서 수많은 난자를 사용하여 여성의 인권과 건강권을 훼손할 수 있음
★개체 복제	찬성	• 불임 부부가 유전적 연관이 있는 자녀를 가질 수 있음 • 복제 인간도 서로 다른 선택과 경험, 환경 아래에서 독자적인 삶을 살아갈 것임
	반대	• 인간을 제작, 대체 가능한 존재로 여김으로써 인간의 존엄성을 훼손할 수 있음 • 자연적 출산 과정에 위배되며 인간의 고유성, 개체성, 정체성이 상실될 수 있음 • 가족 관계의 혼란을 초래하여 사회의 기본 구조가 붕괴될 수 있음 • 원본 인간의 삶이 먼저 존재하므로 복제 인간은 자신의 유전자 정보에 관한★모를 권리를 침해받고, 자율적인 삶을 성취하는 것을 방해받을 수 있음

유럽 연합의 「인간 복제 금지 협약」(2001), 국제 연합의 「인간 복제 금지 선언문」(2005),

3. ★유전자 치료의 윤리적 쟁점
우리나라의 「생명 윤리 및 안전에 관한 법률」(2015)에서 인간 개체 복제를 금지하고 있어.

(1) 유전자 치료의 구분: 체세포를 대상으로 하는 체세포 유전자 치료와 수정란이나 배아를 대상으로 하는 생식 세포 유전자 치료로 구분됨
체세포 유전자 치료는 환자의 질병 치료를 위해 제한적으로 허용되고 있는 반면, 생식 세포 유전자 치료에 관해서는 논쟁이 벌어지고 있어.

(2) 유전자 치료에 관한 논쟁 교과서 자료

생식 세포 유전자 치료	찬성	• 유전적 질병 치료와 다음 세대의 유전 질환 예방 가능 • 새로운 치료법 개발을 통한 의학적·경제적 효용 가치 산출
	반대	• 임상 실험의 위험성, 의학적 불확실성으로 인한 부작용 발생 • 미래 세대에 대한 우생학적 시도로 변형 및 인간의 유전적 다양성 상실 우려 • 고가의 치료비로 혜택이 편중되어 분배 정의 훼손 • 유전 정보의 수집, 분석, 보관, 활용 과정에서 유전적 사생활 침해 문제 발생
유전 형질 개량 (★적극적 우생학)	찬성	• 개인의 선호와 자율적 선택에 의한 유전적 개량 존중 • 유전적 개량을 통해 개인의 만족과 사회적 향상이 이루어짐
	반대	• 현세대의 유전 형질 개량 기획에 따라 미래 세대의 자율적 삶을 제약할 수 있음 • 경제적 차이에 따른 계층 간 유전적 격차와 이로 인한 차별 발생

Q4? 생식 세포 유전자 치료는, 치료로 인한 유전적 변화가 다음 세대에까지 영향을 미치기 때문이야.

인류를 유전적으로 개량하기 위해 여러 조건과 인자 등을 연구하는 학문이야.

자료 ① 생명 존엄성을 지키기 위한 보편 선언

- **제3조 인간 존엄성과 인권** 인간 존엄성, 인권, 기본적 자유가 충분히 존중되어야 한다.
- **제4조 이익과 해악** 과학 지식, 의료 및 관련 기술들을 적용하고 발전시킬 때 환자, 연구자, 기타 그 영향을 받는 개인들에 대한 직간접적인 이득은 최대화해야 하고, 그들에 대한 어떤 가능한 해악이라도 최소화해야 한다.
- **제5조 자율성과 개인의 책임** 자신의 결정에 책임을 지고 타인의 자율성을 존중하는 한, 결정을 하는 사람의 자율성은 존중되어야 한다. – 유네스코, 「생명 윤리와 인권에 관한 보편 선언」

과학 기술의 급속한 발달로 인해 나타나는 윤리적 문제들을 해결하고, 생명의 존엄성을 실현하기 위해 생명 윤리가 필요하게 되었다. 이에 유네스코(UNESCO)가 2005년 총회에서 생명의 존엄성, 인권 및 기본적 자유 등을 강조한 보편 선언을 채택하였다.

자료 ② 배아의 도덕적 지위를 주장하는 논거

종의 구성원 논거	배아는 인간 종(種)에 속하며 도덕적 주체가 될 수 있음
잠재성 논거	배아는 인간이 될 수 있는 잠재성을 가짐
연속성 논거	배아는 선명한 경계선이 없는 연속적인 인간 발달의 과정에 있음
동일성 논거	배아가 성장해서 존재할 생명체와 배아는 동일함

배아의 도덕적 지위를 인정하는 입장에서는 배아에게 인간이 될 수 있는 잠재성이 있다고 본다. 또한 배아는 인간과 동일한 유전자를 가지며, 태아로 자라 아이로 태어나는 연속적인 과정에 있으므로 배아를 인간으로 보아야 한다고 주장한다. 따라서 연구를 위해 복제 배아를 파괴하는 것은 도덕적 지위를 가진 인간을 수단화한다는 점에서 비윤리적인 행위라고 본다.

수능이 보이는 교과서 자료 — 생명 과학 기술에 관한 하버마스의 관점

> 인간의 생명이 일정한 조건을 만족해야 태어날 수 있고 유전자 검사를 한 후에야 성장할 만하다고 인정되는 것은 인간 생명의 존엄성에 부합하는가?
> 어느 날 자신의 체세포에서 이식 가능한 장기를 배양하고 그것을 사용할 수 있으리라는 막연한 전망을 위해 배아를 이용하는 것에 대해서도 비슷한 질문을 할 수 있다. 인간의 배아를 의학적 연구를 위해 생산하고 사용할수록 출생 이전의 인간 생명에 대한 문화적 지각도 변화한다. 그 결과 비용과 효용을 계산할 수 있는 한계선에 대한 도덕적 감각이 무뎌진다. 과연 우리는 자신의 선호에 대한 자아도취적 집착 때문에 규범적이고 자연적인 삶의 토대에 무감각해지는 그런 사회에 살고 싶은가? – 하버마스, 「인간이라는 자연의 미래」

하버마스는 생명 과학 기술을 활용하는 과정에서 생명을 비용과 효용의 측면에서 고려하고 인간의 선호에 따라 연구에 이용하면 생명 존엄성에 대한 인식이 약화될 수 있음을 경고하였다. 그는 규범적이고 자연적인 삶의 토대에 도덕적으로 무감각해지는 현상을 경계하고 이에 대한 윤리적 성찰이 필요함을 주장하였다.

자료 하나 더 알고 가자!

비첨과 칠드러스의 생명 의료 윤리 원칙

- **자율성 존중의 원칙:** 인간의 자율적 의사를 최대한 존중해야 함
- **악행 금지의 원칙:** 신체적 해악이나 정신적 상처를 주어서는 안 됨
- **선행의 원칙:** 환자나 피험자의 유익을 도모하고 선행을 베풀어야 함
- **정의의 원칙:** 연구 성과나 자원을 공정하게 분배해야 함

비첨과 칠드러스가 제시한 생명 의료 윤리 원칙은 궁극적으로 생명의 존엄성을 실천하려는 자세를 담고 있다.

문제로 확인할까?

배아의 도덕적 지위를 인정하는 논거로 옳지 <u>않은</u> 것은?
① 배아는 인간 종에 속한다.
② 배아는 고통을 느끼지 않는다.
③ 배아는 도덕적 주체가 될 수 있다.
④ 배아는 연속적인 인간 발달 과정에 있다.
⑤ 배아가 성장해서 존재할 생명체와 배아는 동일하다.

② 🔳

완자쌤의 탐구 강의

• 하버마스가 복제 배아 파괴에 반대하는 이유를 서술해 보자.
인간 생명의 존엄성에 대한 인식을 약화하고 도덕적 감각을 무디게 하여 자연적 삶의 토대를 파괴하기 때문이다.

함께 보기 54쪽, 1등급 정복하기 1

동물 실험과 동물 권리의 윤리적 쟁점

동물 실험	• 찬성: 인간과 동물의 생물학적 유사성, 인체 실험의 위험성 축소, 인간의 건강 증진 • 반대: 동물은 도덕적 고려의 대상, 동물 실험과 인간 대상의 임상 시험 결과는 별개임, 동물 실험 대체 연구 가능
동물 권리	• 벤담: 공리주의 입장, 동물의 고통을 최소화해야 함 • 싱어: 공리주의 입장, 동물의 쾌고 감수 능력을 인정하고, 종 차별주의를 반대함 • 레건: 의무론 입장, 삶의 주체인 동물의 내재적 가치와 도덕적 권리를 인정함

★ **동물 실험**
동물을 대상으로 수행하는 실험으로, 의료, 교육, 실험, 연구, 생물학적 약품의 생산, 공산품의 안전성 검사 등에서 광범위하게 이루어진다.

★ **이익 관심(interest)**
자신의 이익에 대한 관심으로, 고통이 생기면 고통을 줄이고 쾌락을 추구하고 싶은 속성

★ **삶의 주체**
삶에 대하여 믿음, 욕구, 지각, 기억, 감정 등과 같은 다양한 긍정적인 이해 관심을 가지는 존재

꼭! 아퀴나스와 칸트는 동물의 도덕적 권리를 인정하지 않았지만, 동물을 함부로 다루는 것에는 반대하였어. 동물에 대한 잔혹한 처우는 인간에 대한 잔혹한 처우를 조장할 수 있고, 그것이 인간의 품성에 부정적인 영향을 끼치기 때문이야.

② 동물 실험과 동물 권리의 문제

1. *동물 실험의 윤리적 쟁점

(1) 동물 실험에 관한 논쟁

찬성	반대
• 인간과 동물의 지위는 차이가 있고, 인간은 동물을 이용할 수 있음 • 인간과 동물은 생물학적으로 유사함 — 유사성 논변 • 인체 실험의 위험성을 줄임 ┐ 이익 논변 • 치료 약, 치료법을 개발하여 인간의 건강을 증진함 ┘ • 동물 실험을 통해 생명 현상의 원리를 이해함 • 확실하고 믿을 만한 동물 실험의 대안이 없음 ┐ 대안 부재 논변	• 동물은 도덕적 고려의 대상임 • 인간의 이익을 위하여 동물에게 고통을 가하는 것은 옳지 않은 행위임 • 인간과 동물이 공유하는 질병이 적고, 동물 실험의 결과가 인간에게 동일하게 나타나지 않음 자료③ • 인간 세포와 조직을 이용한 실험, 컴퓨터 모의실험 연구 등으로 대체 가능함

(2) 동물 실험의 3R 원칙

대체(Replacement)	가능한 한 다른 실험 방법이나 실험 대상으로 대체함
감소(Reduction)	실험에 활용되는 동물의 수를 줄임
정교화(Refinement)	동물의 고통과 피해를 최소화하기 위해 실험 방법이나 기술을 정교화함

2. 동물 권리의 윤리적 쟁점
꼭! 동물이 도덕적으로 고려받을 권리를 가지는가, 즉 동물의 도덕적 지위를 인정하는지의 여부에 대한 논쟁이야.

(1) 동물의 권리를 인정하는 입장
동물의 이익을 고려할 경우 인간과 동물의 쾌락과 고통을 정확하게 계산하기 어려워.

벤담	• 공리주의 입장: 고통은 나쁜 것이며 인종, 성별, 동물의 종류와 관계없이 최소화되어야 한다고 봄 • 동물도 고통을 느끼므로 도덕적으로 고려받을 권리를 가짐 자료④
싱어	• 동물 해방론: 공리주의 관점에서 동물이 느끼는 고통을 감소해야 한다는 주장 • 쾌고 감수 능력: 동물도 즐거움과 고통을 느끼는 감각이 있으므로 도덕적 지위를 가짐 • 이익의 평등한 고려: 동물은 *이익 관심을 가지므로 동물의 이익도 동등하게 고려되어야 함 • 종 차별주의 반대: 종이 다르다는 이유로 차별하는 것은 인종 차별이나 성차별과 다를 바 없음
레건	• 동물 권리론: 의무론의 관점에서 삶의 주체인 동물은 그 자체로 존중받을 도덕적 권리를 가진다는 주장 • *삶의 주체: 동물은 지각과 감정을 지니고, 자신의 삶을 영위할 수 있는 삶의 주체임 • 삶의 주체인 동물은 그 자체로 존중받을 내재적 가치를 지니므로 동물을 수단시해서는 안 됨

(2) 동물의 권리를 인정하지 않는 입장 자료⑤
잠깐! 레건은 한 살 정도의 포유류는 자신의 삶을 영위할 수 있는 능력을 가진 삶의 주체가 될 수 있다고 보았어.

아리스토텔레스	동물은 인간을 위해 존재하기 때문에 인간이 동물을 사용하는 것은 문제가 되지 않음
데카르트	• 동물은 '자동인형', '움직이는 기계'에 불과함 • 동물은 정신이나 영혼이 없어서 쾌락이나 고통을 느낄 수 없음
아퀴나스	식물은 동물을 위해 존재하고, 동물은 인간을 위해 존재함
칸트	• 동물은 자의식을 가지지 않고, 어떤 목적을 위한 수단일 뿐임 • 동물에 대한 인간의 의무는 직접적 의무가 아닌, 사람에 대한 의무를 계발하려는 간접적 의무임
코헨	• 동물은 윤리 규범의 고안 능력이나 자율성 등이 없으므로 도덕적 권리를 가지지 않음 • 의학 발전과 인간의 수많은 업적은 동물 실험으로만 얻을 수 있음

(3) 동물 권리에 관한 다양한 문제들
Qn? '인간의 미각적 즐거움을 위해 동물의 생명을 빼앗고 고통을 주는 것이 정당한가?'라는 의문을 제기할 수 있어.

① 음식을 위한 동물 사육: 공장식 가축 사육은 인체에 악영향을 미치고 환경을 오염시킴

② 의복을 위한 동물 사육: 인간이 멋과 심리적 만족의 욕구 충족을 위해 동물을 수단시함

③ 유희를 위한 동물 활용: 동물원, 동물 공연, 동물 스포츠 등은 동물에게 고통을 줌

④ 야생 동물의 생존권 위협: 무분별한 개발과 불법 포획 및 밀렵으로 동물의 생존 위협

⑤ 동물 학대·유기: 동물을 소유물이나 즐거움을 주는 대상으로만 여겨 무책임하게 행동함

자료 ③ 동물 실험의 부작용

탈리도마이드는 임신부에게 나타나는 메스꺼움을 치료하기 위해 개발된 약으로 1950년대 동물 실험을 거쳐 시판되었다. 1962년에 판매가 중단되기 전까지 이 약을 먹은 산모들에게서 1만여 명의 신생아들이 불구로 태어났다. 이에 과학자들은 다른 동물을 대상으로 실험했는데, 화이트 뉴질랜드 토끼는 인간에게 투여된 분량의 25~300배를, 원숭이는 10배를 투여한 후에 기형 새끼를 출산하였다. － 그릭, 『탐욕과 오만의 동물 실험』

탈리도마이드는 동물 실험에서는 안전한 약으로 판정받았다. 하지만 이 약을 복용한 임산부는 기형아를 낳았고, 다른 동물들에게 인간의 수십 배를 투여했을 때는 부작용이 발생하였다. 이러한 동물 실험의 부작용 사례는 인간과 동물이 생물학적으로 긴밀한 유사성을 가지지 않으며, 동물 실험 결과를 인간에게 그대로 적용하는 데 한계가 있음을 보여 준다.

자료 ④ 동물의 도덕적 지위를 인정하는 벤담의 관점

자연은 인류를 두 군주의 지배 아래 두었다. 하나는 쾌락이며, 다른 하나는 고통이다. …… 동물들이, 폭군이 아닌 누구도 그들에게서 뺏어 갈 수 없는 자신의 권리를 획득할 날이 올지도 모른다. …… 뛰어넘을 수 없는 경계가 그 밖에 다른 무엇이 있는가? 이성의 능력인가 아니면 대화 능력인가? 하지만 완전히 자란 말이나 개는 하루나 일주일이나 한 달이 된 유아와는 비교할 수 없을 정도로 말이 더 잘 통하고, 더 합리적인 동물이다. 그렇지만 그것들이 설사 그렇지 않다고 하더라도 중요한 것은 그들이 이성을 가졌는가, 말을 하는가가 아니라 그들이 고통을 느낄 수 있는가이다.
영국의 철학자이자 법학자로, 인생의 목적은 최대 다수의 － 벤담, 『도덕과 입법의 원리 서설』
최대 행복의 실현에 있다는 공리주의를 주장하였어.

공리주의를 주장한 벤담은 고통을 느낄 수 있는 능력의 유무를 기준으로 행위의 결과를 고려하였다. 따라서 동물도 고통을 느끼므로 도덕적으로 대우해야 한다고 보았다. 벤담의 이러한 주장을 이어받은 싱어는 동물이 고통을 느낄 수 있는 쾌고 감수 능력을 가지고 있으므로 동물의 이익을 평등하게 고려해야 한다고 주장하였다.

자료 ⑤ 동물에 대한 인간 중심주의적 관점

• 식물은 모두 동물을 위해 존재하고, 동물은 모두 인간을 위해 존재한다. …… 인간이 동물에게 동정 어린 감정을 나타낸다면, 그는 그만큼 더 동료 인간들에게 관심을 가질 것이다.
－ 아퀴나스, 『신학대전』

• 인간은 동물과 관련해서 직접적 의무를 지지 않는다. 동물은 자의식적이지 못하므로 어떤 목적을 위한 수단일 뿐이다. 그 목적이란 인간이다. 동물에 대한 우리의 의무는 인간에 대한 간접적 의무에 불과하다. 우리가 동물에 대해 의무를 갖는 이유는 그렇게 함으로써 사람에 대한 의무를 계발할 수 있기 때문이다.
－ 칸트, 『윤리학 강의록』

아퀴나스는 인간과 동물의 지위를 구별하였고, 칸트는 동물이 인간을 위한 수단이라고 보았다. 아퀴나스와 칸트는 모두 동물의 도덕적 지위를 인정하지는 않았으나, 동물에게 해를 끼치는 것은 인간의 품위를 손상하는 행위이기 때문에 이에 반대하였다.

문제 로 확인할까?

동물 실험을 반대하는 근거로 옳은 것은?
① 동물 실험은 의약 개발에 유용하다.
② 인간과 동물은 생물학적으로 다르다.
③ 동물은 도덕적 고려의 대상이 아니다.
④ 인간의 지위는 동물과 근본적으로 다르다.
⑤ 동물 실험을 통해 인체 실험의 위험성을 줄일 수 있다.

② 目

자료 하나 더 알고 가자!

동물 보호법

동물에 대한 학대 행위의 방지 등 동물을 적정하게 보호·관리하기 위하여 필요한 사항을 규정한 법으로 동물의 생명 보호, 안전 보장 및 복지 증진을 꾀하고, 동물의 생명 존중 등 국민의 정서를 함양하는 데에 이바지함을 목적으로 한다.

우리나라는 「동물 보호법」을 제정하고, 동물 실험을 통해 생산된 화장품의 유통과 판매를 금지하는 등 동물 보호 및 동물의 권리에 관심을 기울이고 있다.

정리 비법을 알려줄게!

동물 권리의 윤리적 쟁점

동물 권리 인정	• 벤담: 동물도 고통을 느끼므로 도덕적으로 고려해야 함 • 싱어: 동물의 이익을 동등하게 고려해야 함 • 레건: 동물은 내재적 가치를 가지는 삶의 주체임
동물 권리 부정	• 아리스토텔레스, 아퀴나스: 동물은 인간을 위해 존재함 • 데카르트: 동물은 쾌락이나 고통을 느낄 수 없음 • 칸트: 동물은 수단일 뿐임 • 코헨: 동물은 자율성이 없음

STEP 1 핵심 개념 확인하기

1 ( )는 생명을 책임 있게 다루기 위한 윤리학적 숙고로, 생명 과학 기술의 윤리적 정당성과 한계를 성찰한다.

2 생명 복제에 찬성하는 논거에는 '찬', 반대하는 논거에는 '반'을 쓰시오.

(1) 생명의 존엄성이 훼손될 수 있는 윤리적 문제가 발생할 수 있다. ( )

(2) 개체 복제를 통해 불임 부부가 유전적 연관이 있는 자녀를 가질 수 있다. ( )

(3) 배아 복제를 이용해 인체 조직이나 장기를 복구하고 질병을 치료할 수 있다. ( )

3 다음 설명에 해당하는 유전자 치료에 대한 찬반 입장을 〈보기〉에서 골라 기호를 쓰시오.

┌─ 보기 ┐
ㄱ. 유전자 치료 찬성   ㄴ. 유전자 치료 반대
└────────────────────┘

(1) 새로운 치료 약과 치료 방법을 개발하여 경제적 효용 가치를 산출할 수 있다. ( )

(2) 고가의 치료비로 유전자 치료의 혜택이 일부 사람에게 편중되어 분배 정의에 어긋날 수 있다. ( )

4 다음 설명이 맞으면 ○표, 틀리면 ✕표를 하시오.

(1) 동물 실험을 찬성하는 입장에서는 인간과 동물의 지위가 다르지 않다고 본다. ( )

(2) 동물 실험을 반대하는 입장에서는 동물 실험을 컴퓨터 모의실험, 인간 세포와 조직을 이용한 실험 등을 통해 대체할 수 있다고 본다. ( )

5 다음 사상가가 동물 권리에 관하여 주장한 내용을 옳게 연결하시오.

(1) 벤담 •

(2) 레건 •

(3) 데카르트 •

• ㉠ 동물은 영혼이 없는 움직이는 기계이다.

• ㉡ 동물도 고통을 느끼므로 도덕적으로 고려를 받아야 한다.

• ㉢ 삶의 주체인 동물은 내재적 가치를 지니므로 존중받아야 한다.

STEP 2 내신 만점 공략하기

01 (가), (나) 사상의 생명을 바라보는 관점으로 가장 적절한 것은?

┌────────────────────────────────┐
생명에 대한 동양 윤리의 관점에서 (가) 은/는 연기(緣起)의 가르침을 통해 생명의 상호 의존 관계를 강조하였다. (나) 에서는 무위자연(無爲自然)의 도를 생명을 바라보는 기본 관점으로 중시하였다.
└────────────────────────────────┘

① (가) – 부모로부터 물려받은 생명을 소중히 여겨야 한다.

② (가) – 불살생의 계율에 따라 작은 생명이라도 귀하게 여겨야 한다.

③ (가) – 개인과 사회의 이익을 확대하기 위해 생명 과학 기술을 활용해야 한다.

④ (나) – 서로 다른 생명 간에는 일정한 위계가 있다.

⑤ (나) – 생명은 신으로부터 부여받은 존엄한 것이기 때문에 생명을 잘 보존해야 한다.

★중요
02 다음 입장에서 배아 복제 실험에 대해 주장할 내용으로 옳은 것은?

┌────────────────────────────────┐
복제 배아는 인간과 동일한 유전자를 가지고 있고, 태아로 자라 아이로 태어나는 연속적인 과정 중에 있다.
└────────────────────────────────┘

① 복제 과정에서 사용하는 배아를 인간으로 보기는 어렵다.

② 배아 복제 실험은 과학 발전을 위한 순수한 연구이므로 정당하다.

③ 유전적 결함을 치료하기 위한 배아 복제 실험은 허용되어야 한다.

④ 복제 기술이 안정화되어 배아 복제 실험의 부작용이 거의 없어질 것이다.

⑤ 배아는 인간이 될 잠재 가능성을 가진 존재이므로 배아 복제 실험은 정당하지 않다.

03 (가)에 들어갈 내용으로 적절하지 <u>않은</u> 것은?

> 갑: 배아는 도덕적 지위를 지닌 존재로, 인간 존엄성의 기초가 되는 속성을 가지고 있어. 그렇기 때문에 배아는 나중에 성장할 인간과 동일하다고 볼 수 있어.
> 을: 나는 배아가 도덕적 지위를 지녔다고 생각하지 않아. 또한 ⎡⎯⎯⎯⎯⎯⎯ (가) ⎯⎯⎯⎯⎯⎯⎤

① 배아는 아직 완전한 인간이라고 볼 수 없어.

② 배아는 선명한 경계선이 없는 연속적인 발달 과정에 있어.

③ 복제 배아는 생식 초기에 관한 연구에 도움을 줄 수 있어.

④ 배아는 인간 개체가 될 가능성이 확정되지 않은 세포 덩어리야.

⑤ 고통을 느낄 수 없는 배아의 희생을 통해 인간의 고통을 줄일 수 있어.

04 밑줄 친 입장의 논거로 옳은 것은?

> 생식 세포 치료는 생식 세포에 영향을 미치므로 변형된 유전적 정보가 유전되어 후세대와 인간의 유전자 풀(pool)에 직접적인 영향을 미친다. 이에 따라 <u>생식 세포 치료를 허용할 수 있다는 입장</u>과 이를 반대하는 입장 간에 논쟁이 있다.

① 인간의 유전자를 조작하려는 우생학을 부추길 수 있다.

② 임상 실험의 위험성과 과학적 불확실성으로 부작용이 나타날 수 있다.

③ 생식 세포 치료가 일반화될 경우 인간의 유전적 다양성이 상실될 수 있다.

④ 생식 세포 치료로 유전자에 문제가 생길 경우 후세대에 지속적으로 고통을 줄 수 있다.

⑤ 유전적으로 결함이 있는 배아를 바로잡아 부모의 생식에 대한 자율성을 보장할 수 있다.

05 다음은 한 학생이 작성한 보고서이다. ⑦~⑩ 중 옳지 <u>않은</u> 것은?

> **유전자 치료에 관한 찬성 논거**
> 1. 건강 증진: 선천적 유전 질환 치료 가능 ············· ⑦
> 2. 자율성 보장: 유전적 질환을 물려주지 않으려는 부모의 자율성을 보장할 수 있음 ············· ⓛ
> 3. 경제적 유용성 증가: 유전 질환을 예방하여 그에 따르는 비용 절감으로 경제적 유용성이 증가함 ····· ⓒ
> 4. 우생학 발생: 유전적 개량을 통해 미래 세대의 자율적 삶을 제약할 수 있음 ············· ⓔ
> 5. 의학적 발전: 유전적 질병 퇴치 ············· ⑩

① ⑦　　② ⓛ　　③ ⓒ　　④ ⓔ　　⑤ ⑩

06 (가) 사상의 입장에서 (나)의 사례에 대해 조언할 내용으로 가장 적절한 것은?

> (가) 인간의 배아를 의학적 연구를 위해 생산하고 사용할수록 출생 이전의 인간 생명에 대한 문화적 지각도 변화한다. 그 결과 비용과 효용을 계산할 수 있는 한계선에 대한 도덕적 감각이 무뎌진다. 과연 우리는 자신의 선호에 대한 자아도취적 집착 때문에 규범적이고 자연적인 삶의 토대에 무감각해지는 그런 사회에 살고 싶은가?
>
> (나) 불임 부부가 난자 공여자를 찾는 광고를 냈다. 광고에는 키 175cm 이상, 튼튼하고 날씬한 몸매, 병력이 없음, 대학 입학 자격 시험(SAT) 점수가 1400점 이상인 여성에게 난자를 받는 대가로 5만 달러를 지불하겠다고 적혀 있었다.

① 난자를 받는 대가의 사회적 효용성을 고려해야 해.

② 불임 부부가 유전적 연관이 있는 자녀를 가질 수 있도록 자유로운 선택을 보장해야 해.

③ 불임의 한계를 극복하고자 난자를 활용하여 연구하는 것은 결과적으로 의학 발전에 도움이 될 수 있어.

④ 비용과 효용의 측면을 고려하여 난자 공여자를 찾는 행위는 생명의 존엄성에 대한 인식을 약화할 수 있어.

⑤ 유전자 선택을 통해 태어난 자녀가 불임 부부에게 행복을 주므로 생명 존엄성에 대한 의식이 강화될 것이야.

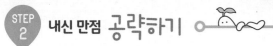
07 적극적 우생학을 반대하는 입장으로 옳은 것은?

① 유전적 개량을 통해 사회적 향상이 이루어질 수 있다.

② 유전자 조작은 인간의 생식적 선택의 범위를 넓혀 줄 수 있다.

③ 유전자 개량을 통해 원하는 유전 형질이 나타나게 할 수 있다.

④ 유전적으로 기획되어 태어난다는 점에서 미래 세대의 자율적인 삶을 제약할 수 있다.

⑤ 유전자 개량이 과거에는 사회나 국가적으로 강요되었다면, 오늘날에는 개인의 자율성에 근거한다.

08 ☆중요 다음 대화의 (가)에 들어갈 내용으로 옳은 것은?

동물과 인간은 생물학적으로 유사한 점이 많기 때문에 동물 실험은 불가피해.

나는 동물 실험에 반대해. 왜냐하면 (가)

갑   을

① 동물 실험 외에 확실하고 믿을 만한 대안이 없기 때문이야.

② 동물 실험과 인간 대상의 임상 시험 결과는 별개이기 때문이야.

③ 동물 실험을 통해 인간의 생명과 건강을 보호할 수 있기 때문이야.

④ 동물 실험을 통해 의약품의 부작용과 위험성을 발견하고 질병의 발병률을 줄일 수 있기 때문이야.

⑤ 조직 배양 실험이나 컴퓨터 모의실험 연구가 가능하지만 신뢰할 만한 결과를 얻을 수 없기 때문이야.

09 다음은 서술형 평가 문제와 학생 답안이다. 밑줄 친 부분의 근거로 가장 적절한 것은?

> **서술형 평가**
>
> ◎ 문제: 동물 실험을 찬성하는 논거를 서술하시오.
>
> ◎ 학생 답안
> 첫째, 인간과 동물의 생물학적 유사성이 많다는 유사성 논변을 들 수 있다. 둘째, 동물 실험 외에 적절한 대안이 없다는 대안 부재 논변을 들 수 있다. 셋째, 동물 실험의 이익 논변을 들 수 있다.

① 인간과 동물이 공유하는 질병은 극소수에 불과하다.

② 동물 실험은 의학 발전과 인간의 건강 증진에 도움이 된다.

③ 동물도 인간과 마찬가지로 고통을 느끼는 쾌고 감수 능력을 가진다.

④ 조직 배양이나 컴퓨터 모의실험 등으로 동물 실험을 대체할 수 있다.

⑤ 동물의 이익을 고려할 경우 인간과 동물의 쾌락과 고통을 정확하게 계산하기 어렵다.

10 ☆중요 동물의 권리에 관한 레건의 입장으로 적절한 것을 〈보기〉에서 고른 것은?

> **보기**
>
> ㄱ. 삶의 주체인 동물을 목적으로 대우해야 한다.
> ㄴ. 공리주의 관점에서 동물은 존중받을 권리를 가진다.
> ㄷ. 내재적 가치를 가지는 동물에게 고통을 주는 것은 부당하다.
> ㄹ. 동물은 도덕적 행위를 할 수 있는 능력이 있기 때문에 도덕적 지위를 가진다.

① ㄱ, ㄴ   ② ㄱ, ㄷ   ③ ㄴ, ㄷ

④ ㄴ, ㄹ   ⑤ ㄷ, ㄹ

11 다음 사상가의 동물에 대한 관점으로 옳은 것은?

> 동물은 자의식적이지 못하므로 어떤 목적을 위한 수단일 뿐이다. 그 목적이란 인간이다. 동물에 대한 우리의 의무는 인간에 대한 간접적 의무에 불과하다. 우리가 동물에 대해 의무를 갖는 이유는 그렇게 함으로써 사람에 대한 의무를 계발할 수 있기 때문이다.

① 동물의 이익을 인간과 동등하게 고려해야 한다.
② 동물은 쾌고 감수 능력을 지닌 존재로 도덕적 고려의 대상이다.
③ 동물을 함부로 다루는 것은 인간의 품성에 부정적인 영향을 끼친다.
④ 동물은 그 자체로 내재적 가치를 지니므로 동물을 학대해서는 안 된다.
⑤ 동물은 자신의 삶을 영위할 수 있는 존재이므로 수단으로 대우해서는 안 된다.

12 다음 사상가의 입장으로 옳은 것을 〈보기〉에서 고른 것은?

> 동물들이, 폭군이 아닌 누구도 그들에게서 뺏어 갈 수 없는 자신의 권리를 획득할 날이 올지도 모른다. …… 하지만 완전히 자란 말이나 개는 하루나 일주일이나 한 달이 된 유아와는 비교할 수 없을 정도로 말이 더 잘 통하고, 더 합리적인 동물이다. 그렇지만 그것들이 설사 그렇지 않다고 하더라도 중요한 것은 그들이 이성을 가졌는가, 말을 하는가가 아니라 그들이 고통을 느낄 수 있는가이다.

〈보기〉
ㄱ. 동물은 자율성이 없으므로 도덕적 권리를 가지지 않는다.
ㄴ. 동물은 정신이나 영혼이 없기 때문에 고통을 느낄 수 없다.
ㄷ. 최대 다수의 최대 행복을 실현하기 위해 동물의 고통을 경감해야 한다.
ㄹ. 동물도 인간과 마찬가지로 즐거움과 고통을 느끼기 때문에 도덕적 지위를 가진다.

① ㄱ, ㄴ　　② ㄱ, ㄷ　　③ ㄴ, ㄷ
④ ㄴ, ㄹ　　⑤ ㄷ, ㄹ

서술형 문제

● 정답친해 14쪽

01 (가)의 갑, 을 사상의 입장에서 (나)에 대해 펼칠 주장을 각각 서술하시오.

(가)	갑: 동물은 자동인형 또는 움직이는 기계에 불과하다. 단순한 기계인 동물은 고통과 쾌락을 경험할 수 없으며, 동물이 고통을 느낄 때 몸부림치거나 고통스러운 소리를 내는 것은 자동인형이 움직이거나 시계가 째깍거리는 소리와 같다.
	을: 동물도 인간과 마찬가지로 즐거움과 고통을 느끼기 때문에 도덕적 지위를 가진다. 따라서 어떤 존재가 이러한 감각을 가지고 있다면 그들의 이익은 동등하게 고려되어야 한다. 동물을 종이 다르다는 이유로 차별하는 것은 인종 차별이나 성차별과 다를 바 없다.
(나)	동물 실험 과정에서 동물은 물과 사료를 제한받기도 하고, 약물이나 병원균, 암세포가 주입되기도 하며 생체 해부를 당하거나 안락사되기도 한다.

（길잡이） 동물에 대한 데카르트와 싱어의 관점에서 동물 실험에 관하여 내릴 수 있는 도덕 판단을 서술한다.

02 다음을 읽고 물음에 답하시오.

> 대전제: 인간을 대상으로 하는 실험은 바람직하지 않다.
> 소전제: 배아 복제 실험은 인간을 대상으로 하는 실험이다.
> 결론: ＿＿＿＿＿＿＿ (가) ＿＿＿＿＿＿＿

(1) (가)에 들어갈 주장을 서술하시오.

(2) (가)에 대한 반론의 근거를 서술하시오.

（길잡이） 배아를 인간으로 바라보는 관점에 대해 반박할 수 있는 논거를 서술한다.

1 갑 사상의 입장에서 을에 대해 제기할 수 있는 주장으로 가장 적절한 것은?

> 갑: 인간의 배아를 의학적 연구를 위해 생산하고 사용할수록 출생 이전의 인간 생명에 대한 문화적 지각도 변화한다. 이에 따라 그 결과 비용과 효용을 계산할 수 있는 한계선에 대한 도덕적 감각이 무뎌진다. 과연 우리는 자신의 선호에 대한 자아도취적 집착 때문에 규범적이고 자연적인 삶의 토대에 무감각해지는 그런 사회에 살고 싶은가?
>
> 을: 배아의 지위는 완전히 성숙한 인간이 지니는 지위보다 낮기 때문에, 배아는 인간의 생명을 구하기 위한 질병 치료 연구에 사용될 수 있다.

① 배아는 세포 덩어리이므로 인간을 위한 수단으로 활용할 수 있다.
② 배아는 아직 완전한 인간이 아니기 때문에 도덕적 지위를 지니지 않는다.
③ 배아 복제 연구는 난치병 치료에 도움을 주기 때문에 이는 정당화될 수 있다.
④ 배아를 질병 치료 연구에 사용하였을 때 최대 다수의 최대 행복이 산출될 수 있다.
⑤ 배아를 효용의 측면에서 고려하는 것은 인간 생명 존엄성에 대한 인식을 약화할 수 있다.

> 배아 연구에 관한 하버마스의 관점
>
> **완자샘의 시험 꿀팁**
>
> 생명 과학 기술에 관한 하버마스의 윤리적 견해에 대한 문제가 출제될 수 있다. 하버마스가 배아를 이용한 연구에 대해 제시할 수 있는 주장을 파악해 둔다.

2 밑줄 친 부분을 뒷받침하는 근거로 옳지 <u>않은</u> 것은?

> 우리나라는 체세포 유전자 치료를 제한적으로 허용하고 있으나, <u>생식 세포·배아·태아에 관한 유전자 치료는 금지하고 있다.</u> 유전자 치료의 허용 여부는 의학적 안전성 및 유용성, 생명 의료 윤리 원칙 등을 종합적으로 고려하여 판단해야 한다.

① 미래 세대의 동의 여부가 불확실하다.
② 의학적으로 불확실하고 임상적으로 위험하다.
③ 인간의 유전자를 조작하려는 우생학을 부추길 수 있다.
④ 치료를 위해 주입된 유전자가 주로 환자 개인에게만 영향을 미친다.
⑤ 고가의 치료비로 그 혜택이 일부 사람에게 치중되어 분배 정의에 어긋날 수 있다.

> 유전자 치료의 윤리적 쟁점
>
> **완자 사전**
>
> • 분배 정의
> 재화의 공정한 분배를 통해 실현되는 정의

3 (가)의 갑~병 사상가들의 입장을 (나) 그림으로 표현할 때, A~D에 해당하는 적절한 진술을 〈보기〉에서 고른 것은?

> **동물의 도덕적 지위**

> **완자쌤의 시험 꿀팁**
>
> 동물의 권리에 대한 사상가들의 입장을 비교하는 문제가 자주 출제된다. 동물을 도덕적으로 고려하는 것에 관한 칸트, 레건, 싱어의 입장을 비교하여 특징을 정리해 둔다.

(가)	갑: 동물을 잔혹하게 대우하는 것에 반대하는 이유는 동물 자체를 위해서라기보다 그것이 인간의 품위를 손상하는 행위이기 때문이다. 을: 일부 동물에게도 삶의 주체로서 가지는 가치가 있으므로, 동물은 실험에 이용되지 않을 권리가 있다. 병: 인종 차별이나 성차별이 옳지 않은 것과 마찬가지로 인간과 동물을 차별하는 것은 종 차별주의이다.
(나)	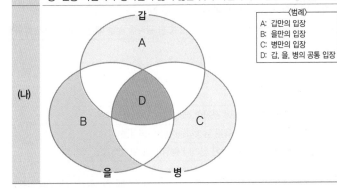

〈범례〉
A: 갑만의 입장
B: 을만의 입장
C: 병만의 입장
D: 갑, 을, 병의 공통 입장

보기

ㄱ. A: 동물 학대 금지는 간접적으로만 인간의 의무에 속한다.

ㄴ. B: 이성을 발휘할 수 있는지의 여부가 도덕적 고려 대상의 설정 근거이다.

ㄷ. C: 공리주의 입장에서 동물은 쾌락과 고통을 느낄 수 있는 능력이 있기 때문에 이익 관심을 가진다고 본다.

ㄹ. D: 인간과 동물을 도덕적으로 동등하게 고려해야 한다.

① ㄱ, ㄴ   ② ㄱ, ㄷ   ③ ㄴ, ㄷ   ④ ㄴ, ㄹ   ⑤ ㄷ, ㄹ

4 동물 권리에 관한 싱어의 관점으로 옳은 것을 〈보기〉에서 고른 것은?

> **싱어의 동물 해방론**

보기

ㄱ. 동물이 처한 현실에 관심을 가지고 복지를 향상하여 동물의 고통을 줄여야 한다.

ㄴ. 동물은 욕구, 지각, 기억, 감정 등을 가진 삶의 주체이므로 도덕적으로 고려해야 한다.

ㄷ. 고통을 느낄 수 있는 정도의 차이에 따라 도덕적 지위의 서열이 다르게 부여되어야 한다.

ㄹ. 동물은 고통을 당하지 않을 이익 관심을 가지기 때문에 동물의 이익을 동등하게 고려해야 한다.

① ㄱ, ㄴ   ② ㄱ, ㄹ   ③ ㄴ, ㄷ   ④ ㄴ, ㄹ   ⑤ ㄷ, ㄹ

03 사랑과 성 윤리

이것이 핵심!

성과 관련된 윤리 문제

성차별	남성 혹은 여성이라는 이유로 부당한 대우를 하는 것
성 상품화	성을 사고팔거나, 상업적으로 성을 이용하는 행위
성의 자기 결정권	성에 대한 행동을 자율적으로 선택할 권리를 남용하거나 타인의 권리를 침해하는 문제

★ **쾌락의 역설**
감각적 쾌락에 집착하여 그것만을 추구하다 보면 쾌락보다는 오히려 권태와 고통을 얻게 되는 것을 말한다.

★ **여성주의**
여성의 사회, 정치, 법률상의 권리를 확대해 나가야 한다는 영향이나 태도

★ **배려 윤리**
기존의 보편성, 합리성에 치중한 정의 윤리를 보완하기 위해 구체적인 맥락과 돌봄, 공감, 관계성, 동정심, 유대감, 책임 등 배려의 윤리적 가치를 중시하며 등장한 윤리이다. 대표적인 학자로 나딩스와 길리건이 있다.

★ **가치 전도 현상**
본래적 가치보다는 도구적 가치를 중요하게 생각하고, 정신적 가치보다는 물질적 가치만을 앞세워 가치의 순서나 위치가 거꾸로 된 상태를 말한다.

① 사랑과 성의 관계

1. 사랑의 의미
┌ 사랑은 인간이 지향하는 정서의 최고 단계로서 인간을 도덕적인 생활로 이끌며 인간 상호 간에 인격적 교감을 이루게 해.

(1) **의미**: 인간의 근원적인 정서로, 어떤 사람이나 존재를 아끼고 소중히 여기는 마음

(2) **사랑의 윤리적 의미**

프롬	사랑은 책임, 이해, 존경, 보호와 관심을 포함함 (자료①)
스턴버그	사랑의 삼각형 이론: 사랑은 친밀감, 열정, 책임감으로 구성됨
마르셀	사랑은 '창조적 성실' → 친밀한 유대와 참여를 기반으로 한 관계를 맺을 때 헌신과 신뢰가 발휘됨

2. 성의 의미와 가치

(1) **성의 의미**

생물학적 성(sex)	남녀의 생물학적 성차에 근거한 생식 본능이나 성적 행위
사회·문화적 성(gender)	사회에서 형성되고 습득된 남성다움이나 여성다움
욕망으로서의 성(sexuality)	인간의 성적 욕망에 관련된 심리나 행위 등을 포괄적으로 의미함

(2) **성의 가치** ┌ 성의 생식적 가치는 책임 있는 행동, 쾌락적 가치는 절제 있는 행동, 인격적 가치는 사랑하는 사람의 인격 존중을 요구해.

		ꞏꞏꞏ 자연법 윤리에서 말하는 종족 보존의 자연적 성향과 관련이 있어.
생식적 가치	종족 보존의 측면, 새로운 생명을 탄생시키는 원천	
쾌락적 가치	감각적 욕구 충족, 성적 욕망과 관련되며 지나치게 추구할 경우 *쾌락의 역설에 빠질 수 있음	
인격적 가치	상호 간의 존중과 배려 실현, 사랑하는 사람과 신체적·정신적으로 하나가 되는 자아의 확대	

(3) **사랑과 성에 관한 관점**

보수주의 관점	결혼 제도 안에서 이루어지는 사랑과 성을 추구 → 결혼을 통해 이루어지는 성적 관계만 허용
중도주의 관점	사랑 중심의 성을 추구 → 성을 결혼과 결부시키지 않으며 사랑을 동반한 성적 관계를 허용
자유주의 관점	자발적 동의에 따라 사랑 없이도 가능한 성을 추구 → 성에 관한 개인의 자율성 중시

꿀! 성적 자유를 추구하되, 타인에 대한 해악 금지의 원칙이 전제되어야 해.

3. 성과 관련된 윤리 문제

(1) **성차별** ┌ 예 '강한', '독립적인', '적극적인' 특성을 남성다움으로 보고 남성이 그렇지 않을 때 비난하거나, '연약한', '의존적인', '소극적인' 특성을 여성다움으로 보고 이를 여성에게 강요하는 것도 성차별에 해당해.

의미	남성 혹은 여성이라는 이유 때문에 사회적·문화적·경제적으로 부당한 대우를 하는 것으로, 주로 성 역할에 대한 잘못된 인식에서 비롯됨
문제점	인간이 누려야 할 자유와 평등, 인간의 존엄성을 훼손하고 인권을 침해하며 자아실현을 방해함
*여성주의 윤리의 등장	• 여성에 대한 성차별을 비판하며 시작된 여성주의는 양성평등에 대한 관심을 불러일으킴 (자료②) • *배려 윤리: 여성주의 윤리를 바탕으로 하는 배려 윤리는 인간을 상호 의존 관계로 보고, 배려, 공감, 동정심, 관계성 등의 가치를 중요시함 (교과서 자료)

(2) **성의 자기 결정권** 꿀! 성의 자기 결정권은 타인의 권리를 침해하지 않는 범위로 제한되고, 자신의 결정에 대한 책임을 수반해.

의미	성에 대한 행동을 자율적으로 책임 있게 결정하고 선택할 권리
성의 자기 결정권 남용의 문제	• 타인의 성의 자기 결정권을 침해하는 것은 육체적·정신적·인격적 피해를 끼침 • 성의 자기 결정권을 무책임하게 행사하면 무고한 인간 생명을 훼손할 수 있음

(3) **성 상품화** 잠깐! 성매매뿐만 아니라 성적 이미지를 제품과 연결하여 성을 도구화하는 것도 포함해.

의미	성 자체를 상품처럼 사고팔거나, 다른 상품을 팔기 위한 수단으로 성을 이용하는 행위
성 상품화에 관한 입장	• 찬성: 성의 자기 결정권과 표현의 자유를 강조함, 자본주의 경제 논리에 부합함 • 반대: *가치 전도 현상으로 인해 성의 가치를 훼손하고 인간을 도구화함, 외모 지상주의를 조장함

자료 ① 프롬이 말한 사랑의 의미

사랑의 능동적 성격은 준다는 요소 외에도, 보호, 책임, 존경, 이해 등을 내포한다. 사랑에 보호가 포함되어 있다는 것은 자식에 대한 모성애에서 가장 명백하게 나타난다. …… 보호에는 '책임'이라는 측면이 포함되어 있다. 책임은 다른 인간 존재의 요구에 대한 나의 반응이다. 책임을 진다는 것은 응답할 수 있고, 응답할 준비가 갖추어져 있다는 뜻이다. …… 존경은 어떤 사람을 있는 그대로 보고 그의 독특한 개성을 아는 능력이다. 존경은 다른 사람이 그 나름대로 성장하고 발달하기를 바라는 관심이다. …… 어떤 사람을 존경하려면 그를 잘 알지 않고서는 불가능하다. 이해는 다른 사람을 그의 관점에서 볼 수 있을 때만 가능하다.　　　　　　　　 – 프롬, 「사랑의 기술」

프롬은 인간에게 사랑은 능동적인 힘이라고 보았다. 사랑은 인간의 고립을 극복하게 하면서도 각자의 특성을 유지할 수 있게 하는 힘이다. 사랑은 책임과 이해, 존경, 보호를 바탕으로 하여 상호 성장하고 발전하는 것을 추구한다.

정리 비법을 알려줄게!

프롬의 사랑의 특징

책임	사랑은 상대의 요구에 책임 있게 반응하는 것
이해	사랑은 상대의 독특한 개성을 아는 능력이며, 그를 깊이 이해하는 것
존경	사랑은 지배하고 소유하는 것이 아니라 상대를 있는 그대로 보는 것
보호	사랑은 사랑하는 사람의 생명과 성장에 적극적인 관심을 가지고 보호하는 것

자료 ② 보부아르의 여성주의 윤리

남성은 단 한 번도 자기 자신을 특정한 성의 한 개체로서 생각하지 않는다. 그가 남성이라는 사실은 자명한 것이다. 남녀 양성의 관계는 두 개의 전극의 관계가 아니다. 왜냐하면 남성은 양극인 동시에 전체이기 때문이다. 프랑스어에서 남성을 뜻하는 'homme'란 말은 동시에 인간을 가리키는 말이다. 반면 여성은 음극으로 간주되며 이러한 개념 규정은 제한을 의미한다. …… 여성은 태어나는 것이 아니라 여성으로서 만들어진다.　　 – 보부아르, 「제2의 성」

여성주의 윤리학자 보부아르는 여성의 성 정체성은 자연적인 것이 아니라 사회적·문화적으로 학습되고 내면화된 것이라고 주장하였다. 또 남녀가 동등한 인격임에도 불구하고 성차별이 존재하는 것을 지적하며 양성평등을 강조하였다.

문제로 확인할까?

여성주의 윤리에 대한 보부아르의 견해로 적절하지 <u>않은</u> 것은?

① 여성은 사회적인 제약을 받는다.
② 여성의 성 정체성은 학습된 것이다.
③ 여성의 성 정체성은 자연적인 것이다.
④ 여성에 대한 불평등이 이루어지고 있다.
⑤ 여성다움에 대한 강조는 성차별로 이어질 수 있다.

ⓒ 目

수능이 보이는 교과서 자료 　배려 윤리와 양성평등

남성과 여성은 도덕적 딜레마에 접근할 때, 남성은 권리 혹은 정의의 관점에서, 여성은 배려의 관점에서 접근하기 때문에 그들이 인정하는 진리 또한 상반된다. 즉 남성은 독립의 중요성을, 여성은 친밀감의 중요성을 깨닫게 되는 것이다. 남성과 여성의 이러한 상이한 관점은 두 개의 다른 도덕성에 반영되어 있는데, 독립은 권리 혹은 정의의 윤리에 의해서 정당화되고, 친밀은 배려의 윤리에 의해 지지된다. 권리 혹은 정의의 윤리에서 중요한 것은 공정성이며, 배려의 윤리는 공감과 배려의 전제 조건인 이해심에 토대를 두고 있다. 그러므로 여성의 도덕성 발달을 남성적 기준으로 측정하면서 다른 진리가 존재할 수도 있다는 가능성을 무시하는 관점에는 한계가 있다.　　　　 – 길리건, 「다른 목소리로」

길리건은 여성의 도덕성 발달에 관한 배려 윤리를 제시함으로써 남녀의 동등성을 밝히고, 남성의 정의적 도덕성과 여성의 배려적 도덕성이 다르다는 것을 주장하였다. 배려 윤리는 남녀의 상호 보완과 양성평등을 강조한다.

완자샘의 탐구 강의

• 배려 윤리가 양성평등 실현에 어떻게 기여할 수 있는지 서술해 보자.
가부장적 남성 중심 문화를 비판하고, 배려의 윤리적 가치를 강조하여 남녀가 상호 보완 관계를 이룸으로써 양성평등 실현에 기여할 수 있다.

함께 보기 63쪽, 1등급 정복하기 2

03 사랑과 성 윤리

가족 해체 현상과 극복 방안

가족 해체 현상	가족의 역할이나 기능이 제대로 수행되지 못하는 상태
가족 해체 극복 방안	• 전통적 가족 윤리 실천 • 가족에 대한 사회·국가적 차원의 지원

★ **오륜(五倫)**
유학에서 제시한 사람이 지켜야 할 다섯 가지 도리로, 부자유친(父子有親), 군신유의(君臣有義), 부부유별(夫婦有別), 장유유서(長幼有序), 붕우유신(朋友有信)이 있다.

★ **음양론(陰陽論)**
우주나 인간 사회의 모든 현상을 음양의 변화로 설명하는 이론이다. 음과 양은 서로 다르지만, 단독으로 존재할 수 없으므로 보완하여 조화를 이루어야 한다고 본다.

★ **예기(禮記)**
중국 주나라 말기에서 진한 시대까지의 예(禮)에 관한 학설을 모아 놓은 책으로, 유교 경전인 오경 중 하나이다.

★ **형우제공(兄友弟恭)**
형은 동생을 사랑하고 동생은 형을 공경한다는 뜻으로, 형제자매 간에 서로 우애 깊게 지내는 것을 말한다.

가족 해체 문제와 관련하여 전통 윤리의 덕목에서 그 해결 방안을 찾을 수 있어.

---

② 결혼과 가족의 윤리

1. 결혼의 윤리적 의미와 부부간의 윤리
┌ 결혼은 사랑의 결실이며 인류 존속을 위한 첫걸음이야.

(1) 결혼의 의미

┌ 결혼을 '백년가약(百年佳約)'이라고 하는데, 이는 남녀가 부부가 되어 평생 기쁨과 슬픔을 함께하며 서로에게 헌신하고 봉사하겠다는 약속을 하는 것을 의미해.

① 일반적 의미: 사랑하는 두 사람이 부부의 관계를 맺는 것
② 윤리적 의미: 가족 구성의 출발점, 서로 간의 사랑을 지키겠다는 약속, 서로의 차이를 존중하기 위한 의지의 표현

(2) 부부간의 윤리
꼭! 부부간의 윤리를 양성평등의 관점에서 지켜 나가야 함을 강조하고 있어.
┌ 전통 사회에서 강조한 부부간의 윤리로, 이는 '음양론'에 바탕을 두고 있어.

동양	• 부부상경(夫婦相敬): 부부가 서로 존중하고 협력해야 함 • 부부유별: 오륜의 덕목 중 하나로, 부부간에 '차별'이 아닌 '구별'로서 상호 존중의 의미를 담고 있음 • 상경여빈: 부부는 가장 친밀한 사이지만, 부부가 서로 공경하기를 손님같이 대한다는 뜻으로, 부부간의 공경을 강조함 • 음양론: 부부는 자연의 음과 양의 관계처럼 상호 보완적이고 대등한 관계로 서로 공경해야 함 자료③ • 예기(禮記)에서는 천지가 화합하지 않으면 만물이 나오지 않고, 혼인은 만세의 이어짐이라고 함
서양	• 부부 개인의 자유와 주체성을 강조함 • 자신의 주체적 역할에 충실하고 상대방의 역할을 존중하며, 부부간의 균형과 조화의 태도를 지향함

2. 가족의 가치와 가족 윤리

(1) 가족의 가치 자료④ ┌ 가족은 혼인, 혈연, 입양 등으로 이루어지는 공동체야.

① 정서적 안정: 가정에서 심신의 피로를 풀고, 정서적으로 안정된 상태를 유지할 수 있음
② 사회화와 인격 형성: 사회생활에 필요한 규칙과 예절을 습득함으로써 바람직한 인격을 형성함
③ 건강한 사회의 토대: 가족의 화목과 안정은 사회 전체의 화목과 안정으로 이어짐
┌ 가화만사성(家和萬事成)은 가정이 화목하면 모든 일이 잘 이루어진다는 것을 뜻하는 고사성어야.

(2) 가족 해체 현상 자료⑤

의미	• 가족 구성원 각자의 역할이나 가족 전체의 기능이 제대로 수행되지 못하는 상태 • 가족의 형태가 점점 축소되고, 가족의 기본적인 기능이 약화하는 현상
원인	• 전통적 가족 구조 축소와 가족 간의 유대감 약화 ── 직업 생활과 자녀 교육 등으로 가족이 떨어져 사는 경우가 많고, 같이 생활하더라도 서로 접촉할 수 있는 시간이 그리 많지 않기 때문이야. • 사회 구조 변화에 따른 혼인율과 출산율의 급격한 감소
문제점	• 가족은 육체적·정신적 안식처이므로 가족 해체 현상은 개인의 삶을 불안하게 만들 수 있음 • 가족 해체 현상의 심화로 가족 공동체가 와해되면 사회 전체에 부정적 영향을 미침

(3) 가족 해체 극복 방안으로서의 가족 윤리

가족 해체 극복 방안	• 자애(慈愛): 부모는 자녀를 사랑해야 함 • 효도(孝道): 자녀는 부모에게 효도를 해야 함 예 소외 가정에 대한 복지 지원, 아이 돌봄 서비스와 같은 육아 지원 등이 있어. • 우애(友愛): 형제자매 간에 지켜야 할 덕목으로, 형우제공의 자세로 실천함 • 가족 간의 대화와 이해, 절제, 협력, 인내의 자세 • 약화된 가족 공동체의 기능을 보완하기 위해 사회와 국가가 제도적 차원에서 가족을 지원함
전통적인 효의 실천 방법	• 불감훼상(不敢毁傷): 효의 시작으로, 부모로부터 물려받은 몸을 깨끗하고 온전하게 하는 것 • 봉양(奉養): 부모를 실질적으로 잘 모시는 것 • 양지(養志): 부모의 뜻을 헤아려 실천함으로써 부모를 기쁘게 해 드리는 것 • 공대(恭待): 표정을 항상 부드럽게 하여 부모가 편안한 마음을 지닐 수 있도록 해 드리는 것 • 불욕(不辱): 부모를 욕되지 않게 해 드리는 것 • 혼정신성(昏定晨省): 아침저녁으로 부모에게 문안을 드리는 것 • 입신양명(立身揚名): 효의 마침으로, 후세에 이름을 떨쳐 부모를 영광되게 해 드리는 것

완자 자료 탐구

자료 ③ 음양론으로 본 부부간의 윤리

음은 '그늘', 양은 '햇볕'을 뜻하였으나 후에 점점 발전되어 음양은 우주의 두 원리 또는 원동력으로 간주되었다. 『주역』에서는 "음양이 서로 합일하여 만물이 화육되고 번영되며, 남녀의 정기가 결합되어 만물이 화생한다."라고 하여 음양의 상호 작용을 통해 만물이 생성된다고 보았다. 음양론에 따르면 음양은 상호 의존적이고 보완적인 관계이다. 이러한 음양론의 교훈을 되살려 부부간에 서로 존중하고 협력하여 조화를 이룰 수 있도록 해야 한다.

『주역』에서는 음양의 상호 작용을 통해 만물이 생성된다고 보았는데, 음은 '그늘', 양은 '햇볕'을 뜻할 뿐 아니라 우주의 두 원동력에 해당한다. 이는 능력 차이를 고려한 위계질서의 수립이 아니라, 서로 동등한 관계에서 조화를 이루는 것을 의미한다. 음양론에 근거한 부부 윤리는 부부가 서로의 다름을 있는 그대로 인정하고, 부족한 점을 보완하여 화합해야 한다는 것이다.

자료 ④ 헤겔이 말한 인륜의 근본으로서의 가족

가족은 공동체 윤리에 따른 사랑의 결합으로 맺어진 부부와 그들의 미혼 자녀로 구성된다. 이러한 가족은 남녀의 사랑을 기반으로 하므로 남녀의 상하 차이는 존재하지 않는다. 공동체 윤리에 따른 사랑을 바탕으로 가족 공동의 재산을 취득하고 형성한다. 자녀는 부모의 윤리적 사랑의 결실이자 대상이요, 목표이다. 이렇게 자신과 상대가 분리되지 않은 가족 공동체의 윤리는 자신과 상대를 구분하고 이해타산을 중시하는 시민 사회의 공동체 윤리로 이행한다. 이후 가족 공동체 윤리와 시민 공동체 윤리를 함께 가지는 국가 공동체 윤리로 나아간다. — 배장섭, 『헤겔의 가족 철학』

헤겔에 따르면 개인은 결혼을 통해 윤리적 삶으로 들어가며 가족 안에서 공동체의 구성원임을 알게 된다. 부부간의 사랑을 기반으로 한 가족 관계에서 자녀는 부모의 사랑의 결실이자 목표이다. 헤겔은 자녀를 인격적 주체로 교육하는 것을 가족의 핵심 역할로 보았고, 인륜의 근본으로서 가족 공동체는 시민 공동체와 국가 공동체의 바탕이 된다고 하였다.

자료 ⑤ 가족 해체 현상

가족 간 아동 학대 사건이 끊이지 않는 것은 전통적 방식의 가족 사회 구조가 바뀐 데 따른 것이라는 지적이 제기되었다. 과거보다 자유로워진 사고로 가족 간 유대가 약화하여 가족 간 범죄가 증가한다는 것이다. …… ○○○ 중앙 아동 보호 전문 기관장은 "아동 학대 사건의 피의자들은 항상 '훈육'이라고 이야기한다."라며 "아이에게 잘못된 부분을 지적할 때 폭행이 사용되는 것은 있을 수 없는 일"이라고 강조하였다. — 데일리안, 2016. 3. 21.

가족 구조가 축소되고 가족 구성원 간의 정서적 연결이 약해지면서 가족이 제 기능을 발휘하지 못하는 가족 해체 현상이 발생하였다. 가족 해체 현상을 극복하기 위해 현대 사회에 적합한 가족 윤리를 모색하고, 제도적 차원에서 가족을 지원하는 것이 필요하다.

내 옆의 선생님

문제로 확인할까?

음양론에서 나타나는 부부간의 윤리로 가장 적절한 것은?

① 위계질서를 수립한다.
② 고정된 역할을 분배한다.
③ 서로 차이를 인정하고 보완한다.
④ 혈연적 관계로 우애를 실천한다.
⑤ 구별이 아닌 차별로서 상호 존중한다.

ⓒ 圄

정리 비법을 알려줄게!

가족의 기능

정서적 안정	가정을 통해 정서적으로 안정된 상태를 유지함
사회화와 인격 형성	규칙과 예절을 습득함으로써 인격을 형성함
건강한 사회의 토대	건강한 가족이 건강한 사회의 토대가 됨

자료 하나 더 알고 가자!

『사기』에서 제시하는 가족 윤리[五典]

- 부의(父義): 아버지는 의로움이 있어야 함
- 모자(母慈): 어머니는 자애로워야 함
- 형우(兄友): 형은 동생을 벗처럼 대해야 함
- 제공(弟恭): 동생은 형을 공경해야 함
- 자효(子孝): 자식은 부모에게 효도해야 함

사마천은 『사기』에서 사람이 지켜야 하는 다섯 가지의 도리를 제시하였다. 이와 같은 전통적 가족 윤리는 오늘날 가족 관계를 회복하는 데 중요한 역할을 할 수 있다.

1 다음 설명이 맞으면 ○표, 틀리면 ✕표를 하시오.

(1) 사회·문화적 성은 남녀의 생물학적 성차에 근거한 성을 의미한다. ( )

(2) 성의 인격적 가치는 남녀 상호 간의 존중과 배려를 실현하는 것이다. ( )

2 빈칸에 들어갈 용어를 쓰시오.

( )은 성에 대한 행동을 자율적으로 책임 있게 결정하고 선택할 권리이다. 이는 타인의 권리를 침해하지 않는 범위로 제한되고, 자신의 결정에 대한 책임을 수반한다.

3 사랑과 성에 관한 관점과 그 설명을 옳게 연결하시오.

(1) 보수주의 • • ㉠ 결혼 제도 안에서의 성적 관계만이 도덕적으로 옳다.

(2) 자유주의 • • ㉡ 상호 자발적으로 합의하고 타인에게 피해를 주지 않는 한 성적 관계는 허용된다.

4 다음 설명에 해당하는 부부 윤리를 〈보기〉에서 골라 기호를 쓰시오.

보기
ㄱ. 음양론　　　ㄴ. 부부유별　　　ㄷ. 상경여빈

(1) 부부간에 음과 양의 관계처럼 상호 보완한다. ( )

(2) 부부간에 차별이 아닌 구별로서 서로 존중한다. ( )

(3) 부부는 가장 친밀한 사이지만 서로 공경하기를 손님과 같이 해야 한다. ( )

5 가족 해체 현상에 대한 설명으로 옳은 것만을 〈보기〉에서 있는 대로 골라 기호를 쓰시오.

보기
ㄱ. 가족의 기능이 제대로 수행되지 못하는 상태이다.
ㄴ. 전통적 가족 구조의 확대와 가족 간의 유대감 약화가 원인이다.
ㄷ. 가족 해체 현상이 심화하면 사회에 부정적인 영향을 미칠 수 있다.

01 다음을 통해 알 수 있는 사랑의 특징으로 옳은 것은?

프롬은 사랑하는 사람을 보호하는 것, 사랑하는 사람의 요구를 배려하면서 자신의 행동에 책임을 지는 것, 사랑하는 사람을 있는 그대로 받아들이며 존경하는 것, 사랑하는 사람을 올바로 이해하는 것이 진정한 사랑의 모습이라고 주장하였다.

① 수동적인 태도로 상대방을 대하는 것이다.
② 상대방을 소유의 대상으로 인정하는 것이다.
③ 인간의 인격적인 관계 속에서 성립할 수 있다.
④ 자신이 원하는 방향으로 상대방을 이끄는 것이다.
⑤ 인간의 고립을 극복하게 하면서 각자의 특성을 사라지게 한다.

02 갑, 을이 말하는 성의 가치에 대한 설명으로 옳지 않은 것은?

갑: 성은 종족 보존의 측면과 감각적 쾌락을 충족해 주는 측면에서 가치를 지녀.
을: 사랑하는 사람과 신체적·정신적으로 하나가 되는 자아의 확대라는 측면에서 가치를 지니기도 해.

① 갑이 말하는 성의 가치는 사회·문화적 성의 특성에서 비롯되었다.
② 갑이 말하는 성의 가치는 자연법 윤리에서 말하는 자연적 성향과 관련이 있다.
③ 을은 성의 인격적 가치에 관해 이야기하고 있다.
④ 을이 말하는 성의 가치는 그에 상응하는 도덕적 의무가 따른다.
⑤ 을이 말하는 성의 가치는 인간관계의 형성과 사회적 존재로서의 본성을 실현하는 것이다.

03 밑줄 친 '이 입장'과 일치하는 관점에만 모두 'V'를 표시한 학생은?

> 이 입장은 사랑하는 남녀가 결혼이라는 합법적 테두리 내에서 출산과 양육에 대한 책임을 질 수 있는 성만이 도덕적으로 정당하다고 인정한다. 이 입장은 성이 자유로운 개인적 영역일 뿐만 아니라 사회의 안정과 질서 유지와도 관련이 있으므로 사랑과 성은 결혼을 통해 이루어져야 한다고 본다.

관점 \ 학생	갑	을	병	정	무
성의 종족 보존이라는 생식적 가치를 중시한다.	V		V	V	V
성은 부부의 관계 내에서만 도덕적으로 허용될 수 있다.				V	V
성은 성숙한 성인이 자발적 동의하에 인격적인 교감 없이도 가능하다.		V		V	V

① 갑 ② 을 ③ 병 ④ 정 ⑤ 무

04 (가), (나) 사례에 나타난 문제점을 옳게 연결한 것은?

> (가) '강한', '독립적인', '적극적인' 특성을 남성다움으로 보고 남성이 그렇지 않을 때 비난하거나, '연약한', '의존적인', '소극적인' 특성을 여성다움으로 보고 이를 여성에게 강요한다.
>
> (나) 청소년들 사이에 특정 신체 부위를 만지거나 속옷 잡아당기기, 누리 소통망(SNS)에 벗은 몸 올리기 등 성폭력 문화가 만연해 있지만 이를 또래 간의 가벼운 장난 정도로 여기는 것으로 나타났다.

	(가)	(나)
①	성차별	성 상품화
②	성차별	성의 자기 결정권 침해
③	성 상품화	성차별
④	성 상품화	성의 자기 결정권 침해
⑤	외모 지상주의	성차별

05 (가)에 들어갈 내용으로 옳은 것을 〈보기〉에서 고른 것은?

성 상품화의 문제점에는 무엇이 있을까?

성 상품화는 인간의 성이 지닌 인격적 가치나 의미를 변질시킬 수 있어.

성 상품화는 성의 인격적 가치를 변질시킬 뿐만 아니라, 또한 이를 통해 (가)

> **보기**
> ㄱ. 개인의 자유로운 선택권을 존중할 수 있어.
> ㄴ. 성을 수단으로 전락시켜 인간을 도구화할 수 있어.
> ㄷ. 성의 자기 결정권에 따른 표현의 자유가 억압될 수 있어.
> ㄹ. 외모 지상주의를 조장하는 사회적 분위기를 초래할 수 있어.

① ㄱ, ㄴ ② ㄱ, ㄷ ③ ㄴ, ㄷ
④ ㄴ, ㄹ ⑤ ㄷ, ㄹ

06 (가)의 관계에서 요구되는 윤리적 자세로 가장 적절한 것은?

> (가) 은/는 백년가약을 맺어 이루어지는 관계로, 고난과 역경을 겪더라도 평생을 함께하면서 서로를 사랑하고 신뢰하겠다는 다짐을 한 사이이다.

① 부부상경의 자세로 서로 존중하고 협력한다.
② 고정된 성 관념에 따라 부부의 역할을 분담한다.
③ 음양론에 근거하여 상호 의존적인 관계를 지양한다.
④ 부부유별의 덕목을 통해 부부간에 차별적 관계를 추구한다.
⑤ 부부 개인의 주체성을 존중하여 서로 관심을 가지지 않는다.

07 다음 현상을 극복하기 위해 필요한 전통적 가족 윤리로 가장 적절한 것은?

중앙아동보호전문기관에서 발간한 「2018 아동학대 주요 통계」에 따르면, 2018년에 아동 학대로 판단된 24,604건을 바탕으로 학대 행위자와 피해 아동과의 관계를 살펴본 결과, 부모에 의한 학대가 18,919건으로 76.9%를 차지하였다. 부모에 의해 발생한 사례 중 친부에 의한 발생 사례가 10,747건(43.7%), 친모는 7,337건(29.8%), 계부 480건(2.0%), 계모 297건(1.2%) 순으로 높게 나타났다. 아동 학대의 많은 경우가 가정 내에서 부모에 의해 발생하는 것이다.

① 봉양(奉養)
② 불욕(不辱)
③ 우애(友愛)
④ 자애(慈愛)
⑤ 효도(孝道)

08 다음은 전통적인 효의 실천 방법에 관해 필기한 내용이다. ㉠~㉤ 중 옳지 **않은** 것은?

주제: 전통적인 효의 실천 방법

1. 양지(養志): 부모의 뜻을 헤아려 실천함으로써 부모를 기쁘게 해 드림 ……………………… ㉠
2. 공대(恭待): 부모를 실질적으로 잘 모심 ……… ㉡
3. 불감훼상(不敢毁傷): 효의 시작으로, 부모로부터 물려받은 몸을 깨끗하고 온전하게 함 ……… ㉢
4. 혼정신성(昏定晨省): 아침저녁으로 부모님께 문안을 드림 ………………………………… ㉣
5. 입신양명(立身揚名): 후세에 이름을 떨쳐 부모를 영광되게 함 ………………………………… ㉤

① ㉠
② ㉡
③ ㉢
④ ㉣
⑤ ㉤

서술형 문제

● 정답친해 16쪽

01 (가) 사상의 관점에서 (나)의 밑줄 친 '이 현상'에 대하여 비판적으로 서술하시오.

(가) 인간을 수단으로만 보지 말고 항상 목적으로 대우하라.
(나) 이 현상은 성 자체를 상품처럼 사고팔거나, 다른 상품을 팔기 위한 수단으로 성을 이용하는 행위를 뜻한다. 여기에는 성매매뿐만 아니라 성적 이미지를 제품과 연결하여 성을 도구화하는 것도 포함한다.

길잡이 칸트의 정언 명령의 관점에서 (나) 현상에 관하여 비판적으로 서술한다.

02 다음을 읽고 물음에 답하시오.

여성에 대한 성차별을 비판하며 시작된 여성주의는 양성 평등에 대한 관심을 불러일으켰다. 특히 여성주의 윤리를 바탕으로 하는 배려 윤리는 정의, 개인의 존엄성, 권리를 중시하는 정의 윤리와는 달리 ⎡ (가) ⎤ 의 가치를 새롭게 조명하였다.

(1) 밑줄 친 '성차별'의 의미와 발생 원인을 서술하시오.

(2) (가)에 들어갈 배려 윤리의 덕목을 **두 가지** 이상 서술하시오.

길잡이 배려 윤리가 기존의 보편성, 합리성에 치중한 정의 윤리를 보완하기 위해 제시한 가치를 고려하여 서술한다.

STEP 3 1등급 정복하기

평가원 응용

1 다음 사상에 해당하는 관점에만 모두 'V'를 표시한 학생은?

> 사랑의 능동적 성격은 준다는 요소 외에도, 언제나 모든 사랑의 형태에 공통된 어떤 기본적 요소들을 내포하고 있다는 사실에서 분명해진다. 이러한 요소들은 보호, 책임, 존경, 이해 등이다. …… 보호에는 '책임'이라는 측면이 포함되어 있다. 책임은 다른 인간 존재의 요구에 대한 나의 반응이다. 책임을 진다는 것은 응답할 수 있고, 응답할 준비가 갖추어져 있다는 뜻이다. …… 존경은 어떤 사람을 있는 그대로 보고 그의 독특한 개성을 아는 능력이다. 존경은 다른 사람이 그 나름대로 성장하고 발달하기를 바라는 관심이다. …… 어떤 사람을 존경하려면 그를 잘 알지 않고서는 불가능하다. 이해는 다른 사람을 그의 관점에서 볼 수 있을 때만 가능하다.
> – 프롬, 『사랑의 기술』

관점 학생	갑	을	병	정	무
사랑은 지배하고 소유하는 것이며 상대를 있는 그대로 보는 것이다.	V			V	V
사랑은 사랑하는 사람의 생명과 성장에 적극적인 관심을 가지고 보호하는 것이다.	V		V		V
사랑은 사랑하는 사람의 욕구와 성향을 고려하면서 자신의 행위를 책임지려고 노력하는 것이다.		V	V	V	V

① 갑   ② 을   ③ 병   ④ 정   ⑤ 무

2 갑, 을 사상가의 입장에 대한 옳은 설명을 〈보기〉에서 고른 것은?

> 갑: 남녀 양성의 관계는 두 개의 전극의 관계가 아니다. 왜냐하면 남성은 양극인 동시에 전체이기 때문이다. 반면 여성은 음극으로 간주되며 이러한 개념 규정은 제한을 의미한다. 여성은 태어나는 것이 아니라 여성으로서 만들어진다.
> 을: 남성과 여성은 도덕적 딜레마에 접근할 때, 남성은 권리 혹은 정의의 관점에서, 여성은 배려의 관점에서 접근하기 때문에 그들이 인정하는 진리 또한 상반된다. 남성과 여성의 이러한 상이한 관점은 두 개의 다른 도덕성에 반영되어 있는데, 독립은 권리 혹은 정의의 윤리에 의해서 정당화되고, 친밀은 배려의 윤리에 의해 지지된다.

보기

> ㄱ. 갑은 여성의 성 정체성은 사회적·문화적으로 학습된 것이 아니라 자연적으로 내면화된 것이라고 본다.
> ㄴ. 을은 보편성과 합리성을 고려한 윤리적 판단과 인간 본성으로서의 이성적 판단을 우선시한다.
> ㄷ. 을은 구체적 맥락에 대한 고려 없이 특정 덕목의 주입을 강조하는 시도에 반대하면서 사람들 사이의 관계, 타인의 감정 이해 등을 중시한다.
> ㄹ. 갑과 을은 양성평등에 대한 사회적 인식을 높이는 데 기여하였다.

① ㄱ, ㄴ   ② ㄱ, ㄷ   ③ ㄴ, ㄷ   ④ ㄴ, ㄹ   ⑤ ㄷ, ㄹ

▶ 사랑에 대한 프롬의 정의

완자쌤의 시험 꿀팁

프롬이 말하는 사랑의 의미를 묻는 문제가 출제될 수 있으므로 구체적인 정의와 그 특징을 명확히 파악해 둔다.

▶ 여성주의 윤리

완자 사전

• 도덕적 딜레마
어떤 사건에 대해 행위자가 가지는 두 가지 다른 도덕적 관점이 충돌을 일으키는 것

01 삶과 죽음의 윤리

1. 출생·죽음의 의미와 삶의 가치

(1) 출생의 윤리적 의미

(**❶**)의 실현	생명을 보전하고 종족을 보존하려는 성향을 실현함
도덕적 주체로서의 시작	자율적 주체로서 성장해 가는 삶의 출발점
사회적 존재로서의 시작	사회적 관계 시작, 사회 유지 및 문화적 소산 계승

(2) 죽음의 윤리적 의미

동양	• 공자: 죽음에 대한 관심보다 현실에서의 도덕적 실천을 강조함 • 석가모니: 죽음은 또 다른 세계로 윤회하는 과정으로, 생, 노, 병과 더불어 인간의 대표적인 고통임 • 장자: 죽음은 기가 흩어진 것으로, 삶과 죽음은 사계절의 운행처럼 서로 연결됨
서양	• 플라톤: 죽음은 육체에 갇혀 있던 영혼이 해방되어 이데아의 세계로 되돌아가는 것 • 에피쿠로스: 죽음은 인간을 이루던 원자가 흩어지는 것으로, 인간은 죽음을 경험할 수 없으므로 죽음을 두려워할 필요가 없음 • (**❷**): 현존재인 인간만이 자신의 죽음에 대해 자각할 수 있고, 죽음을 자각함으로써 더욱 가치 있고 의미 있게 살아갈 수 있음

(3) 죽음을 통해 바라본 삶의 가치

① 삶의 의미 성찰: 죽음을 통해 삶의 소중함을 깨닫게 됨
② 인간관계의 소중함 인식: 죽은 사람을 기억하고 애도함

2. 인공 임신 중절의 윤리적 쟁점

찬성	• (**❸**) 논거: 태아는 여성의 몸의 일부임 • 자율권 논거: 인간은 자율적으로 선택할 권리를 가짐 • 정당방위권 논거: 인간은 자기방어와 정당방위의 권리를 가짐 • 평등권 논거: 여성의 선택권이 보장될 때 양성평등 실현 가능 • 생산 논거: 여성이 태아를 생산하므로 태아에 대한 권리를 가짐 • 사생활 논거: 인공 임신 중절은 사생활이므로 침해 불가
반대	• 존엄성 논거: 태아의 생명은 존엄함 • 잠재성 논거: 태아는 성인으로 발달할 잠재성을 가짐 • 무고한 인간의 신성불가침 논거: 무고한 태아를 해치면 안 됨 • 윤리 이론적 논거: 자연법 윤리, 불교의 불살생, 칸트의 의무론

3. 자살의 윤리적 문제점

유교	부모로부터 물려받은 신체를 훼손하지 않아야 함
불교	자살은 불살생(不殺生)의 계율을 어기는 것임
그리스도교	신으로부터 받은 생명을 스스로 끊어서는 안 됨
아퀴나스	자살은 인간의 자연적 성향을 거스르는 행위임
(**❹**)	자살은 인격을 수단으로 이용하는 옳지 않은 행위임
쇼펜하우어	자살은 문제를 회피하는 것임

4. 안락사의 윤리적 쟁점

구분	환자 동의 여부	• 자발적 안락사: 환자의 동의하에 시행 • (**❺**): 가족이나 국가의 요구에 의해 시행 • 반자발적 안락사: 환자가 반대하는 상황에서 시행
	시행 방법	• 적극적 안락사: 직접적 행위로 생명 단축 • 소극적 안락사: 연명 치료 중단으로 생명 단축
찬성		• 환자의 자율적 선택 존중, 인간답게 죽을 권리 강조 • 연명 치료 부담, 의료 자원의 비효율적 사용 고려
반대		• 인간 생명의 존엄성 강조 • 안락사는 자연적 질서를 거스르는 행위

5. 뇌사의 윤리적 쟁점

찬성	• 뇌 기능이 정지하면 인간으로서 고유의 활동을 할 수 없고, 곧 심장과 폐의 기능도 멈추므로 이미 죽음의 단계에 들어선 것임 • 뇌사자의 장기로 다른 환자의 생명을 구하거나 질병 치료 가능
반대	• 뇌사 인정은 인간의 생명을 수단시하는 행위 • 뇌사에 대한 오판 가능성, 사망 시점 불명확, 법적 문제 야기

02 생명 윤리

1. 생명 윤리와 생명의 존엄성

(1) **생명 윤리**: 생명을 책임 있게 다루기 위한 윤리학적 숙고

(2) **생명 존엄성에 관한 윤리적 관점**

동양	• 유교: 자신의 몸을 상하게 하지 않는 것이 효의 시작 • 불교: 생명이 상호 의존 관계라는 연기설, 불살생의 계율 강조 • 도가: 자연의 순리에 따르는 무위자연 강조
서양	• 의무론: 인격을 목적으로 대우할 것을 강조 • 그리스도교: 신의 피조물인 인간 생명의 존엄성 중시 • 아퀴나스: 자기 보존의 자연적 질서에 따르는 삶 중시 • 슈바이처: 생명을 보존하고 촉진할 것을 강조

2. 생명 복제의 윤리적 쟁점

동물 복제	• 찬성: 우수한 품종 개발 및 유지, 희귀 동물 보존, 멸종 동물 복원이 가능함
	• 반대: 자연의 질서를 위배하고, 종의 (❻　　　　)이 훼손될 수 있음
배아 복제	• 찬성: 배아를 인간으로 보기 어려움, 배아를 의료 연구 및 치료에 활용할 수 있음
	• 반대: 배아는 도덕적 지위를 가진 인간 생명임, 난자 사용에 따른 여성 인권 침해
개체 복제	• 찬성: 불임 부부에게 도움이 될 수 있음, 복제 인간의 독자적 삶이 가능함
	• 반대: 인간 존엄성을 훼손할 수 있음, 자연적 출산 과정에 위배됨, 사회 혼란이 야기됨

3. 유전자 치료의 윤리적 쟁점

(❼　　　) 유전자 치료	• 찬성: 유전적 질병을 치료하고 다음 세대의 유전 질환을 예방할 수 있음, 의학적·경제적 효용 가치를 산출함
	• 반대: 임상 실험의 위험성, 의학적 부작용, 유전적 다양성 상실, 고가의 치료비로 인한 혜택 편중, 유전적 사생활 침해
유전 형질 개량	• 찬성: 개인의 자율적인 유전적 개량 존중, 유전적 개량을 통한 신체 기능 향상
	• 반대: 미래 세대의 자율적 삶을 제약하고, 계층 간 유전적 격차와 차별이 발생할 수 있음

4. 동물 실험과 동물 권리의 문제

(1) 동물 실험에 관한 논쟁

찬성	• 동물은 이용 가능한 존재
	• 인간과 동물의 생물학적 (❽　　　　)이 많음
	• 인간의 생명과 건강 증진에 도움
반대	• 인간의 이익을 위해 동물에게 고통을 가하는 것은 옳지 않음
	• 동물 실험과 인간 대상의 임상 시험 결과는 별개
	• 인간 세포, 조직 실험, 컴퓨터 모의실험 등 대체 연구 가능

(2) 동물 해방론과 동물 권리론

싱어의 동물 해방론	• (❾　　　) 능력: 동물은 즐거움과 고통을 느낌
	• 이익의 평등한 고려: 동물의 이익 관심을 고려해야 함
	• 종 차별주의 반대: 종이 다르다는 이유로 차별하는 것을 반대
레건의 동물 권리론	• 삶의 주체: 동물은 믿음, 욕구, 지각, 감정을 가진 주체
	• 내재적 가치: 동물은 그 자체로 존중받을 가치를 지님
	• 도덕적 권리: 의무론의 관점에서 동물의 도덕적 권리 인정

03 사랑과 성 윤리

1. 사랑과 성의 관계

(1) 사랑과 성의 의미

사랑의 윤리적 의미	• 프롬: 책임, 이해, 존경, 보호와 관심
	• 스턴버그: 친밀감, 열정, 헌신
	• 마르셀: 사랑은 창조적 성실
성의 의미	• 생물학적 성: 남녀의 생물학적 성차에 근거한 생식 본능이나 성적 행위
	• (❿　　　　): 사회에서 형성되고 습득된 남성다움이나 여성다움
	• 욕망으로서의 성: 성적 욕망에 관련된 심리나 행위 등을 포괄적으로 의미함
성의 가치	• 생식적 가치: 종족 보존의 측면
	• 쾌락적 가치: 감각적 쾌락의 측면
	• 인격적 가치: 자아 확대의 측면
사랑과 성에 관한 관점	• 보수주의: 결혼 제도 내에서의 사랑과 성을 추구함
	• 중도주의: 결혼과 결부되지 않은 사랑 중심의 성을 추구함
	• 자유주의: 자발적 동의에 따라 사랑 없는 성이 가능함

(2) 성과 관련된 윤리 문제

성차별	• 주로 (⓫　　　　)에 대한 잘못된 인식에서 비롯됨
	• 자아실현 방해, 평등성과 존엄성 훼손, 인권 침해
성 상품화	• 찬성: 성의 자기 결정권과 표현의 자유 강조
	• 반대: 성을 수단화, 외모 지상주의 초래
성의 자기 결정권	• 타인의 성의 자기 결정권 침해: 육체적·정신적·인격적 피해 발생
	• 성의 자기 결정권 남용: 무고한 인간 생명이 훼손될 수 있음

2. 결혼과 가족의 윤리

(1) 결혼의 의미와 부부간의 윤리

결혼의 의미	• 일반적 의미: 사랑하는 두 사람이 부부 관계를 맺는 것
	• 윤리적 의미: 가족 구성의 출발점, 사랑과 존중의 약속
부부간의 윤리	• 음양론: 부부간에 부족한 점을 보완하여 서로 화합함
	• 부부유별: 차별이 아닌 구별로서의 상호 존중을 의미함
	• 상경여빈: 부부간에 손님 대하듯 서로 공경함

(2) 가족 해체 현상의 원인과 극복 방안

원인	전통적 가족 구조가 무너지며 가족 간 유대감 약화
극복 방안	• 전통적 가족 윤리 실천: 자애, 효도, 우애 등
	• 가족 간의 이해와 신뢰 회복, 가족 관련 제도적 지원

01 갑, 을의 죽음에 대한 관점으로 옳은 것을 〈보기〉에서 고른 것은?

> 갑: 사람을 섬길 줄도 모르면서 어떻게 귀신을 섬길 수 있으며, 삶도 모르면서 어떻게 죽음을 알겠는가?
>
> 을: 전생에 뿌려진 씨앗은 이번 생에 받은 것이고, 다음 생에 거둘 열매는 이번 생에서 행하는 바로 그것이다.

보기

ㄱ. 갑은 삶과 죽음을 사계절의 운행처럼 필연적인 과정으로 본다.
ㄴ. 갑은 죽음에 관심을 가지기보다 현세의 윤리적 삶에 더욱 충실할 것을 강조한다.
ㄷ. 을은 죽음은 인간이 윤회의 과정에서 겪게 되는 괴로움이라고 본다.
ㄹ. 을은 죽음은 인간을 이루던 원자가 흩어지는 것이므로 죽음을 두려워할 필요가 없다고 본다.

① ㄱ, ㄴ   ② ㄱ, ㄷ   ③ ㄴ, ㄷ
④ ㄴ, ㄹ   ⑤ ㄷ, ㄹ

02 다음 사상가의 입장에 대한 설명으로 옳지 않은 것은?

> 자신이 죽는다는 사실을 자각하는 것은 단순한 삶의 종말이 아니라 삶이 시작되는 사건이다.

① 죽음은 삶의 소중함을 깨닫는 계기가 된다.
② 현존재인 인간만이 다가올 죽음을 염려할 수 있다.
③ 죽음에 대한 자각을 통해 삶을 더욱 충실히 살 수 있다.
④ 인간은 동물과 달리 죽음을 주체적으로 받아들일 수 있다.
⑤ 죽음은 경험할 수 없는 것이므로 인간에게 아무것도 아니다.

03 다음 갑, 을의 대화에 대한 설명으로 옳은 것은?

① 갑은 "태아의 생명권보다 여성의 선택권을 우선으로 보호해야 한다."라는 주장에 찬성할 것이다.
② 을은 인공 임신 중절을 반대하는 주장을 펼칠 것이다.
③ (가)에는 "여성에게는 자신의 삶을 자율적으로 선택할 권리가 있어."라는 말이 들어가는 것이 적절하다.
④ (가)에는 "모든 인간의 생명은 존엄하기 때문에 태아의 생명도 존엄해."라는 말이 들어가는 것이 적절하다.
⑤ (가)에는 "무고한 인간을 죽이는 것은 잘못이며 태아는 무고한 인간이야."라는 말이 들어가는 것이 적절하다.

04 다음 사상가의 입장에서 긍정의 대답을 할 질문으로 가장 적절한 것은?

> 힘든 상태를 벗어나기 위해 자신을 파괴한다면, 그는 하나의 인격을 단순히, 죽을 때까지 고통스럽지 않게 지내기 위한 하나의 수단으로서만 이용하는 것이다.

① 자살은 개인의 자유이므로 정당화될 수 있는가?
② 개인은 자신의 의지에 따라 생명을 포기할 권리가 있는가?
③ 자살은 자율적 인간으로서 자기 보전의 의무를 위반한 것인가?
④ 자살은 문제를 해결하는 것이 아닌 회피하는 것이므로 옳지 않은가?
⑤ 자살은 고통에서 벗어나기 위해 자기 자신을 목적으로 대우한 것인가?

05 그림의 강연자가 지지할 주장으로 가장 적절한 것은?

인간의 최우선적 의무는 자연 그대로의 자신을 보존하고 자신의 자연적 능력을 개발하고 증진하는 것입니다. 자기 자신을 죽이는 일은 이러한 의무에 전적으로 반대되므로 그 까닭이 무엇이든 옳지 않은 행위입니다. 현재의 괴로운 상태에서 벗어나고자 자살한다면, 이는 자신의 인격을 한낱 수단으로 이용하는 것이며, 인간을 목적으로 대우해야 한다는 도덕 법칙에 어긋납니다.

① 인간에게는 자신의 죽음을 스스로 선택할 권리가 있다.
② 안락사를 허용함으로써 의료 자원 이용의 효율성을 높일 수 있다.
③ 소생할 가망이 없는 환자에 대한 지속적인 연명 치료는 무의미한 행위이다.
④ 고통을 없애기 위해 안락사를 하는 것은 인간의 존엄성을 훼손하는 행위이다.
⑤ 자신의 고통과 주변 사람들의 부담을 덜기 위해 안락사를 행하는 것은 정당하다.

06 ㉡의 입장에서 ㉠의 입장에 제기할 수 있는 반론으로 가장 적절한 것은?

㉠ 회생 불가능한 뇌사자를 사망으로 간주하고, 그의 장기를 위급한 교통사고 환자에게 이식하는 것이 옳다고 보는 입장과 곧 사망에 이르게 될지라도 ㉡ 뇌사자의 심장 박동이 멈출 때까지 기다려야 한다는 입장 간에 의견이 분분하다.

① 뇌사자의 남아 있는 짧은 생명도 소중하다.
② 뇌사자는 어떠한 치료에도 회복 가능성이 없다.
③ 이식용 장기를 확보하여 다른 생명을 구할 수 있다.
④ 인간의 인간다움은 생각하는 능력을 가진다는 데 있다.
⑤ 뇌사자가 존엄하게 죽을 수 있는 권리를 존중해야 한다.

07 갑, 을의 관점에 대한 옳은 설명을 〈보기〉에서 고른 것은?

갑: 초기 배아는 인간으로 성장할 가능성을 지니고 있으므로 배아 파괴는 인간을 수단화하는 것이다.
을: 초기 배아는 정자와 난자가 수정한 때부터 인격체에 속하므로 출생 후의 인간과 동등하게 보호받아야 한다.

보기

ㄱ. 갑은 질병 치료를 위한 배아 복제 실험에 찬성한다.
ㄴ. 갑은 배아가 잠재적 인간이므로 인격체로 존중해야 한다고 본다.
ㄷ. 을은 배아의 생명으로서의 권리를 인정하지 않는다.
ㄹ. 갑, 을은 배아가 인격을 갖춘 인간과 동일한 도덕적 지위를 가질 수 있다고 본다.

① ㄱ, ㄴ   ② ㄱ, ㄷ   ③ ㄴ, ㄷ
④ ㄴ, ㄹ   ⑤ ㄷ, ㄹ

08 밑줄 친 주장의 근거로 적절한 것에만 모두 'V'를 표시한 학생은?

개체 복제는 복제를 통해 새로운 인간 개체를 탄생시키는 것으로, 일반적으로 인간 복제를 가리킨다. 이에 대하여 불임 부부의 고통을 해소하기 위해 개체 복제를 허용해야 한다는 의견이 있다.

근거 \ 학생	갑	을	병	정	무
생명 복제는 자연의 고유한 질서를 해친다.	V			V	V
생명 복제는 사회적 유용성을 증대한다.		V	V		V
복제된 인간은 체세포 제공자의 유전 형질을 가지므로 불임 부부의 진정한 자녀가 아니다.			V	V	V

① 갑   ② 을   ③ 병   ④ 정   ⑤ 무

09 다음은 서술형 평가 문제와 학생 답안이다. (가)에 들어갈 진술로 옳은 것은?

> **서술형 평가**
>
> ◎ 문제: 유전자 치료에 대한 반대의 입장을 서술하시오.
> ◎ 학생 답안
> 유전자 치료는 의학적으로 불확실하고 임상적으로 위험하다. 이는 인간의 유전자를 조작하려는 우생학을 부추길 수 있으며, 또한 _____(가)_____

① 유전자 치료를 통해 유전적 결함을 보완할 수 있다.
② 유전자 연구로써 인간의 신체 기능을 향상할 수 있다.
③ 선천적 유전 질환을 치료함으로써 의학적 효용 가치를 높일 수 있다.
④ 부모의 자율적인 선택을 존중하여 유전적 질환을 물려주지 않을 수 있다.
⑤ 고가의 치료비로 혜택이 일부 사람에게 치중되어 분배 정의에 어긋날 수 있다.

10 다음 사상의 입장에서 동물 실험에 대해 펼칠 주장으로 옳은 것은?

> 동물은 지각과 감정을 지닌 존재이고, 자신의 욕구와 목표를 위해 행동할 수 있는 삶의 주체이다. 삶의 주체로서 동물은 그 자체로 존중받을 내재적 가치를 지닌다.

① 동물 실험은 생명 과학 연구에 유용하고 필요한 과정이므로 허용되어야 한다.
② 동물은 자기 삶을 영위할 수 있는 능력이 있으므로 동물 실험을 하면 안 된다.
③ 동물은 인간과 생물학적으로 유사하므로 동물 실험 결과를 인간에게 적용할 수 있다.
④ 인간은 동물과 근본적으로 다른 존재 지위를 가지므로 동물을 실험에 사용할 수 있다.
⑤ 동물 실험을 대신할 수 있는 확실하고 믿을 만한 대안이 없으므로 동물 실험은 불가피하다.

11 (가)의 갑, 을의 입장을 (나) 그림으로 탐구할 때, A~C에 들어갈 옳은 질문을 〈보기〉에서 고른 것은?

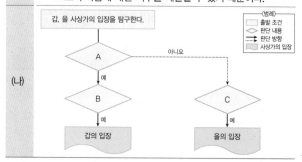

(가)
갑: 동물을 종이 다르다는 이유로 차별하는 것은 인종 차별이나 성차별과 다를 바 없다.
을: 동물에 대한 우리의 의무는 인간에 대한 간접적 의무에 불과하다. 우리가 동물에 대해 의무를 갖는 이유는 그렇게 함으로써 사람에 대한 의무를 계발할 수 있기 때문이다.

(나)

〈범례〉
☐ 출발 조건
◇ 판단 내용
→ 판단 방향
☐ 사상가의 입장

> **보기**
> ㄱ. A: 동물을 인간의 목적을 위한 수단으로 이용하는 것은 정당한가?
> ㄴ. A: 인간은 도덕적 고려의 대상이지만 동물은 도덕적 고려의 대상이 아닌가?
> ㄷ. B: 동물은 즐거움과 고통을 느낄 수 있는 능력을 가지는가?
> ㄹ. C: 인간에게 좋지 않은 영향을 미칠 수 있으므로 동물을 함부로 대하면 안 되는가?

① ㄱ, ㄴ   ② ㄱ, ㄷ   ③ ㄴ, ㄷ
④ ㄴ, ㄹ   ⑤ ㄷ, ㄹ

12 프롬이 제시한 사랑의 의미로 옳지 <u>않은</u> 것은?

① 사랑은 창조적 성실이다.
② 사랑하는 사람을 보호하는 것이다.
③ 사랑하는 사람을 올바로 이해하는 것이다.
④ 사랑하는 사람을 있는 그대로 받아들이며 존경하는 것이다.
⑤ 상대방의 요구를 배려하면서 자신의 행동에 책임을 지는 것이다.

13 (가), (나)의 관점에 대한 옳은 설명만을 〈보기〉에서 있는 대로 고른 것은?

> (가) 성은 개인적 영역일 뿐만 아니라 사회의 안정과 질서 유지와도 관련이 있으므로 사랑과 성은 결혼을 통해 이루어져야 한다.
>
> (나) 성은 그 자체로 쾌락을 가져다주고 쾌락은 그 자체로 추구할 만한 가치를 지닌다. 사랑과 성을 결부하여 성적 자유를 제한하는 것은 옳지 않다.

보기

ㄱ. (가)는 중도주의 관점, (나)는 보수주의 관점이다.
ㄴ. (가)는 부부간의 사랑과 신뢰를 전제로 한 결혼과 출산을 중요시하는 입장이다.
ㄷ. (나)는 자발적 동의에 따라 성적 자유를 무제한적으로 허용한다.
ㄹ. (나)는 상대방에게 피해를 주지 않는다면 사랑 없는 성도 허용한다.

① ㄱ, ㄴ   ② ㄱ, ㄹ   ③ ㄴ, ㄹ
④ ㄱ, ㄷ, ㄹ   ⑤ ㄴ, ㄷ, ㄹ

14 성차별의 문제점으로 적절하지 <u>않은</u> 것은?

① 성을 물질적 가치로 인식하게 될 수 있다.
② 여성과 남성 모두의 자아실현을 방해한다.
③ 공동체의 발전과 통합을 가로막을 수 있다.
④ 인간으로서의 평등성과 존엄성을 훼손한다.
⑤ 국가 차원에서 인적 자원의 낭비를 초래한다.

15 성의 자기 결정권에 대한 설명으로 옳지 <u>않은</u> 것은?

① 원하지 않는 성적 행위를 거부할 수 있는 권리이다.
② 자신의 성적 행동을 스스로 결정할 수 있는 권리이다.
③ 성별과 상관없이 인간이라면 누구나 지니는 권리이다.
④ 자신이 선택한 행위에 대한 책임이 뒤따르는 권리이다.
⑤ 타인에 대한 해악 금지의 원칙보다 우선하는 권리이다.

16 성 상품화에 대한 입장이 <u>다른</u> 하나는?

① 성적 매력을 표현하여 상품화하는 것은 개인의 자유이다.
② 성에 대한 자기 결정권과 표현의 자유를 제약해서는 안 된다.
③ 성을 매개로 하여 건강한 신체의 아름다움을 표현할 수 있다.
④ 성을 물질적 수단으로 전락시켜 가치 전도 현상이 발생할 수 있다.
⑤ 성을 상품화하여 이윤을 추구하는 것은 자본주의 가치에 부합한다.

17 음양론의 관점에 해당하는 부부 윤리로 옳은 것은?

① 부부간의 지위의 차이를 인정한다.
② 서로 존중하고 협력하여 조화를 이룬다.
③ 부부간의 우열을 전제로 역할을 분담한다.
④ 부부가 모든 면에서 일치하는 존재임을 인식한다.
⑤ 서로를 자신의 부족한 부분을 채울 수단으로 삼는다.

18 (가)에 들어갈 용어로 옳지 <u>않은</u> 것은?

> 가족 해체 현상이 발생하는 것은 전통적 가족 구조가 붕괴되고 가족 간의 유대감이 약화되었기 때문이다. …… 이를 극복하기 위해서 전통적 가족 윤리를 실천하는 것이 필요하다. 먼저, 부모가 자녀를 사랑할 뿐만 아니라 자녀가 부모에게 효도를 해야 한다. 효를 실천하는 방법에는 (가) 이/가 있다.

① 봉양(奉養)   ② 양지(養志)
③ 불감훼상(不敢毁傷)   ④ 상경여빈(相敬如賓)
⑤ 혼정신성(昏定晨省)

사회와 윤리

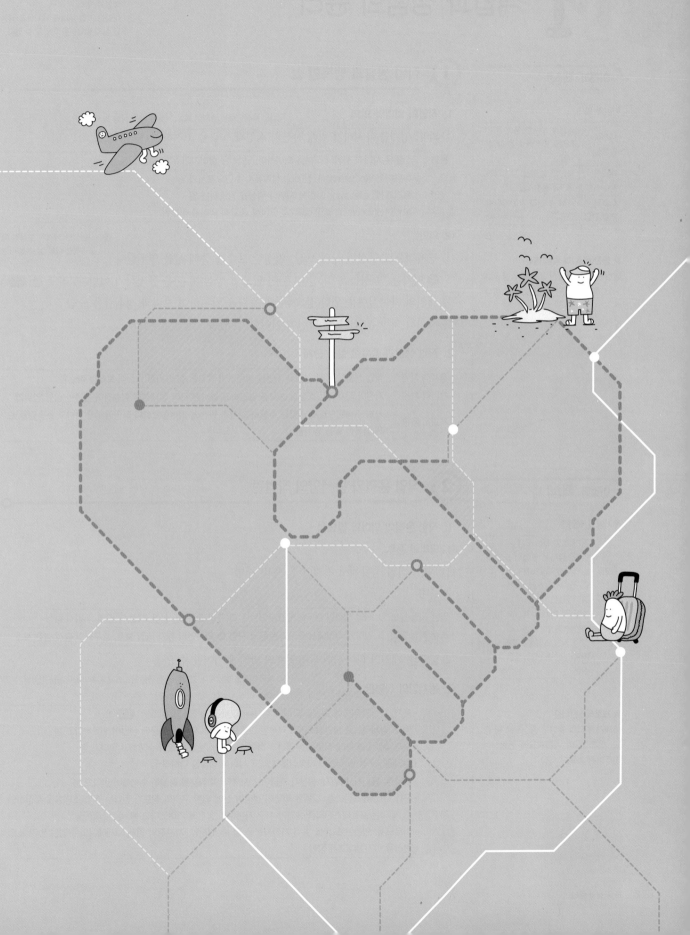

01 직업과 청렴의 윤리

학습목표
· 직업의 의의를 행복의 관점에서 이해할 수 있다.
· 다양한 직업 윤리를 제시하고 청렴한 삶의 필요성을 파악할 수 있다.

1 직업 생활과 행복한 삶

이것이 핵심!

직업의 의의

경제적 안정성	일정한 보수를 통해 경제적으로 안정된 삶을 살 수 있음
개인의 자아실현	자신의 능력을 발휘하여 보람과 성취감을 느낌
사회적 역할 분담	사회 발전에 기여할 수 있음

★ **항산(恒産)과 항심(恒心)**
항산은 일정한 재산 또는 생업을 의미하고, 항심은 도덕적 마음을 의미한다.

1. 직업의 의미와 의의

┌ 직업의 특성으로는 경제적 보상, 자발성, 지속성을 들 수 있어.

(1) **의미**: 생계를 유지하기 위해 자신의 적성과 능력을 고려하여 지속적으로 하는 일

동양	직(職)은 사회적 지위나 직분을 의미하며, 업(業)은 살아가기 위해 하는 노동을 뜻함
서양	· 아큐페이션(occupation), 잡(job): 생계유지 수단으로서의 일 · 프러페션(profession): 사회적 지위나 위상을 강조하는 일 · 보케이션(vocation), 콜링(calling): 도덕적·종교적 의미로서의 일

(2) **의의**

꾹! 기본적인 생계가 보장될 때 도덕적인 삶을 살 수 있다는 의미야.

① 경제적으로 안정된 삶의 보장: 일정한 보수를 통해 삶을 영위함

　　⑩ 맹자는 "백성들은 *항산(恒産)이 없으면 항심(恒心)을 유지하기 어렵다."라고 함 [자료①]

② 개인의 자아실현을 위한 장: 자신의 능력을 발휘하여 보람과 성취감을 느낌

③ 사회적 역할 분담: 사회 발전에 기여할 수 있음

2. 직업 생활과 행복한 삶의 관계

경제적 차원	직업 생활을 통해 경제적 기반을 마련하여 행복한 삶을 위한 물질적 토대를 마련함
개인적 차원	자신의 잠재적인 소질과 능력을 발견하고 올바른 자아 정체성을 형성하여 행복한 삶을 영위함
사회적 차원	사회 구성원으로서 역할을 수행하고 사회 발전에 기여함으로써 타인에게 인정받고 소속감을 느껴 행복한 삶을 영위함

2 직업 윤리와 동서양의 직업관

이것이 핵심!

동서양의 직업관

동양	· 공자: 정명 정신 실천 · 맹자: 경제적 안정이 도덕적 삶의 기반이라고 봄 · 순자: 각자의 직분 수행 · 장인 정신
서양	· 플라톤: 각자의 계급에 맞는 역할을 충실히 수행 · 칼뱅: 직업 소명설을 주장 · 마르크스: 노동을 통한 자아실현

★ **프로테스탄티즘**
16세기 루터와 칼뱅을 중심으로 한 종교 개혁자들이 가톨릭교에 반항하여 이루어진 기독교 사상

1. 직업 윤리의 의미와 필요성

(1) **의미와 종류**

① 의미: 직업 생활에서 지켜야 할 윤리 규범

② 종류

일반 직업 윤리	직업 생활인 모두에게 요구되는 윤리 규범 ⑩ 근면, 성실, 책임, 인간애, 직업적 양심
특수 직업 윤리	각각의 직업에서 요구되는 윤리 규범 ⑩ 의료인의 환자 비밀 보호, 승무원의 승객 안전 보호

(2) **필요성**: 개인의 자아실현과 공동체의 발전에 기여할 수 있음

└ 부정부패와 비리를 예방하여 건강한 공동체를 유지하고 사회의 도덕성을 향상할 수 있어.

2. 동서양의 직업관

잠깐! 사람의 적성과 능력에 따라 사회적 역할 분담을 규정해 주는 규범이야.

동양	· 공자: 자신의 역할에 최선을 다해야 한다는 정명(正名) 정신을 강조함 [자료②] · 맹자: 경제적으로 불안정하면 도덕적인 마음을 지키기 어렵기 때문에 생업이 필요하다고 봄 · 순자: 예(禮)를 통해 직분을 분명하게 하여 자신의 직분을 성실히 수행해야 한다고 봄 · 장인(匠人) 정신: 직업적 자부심을 지니고 사회적 책임을 다하려 함
서양	· 플라톤: 통치자, 방위자, 생산자 계급이 각자 자기의 직분을 충실히 수행해야 한다고 봄 · 근대 *프로테스탄티즘: 칼뱅은 직업의 성공이 신에 의한 구원의 징표가 된다는 직업 소명설을 주장하였고, 베버는 프로테스탄티즘 윤리가 서구 자본주의 발전에 기여했다고 봄 [교과서 자료] · 마르크스: 인간은 노동을 통해 자아실현을 할 수 있지만, 자본주의 경제 체제에서의 분업은 인간 소외 현상을 야기한다고 주장함

완자 자료 탐구

내 옆의 선생님

자료 ① 맹자와 순자의 직업관

> 대인이 할 일이 있고, 소인이 할 일이 따로 있다. 그래서 어떤 사람은 마음을 수고롭게 하고, 어떤 사람은 몸을 수고롭게 한다.
> – 맹자

> 사람들이 직분을 분명히 하고, 하는 일에 질서를 마련하며, 재능과 기술을 따져 능력 있는 사람에게 벼슬을 주면 잘 다스려지지 않을 수가 없다.
> – 순자

직업을 통한 경제적 안정이 도덕적 삶의 기반이 된다고 주장한 맹자는 대인의 일과 소인의 일을 구분하여 사회적 분업을 긍정하였으며, 정신노동과 육체노동의 상호 보완적 관계를 강조하였다. 순자 역시 직업이 사회적 역할을 분담하게 한다고 보았다. 그는 사람의 적성과 능력에 따라 사회적 역할 분담을 규정해 주는 기준을 예(禮)라고 하였으며, 예에 따른 여러 사람들의 직분을 중시하였다. 순자는 모든 사람들이 자기 직분을 올바로 수행한다면 천하가 태평해진다고 보았다.

자료 ② 공자의 정명 사상에 담긴 직업 윤리

> 제나라 경공이 공자께 정치에 관하여 묻자 공자께서 대답하시기를 "임금은 임금다워야 하고, 신하는 신하다워야 하며, 어버이는 어버이다워야 하고, 자식은 자식다워야 한다."라고 하셨다.
> – 「논어」

공자가 주장한 정명(正名)은 이름을 바르게 한다는 의미이다. 공자는 사람에게는 자신의 '명(名)'에 따르는 역할이 있으며, 모두가 자신의 역할에 걸맞은 행동을 할 때 이상 사회가 완성될 수 있다고 보았다. 이와 같은 정명 정신은 모든 사람이 각자가 자신의 직분에 충실해야 한다는 직업 윤리를 담고 있다고 할 수 있다.

수능이 보이는 교과서 자료 칼뱅의 직업 소명설

> 우리는 신이 우리 모두에게 우리 삶의 모든 행위를 할 때 그의 부르심에 주목할 것을 명령하고 계시다는 점을 기억해야 한다. 신은 여러 가지 삶의 계층과 삶의 양식들을 구분해 놓음으로써 각 사람이 해야 할 일의 순서를 정해 두었다. 신은 그 같은 삶의 양식들을 소명(召命)이라고 명하셨다. 그러므로 각 사람은 자기 자신의 위치를 신께서 정해 주셨다고 생각해야 한다.
> – 칼뱅, 「기독교 강요」

칼뱅은 직업 활동을 신의 소명이라고 보았다. 따라서 직업에 귀천이 없으며, 노동이 원죄에 대한 속죄의 의미였던 중세 그리스도교의 직업관에서 벗어나 신의 영광을 드러내는 것이라는 긍정적 의미를 가지게 되었다. 또한 그는 직업에서 성공을 거두고 부를 축적하는 것은 신의 구원을 받았다는 증거라고 주장하며 근면, 성실, 절약 등을 직업 활동의 기초로 삼아 자신의 직분에 충실해야 한다고 보았다.

자료 하나 더 알고 가자!

마르크스의 직업관

> 자본주의 체제에서의 노동은 상품만을 생산하는 것이 아니라, 그러한 생산을 통하여 노동자를 하나의 상품으로 생산해 낸다. ...... 소외된 노동은 결국 인간에 의한 인간의 소외를 일으킨다.
> – 마르크스, 「경제학 – 철학 수고」

마르크스에 의하면 원래 인간은 노동을 통해 본질을 실현하는 존재이다. 하지만 자본주의 경제 체제에서의 분업 방식은 오히려 인간 소외 현상을 불러왔다고 보고, 진정한 자아실현을 이루는 노동이 필요하다고 주장하였다.

정리 비법을 알려줄게!

정명(正名)의 의미와 오늘날의 의의

의미	이름을 바르게 함
의의	각자가 자신의 이름에 걸맞은 역할에 최선을 다해야 한다는 직업 윤리를 담고 있음

완자샘의 탐구 강의

• 칼뱅의 직업 소명설이 강조하는 내용을 서술해 보자.
칼뱅은 직업을 신이 부여한 소명으로 생각하였다. 따라서 직업에는 귀천이 없으며 모든 사람들은 자신의 일을 성실히 수행해야 한다고 강조하였다.

함께 보기 79쪽. 1등급 정복하기 1

01 직업과 청렴의 윤리

다양한 직업 윤리

기업가 윤리	• 정당한 이윤 추구 • 사회적 책임 수행
근로자 윤리	• 성실하고 책임 있는 업무 수행 • 업무 분야에서의 전문성 향상
전문직 윤리	• 공공선을 위해 행동해야 함 • 높은 직업적 양심과 책임 의식 고취
공직자 윤리	• 엄격하고 공정한 업무 처리 자세 • 봉공의 자세와 청백리 정신 • 청렴한 공직 문화 조성을 위한 노력

★ 윤리 경영
회사 경영과 기업 활동에서 기업 윤리를 중요하게 생각하고, 투명하고 공정하며 합리적인 업무 수행을 추구하는 경영 정신

★ 상보적 관계
서로 모자란 부분을 보충하는 관계

★ 노사협의회
근로자와 회사 간에 근로 조건과 단체 협약 체결, 노사 분규 예방 등에 관한 사항을 협의하기 위해 설치한 기구

★ 청백리
자신의 직무에 충실하고 청렴하게 임했던 관리를 일컫는 말

③ 다양한 직업 윤리와 청렴

1. 기업가와 근로자 윤리

(1) 기업가 윤리

① 법을 지키면서 정당하게 이윤을 추구해야 함

② *윤리 경영을 실천하고 공익을 추구하는 등 사회적 책임을 다해야 함 `자료③`

(2) 근로자 윤리

① 자신이 맡은 업무를 책임 있게 성실히 수행해야 함

② 자신의 업무 분야에서 전문성을 높이기 위해 노력해야 함

(3) 기업가와 근로자의 관계 ┌ 꼭! 노사 관계는 이해관계의 측면에서 대립적이기도 하지만 함께 협력해야 하는 상생적 관계이기도 해.

① 서로 협력하여 성장해 나가는 동반자 관계이자 *상보적 관계임

② 건전한 기업가와 근로자의 관계를 정립해야 함

개인적 차원의 노력	상호 신뢰하고 협조하며 공동의 이익을 추구해야 함
사회적 차원의 노력	*노사협의회와 같은 제도를 통한 노사 간의 상생 방안을 모색해야 함

2. 전문직 윤리

(1) 전문직의 의미와 특징

① 의미: 고도의 교육과 훈련을 거쳐 일정한 자격을 취득함으로써 전문 지식과 기술을 독점적으로 사용하는 직업 `자료④`

② 특징

전문성	고도의 전문적 훈련을 통해 전문 지식을 갖추어야 함
독점성	일정한 자격을 갖춘 사람만이 그 직업을 수행할 수 있음
자율성	독자적이고 자율적으로 업무를 수행할 수 있음

(2) 전문직 윤리

① 사회에 주는 영향력이 크기 때문에 공공선을 위해 행동해야 함

② 비윤리적 행동으로 인한 사회적 해악을 막기 위해 별도의 윤리 강령을 제정해야 함

3. 공직자 윤리

(1) 공직자의 의미: 국가 기관이나 공공 단체의 일을 맡아보는 직책 또는 직무에 종사하는 사람

(2) 공직자에게 요구되는 자세

① 엄격하고 공평한 업무 처리 자세 ┌ 꼭! 공직자의 의사 결정은 법적 구속력을 가지므로, 특정 개인이나 집단의 이익이 아니라 공익을 추구해야 해.

② 검소한 생활 태도, 봉공(奉公)의 자세, *청백리 정신 함양

③ 불공정한 관행과 불합리한 제도를 개선하는 등 청렴한 공직 문화 조성을 위한 노력
└ 특히 정약용은 「목민심서」에서 목민관이 갖추어야 할 자격으로 청렴을 강조하였어.

4. 청렴의 의미와 중요성

(1) 의미: 성품과 품행이 맑고 깨끗하며 탐욕을 부리지 않는 것

(2) 중요성

① 청렴하지 않은 사회에서 사람들은 안정적이고 행복한 삶을 살 수 없음

② 청렴하지 못할 때는 부패가 발생하여 타인에게 피해를 주고, 사회 전체에 해악을 끼침 `자료⑤`
└ 잠깐! 불법적이거나 부당한 방법으로 금전적·사회적 이득을 얻거나 다른 사람이 그것을 얻도록 돕는 일탈 행위를 의미해.

자료 ③ 기업의 사회적 책임

┌ 미국의 경제학자 애로 또한 기업이 다양한 영역에서
  사회적 책임을 이행해야 한다고 보았어.

기업의 이윤 추구만을 강조하는 입장
기업에게 유일하게 한 가지 사회적 책임만 있는데, 그것은 속임수나 부정행위 없이 누구에게나 개방된 자유 경쟁이라는 규칙 한도 내에서 자신의 자원을 이용하여 자신의 이익을 늘리기 위해 마련된 행동을 하는 것이다.
– 프리드먼, 『자본주의와 자유』

기업의 사회적 책임도 강조하는 입장
책임 있게 경영하는 기업은 그렇지 못한 경쟁자들에 비해 사업상의 위험에 덜 노출될 것이다. 그런 기업들은 헌신적인 직원과 충성스런 소비자들의 지지를 얻는 데 훨씬 유리하기 때문이다.
– 보겔, 『기업은 왜 사회적 책임에 주목하는가』

프리드먼은 기업의 목적을 이윤의 극대화로 보아 합법적인 이윤 추구를 넘어서는 사회적 책임을 기업에 강요해서는 안 된다고 주장하였다. 한편 보겔은 기업이 법을 지키며 이윤을 추구하는 차원을 넘어 자발적으로 사회적 책임을 이행해야 한다고 강조하였다.
┌ 소비자의 신뢰를 얻으면 이윤 추구와 효율성 향상에
  도움이 된다고 생각했기 때문이야.

자료 ④ 제네바 선언
┌ 의료 윤리 정신이 담긴 히포크라테스 선서를
  현대에 맞게 개정한 선언이야.

의업에 종사하는 일원으로서 인정받는 이 순간에, 내 일생을 인류 봉사에 바칠 것을 엄숙히 서약한다. ……
• 나는 환자의 건강을 우선적으로 배려하겠다.
• 어떤 위협이 닥칠지라도 내 의학 지식을 인류에 어긋나게 쓰지 않겠다.
나는 아무 거리낌 없이 내 명예를 걸고 위와 같이 서약한다.

의료계 전문직은 사람의 생명을 다루는 직종이므로 보다 공정하고 올바른 업무 수행이 필요하다. 이처럼 전문 지식과 기술을 독점하는 전문직에 종사하는 사람에게는 강한 윤리 의식이 요구된다.

자료 ⑤ 부패 방지를 위한 사회 제도

• **청렴도 측정 제도**: 매년 민원인 등을 대상으로 공공 기관의 부패 관련 설문 조사를 하여 기관의 청렴 수준을 객관적으로 진단하는 제도
• **청렴 계약제**: 행정 기관의 입찰, 계약 등의 과정에서 업체와 공무원 양 당사자가 뇌물을 주고받지 않고, 이를 위반할 때에는 제재를 받겠다고 서로 약속하는 제도
• **부정 청탁 및 금품 등 수수의 금지에 관한 법률(청탁금지법)**: 공직자 등에 대한 부정 청탁 및 공직자 등의 금품 수수 등을 금지하여 공공 기관에 대한 국민의 신뢰를 확보하고자 제정함
• **내부 공익 신고**: 조직의 구성원이 내부에서 저지르는 부조리한 행위를 예방하거나 시정할 수 있도록 관련 기관 또는 대중 매체 등에 알림으로써 공공의 안전과 권익, 국민의 알 권리를 보호하는 행위를 의미함 ┌ 내부 고발을 보호할 수 있는 제도의 시행을 강화해야 해.

부패를 방지하기 위해서는 직업 생활을 하는 개인이 청렴 의식을 갖추는 것도 중요하지만 위와 같은 제도적 차원에서의 노력도 중요하다. 아울러 시민 단체의 감시 활동을 강화하는 등 개인적·제도적·사회적으로 청렴의 문화를 정착하는 것이 필요하다.

자료 하나 더 알고 가자!

기업의 사회적 책임의 종류

경제적 책임	생산한 제품을 적절한 가격에 판매하여 수익을 창출함
법적 책임	법을 지키면서 기업을 경영함
윤리적 책임	사회가 요구하는 윤리를 준수함
자선적 책임	기부, 봉사, 문화 활동 등 지역 사회 발전에 기여함

기업은 건전한 이윤 추구를 바탕으로 더 수준 높은 사회적 책임을 이행하려고 노력할 필요가 있다.

정리 비법을 알려줄게!

전문직의 특징과 전문직 윤리

특징	• 전문성 • 독점성 • 자율성
전문직 윤리	• 공공선을 위해 행동해야 함 • 높은 직업적 양심과 책임 의식 고취

문제로 확인할까?

부패를 방지하기 위한 제도적 노력으로 적절하지 않은 것은?
① 개인의 청렴 의식을 강화한다.
② 조직의 불공정한 관행을 개선한다.
③ 부패 방지와 관련한 법을 강화한다.
④ 내부 고발자를 보호하는 제도를 만든다.
⑤ 부패 행위에 대한 처벌 규정을 강화한다.
① 정답

핵심 개념 확인하기

정답친해 20쪽

1 다음 설명에 해당하는 용어를 쓰시오.

> • 일정 기간 일에 종사하면서 경제적 재화를 받는 지속적인 활동이다.
> • 한 인간이 독립적인 삶을 꾸려가기 위해 경제적 보상을 받으면서 자발적이고 지속적으로 수행하는 일이다.

2 다음 설명이 맞으면 ○표, 틀리면 ×표를 하시오.

(1) 기업가와 근로자는 상생할 수 없는 대립적 관계이다.
( )

(2) 자원봉사는 자발적으로 하는 일이기 때문에 직업에 해당한다. ( )

(3) 청렴한 사회에서 구성원 상호 간에 신뢰와 소통을 바탕으로 능률적인 일 처리가 가능하다. ( )

3 직업 윤리의 종류와 의미를 옳게 연결하시오.

(1) 일반 직업 윤리 •
(2) 특수 직업 윤리 •

• ㉠ 직종의 전문화에 따라 특정 직업 활동에서 요구되는 윤리
• ㉡ 인간 사회의 기본 윤리에 근거한 정직, 성실 등을 기반으로 하는 직업인의 자세

4 다음 설명에 해당하는 전문직의 특성을 〈보기〉에서 골라 기호를 쓰시오.

> 【보기】
> ㄱ. 전문성   ㄴ. 독점성   ㄷ. 자율성

(1) 전문성에 기초하여 자율적으로 업무를 수행한다. ( )

(2) 고도의 전문적 훈련을 통해 관련 분야의 지식을 획득한다.
( )

(3) 공인된 자격증이나 면허를 가진 사람만이 직무를 수행한다.
( )

5 청렴한 사회 문화 정착을 위한 제도적 노력을 〈보기〉에서 골라 기호를 쓰시오.

> 【보기】
> ㄱ. 청탁 금지법 도입   ㄴ. 청렴 계약제 시행
> ㄷ. 봉공의 자세 확립   ㄹ. 청렴도 측정 제도 실시

내신 만점 공략하기

01 다음 글에서 알 수 있는 직업의 가치로 가장 적절한 것은?

> 일반 백성들은 경제적 안정[恒産]이 없으면 항상 바른 마음[恒心]을 가질 수 없습니다.

① 삶의 보람과 성취감을 얻을 수 있다.
② 자신의 소질과 능력을 발휘할 수 있다.
③ 사회 구성원으로서의 역할을 수행할 수 있다.
④ 경제적 안정을 통해 윤리적 삶의 토대를 마련할 수 있다.
⑤ 사회 구성원으로서 소속감을 바탕으로 행복한 삶을 영위할 수 있다.

02 갑, 을의 대화에서 (가)에 들어갈 말로 적절하지 않은 것은?

① 타인으로부터 존경과 사랑을 받을 수 있기
② 타인과의 관계 속에서 감동과 보람을 느낄 수 있기
③ 다른 사람보다 높은 사회적 지위를 보장받을 수 있기
④ 자신이 하고 있는 일에서 삶의 의미를 발견할 수 있기
⑤ 자신이 좋아하는 일에 몰입해서 즐거움을 느낄 수 있기

03 다음과 같이 주장한 사상가의 직업관으로 옳은 것은?

> 사람들의 직분을 분명히 하고, 하는 일에 질서를 마련하며, 재능과 기술을 따져 능력 있는 사람에게 벼슬을 주면 잘 다스려지지 않을 수가 없다.

① 분업화된 노동은 인간 소외 현상을 심화시켰다.
② 직업을 신의 소명으로 여기고 성실한 자세로 임해야 한다.
③ 근면과 절약 등과 같은 정신이 서구 자본주의 발전에 기여하였다.
④ 자신의 일에 긍지를 가지고 한 가지 기술에 정통하려 노력해야 한다.
⑤ 적성과 능력에 따라 역할을 분담하고 주어진 일에 성실히 임해야 한다.

04 갑, 을의 입장으로 옳은 것은?

> 갑: 신에게 철저히 봉사하는 신앙의 응답으로서 직업은 하나님의 소명에 의한 봉사 관계로 이해해야 한다. 근면, 성실하고 검소한 생활과 직업의 성공이 구원의 현세적 징표이다.
> 을: 인간은 노동을 통해 자기 본질을 실현하는 존재이다. 하지만 자본주의 체제에서의 노동자는 자본의 지배와 분업에 따라 단순한 기계의 부속품이 되어 강제적인 노동력에 시달리게 되었다.

① 갑은 통치자 계층만 신의 구원을 받는다고 보았다.
② 갑은 직업의 귀천을 명확히 구분해야 한다고 주장하였다.
③ 갑은 직업 생활을 통해 부를 쌓으려는 노력을 긍정적으로 보았다.
④ 을은 자본주의의 분업을 통해 생산력 향상을 실현하고자 하였다.
⑤ 을은 인간은 고통에서 벗어나기 위해 노동에서 벗어나야 한다고 주장하였다.

05 다음과 같이 주장한 사람이 긍정의 대답을 할 질문으로 옳은 것은?

> 기업에게 유일하게 한 가지 사회적 책임만 있는데, 그것은 속임수나 부정행위 없이 누구에게나 개방된 자유 경쟁이라는 규칙 한도 내에서 자신의 자원을 이용하여 자신의 이익을 늘리기 위해 마련된 행동을 하는 것이다.

① 기업가는 지역 복지 사업에 참여해야 하는가?
② 기업가는 사회적 약자에 대해 경제적 지원을 해야 하는가?
③ 기업의 자선적 책임이 이윤 추구 활동보다 우선되어야 하는가?
④ 기업가는 기업의 정당한 이윤 극대화 이외의 도덕적 책임을 질 필요가 없는가?
⑤ 기업가는 기업의 이윤을 창출하기 위해 부정한 방법으로 경쟁에 참여해도 되는가?

06 다음 노트 필기 내용에 대한 설명으로 옳지 <u>않은</u> 것은?

> **학습 주제: ⊙ 에 대하여**
> 1. 의미: 고도의 교육과 훈련을 거쳐 일정한 자격이나 면허를 취득한 사람이 종사하는 직업
> 2. 특징: ⓒ 전문성, ⓒ 자율성, ⓔ 독점성
> 3. 더 높은 수준의 직업 윤리가 필요한 이유: _____ ⓜ

① ⊙: 전문직을 의미한다.
② ⓒ: 고도의 전문적 훈련을 통해 전문 지식을 갖춘 것을 말한다.
③ ⓒ: 상급자의 지시대로만 업무를 수행할 수 있다는 뜻이다.
④ ⓔ: 일정한 자격을 갖춘 사람만이 그 직업을 수행할 수 있다는 것을 의미한다.
⑤ ⓜ: 사회에 주는 영향력이 커서 비윤리적인 행동을 할 경우 사회에 큰 악영향을 끼치기 때문이라는 내용이 들어가야 한다.

07 다음 사례에서 밑줄 친 '을'에게 필요한 자세로 옳지 <u>않은</u> 것은?

> 갑은 최근 공장 증설을 위한 최적의 입지를 확인하고 공장 설립 절차를 밟고 있다. 하지만 그 장소는 공장을 지을 수 없는 장소로 공장을 짓기 위해서는 토지 사용 승인을 받아야 하는 상황이다. 그래서 갑은 평소에 알고 지내던 공무원 을에게 토지 사용 승인에 관한 어려움을 이야기하고자 식사 자리를 마련하고 을의 아이들을 위한 선물도 주었다.

① 청백리 정신을 본받아야 한다.
② 공적인 일을 사적인 일보다 우선시해야 한다.
③ 업무 처리에서 엄격함과 공평함을 잃지 않아야 한다.
④ 검소한 태도로 국민에게 봉사하는 자세를 가져야 한다.
⑤ 연고주의에 근거하여 업무를 처리하여 업무의 효율성을 높여야 한다.

08 다음 자료에 나타난 대한민국의 문제를 해결하기 위한 제도적 차원의 노력으로 적절하지 <u>않은</u> 것은?

2017 국가별 부패 인식 지수(CPI) 순위		
순위	국가	점수
1위	뉴질랜드	89점
2위	덴마크	88점
3위	핀란드	85점
...		
51위	대한민국	54점

(국제 투명성 기구, 2018)

부패 인식 지수: 국제 투명성 기구가 매년 발표하는 국가별 부패 지수로서 각국의 공무원이나 정치인이 얼마나 부패를 조장하거나 부패한지에 대한 인식을 나타내는 지수

① 내부 공익 신고 제도를 적극적으로 운용한다.
② 개개인이 청렴 의식과 직업 윤리 의식을 강화한다.
③ 투명성을 담보하기 위한 행정 감시 기구를 제도화한다.
④ 부패로 인한 손해에 대하여 배상하는 제도를 마련한다.
⑤ 조직의 청렴 수준을 진단하고 부패 행위에 대한 견제 수단을 마련한다.

서술형 문제

● 정답친해 21쪽

01 다음을 읽고 물음에 답하시오.

> 직업은 생계를 유지하기 위해 자신의 적성과 능력을 고려하여 지속적으로 하는 일을 의미한다. 직업은 우리가 경제 활동을 통해 사회에 참여하고 자아 존중감을 형성하는 데 이바지하여 의미 있는 삶을 살도록 만들어 준다.

(1) 윗글을 바탕으로 직업의 특성을 세 가지 쓰시오.

(2) 직업 생활이 행복한 삶의 바탕이 되는 이유를 두 가지 이상 서술하시오.

> (길잡이) 직업이 경제적, 사회적, 개인적 측면에서 어떤 가치를 가지는지 생각해 보고 서술한다.

02 직업 생활에서 부패를 막고 공정한 사회를 만들기 위해 필요한 노력을 ㉠, ㉡의 관점에서 각각 서술하시오.

> 현대 사회에서 발생하는 다양한 윤리 문제에 대하여 어떤 관점을 취하느냐에 따라 그 해결 방안이 달라질 수 있다. ㉠ <u>개인 윤리의 관점</u>은 문제의 원인을 개인의 잘못된 이기심과 비양심에서 찾으며, ㉡ <u>사회 윤리의 관점</u>에서는 부조리한 사회 제도나 정책을 윤리 문제의 원인으로 보기 때문이다.

> (길잡이) 현대 사회의 윤리 문제를 해결할 때 개인 윤리의 관점은 개인의 도덕성 함양을 중시하고, 사회 윤리의 관점은 사회 제도나 정책의 개선을 중시한다는 점을 바탕으로 서술한다.

STEP 3 1등급 정복하기

1 갑, 을 사상가들의 직업관에 대한 옳은 설명만을 〈보기〉에서 있는 대로 고른 것은?

> 갑: 땅을 가꾸어 북돋우고 풀을 뽑아 곡식을 심으며 거름을 많이 하여 논밭을 걸게 함은
> 바로 농부와 모든 백성이 하는 일이다. 때를 지켜 백성이 힘쓰도록 독려하고 사업을
> 촉진해 그 이득의 성과를 크게 하며 백성들을 고루 화합하도록 하고 사람들이 게으르
> 지 않게 함은 바로 사람을 거느리는 사람이 하는 일이다.
> 을: 신은 여러 가지 삶의 계층과 삶의 양식들을 구분함으로써 각 사람이 해야 할 일의 순
> 서를 정해 두셨다. 신은 그 같은 삶의 양식들을 소명(召命)이라 명하였다. 그러므로
> 각 사람들은 자기 자신의 위치를 신께서 정해 주신 초소라고 생각해야 한다.

보기

> ㄱ. 갑에게 직업이란 사회를 원활하게 운영하기 위해 역할을 분담하는 것이다.
> ㄴ. 을은 모든 직업이 신성하며 귀천이 없음을 강조한다.
> ㄷ. 을은 노동을 통한 직업적 성공이 구원의 증거라고 본다.
> ㄹ. 갑, 을이 추구하는 직업 생활의 궁극적인 목표는 사유 재산의 소멸이다.

① ㄱ, ㄴ   ② ㄱ, ㄷ   ③ ㄴ, ㄷ
④ ㄱ, ㄴ, ㄷ   ⑤ ㄴ, ㄷ, ㄹ

> **동서양의 직업관**
>
> **완자샘의 시험 꿀팁**
> 동서양 사상가들의 직업관을 비교
> 하는 문항이 출제될 수 있으므로 여
> 러 사상가의 직업관을 파악해 둔다.

수능 응용

2 갑~병에 대한 설명으로 옳은 것은?

> 갑: 기업은 기업 활동을 기업의 이윤 추구라는 목적에 한정해야 한다. 기업은 이윤을 극
> 대화하는 것만으로도 모든 책임을 다하는 것이다.
> 을: 기업은 주주, 소비자, 지역 사회 구성원 등과 같이 기업 활동에 영향을 주거나 받을
> 수 있는 사람들, 즉 모든 이해 당사자들의 이익을 동등하게 고려해야 한다.
> 병: 기업은 기업 활동과 직간접적으로 관련된 모든 사람들의 이익을 동등하게 고려해야
> 한다. 다만 이해 당사자들 간의 이익이 충돌할 경우 주주의 이익을 우선적으로 고려
> 해야 한다.

① 갑은 근로자의 업무 환경 개선과 복지 확충을 기업의 목표로 본다.
② 을은 기업은 기업의 이윤 극대화 이외의 책임도 가지고 있다고 본다.
③ 병은 기업의 책임이 주주의 이익에 국한되어야 함을 강조한다.
④ 갑과 을은 창출하는 이익에 비례하여 그 이익을 사회에 환원해야 함을 강조한다.
⑤ 병은 을과 달리 기업의 활동에 관련된 모든 당사자들의 이익을 고려해야 함을 강조한다.

> **기업 윤리**
>
> **완자샘의 시험 꿀팁**
> 기업의 사회적 책임 범위를 묻는
> 문항이 출제되었으므로 기업의 사
> 회적 책임 범위에 관한 입장을 알
> 아 둔다.

02 사회 정의와 윤리

학습목표
· 공정한 분배를 이룰 수 있는 기준을 탐구할 수 있다.
· 교정적 정의의 관점에서 사형 제도를 정당화하거나 비판할 수 있다.

이것이 핵심!

니부어의 사회 윤리

특징	· 개인의 도덕성과 사회의 도덕성을 구분함 · 사회의 도덕성은 개인의 도덕성에 비해 떨어진다고 봄
문제 해결 방법	개인의 도덕성 함양+사회 구조와 제도의 개선

★ 니부어

미국의 사회 윤리학자로, 사회 윤리 문제는 개인의 도덕성 함양뿐만 아니라 사회 정책과 제도의 개선을 통해 해결해야 한다고 보고 『도덕적 인간과 비도덕적 사회』를 저술하였다.

① 사회 정의의 의미

1. 개인 윤리와 사회 윤리

(1) 개인 윤리와 사회 윤리 비교

꼭! 현대 사회에서는 개인 윤리만으로 해결이 어려운 문제들이 발생했기 때문에 사회 윤리가 요청되었어.

구분	개인 윤리	사회 윤리
문제의 원인	개인의 비양심과 잘못된 이기심	사회 구조와 제도의 부조리
해결 방안	도덕 판단 능력과 실천 의지, 습관 등 개인의 도덕성 함양	개인의 도덕성 함양 + 사회 구조와 제도의 개선

(2) **니부어의 사회 윤리** 자료①

① 사회의 도덕성이 개인의 도덕성에 비해 현저하게 떨어진다고 봄

② 정의로운 사회가 되려면 개인의 도덕성 함양과 함께 사회의 도덕성을 고양해야 한다고 봄

③ 사회의 도덕성을 고양하고 정의를 실현하기 위해 강제력에 의한 방법도 병행되어야 한다고 주장함

2. 사회 정의의 의미와 필요성

잠깐! 사회 정의는 사회적 이익과 분담을 공정하게 분배하는 분배적 정의와 위법 행위에 대한 처벌과 보상에 관한 교정적 정의로 구분할 수 있어.

(1) **의미**: 개인 간의 올바른 도리 또는 사회를 구성하고 유지하는 공정한 도리 자료②

동양에서는 이익을 보거든 의리를 먼저 생각하라는 견리사의(見利思義)의 자세를 강조하였으며, 서양의 플라톤은 정의는 지혜, 용기, 절제가 조화를 이룰 때 실현되는 덕목이라고 보았어.

(2) **필요성** 자료③

① 사회가 정의로울 때 개인의 자유와 권리를 존중받을 수 있음

② 구성원 각자의 몫이 보장되기 위해서 필요함

이것이 핵심!

분배의 다양한 기준

절대적 평등	모든 구성원에게 동등하게 분배함
노력	개인의 노력에 비례해 분배의 몫을 결정함
업적	개인이 산출하는 결과에 따라 분배함
능력	개인의 능력에 따라 분배함
필요	인간의 기본적인 욕구와 필요를 고려하여 분배함

② 분배적 정의의 의미와 기준

1. 분배적 정의의 의미와 필요성

의미	사회적 이익과 부담에 관하여 각자가 자신의 몫을 누릴 수 있게 하는 정의로, 다양한 사회적·경제적 가치를 공정하게 분배함으로써 실현됨
필요성	· 사회 구성원의 욕구를 모두 충족하기엔 재화가 한정되어 있음 · 재화 분배의 형평성이 보장되지 않으면 사회 구성원들이 불만을 가지게 됨

2. 공정한 분배의 다양한 기준

꼭! 분배의 기준은 각각 장점과 한계를 지니고 있으므로 사회 구성원 간 합의를 도출하기 어려워. 그래서 분배의 기준이 아니라 롤스나 노직처럼 분배 방식을 결정하는 논의의 절차를 강조하는 입장에도 관심을 가질 필요가 있어.

기준	장점	한계
절대적 평등	기회와 혜택의 균등이 보장됨	· 생산 의욕 및 효율성이 저하됨 · 개인의 자유와 책임 의식이 약화됨
노력	개인의 노력에 비례한 분배가 가능함	· 노력과 업적의 불일치로 인한 혼선이 야기됨 · 노력의 객관적 평가가 어려움
업적	· 객관적 평가 및 측정이 용이함 · 동기 부여 및 생산성이 높아짐	· 서로 다른 종류의 업적에 대한 평가가 어려움 · 사회적 약자에 대한 고려가 부족함
능력	능력이 뛰어난 사람에게 적절한 보상이 가능함	· 능력 획득에 선천적 요소가 개입됨 · 능력을 평가하는 명확한 기준 수립이 어려움
필요	사회적 약자를 보호할 수 있음	· 모든 사람의 필요 충족은 불가능함 · 근로 의욕과 경제적 효율성이 저하됨

완자 자료 탐구 — 내 옆의 선생님

자료 ① 니부어의 사회 윤리

사회를 중심에 놓고 보면 최고의 도덕적 이상은 정의이고, 개인을 중심에 놓고 보면 최고의 도덕적 이상은 이타성이다. 사회는 여러 면에서 어쩔 수 없이 이기심, 반항, 강제력, 원한과 같이 도덕성이 높은 사람들로부터 전혀 도덕적 승인을 얻어 낼 수 없는 방법을 사용하게 될지라도 궁극적으로 정의를 추구해야 한다. …… 정의를 달성하기 위한 비합리적인 수단은 도덕적 선의지의 통제를 받지 않는 한, 사회에 엄청난 위험을 가할 수 있다.   – 니부어, 「도덕적 인간과 비도덕적 사회」

미국의 문명 비평가이자 신학자인 니부어는 개인의 도덕성에 비해 사회의 도덕성이 현저하게 떨어진다고 하면서 개인의 도덕성과 사회의 도덕성을 구분할 필요가 있다고 보았다. 그는 정의로운 사회가 되기 위해서는 개인의 도덕성을 기르는 것뿐만 아니라 사회의 비합리적인 수단을 동원해서라도 사회 부정의를 바로잡는 것이 필요하다고 주장하였다.

자료 ② 아리스토텔레스의 정의의 구분

┌ 아리스토텔레스는 각자가 자기의 것을 취하며 법이 정하는 대로 따르는 것을 정의라고 보았어.

정의란 사람들이 옳은 일을 하도록 하고, 옳게 행동하게 하며, 옳은 것을 원하게 하는 성품이다. 정의롭지 못한 여러 가지 모습을 살펴보면 정의의 의미를 쉽게 알 수 있다. 법을 지키지 않거나, 욕심이 많고, 불공정한 사람은 모두 정의롭지 못하다. 공동체를 행복하게 만드는 조건들이 많아지게 하는 행위는 정의롭다. 정의는 우리 이웃과의 관계에서 완전한 덕이며, 모든 덕 가운데 가장 크다. 정의의 영역에는 모든 덕이 다 들어 있다.   – 아리스토텔레스, 「니코마코스 윤리학」

아리스토텔레스는 '정의'를 일반적 정의와 특수적 정의로 구분하였다. 우선 일반적 정의는 사람들이 법을 준수하는 행위, 법을 지키려는 품성 상태라고 보았다. 그리고 특수적 정의를 분배적 정의와 교정적 정의로 설명하였다. 여기서 분배적 정의란 각자에게 돌아가야 할 몫을 각자의 가치에 비례하여 공정하게 분배하는 것을 의미하며, 교정적 정의란 상호 교섭에서 발생하는 이익과 손해의 불균형을 바로잡아 균등하게 하는 것을 의미한다.

자료 ③ 사회 정의의 필요성

잊을 만하면 사회적 이슈가 되는 단어가 바로 '갑질'이다. 우리가 접하는 갑질은 대체로 고용인과 피고용인, 기업 간 하도급 관계에서 원청업체와 하도급 업체 사이에서 발생하는 갑질 문제가 있다. 또한 서비스업 분야에서 고객이 점원에게 행사하는 갑질이 있다. 한 설문 조사 결과에 따르면, '직장 생활 중 갑질 피해를 당한 적이 있다.'는 88.6%, '직장 생활 중 본인이 갑질을 해 본 적이 있다.'는 33.3%로 나타났다.   – 매일경제, 2016. 3. 29.

제시된 기사는 사회가 정의롭지 못할 때 개인이 겪을 수 있는 피해 사례를 보여 준다. 정의롭지 못한 사회 구조와 제도는 구성원의 기본권을 침해하고, 개인 간·집단 간 갈등을 일으키는 원인이 된다. 개인의 자유와 권리가 존중되고, 구성원 각자의 몫이 보장되기 위해서는 사회 구조와 제도가 정의로워야 한다.

문제로 확인할까?

니부어의 관점으로 옳지 않은 것은?

① 사회의 도덕적 이상은 정의의 실현이다.
② 개인의 도덕적 목표는 이타성의 실현이다.
③ 개인의 도덕성과 사회의 도덕성을 구분할 필요가 있다.
④ 사회의 도덕성은 개인의 도덕성보다 현저하게 떨어진다.
⑤ 정의로운 사회를 실현하려면 강제력을 사용해서는 안 된다.

⑤ 답

정리 비법을 알려줄게!

아리스토텔레스의 정의의 구분

일반적 정의	법을 준수하는 행위와 법을 준수하려는 품성 상태를 의미하며, 타인과의 관계에서 완전한 탁월성을 구현하는 것
특수적 정의	• 분배적 정의: 구성원들 사이의 권력, 지위, 명예, 재화 등을 각자의 가치에 비례하여 분배하는 것 • 교정적 정의: 구성원들 사이의 이익과 손해를 교정하여 균등하게 하는 것

자료 하나 더 알고 가자!

사회의 기본 구조와 제도

사회 구성원으로 하여금 노력을 통해 더 큰 이익 총량을 산출하게 하고, 그러한 성과에서 어떤 몫을 요구할 수 있는 인정된 특정 권한을 각자에게 할당하는 행위의 체계를 규정하는 공적인 규칙 체계이다.   – 롤스, 「정의론」

사회는 개인과 집단이 서로 관계를 맺는 일정한 관계의 틀로 작용하면서 구성원의 삶에 큰 영향을 미친다. 따라서 사회 구조와 제도는 구성원 개인의 권리와 의무가 공정하게 분배될 수 있도록 정의를 실현해야 한다.

3. 다양한 정의관

Qn? 자신이 최소 수혜자가 될 가능성을 염두에 두므로 최소 수혜자의 처지를 우선적으로 고려할 수 있기 때문이야.

사상가	주요 내용
롤스 교과서자료	• *무지의 베일을 쓴 *원초적 상황에서 정의의 원칙을 도출한다고 가정함 → 최소 수혜자에게 최대의 이익을 주는 분배 방식에 합의함 • 절차의 공정성이 결과의 공정성을 보장한다는 절차적 정의를 중시함 • 정의의 원칙: 1원칙 – 평등한 *기본적 자유의 원칙 / 2원칙 – 차등의 원칙, 공정한 기회균등의 원칙
노직	• 재화의 최초 취득, 양도 혹은 이전, 교정의 과정이 정당하면 현재의 소유권이 정당함 → 국가는 재화의 분배에 적극적으로 관여하지 말고 개인의 자유에 맡겨야 한다고 봄 • 부자에게 더 많은 세금을 걷어서 사회적 약자를 돕는 것은 부자들의 소유권을 침해하는 부당한 행위라고 봄 — "N시간 분의 소득을 세금으로 취하는 것은 그 노동자에게 N시간을 빼앗는 것과 같다."라고 하였어. • 정의의 원칙: 취득의 원칙, 이전의 원칙, 부정의 교정의 원칙
왈처 자료④	• 복합 평등: 한 영역의 재화나 가치를 소유한 것이 다른 영역의 재화나 가치를 소유하게 되는 이유가 되어서는 안 된다고 봄 → 지배를 막을 정의의 기준이 필요함 • 다원적 정의: 삶의 다양한 영역에서 각기 다른 기준에 따라 사회적 가치가 분배될 때 사회 정의가 실현됨 → 영역에 따라 각각 다른 정의의 기준이 필요하다고 주장함
마르크스	• 능력에 따라 일하고 필요에 따라 분배받는 사회를 지향함 • 실질적인 필요를 충족하도록 분배하여 인간다운 삶을 보장하고자 함
벤담	사회 전체가 얻게 될 이익의 총량을 극대화하는 것이 정의로운 분배라고 주장함

---

3 **분배적 정의의 윤리적 쟁점**

1. 우대 정책의 윤리적 쟁점

(1) **우대 정책의 의미**: 특정 집단이 겪어 온 부당한 차별을 바로잡기 위해 평등을 위한 차별을 한시적으로 허용하는 정책 — 구성원의 평등권을 보장하기 위한 적극적인 반차별 정책이야.

(2) **우대 정책의 사례**: *여성 할당제, 대학의 농어촌 특별 전형, 지역 균형 선발, 정부의 지역 인재 채용 목표제 등

(3) **우대 정책의 찬반 논거**

찬성	반대
• 보상의 논리: 과거 부당한 차별에 대한 보상임 • 공리주의 논리: 사회적 갈등 완화와 사회 전체의 이익이 극대화됨 • 재분배의 논리: 자연적, 사회적 운으로 발생한 불평등을 시정하여 기회의 평등을 보장함	• 특정 집단에 대한 특혜는 업적주의에 위배됨 • 과거의 피해와 현재의 보상 간의 불일치 문제가 발생함 • *역차별로 인한 새로운 사회 갈등이 유발됨

└ 그러므로 우대 정책 입안 시 시민의 참여를 보장하고 다양한 주장을 수렴하여 조율하는 사회적 합의의 과정이 필요해.

2. 부유세의 윤리적 쟁점 자료⑤

(1) **부유세의 의미**: 일정한 수준 이상의 자산을 보유하고 있는 사람에게 비례적으로 또는 누진적으로 세금을 부과하는 것

(2) **부유세의 찬반 논거**

찬성	반대
• 부의 재분배를 통해 불평등을 해소할 수 있음 • 세금을 사회적 약자의 복지를 위해 사용하여 빈부 격차를 완화할 수 있음	• 개인에 대한 재산권을 과도하게 침해할 수 있음 • 부자들에 대한 또 다른 차별이 될 수 있음

완자 자료 탐구

수능이 보이는 교과서 자료 　롤스와 노직의 정의의 원칙

롤스의 정의의 원칙
- 제1원칙: 모든 사람은 기본적 자유에 대하여 동등한 권리를 가져야 한다(평등한 기본적 자유의 원칙).
- 제2원칙: 사회적·경제적 불평등은 최소 수혜자에게 최대의 이익이 되어야 하고 (차등의 원칙), 공정한 기회균등의 원칙 아래 모두에게 개방된 직책과 직위에 결부되어야 한다(공정한 기회균등의 원칙).
　　　　　　　　　　　 – 롤스, 『정의론』

└ 롤스는 개인의 노력과 무관한 우연적 요소로 발생한 사회의 불평등을 조정하고자 하였어.

노직의 정의의 원칙
1. 취득의 원칙: 재화의 최초 취득이 합법적이고 정의로워야 한다.
2. 이전의 원칙: 1을 통해 획득한 재화는 자유로운 개인들 간의 교환을 통해 이전될 때 정의롭다.
3. 부정의 교정의 원칙: 취득과 양도의 과정에 부정의가 있다면 이를 교정해 주어야 한다.
　　　　　　 – 노직, 『아나키에서 유토피아로』

공정으로서의 정의를 주장하는 롤스는 개인의 기본적 자유를 보장하면서도 재분배 장치를 통해 최소 수혜자에게 이익을 주어 사회 정의를 구현해야 한다고 주장하였다. 반면 자유 지상주의의 입장인 노직은 합법적으로 취득하거나 양도받은 재화는 정당한 것이며, 개인의 소유권을 존중하는 것이야말로 사회 정의라고 보았다.
└ 소유 권리로서의 정의를 주장하였어.

완자샘의 탐구 강의
- 국가 주도의 소득 재분배에 관한 노직의 입장을 서술해 보자.
　노직은 개인이 합법적이고 정당하게 취득한 재산에 대해서 개인의 소유권을 강조하였다. 따라서 그는 국가에 의한 소득 재분배를 부정적으로 보았다.

함께 보기 91쪽, 1등급 정복하기 3

자료 4 　왈처의 정의관

정의의 원칙들은 그 형식에서 그 자체가 다원주의적이다. 상이한 사회적 가치들은, 상이한 근거들에 따라 상이한 절차에 맞게 상이한 주체에 의해 분배되어야 한다. …… 어떠한 사회적 가치 x도, x의 의미와는 상관없이 단지 누군가가 다른 가치 y를 가지고 있다는 이유만으로 y를 소유한 사람들에게 분배되어서는 안 된다.　 – 왈처, 『정의와 다원적 평등』

미국의 정치 철학자인 왈처는 한 영역에서 지배적인 영향력을 가진 사람이 다른 영역에서도 유리한 위치를 차지하는 것을 경계하였다. 따라서 그는 사회적으로 유용한 가치들은 다양하므로 그것들을 분배할 때는 가치의 성격에 따라 각각 다른 기준을 적용해야 한다고 주장하였다.
└ 다원적 평등으로서의 정의를 주장하였어.

정리 비법을 알려줄게!

왈처의 정의관

정의관	다원적 평등으로서의 정의
특징	• 사회의 다원성을 인정함 • 가치를 분배할 때에는 각 영역의 다양성을 고려해야 한다고 봄

자료 5 　우대 정책의 윤리적 쟁점

셰릴 홉우드는 …… 텍사스 법학 전문 대학원에 입학 원서를 냈다. 학업 평균 성적도 우수했고, 입학시험도 그런대로 잘 보았는데 탈락하였다. 백인 여성인 홉우드는 입학을 거절당한 것이 부당하며 차별에 희생된 것이라고 주장하였다. 합격생 중에는 홉우드보다 대학 성적은 물론이고 입학시험 점수도 낮은 흑인과 멕시코계 미국인들도 있었다. 학교는 사회적 소수자에게 가산점을 주는 소수 집단 우대 정책을 시행하고 있었다.　 – 샌델, 『정의란 무엇인가』

차별을 극복하기 위해 시행된 소수자 우대 정책이 역차별 문제를 발생시킬 수 있다는 문제가 제기되면서 이러한 정책이 윤리적 쟁점이 되고 있다. 부당한 차별을 받는 대상을 우대하는 제도나 정책이 도리어 우대받지 못하는 상대편을 차별하게 된다는 것이다.

문제로 확인할까?

우대 정책의 찬성 논거로 옳은 것을 〈보기〉에서 고른 것은?

　보기
ㄱ. 재분배 논리
ㄴ. 공리주의 논리
ㄷ. 업적주의 위배
ㄹ. 역차별 문제 발생

① ㄱ, ㄴ　　② ㄱ, ㄷ　　③ ㄴ, ㄷ
④ ㄴ, ㄹ　　⑤ ㄷ, ㄹ

① 冒

처벌의 정당화 관점

공리주의	• 처벌은 사회의 이익 증진을 위해 도입한 필요악임 • 처벌을 통해 범죄자를 교화하고 범죄를 예방하고자 함
응보주의	• 처벌은 범죄의 심각성에 비례하여 이루어짐 • 범죄자를 처벌하여 도덕적 형평성을 회복하고자 함

★ **공정한 처벌의 조건**
• 어떤 행위를 처벌하려면 범죄와 형벌이 법률로 정해져 있어야 한다는 죄형 법정주의에 근거하여 유죄 조건에 부합해야 한다.
• 비례성의 원칙(과잉 금지의 원칙)에 따라 처벌의 목적과 수단이 정당하고 적합해야 한다.

★ **사형 제도에 대한 예방주의적 관점**
처벌의 목적이 예방에 있다고 보는 것을 예방주의라고 한다. 예방주의는 일반 예방주의와 특수 예방주의로 구분할 수 있다.
• 일반 예방주의: 사형 제도를 통해 일반인에게 그들이 죄를 짓지 않도록 경고하여 범죄를 예방하는 데 효과가 있다고 본다.
• 특수 예방주의: 사형 제도는 범죄자의 생명을 박탈하여 처벌의 목적인 범죄자를 교화하는 것을 불가능하게 하므로 사형 제도에 반대한다.

④ 교정적 정의의 윤리적 쟁점

1. 교정적 정의의 의미와 관점

(1) 의미: 위법 행위로 인하여 피해자와 가해자 사이에 발생한 불균형을 법 집행에 의한 *처벌을 통해 바로잡는 것

(2) 처벌에 대한 관점

① 공리주의 관점

특징	• 벤담은 처벌의 목적은 범죄자의 행동을 통제하고 교화하는 데 있으며, 잠재적인 범죄자에 대하여 처벌이 본보기 역할을 하여 범죄를 예방하는 데 있다고 봄 • 사회 전체의 이익을 처벌의 근거로 보고, 사회 전체의 이익에 따라 처벌의 경중을 결정함 • 고통은 악이므로 고통을 유발하는 처벌도 악으로 봄 • 처벌을 '최대 다수의 최대 행복'을 위해 사회가 도입한 '필요악'으로 이해함 • 처벌은 범죄 예방과 사회 전체의 행복 증진에 기여할 때 정당화될 수 있음 • 처벌로 생긴 손실이 위법 행위로 얻는 이익보다 커야 함
한계	• 처벌의 예방적 효과를 증명하기 어려운 측면이 있음 • 다수의 행복을 추구하는 과정에서 인간의 존엄성이 훼손될 수 있음

QW? 위법 행위로 얻는 이득보다 처벌로 생기는 손실이 커야 범죄를 예방할 수 있다고 보았기 때문이야.

② 응보주의 관점 (자료 ⑥)

특징	• 칸트는 처벌은 범죄자가 범죄를 저질렀기 때문에 가해지는 것이며, 다른 이익을 증진하기 위한 수단으로 가해질 수 없다고 봄 • 인간은 자신의 행위에 책임을 질 수 있는 자율적인 주체임 • 자율적 행위자가 위법 행위를 하면 그에 상응하는 처벌을 받아야 함 • 가해자가 받는 고통은 잘못된 행위에 합당한 대가이므로 정의에 부합함 • 처벌이 위법 행위에 대한 '응분의 대가'로 시행될 때 사회 정의가 실현됨 • 타인에게 해악을 준 사실만을 처벌의 근거로 보고, 범죄의 해악 정도에 비례하여 처벌의 경중을 결정함
한계	범죄 예방과 범죄자의 교화에 무관심해질 가능성이 있음

2. 사형 제도의 윤리적 쟁점

(1) 사형 제도에 대한 찬반 논쟁 (자료 ⑦) ─ 사형은 국가가 범죄자의 생명을 인위적으로 박탈하는 형벌을 의미해.

찬성	반대
• 범죄 예방 효과가 큼 • 범죄에 대한 비례성의 원칙에 따라 과도한 형벌이 아님 • 과학 수사와 제도 보완을 통해 오판의 가능성을 줄이고 있음 • 국민의 자유, 재산, 생명, 안전을 지키기 위한 사회 방어 수단임	• 범죄 예방 효과가 없음 • 정치적 정적을 제거하는 수단으로 악용될 수 있음 • 오판 가능성이 있으며 교화의 가능성을 부정함 • 생명은 절대적인 가치를 지니므로 국가가 개인의 생명권을 박탈할 수 없음

(2) 사형 제도에 대한 다양한 입장

① 칸트: 동등성의 원칙에 따라 누군가가 타인의 생명을 해쳤다면 그의 생명을 박탈하는 것이 정당하다고 주장함 ─ 꿀! 칸트는 살인자를 사형에 처하는 것이 살인자의 죄책감을 덜어 주기 때문에 오히려 인간의 존엄성을 실현하는 것이라고 보았어.

② 루소: 사회 계약론의 관점에서 살인자가 된다는 것은 자신도 죽임을 당해도 좋다는 것에 동의한 것이라고 보고, 사형 제도를 찬성함

③ 베카리아: 사형보다 종신 노역형이 범죄 예방에 효과적이라고 봄 (자료 ⑧)

④ 특수 *예방주의 관점: 사형 제도는 범죄자의 재사회화를 불가능하게 하므로 사형 제도에 반대함

내 옆의 선생님

 자료 ⑥ 공정한 처벌에 대한 칸트의 입장

> 형벌은 결코 범죄자 자신이나 시민 사회를 위해서 어떤 다른 선을 촉진하기 위한 한낱 수단으로 써 가해질 수 없다. 오직 그가 범죄를 저질렀기 때문에 그에게 가해져야만 하는 것이다. 왜냐하면 인간은 결코 타인의 의도를 위한 수단으로 취급될 수 없기 때문이다. …… 공적인 정의가 원리와 표준으로 삼는 것은 어떤 종류의 형벌이고 어느 정도의 형벌인가? 그것은 한쪽으로 기울지 않는 동등성(평등)의 원리이다.
> – 칸트, 『윤리 형이상학』

칸트는 범죄로 발생한 불평등을 조정하려면 범죄자에게 범죄에 상응하는 처벌을 가해야 한다고 주장하였다. 그리고 자유롭게 자신의 행위를 결정할 수 있는 이성적 존재는 자신의 행동에 책임을 져야 하므로 범죄에 대한 대가로 처벌을 받아야 한다고 보았다. 또한 살인자의 경우 살인자를 사형에 처하는 것은 그를 죄책감에서 벗어나게 해 주므로 인간 존중의 이념과도 부합하는 것이라고 보아 사형 제도에 찬성하였다.

문제 로 확인할까?

처벌의 본질을 범죄 행위에 상응하는 해악을 가하는 것으로 보는 입장은?

① 개인주의
② 응보주의
③ 전체주의
④ 민주주의
⑤ 공리주의

⑦ ②

 **자료 ⑦ 사형제 폐지에 대한 국민 여론**

> 일반 국민의 법 감정은 사형 제도를 지지한다는 사실을 알 수 있어.

모름·무응답 0.6% / 매우 찬성 8.0% / 매우 반대 27.5% / 대체로 찬성 26.2% / 대체로 반대 37.7%

(한국 법제 연구원, 2015)

↑ **사형제 폐지 국민 의식 조사**

한국 법제 연구원이 시행한 '2015 국민 법의식 조사 연구'에 따르면 우리 국민의 과반은 사형제를 유지해야 한다는 입장을 가진 것으로 드러났다. 연구 결과 사형제 폐지에 매우 반대하는 입장(27.5%)과 대체로 반대하는 입장(37.7%)의 합은 65.2%로 조사 대상의 과반이 사형 제도를 유지해야 한다는 입장이었다. 한편 사형제 폐지를 찬성하는 의견의 합은 34.2%로 사형제를 유지해야 한다는 입장보다 적은 수치로 조사되었다. 2015년을 기준으로 사형 제도를 유지해야 한다는 여론이 더 높은 가운데, 현재 우리나라는 10년 이상 사형을 집행하지 않은 국가로서 '사실상 사형 폐지국'으로 분류되고 있다.

정리 비법을 알려줄게!

사형 제도에 대한 찬반 논쟁

사형 제도 존치론(사형 제도 찬성)
• 범죄 예방 효과가 있음
• 비례성의 원칙에 따라 과도한 형벌이 아님
• 오판의 가능성을 줄일 수 있음
• 사회 방어 수단임

⇅

사형 제도 폐지론(사형 제도 반대)
• 범죄 예방 효과가 없음
• 정치적 목적으로 악용될 수 있음
• 오판의 가능성이 있으며 교화의 가능성을 부정함
• 국가가 개인의 생명을 박탈해서는 안 됨

자료 ⑧ 사형 제도에 대한 베카리아의 생각

> 사형 제도는 어떠한 권리에도 근거할 수 없으며, 또한 여기서 제시하였듯이 그러한 국가의 권리는 존재할 수도 없는 것이다. …… 수년간, 혹은 자기 인생의 전부를 노예 생활이나 비참함 속에서 보내야만 하는 형을 받은 사람은, 막연하고 참담한 미래 속에서 인생을 보내야 하므로 효과 있는 보복이 될 수 있지만, …… 사형은 한순간에 강렬한 인상만을 줄 뿐이다. 반면에 종신 노역형은 더 큰 공포를 안겨 준다. 구경꾼은 수형자가 당하는 고통의 합산을 고려하므로 인간 정신에 미치는 효과가 사형에 비해 크다. 처벌이 지속적 효과를 가질 때 범죄를 더 잘 예방할 수 있다.
> – 베카리아, 『범죄와 형벌』

이탈리아의 법학자인 베카리아는 사형 제도는 범죄 예방에 효과적이지 않다고 보았기 때문에 사형 제도에 반대하였다. 그는 사형 제도 대신에 피해자의 생명을 앗아 간 범죄자에게 더 큰 공포를 안겨 주는 종신 노역형이 훨씬 효과적인 형벌이라고 보았다.

자료 하나 더 알고 가자!

사형 제도에 대한 루소의 생각

> 사회 계약은 계약자의 생명 보존을 목적으로 한다. …… 살인자가 사형을 받는 것에 동의하는 것은 자신이 살인자의 희생물이 되는 것을 피하기 위해서이다.
> – 루소, 『사회 계약론』

루소는 사회 계약론의 입장에서 사회 구성원들은 자신의 생명을 보호받기 위해 살인자를 사형시키는 것에 동의했다고 주장하며 사형 제도에 찬성하였다.

STEP 1 핵심 개념 확인하기

1 ㉠, ㉡에 들어갈 정의의 종류를 각각 쓰시오.

> (㉠) 정의는 사회적 이익과 부담을 공정하게 분담하는 것이고, (㉡) 정의는 국가가 법 집행을 통하여 불법 행위나 부정의를 바로잡는 것이다.

2 다음 설명이 맞으면 ○표, 틀리면 ×표를 하시오.

(1) 롤스는 공정한 절차를 통해 발생한 결과는 정당하다는 정의관을 주장하였다. ( )

(2) 니부어는 정의 실현을 위하여 사회의 도덕성보다 개인의 도덕성을 신뢰하여야 함을 강조하였다. ( )

3 다음 설명에 해당하는 분배의 기준을 〈보기〉에서 골라 기호를 쓰시오.

> **보기**
> ㄱ. 필요에 따른 분배   ㄴ. 능력에 따른 분배

(1) 사회적 약자를 보호할 수 있으나, 한정된 재화로 모든 사람이 원하는 만큼 분배할 수 없으며 경제적 효율성을 감소시킨다. ( )

(2) 자격이나 경력에 따라 합당한 대우와 보상을 할 수 있으나 우연적이고 선천적인 영향을 배제하기 어렵고 평가 기준을 마련하기 어렵다. ( )

4 우대 정책의 찬성 논거를 〈보기〉에서 골라 기호를 쓰시오.

> **보기**
> ㄱ. 업적주의에 위배된다.
> ㄴ. 역차별 문제가 발생한다.
> ㄷ. 과거의 차별에 대한 보상이다.
> ㄹ. 사회의 갈등을 완화하여 사회 전체의 이익이 커진다.

5 처벌의 정당화 관점과 그에 대한 설명을 옳게 연결하시오.

(1) 응보주의 •   • ㉠ 처벌은 행위에 대한 응분의 대가로 시행되어야 한다.

(2) 공리주의 •   • ㉡ 처벌로 생긴 손실이 위법 행위를 통해 얻는 이익보다 커야 한다.

STEP 2 내신 만점 공략하기

01 다음 글의 관점에서 사회 정의를 실현하기 위한 노력으로 가장 적절한 것은?

> 개인이 아무리 도덕적으로 살려고 해도 그가 살고 있는 사회의 도덕성이 바르지 않다면 개인의 그러한 노력은 의미를 상실한다. 사회 전체의 구조가 잘못되어 있는데 개인에게만 도덕적으로 살아가기를 요구하는 것은 사회 정의를 실현하기 위한 적절한 방안이 될 수 없다.

① 부조리한 사회 제도나 정책을 개선한다.
② 개인의 양심을 함양하는 데에만 집중한다.
③ 행위의 동기보다는 결과를 고려하여 행동한다.
④ 사회 문제 해결을 위해 이해 당사자 간에 합의를 한다.
⑤ 공동체의 안정을 위해 구성원 모두가 자신의 욕심을 다스린다.

02 갑, 을이 사회 문제를 바라보는 관점으로 적절하지 <u>않은</u> 것은?

> 오늘날 여러 사회 문제의 근본 원인은 개인의 이기심과 비양심 때문이야.

> 개인의 양심보다 사회 구조에 내재한 부조리를 살펴봐야 그 원인을 파악할 수 있어.

갑   을

① 갑은 개인의 도덕성 함양을 중시한다.
② 갑은 개인의 도덕성이 사회의 도덕성을 결정한다고 본다.
③ 을은 사회 구조와 제도의 부도덕함에 주목해야 한다고 본다.
④ 을은 개인의 도덕성 함양만으로는 사회 문제를 해결하기 힘들다고 본다.
⑤ 갑과 을은 사회 제도만 개선하면 사회 문제를 해결할 수 있다고 본다.

03 다음과 같이 주장한 사상가의 입장으로 옳은 것은?

> 원초적 입장에서 합의된 정의의 원칙에 따라 재화의 분배가 이루어져야 한다. 정의의 원칙은 특정한 상황에서 합의될 수 있다. 그 상황의 본질적 특성은 아무도 자신의 사회적 지위나 소질, 능력을 모른다는 점이다.

① 사회의 유용성을 극대화하도록 분배해야 한다고 본다.
② 절차의 공정성보다 분배 결과의 균등함에 초점을 둔다.
③ 자연적·사회적 우연성을 배제하고 정의의 원칙을 도출한다.
④ 최대 다수의 최대 이익을 고려한 분배를 실현해야 한다고 본다.
⑤ 개인의 천부적 재능을 통해 얻은 이익은 온전히 자신의 것으로 본다.

04 ★중요 다음과 같이 주장한 사상가의 관점에만 모두 'V'를 표시한 학생은?

> 사회·경제적 불평등, 예를 들면 재산과 권력의 불평등을 허용하되 그것이 특히 사회의 최소 수혜자에게 그 불평등을 보상할 만한 이득을 가져오는 경우에만 정당하다.

관점 \ 학생	갑	을	병	정	무
사회 구성원들의 합의 절차를 중시한다.	V		V		V
개인의 정치적 자유와 권리를 평등하게 보장한다.	V	V	V	V	
사회적 약자를 배려하는 분배의 실행을 주장한다.		V	V		V
원초적 입장에서의 개인은 타인의 이익에 관심을 가진다.	V			V	

① 갑　　② 을　　③ 병　　④ 정　　⑤ 무

05 (가), (나) 사상이 분배의 과정에서 특히 고려할 사항을 옳게 연결한 것은?

> (가) N시간 분의 소득을 세금으로 취하는 것은 그 노동자에게 N시간을 빼앗는 것과 같다.
> (나) 상이한 사회적 가치들은 상이한 근거들에 따라 상이한 절차에 맞게 상이한 주체에 의해 분배되어야 한다.

	(가)	(나)
①	소유 권리	최소 수혜자의 이익
②	소유 권리	사회 가치의 다원성
③	최소 수혜자의 이익	소유 권리
④	최소 수혜자의 이익	사회 가치의 다원성
⑤	사회 가치의 다양성	최소 수혜자의 이익

06 ★중요 갑~병의 입장에서 〈상황〉에 대하여 제시할 수 있는 조언으로 옳은 것은?

> 갑: 평등한 기본적 자유의 원칙을 바탕으로 최소 수혜자에게 최대의 이익이 되도록 해야 한다.
> 을: 국가에 의한 재분배는 개인의 권리를 침해하는 것이다. 개인의 소유권은 절대적으로 존중받아야 한다.
> 병: 상이한 사회적 가치들은 상이한 근거들에 따라 상이한 절차에 맞게 상이한 주체에 의해 분배되어야 한다.
>
> 〈상황〉
>
> 얼마 전, ○○ 지역에 예상치 못한 지진이 발생하여 건물이 붕괴되는 등 큰 피해가 발생하였다. 그래서 ○○ 지역의 피해 복구 방안을 놓고 세 명의 전문가가 토론하고 있다.

① 갑: 결과적으로 모두가 평등한 상태를 만들어야 합니다.
② 갑: 사람의 모든 욕구를 충족할 수 있는 방안을 고려해야 합니다.
③ 을: 재분배를 위한 국가의 적극적 개입이 필요합니다.
④ 병: 모두에게 유리한 하나의 기준을 찾아야 합니다.
⑤ 갑, 을: 피해 지역 주민의 이익 증진을 위해 개인의 기본적 자유를 제한해서는 안 됩니다.

07 밑줄 친 제도를 실시하는 이유로 적절하지 <u>않은</u> 것은?

○○ 대학은 신입생 선발 과정에서 사회적 약자와 농어촌 출신 학생에 대한 특별 선발 인원을 확대하기로 했다. 이는 가정이나 지역적 환경으로 인해 상대적으로 불이익을 받는 학생들에게 대학 입학의 기회를 넓혀 주려는 것이다.

① 사회적 약자를 실질적으로 배려하기 위해서이다.
② 사회적 약자에게 기회의 평등을 보장하기 위해서이다.
③ 자연적 운으로 발생하는 사회 불평등을 시정하기 위해서이다.
④ 사회에 기여한 몫을 고려하여 기회와 혜택을 제공하기 위해서이다.
⑤ 사회 구조적 문제로 발생한 불평등에 대하여 보상하기 위해서이다.

08 (가)에 들어갈 진술로 가장 적절한 것은?

나는 우대 정책이 과거 오랜 기간 부당한 차별로 고통받아 온 사회적 약자의 삶을 보장해 주기 위한 사회 제도로, 이들이 받아 온 차별에 대한 윤리적 반성에서 시작된 것이라고 생각한다. 그러나 어떤 사람들은 우대 정책이 또 다른 사회의 차별을 유발하는 역차별 문제를 낳아 새로운 갈등의 불씨를 만든다고 주장한다. 나는 이러한 주장이 ____(가)____ 고 생각한다.

① 사회적 약자를 배려할 수 있다
② 과거의 부당한 차별을 보상한다
③ 빈부 격차로 인한 사회의 갈등을 완화한다
④ 불평등을 시정하여 기회의 평등을 보장한다
⑤ 사회적 약자에게 혜택을 줌으로써 사회적 격차를 줄일 수 있다는 점을 간과한다

09 다음 사상가가 사형 제도에 관해 강조하는 내용으로 가장 적절한 것은?

사람은 누구나 고유한 생명을 보존하기 위해 자신의 생명을 걸고 위험을 무릅쓸 권리를 가진다. 사회 계약은 계약자의 생명 보존을 목적으로 한다. …… 타인의 희생으로 자신의 생명을 보존하려고 하는 사람은 타인을 위해 필요하다면 마땅히 생명을 희생해야 한다.

① 사형은 정치적으로 악용될 우려가 크다.
② 사형이 가지는 범죄 예방 효과가 미약하다.
③ 국가는 범죄자의 생명을 박탈할 권리가 없다.
④ 사형은 범죄자의 교화를 불가능하게 하므로 정당하지 않다.
⑤ 사회 계약에 따라 범죄자의 생명을 박탈하는 것은 정당하다.

10 ☆중요 갑, 을 모두가 질문에 대하여 바르게 대답한 것으로 옳은 것은?

갑: 형벌은 범죄자 자신이나 시민 사회를 위해서 어떤 다른 선을 촉진하기 위한 수단으로서가 아니라 범죄자가 범죄를 저질렀기 때문에 가해져야만 하는 것이다.
을: 처벌의 본질은 사회 전체의 이익을 극대화하는 데 있다. 따라서 사회적 이익을 고려하여 범죄가 재발하지 않는 결과를 도출하여 처벌의 경중을 결정해야 한다.

	질문	대답	
		갑	을
①	형벌의 본질은 범죄를 예방하는 데 있는가?	예	예
②	형벌의 정당성은 공익에 따라 판단되어야 하는가?	예	아니요
③	형벌은 범죄의 해악 방지를 위한 본보기가 되어야 하는가?	아니요	아니요
④	처벌은 범죄 행위에 대한 응보적 관점에서 이루어져야 하는가?	아니요	예
⑤	형벌이 사회에 긍정적인 결과를 가져온다면 형벌의 수단을 정당화할 수 있는가?	아니요	예

11 다음은 서술형 평가 문제와 학생 답안이다. ⊙~⑩ 중 옳지 <u>않은</u> 것은?

> **서술형 평가**
>
> ◎ 문제: 처벌에 대한 공리주의의 관점을 서술하시오.
>
> ◎ 학생 답안
>
> 공리주의자들은 ⊙ 고통을 유발하는 처벌도 악으로 간주한다. 그래서 ⓒ 범죄에 대한 처벌은 정의를 실현하기 위한 필요악으로 본다. 또한 ⓒ 처벌은 범죄를 예방하고, 사회의 이익을 증진할 때 정당성을 가진다고 보고 ⓔ 처벌로 생긴 손실은 위법 행위를 통해 얻은 이익보다 커야 한다고 주장한다. 이들에게 ⓜ 범죄자에 대한 처벌은 오히려 인간으로서 범죄자의 존엄성을 실현하는 것이다.

① ⊙　　② ⓒ　　③ ⓒ　　④ ⓔ　　⑤ ⓜ

12 갑은 부정, 을은 긍정의 대답을 할 질문으로 옳은 것은?

> 갑: 모든 사람들에게 살인범의 끝없는 비참한 상태를 보여 주는 것이 사형보다 범죄 예방에 더 효과적이다. 형벌의 강도보다 지속성이 사람들에게 더 큰 영향을 준다.
>
> 을: 모든 인간은 목적으로 대우받아야 한다. 사형은 살인범의 인간성을 훼손할 수 있는 모든 가혹 행위로부터 살인범의 인격을 존중하는 것이다.

① 사형은 종신형에 비해 처벌의 사회적 효용이 낮은가?

② 형벌의 정당성은 범죄 예방의 효과로 판단해야 하는가?

③ 살인범에 대한 사형은 동등성의 원칙에 따라 정당한 것인가?

④ 형벌의 경중은 사회 전체의 이익을 고려하여 정해야 하는가?

⑤ 처벌의 사회적 유용성보다 살인범의 생명권을 우선해야 하는가?

01 다음을 읽고 물음에 답하시오.

> 갑: 　(가)　은/는 특정 집단이 겪어 온 부당한 차별을 바로잡기 위해 시행하는 정책이다. 이러한 정책은 기회의 재조정을 통해 실질적인 정의를 구현할 뿐만 아니라 사회의 다양성을 확보하여 사회 발전에 기여할 수 있다.
>
> 을: 　(가)　은/는 노력이나 업적과는 무관하게 소수자에게 과도한 혜택을 주는 것이다. 이러한 정책은 ⊙ 일반 사람들의 본질적 권리를 침해하거나 그들의 기회를 박탈함으로써 또 다른 차별을 낳을 수 있다.

(1) (가)에 해당하는 사례를 쓰시오.

(2) 밑줄 친 ⊙과 관련 있는 용어를 쓰고, ⊙의 문제점을 최소화하기 위해 필요한 자세를 서술하시오.

> (길잡이) 우대 정책의 도입 취지가 퇴색되지 않기 위해 필요한 자세를 서술한다.

02 을이 생각하는 처벌의 목적을 바탕으로 갑에게 제기할 수 있는 비판을 서술하시오.

> 갑: 시민 사회가 모든 구성원의 동의로 해체될 경우라도 감옥에 있는 마지막 살인자는 먼저 처형되어야 한다. 이것은 사법권의 이념으로서 정의가 보편적인 도덕 법칙에 따라 의욕하는 것이다. 공적 정의 앞에서 최상의 균형자는 사형이다.
>
> 을: 사형은 한 시민의 존재를 파괴하는 부적절한 전쟁 행위이므로 종신 노역형으로 대체되어야 한다.

> (길잡이) 처벌의 목적에 관하여 갑과 을이 각각 어떤 입장을 지녔는지 파악하고, 을의 입장에서 갑에게 할 수 있는 비판을 서술한다.

1 다음 대화를 통해 추론할 수 있는 내용으로 적절한 것을 〈보기〉에서 고른 것은?

> 분배의 다양한 기준

> 갑, 을, 병, 정은 전국 학교 폭력 예방 UCC 공모전에서 대상을 받아 200만 원의 상금을
> 받았다. 그래서 이 상금을 어떻게 나누어 가질지에 관하여 이야기하고 있다.
> 갑: 네 사람이 똑같이 나누어 가지는 것이 좋을 것 같아.
> 을: 영상을 만드는 데 가장 많은 시간을 들여 노력한 사람이 더 받아야 해.
> 병: 전체적인 내용을 구상해 준 사람이 더 가져가야지.
> 정: 평소에 용돈을 가장 필요로 하는 사람이 더 받는 것이 제일 좋을 것 같아.

> ┌ 보기 ┐
> ㄱ. 갑의 방법은 개인 간 존재하는 정당한 차이를 고려하지 못한다.
> ㄴ. 을의 방법은 업적과의 불일치로 혼선을 일으킬 수 있다.
> ㄷ. 병의 방법은 사회적 약자의 입장을 우선으로 배려한다.
> ㄹ. 정의 방법은 선의의 경쟁을 유발한다.

① ㄱ, ㄴ   ② ㄱ, ㄷ   ③ ㄴ, ㄷ
④ ㄴ, ㄹ   ⑤ ㄷ, ㄹ

2 다음 사상가의 입장에서 〈문제 상황〉을 해결하는 데 도움을 줄 수 있는 적절한 조언만을 〈보기〉
에서 있는 대로 고른 것은?

> 사회 윤리

> 사회를 중심에 놓고 보면 최고의 도덕적 이상은 정의이고, 개인을 중심에 놓고 보면 최고
> 의 도덕적 이상은 이타성이다. 사회는 여러 면에서 어쩔 수 없이 이기심, 반항, 강제력,
> 원한과 같이 도덕성이 높은 사람들로부터 전혀 도덕적 승인을 얻어 낼 수 없는 방법을 사
> 용하게 될지라도 궁극적으로 정의를 추구해야 한다.
>
> 〈문제 상황〉
> 현대 사회는 경제적 격차가 사회 계층 간의 갈등 문제로 심화되고 있다. 정부는 정의 실
> 현과 갈등 완화를 위한 다양한 방법을 모색하고 있다.

> ┌ 보기 ┐
> ㄱ. 선의지의 통제를 받는 비합리적 수단을 활용할 수 있다.
> ㄴ. 이타심을 지향하는 개인의 양심적 통찰만을 신뢰해야 한다.
> ㄷ. 사회를 정의롭게 만들기 위하여 불합리한 제도의 개선이 필요하다.
> ㄹ. 정의 실현을 위하여 도덕적 설득과 정치적 강제력이 병행되어야 한다.

① ㄱ, ㄴ   ② ㄱ, ㄹ   ③ ㄴ, ㄷ
④ ㄱ, ㄷ, ㄹ   ⑤ ㄴ, ㄷ, ㄹ

3 갑~병의 입장으로 옳은 내용만을 〈보기〉에서 있는 대로 고른 것은?

다양한 정의관

> 갑: 정의로운 사회는 개인의 소유권이 최우선으로 보장되는 사회이다. 국가는 시민의 안전 보호와 계약 집행의 감독만을 수행하는 최소 국가가 되어야 한다.
> 을: 자연적, 사회적 우연성이 배제된 가상 상황에서 합의한 원칙에 따라 사회적 가치를 분배해야 한다.
> 병: 분배는 동등함에도 동등하지 않은 몫을, 동등하지 않은 사람들이 동등한 몫을 받게 될 경우 정의롭지 않다. 정의로운 것은 비례적이다.

──| 보기 |──
ㄱ. 갑: 소유 권리를 침해하지 않는 국가가 정의로운 국가이다.
ㄴ. 갑: 정당하게 취득한 소유물에 대하여 배타적 권리를 인정해야 한다.
ㄷ. 을: 분배의 공정성 여부는 절차보다 결과를 기준으로 판단해야 한다.
ㄹ. 병: 각자의 가치에 비례하여 각자의 몫이 분배되어야 한다.

① ㄱ, ㄴ   ② ㄱ, ㄷ   ③ ㄷ, ㄹ
④ ㄱ, ㄴ, ㄹ   ⑤ ㄴ, ㄷ, ㄹ

──| 평가원 응용 |──
4 갑~병에 대한 설명으로 옳지 <u>않은</u> 것은?

교정적 정의

> 갑: 시민의 생명 보존이 사회 계약의 목적입니다. 우리의 신체와 모든 능력은 공동의 것이며, 이것은 일반 의지의 최고 감독하에 있는 것입니다. 시민 사회에서 타인의 생명을 희생시킨 사람은 자신의 생명도 포기해야 합니다.
> 을: 시민 사회가 사회 모든 구성원의 동의로 해체될 경우라도 감옥에 있는 마지막 살인자는 먼저 처형되어야 합니다. 이것은 사법권의 이념으로서 정의가 보편적인 도덕 법칙에 따라 의욕하는 것입니다. 공적 정의 앞에서 최상의 균형자는 사형입니다.
> 병: 법은 특수 의사의 총합인 일반 의사를 대표합니다. 인간은 자신을 죽일 권리가 없는 이상, 그 권리를 사회에 양도할 수 없습니다. 사형은 한 시민의 존재를 파괴하는 부적절한 전쟁 행위이므로 종신 노역형으로 대체되어야 합니다.

① 갑은 살인범을 국가의 적으로 간주하므로 살인범을 사형해야 한다고 본다.
② 을은 범죄의 해악 정도에 비례하는 형벌이 이루어져야 한다고 본다.
③ 병은 범죄 억제 효과를 고려하여 형벌의 정도를 결정해야 한다고 본다.
④ 갑과 을은 사형제가 인간 존엄성의 이념에 위배되는 것이므로 부당하다고 본다.
⑤ 갑은 을과 달리 범죄에 대한 형벌의 정당성을 사회 계약에 대한 동의 여부로 판단한다.

> **완자쌤의 시험 꿀팁**
> 사형 제도에 관한 여러 사상가들의 입장을 비교하는 문제가 자주 출제된다. 따라서 사형 제도에 대한 여러 사상가들의 입장을 파악해 둔다.

> **| 완자 사전 |**
> • 일반 의지
> 사적인 이익을 추구하는 의지를 넘어 공적인 영역에서 공공의 이익을 지향하는 시민의 도덕적 의지

03 국가와 시민의 윤리

학습목표
- 국가 권위의 정당화 조건을 설명할 수 있다.
- 시민 참여와 시민 불복종의 의미와 필요성을 설명할 수 있다.

이것이 핵심!

국가 권위의 정당화 관점	
서양	• 인간 본성의 관점 • 동의의 관점 • 공공재와 관행의 혜택의 관점
동양	천명의 관점

★ **권위**
남을 지휘하거나 통솔하여 따르게 하는 힘을 의미하며, 국가 권위는 주로 통치권이나 명령권처럼 국민이 국가를 따르게 하는 힘을 의미한다.

★ **동양에서의 국가**
동양에서의 국가 개념에는 나라[國]의 원형을 가족[家]으로 여겨서, 나라는 하나의 거대한 가족이라는 관점이 반영되어 있다.

★ **국가의 역할에 대한 관점**
• 소극적 국가관: 국가는 시장에 개입을 최소화하고 국방, 외교, 치안 및 질서 유지 등의 기능만을 수행해야 한다는 관점
• 적극적 국가관: 국가는 시민의 기본적인 욕구를 충족시키고 다양한 영역에서 복지를 제공해야 한다는 관점

★ **사회 계약론**
개인 간의 계약을 국가 성립과 국가 권위의 근거에 두는 입장

★ **자연 상태**
사회 계약론에서 국가의 성립을 설명할 때 전제가 되는 상태로서 사회나 국가가 성립되기 이전의 상태를 의미한다.

① 국가의 권위와 시민에 대한 의무

1. 국가 *권위의 정당화 관점 자료① ┌ 국가 권위가 남용될 경우 시민의 권리와 자유가 억압되고 사회 정의 실현이 어려워진다는 문제점이 있기 때문에 국가 권위의 정당성을 알아보는 것이 중요해.

(1) **인간의 본성**: 국가는 인간의 사회적·정치적 본성에 의해 형성된 산물이므로 국가를 따르는 것 또한 본성에 부합하는 것이라고 봄 ┌ 아리스토텔레스는 인간은 정치적 동물로서 공동체 안에서만 행복을 달성할 수 있다고 보았어.

(2) **동의**: 국가는 시민의 동의와 계약으로 구성되었기 때문에 시민은 국가의 명령에 복종하고, 국가는 시민의 기본권을 보호해야 한다고 봄

(3) **공공재와 관행의 혜택**: 국가는 시민에게 공공재를 제공하며 각종 제도나 규칙 등과 같은 관행의 혜택을 주므로 시민은 국가를 따라야 한다고 봄

(4) **천명의 관점**: 동양에서는 *국가의 권위를 민의에 기초한 천명(天命)의 관점에서 정당화함 → 특히 유교 사상에서 군주는 백성을 위한 통치를 해야 한다고 봄

2. 동양 사상에 나타난 국가의 역할 ┌ 국가는 사회 질서를 유지하고 모든 사람이 더불어 잘 살 수 있도록 해야 하는 역할을 해야 해.

(1) **공자와 맹자(유교 사상)** 자료②

① 군주가 스스로 인격을 닦아 덕(德)을 베풀어야 백성들이 자연스럽게 교화되어 사회 질서가 유지된다고 봄 ┌ 꿀! 특히 유교 윤리에서는 국가를 거대한 가족으로 여기기 때문에 백성은 국가에 충성하고, 군주는 백성을 귀하게 여기는 정치를 해야 한다고 보았어.

② 공자: 누구에게나 기본적인 삶이 보장되는 대동 사회를 이상 사회로 제시함

③ 맹자: 군주는 덕으로써 인(仁)을 행하는 왕도 정치를 해야 하며, 국가는 백성들에게 생업을 보장하여 도덕적인 삶을 영위하도록 해야 한다고 봄

(2) **묵자**: 남의 나라를 내 나라 돌보는 것과 같이 하고, 남을 내 자신을 돌보는 것과 같이 해야 천하에 혼란이 없다고 주장함 ┌ 묵자가 생각하는 이상적인 나라는 모든 사람이 평등하고 서로 사랑하며[兼愛] 이익을 나누는[交利] 국가야.

(3) **한비자**: 군주가 포상과 처벌을 적절하게 제공하면서 백성을 통치할 때 사회 질서가 유지될 수 있다고 주장함 ┌ VS 공자와 맹자는 백성을 덕으로 다스려야 한다고 보았지만, 한비자는 백성을 상과 벌로 다스려야 한다고 주장하였어.

(4) **정약용**: 지방 관리는 애민(愛民)을 실현해야 한다고 강조함

3. 서양 사상에 나타난 *국가의 역할 ┌ 국가는 시민의 자유와 권리를 보호해야 할 의무가 있어.

(1) ***사회 계약론자**: *자연 상태의 불완전함을 보완하기 위해 자발적으로 상호 간 동의와 계약을 맺어 국가를 수립한다고 봄 자료③

	홉스	로크	루소
자연 상태	만인의 만인에 대한 투쟁 상태	평화롭지만 잠재적으로 전쟁 가능성이 있음	평화와 자유의 상태
국가의 역할	시민의 생명과 재산, 자유를 보호해야 함		

┌ 사유 재산으로 인한 불평등의 심화 문제 때문에 사회 계약이 필요하게 되었어.

(2) **밀**: 국가는 시민이 타인에게 해악을 끼칠 경우를 제외하고는 시민의 자유 등 기본권을 보장해야 함

(3) **롤스**: '질서 정연한 사회'를 구현하기 위해 사회 정의를 실현해야 한다고 봄 ┌ 꿀! 개인의 기본적 자유를 보장하되 재분배 장치를 통해 최소 수혜자에게 이익을 주어 사회 정의를 실현해야 한다고 보았어.

자료 ① 국가 권위의 정당성에 관한 소크라테스의 입장

> "나 소크라테스가 여기서 도망치려 한다면 사람들은 나라의 법률과 나라 전체를 파괴하려는 것이라고 말하겠지. 한번 내려진 판결을 따르지 않는다면 나라의 질서는 유지될 수 없을 것이라고 말이야. 또한 평생 동안 각종 혜택을 받으며 이 나라에서 살았던 것은 나라의 법 아래에서 살기로 약속했기 때문인데, 자신이 불리하다는 이유로 그 약속을 어기는 것은 옳지 않다고 사람들이 말하지 않겠는가?"
> – 플라톤, 「크리톤」

소크라테스는 시민으로서 어느 국가에 살고 있다는 것은 그 국가의 법을 지키기로 약속했다는 것이고, 그 약속을 지키는 것은 사회 질서를 유지하는 데 도움이 되므로 국가의 권위에 복종하는 것이 옳다고 보았다.

자료 ② 공자가 생각하는 국가의 의무

> 큰 도(道)가 행해지고 천하가 모두의 것이다. 현명하고 유능한 사람을 뽑아 나라를 다스리게 하며, 사람들은 자기 부모만 부모로 여기지 않으며, 자기 자식만 자식으로 여기지 않는다. 노인은 여생을 잘 마칠 수 있고, 장년에게는 일자리가 있으며 어린아이는 잘 양육되고, 외롭고 홀로된 자나 병든 자는 모두 보살핌을 받는다. …… 이를 일러 대동(大同)이라 한다.
> – 「예기」

공자는 재화의 많고 적음보다 고른 분배의 중요성을 강조하였다. 그래서 국가는 재화를 고르게 분배하여 백성들 사이의 화목과 국가의 안정을 꾀해야 한다고 보았다. 공자는 이러한 사회를 대동 사회라고 하였다.

자료 ③ 서양 사상에 드러난 국가의 의무

> 공통의 권력은 외적의 침입과 상호 간의 권리 침해를 방지하고, 또한 스스로 노동과 대지의 열매로 일용할 양식을 마련하여 쾌적한 생활을 보낼 수 있도록 하기 위해서이다. …… 이리하여 바로 저 위대한 리바이어던(Leviathan)이 탄생한다.
> – 홉스, 「리바이어던」

> 사람들이 사회에 들어갈 때 그들이 자연 상태에서 가졌던 평등, 자유 및 집행권을 사회가 요구하는 바에 따라 입법부가 처리할 수 있도록 사회의 수중에 양도한다. 그러나 그것은 오직 모든 사람이 그 자신, 그의 자유 및 그의 재산을 더욱 잘 보존하려는 의도에서 행하는 것이다.
> – 로크, 「통치론」

└ 홉스는 국가 권위의 절대성을 강조해.

홉스와 로크에 따르면 인간은 자연 상태에서 자신의 생명과 재산, 자유를 보장받기 위해 상호 간 계약을 맺어 국가를 수립한다. 이때 홉스는 자연 상태를 '만인의 만인에 대한 투쟁' 상태로 보았다. 따라서 국가는 사람들의 생명과 재산을 보호하고 사회의 질서를 형성해야 할 의무를 지닌다. 한편 로크는 인간은 자연 상태에서 분쟁을 겪게 된다고 보았다. 그리고 시민은 이러한 불안한 상태를 벗어나기 위해 명시적 또는 묵시적 동의를 통해 국가의 권위에 복종할 의무를 가지게 된다. 따라서 로크는 국가가 계약의 목적인 시민의 권리를 보장하지 못한다면 국가에 대한 저항권을 행사할 수 있다고 보았다.

└ 인간이 이성을 지니기는 했지만 오류를 저지를 가능성이 있다고 보았기 때문이야.

자료 하나 더 알고 가자!

정약용이 생각하는 국가 권위의 근거

> 여러 마을 사이에 분쟁이 일어나 판결하지 못하고 있을 때, 어느 노인이 있어 현명하고 지식이 많기 때문에 모두 그에게 가서 판정을 받고 복종하였다. 이런 식으로 여러 마을이 한 사람을 추대하여서 한 지역의 임금으로 추대하고, 나아가 가장 높은 나라의 임금을 추대하였다.
> – 정약용, 「원목」

정약용의 글에 의하면 사람들은 문제 해결에 도움을 주는 역할을 하는 사람을 자발적으로 따르며 임금으로 추대하였다. 이를 통해 국가의 권위는 시민들이 자발적으로 인정할 때 힘을 갖는다는 것을 알 수 있다.

문제로 확인할까?

공자가 제시한 국가의 역할로 옳지 <u>않은</u> 것은?

① 사회적 약자를 보살핀다.
② 재화를 고르게 분배한다.
③ 이웃 나라를 정복하여 국토를 넓힌다.
④ 어린이들이 안전하게 자랄 수 있게 한다.
⑤ 일할 능력이 있는 사람에게 일자리를 제공한다.

ⓒ 🔒

정리 비법을 알려줄게!

사회 계약론 관점에서 국가의 역할

	홉스	로크
자연 상태	만인의 만인에 대한 투쟁 상태	평화롭지만 불안정한 상태
특징	국가 권위의 절대성 강조	제 역할을 수행하지 못한 국가에 대한 시민의 저항권 인정
국가의 역할	시민의 생명과 재산, 자유를 보호해야 함	

03 국가와 시민의 윤리

❷ 민주 시민의 참여와 시민 불복종

시민 불복종의 의미와 정당화 조건

의미	사회의 정의롭지 않은 법률이나 정책 또는 명령을 개정하려는 목적으로 행하는 의도적인 위법 행위
정당화 조건	• 공개성 • 최후의 수단 • 행위 목적의 정당성 • 비폭력적 방법 사용 • 처벌 감수

★ 인권

인간이면 누구나 마땅히 가지는 권리로 그 구체적인 내용은 시대에 따라 확대되었다.
- 1세대 인권: 신체의 자유와 사상의 자유를 포함한 자유권적 기본권
- 2세대 인권: 사회 보장에 대한 권리, 일할 수 있는 권리 등을 포함한 사회권적 기본권
- 3세대 인권: 사회적 소수자의 권리와 평화의 권리, 환경에 대한 권리를 포함하는 연대와 단결의 권리
- 4세대 인권: 정보 접근권을 중심으로 한 소통의 자유와 관련된 권리

★ 역성혁명

제왕이 부덕하여 민심을 잃으면, 덕이 있는 다른 사람이 천명을 받아 왕조를 바꾸고 새로운 왕조를 세워도 좋다고 보는 사상

★ 주민 소환제

선출된 대표가 제 역할을 다하지 못할 때 임기 중 주민 투표를 통해 해직시킬 수 있는 제도

★ 주민 발의제

지역 주민이 생활과 밀접한 관련이 있는 조례의 제정을 추진하는 제도

1. 민주 시민의 권리와 의무

(1) 민주 시민의 권리

① 사회에서 주권자로서 자유를 행사하는 권리를 의미함

② 시민의 생명, 재산, *인권의 보호, 사회 보장과 사회 복지 증진, 공공재의 효율적인 관리와 제공 등을 요구할 수 있음

(2) 민주 시민의 의무

① 사회 질서 유지와 조정을 위해 해야 하는 일을 의미함

② 국가가 시민을 위한 역할을 잘 수행하는지 지속적으로 확인하고, 공적인 활동에 참여함

> 📖 고대 그리스에서는 시민들에 의한 직접 민주주의가 시행되었고, 맹자는 *역성혁명을 주장하여 군주가 제 역할을 못한다면 백성들이 통치자를 교체할 수 있다고 보았음

2. 민주 시민 참여의 필요성과 방법

(1) 필요성

> 꼭! 선출된 대표가 국민의 의견을 충분히 반영하지 못한다는 한계가 있어.

① 주인 의식을 반영하여 대의 민주주의의 한계를 보완할 수 있음 [자료 ④]

② 다양하고 복잡한 사회 문제를 효과적으로 해결하여 공동체의 발전을 도모할 수 있음

③ 참여를 통해 시민의 의사를 실질적으로 반영함으로써 개인의 권리를 보장받을 수 있음

(2) 방법과 유의점

방법	• 선거, *주민 소환제, *주민 발의제, 주민 감사 청구제, 국민 참여 재판 등 다양한 제도에 참여하기 • 언론에 의견 보내기, 행정 기관에 건의하기, 시민 단체 활동 등 여러 형태의 활동에 참여하기
유의점	자신이 속한 집단의 이해관계만을 관철하려고 해서는 안 됨

(3) 정치 참여의 영향

① 공적 담론의 활성화로 공정한 사회 제도를 수립할 수 있음

② 시민에게 공동체 의식을 심어 줌

> └ 시민 참여가 사회의 공공선을 목적으로 할 때 사회 발전으로 이어질 수 있어.

3. 시민 불복종

(1) 의미: 사회의 정의롭지 않은 법률이나 정책 또는 명령을 개정하려는 목적으로 행하는 의도적인 위법 행위 [교과서 자료]

> 📖 여성의 참정권 획득을 위한 미국과 영국의 시민 운동, 베트남 전쟁 반대 운동, 간디의 비폭력 불복종 운동, 마틴 루서 킹의 흑인 민권 운동 등

(2) 정당화 조건과 한계 [자료 ⑤] ── 꼭! 모든 불복종 행위가 시민 불복종으로 정당화되는 것은 아니야.

정당화 조건	• 공개성: 불복종의 정당성을 알리기 위해 공개적으로 저항해야 함 • 최후의 수단: 합법적인 방법이 효과가 없을 때 고려하는 최후의 수단이어야 함 • 행위 목적의 정당성: 특정 개인이나 집단의 이익이 아닌 보편적 가치를 추구해야 함 • 비폭력성: 폭력 행위에 가담하지 않고 비폭력적으로 전개해야 함 • 처벌 감수: 위법 행위에 대한 처벌을 감수함으로써 기존의 법질서를 존중하고 있음을 분명히 해야 함
한계	• 무고한 시민에게 피해를 줄 가능성이 있음 • 과도한 시민 불복종은 법질서의 안정성을 해칠 수 있음 • 시민 불복종에 참여하는 일부 시민이 전체 시민의 의사를 대표할 수 있는지의 문제가 제기될 수 있음

완자 자료 탐구

내 옆의 선생님

자료 ④ 시민 참여의 중요성 — 시민은 권리 보장을 요구하는 동시에 시민으로서의 의무를 다해야 해.

우리의 정치 체제는 이웃의 관례에 따르지 않고, 남의 것을 모방한 것이 아니라 오히려 남들의 규범이 되고 있습니다. 그 명칭도, 정치 책임이 소수자에게 있지 않고 다수자 사이에 골고루 나뉘어 있기 때문에 민주주의(democracy)라고 불리고 있습니다. …… 우리는 문제를 비판하고 또 동시에 그것을 올바른 방향으로 촉진합니다. 비판이 실행을 방해한다고 생각하지 않고, 그렇다고 비판으로만 흘러 해야 할 행동을 소홀히 하는 일도 없습니다. – 투키디데스, 「펠로폰네소스 전쟁사」

제시된 글이 강조하듯이 민주주의 사회에서는 시민이 주인 의식을 가지고 사회에 참여해야 한다. 시민은 정치에 참여함으로써 자신의 권리를 보장받을 수 있으며, 사회의 일원으로서 공동체 의식을 가질 수 있다. 또한 민주 시민으로의 직간접적인 참여는 정책이나 제도를 만들 때 시민의 의견을 반영하게 하여 공동체의 발전을 도모할 수 있다.

자료 하나 더 알고 가자!

동양의 민본주의

하늘이 보고 듣는 것이 백성을 통해 보고 듣는 것이다. …… 이처럼 하늘과 백성은 통하는 것이니, 땅을 다스리는 사람은 백성을 공경해야 한다. – 「서경」

동양에서는 백성을 나라의 근본으로 여기는 민본주의 정신이 강조되었다. 따라서 국가는 백성을 위한 정치를 행해야 했다. 민본주의에서 백성은 통치의 대상이지만, 백성은 군주에게 상소문을 올리는 제도를 통해서 제한적이지만 자신의 소리를 낼 수 있었다.

수능이 보이는 교과서 자료 | 시민 불복종에 관한 소로와 롤스의 입장

나는 이렇게 생각한다. 우리는 먼저 인간이 되고 그 후에야 다스림을 받는 국민이 되어야 한다. …… 내가 마땅히 소유할 권리가 있는 단 하나의 의무, 그것은 곧 내가 옳다고 생각하는 것을 어느 때이건 행사하는 것이다. – 소로, 「시민 불복종」

└ 소로는 노예 제도와 멕시코 전쟁에 반대하여 납세를 거부했다가 투옥되었어.

현존 체제를 받아들여야 할 우리의 의무와 책무를 때로는 어길 수 있다는 것이 분명하다. 그러한 요구 사항들은 정당성의 원칙에 따르는데, …… 불복종의 정당화 여부는 법과 제도가 부정한 정도에 달려 있다. – 롤스, 「정의론」

소로는 악법에 대하여 타협을 하거나 시간을 갖고 기다려 보자는 주장으로는 근본적으로 악법을 바꾸기 어렵기 때문에 자신이 옳다고 믿는 양심에 어긋나는 불의의 법에 복종하지 말아야 한다고 주장하였다. 한편 롤스는 어느 정도 정의로운 사회에서 사회 구성원 다수의 정의관에 어긋나는 법과 정책의 개선을 위하여 시민 불복종이 행해질 수 있다고 주장하였다.

완자샘의 탐 구 강 의

• 롤스와 소로가 생각하는 시민 불복종의 근거를 서술해 보자.
롤스는 사회 구성원 다수가 공유하는 정의관을, 소로는 개인의 양심을 시민 불복종의 근거로 삼는다.

함께 보기 101쪽, 1등급 정복하기 4

자료 ⑤ 시민 불복종의 정당화 조건과 한계

비인간적인 법률에 복종하면 도덕률에 불복종하게 되고, 도덕률에 복종하면 법률에 불복종하게 된다. …… 인간이 복종할 줄만 알고 불복종하지 못한다면 그는 노예이다. 반면에 불복종할 줄만 알고 복종할 줄 모른다면 그는 혁명가가 아니라 반란을 꾀하는 무리에 불과하다. 이와 같은 자는 확신과 원칙에 의해서가 아니라 분노와 실망과 원한에 의해 행동하기 때문이다. – 프롬, 「불복종에 관하여」

법과 정책에 대한 모든 불복종 행위를 시민 불복종으로 볼 수 없다. 시민 불복종이 정당화되기 위해서는 일정한 요건들을 갖추어야 한다. 그리고 시민 불복종이 지닌 한계를 생각해 봄으로써 우리 사회가 더욱 정의로운 공동체가 될 수 있도록 지혜를 모아야 한다.

정리 비법을 알려줄게!

시민 불복종의 정당화 조건과 한계

정당화 조건	• 공개성 • 최후의 수단 • 행위 목적의 정당성 • 비폭력적 방법 사용 • 처벌 감수
한계	• 무고한 시민이 피해를 입을 수 있음 • 법질서의 안정성을 저해할 수 있음 • 집단 이기주의로 흐를 가능성이 있음

STEP 1 핵심 개념 확인하기

정답친해 24쪽

1 다음 설명에 해당하는 국가 권위의 정당화 관점을 〈보기〉에서 골라 기호를 쓰시오.

보기
ㄱ. 동의   ㄴ. 인간의 본성
ㄷ. 공공재와 관행의 혜택

(1) 국가를 따르는 것은 인간의 본성에 부합한다. (   )

(2) 한 국가의 시민으로 살고 있다는 것은 묵시적으로 그 국가의 구성원이 되는 데 동의한 것이다. (   )

(3) 국가는 국방, 치안 등 개인이 제공하기 어려운 공공재를 공급하며 잘못된 관행을 교정하는 역할을 한다. (   )

2 다음 사상가가 제시한 국가의 역할에 관한 관점을 옳게 연결하시오.

(1) 홉스 •

• ㉠ 군주는 자신의 인격을 수양하고 백성의 입장에서 통치해야 한다.

(2) 맹자 •

• ㉡ 만인의 만인에 대한 투쟁 상태에서 벗어나기 위해서는 계약을 통해 자신의 권리를 국가에 양도해야 한다.

3 다음 설명이 맞으면 ○표, 틀리면 ×표를 하시오.

(1) 사회 계약론자들에게 국가란 인간의 본성에 의해 자연스럽게 구성된 공동체이다. (   )

(2) 맹자는 군주가 백성을 위하여 정치를 하지 않으면 군주를 교체할 수 있다는 저항 가능성을 인정하였다. (   )

4 다음 설명에 해당하는 용어를 쓰시오.

사회의 정의롭지 않은 법률이나 정책 또는 명령을 의도적으로 거부하는 시민 저항 운동이다.

5 시민 불복종의 정당화 요건을 〈보기〉에서 골라 기호를 쓰시오.

보기
ㄱ. 공개성   ㄴ. 폭력성
ㄷ. 처벌의 감수   ㄹ. 행위 목적의 정당성

STEP 2 내신 만점 공략하기

01 다음 글에서 강조하는 국가 권위의 정당화 관점으로 가장 적절한 것은?

우리 각자로 하여금 자신의 몫을 강제로 기여하도록 만드는 국가의 권위는 우리 스스로 할 수 없는 일을 대신 담당한다는 점에서 정당화될 수 있다. 보다 정확하게 말한다면 개인 각자는 개별적으로 행동하기를 원할 수도 있으나, 개별적 행동의 결과가 부실한 까닭에 집단적으로 행동하기를 선택한 셈이다. 이런 점에서 다음 주장은 정곡을 찌른다. "국가에 대한 가장 설득력 있는 정당화의 논리는 국가 없이는 사람들이 공동의 이익을 실현하는 데 성공적으로 협력할 수 없고 특히 일정한 공공재를 공유할 수 없다는 점에 있다."

① 동의
② 계약
③ 인간 본성
④ 자연적 의무
⑤ 공공재의 혜택

02 ⭐중요 을의 대답을 통해 파악할 수 있는 국가의 역할로 옳은 것은?

갑: 나라를 잘 다스리려면 왕이 어떤 노력을 해야 합니까?
을: 군주가 차마 어찌하지 못하는 마음으로 천하를 다스린다면 정치는 손바닥 뒤집듯 쉬울 것입니다. 군주가 인의(仁義)를 저버리고 다스린다면 그는 이미 군주가 아닙니다.

① 백성을 귀하게 여기며 통치해야 한다.
② 예(禮)를 통해 백성의 본성을 변화시켜야 한다.
③ 엄격한 법과 적절한 포상을 활용하여 통치해야 한다.
④ 남의 나라도 내 나라를 돌보는 것처럼 대우해야 한다.
⑤ 백성들이 궁극적으로 의(義)보다 이익(利)을 추구하도록 지원해야 한다.

03 (가)를 통해 실현하고자 하는 국가의 모습으로 옳은 것은?

> ▶ 지식 Q&A
>
> [(가)]에 대해서 설명해 주세요.
>
> ▶ 답변하기
> └ 갑: 공자가 제시한 이상 사회의 모습입니다.
> └ 을: 큰 도(道)가 이루어진 사회이지요.
> └ 병: 현명하고 능력 있는 사람이 다스리는 사회라고
>   하네요.
> └ 정: 노인, 어린이, 환자 등 사회적 약자를 보살펴 주
>   는 사회입니다.

① 영토의 확장을 목표로 하여 군사력을 키운다.
② 백성들의 이기적인 본성을 예(禮)로써 다스린다.
③ 하늘의 뜻을 받들어 모든 존재를 차별 없이 사랑한다.
④ 사회 질서 유지를 위하여 포상과 처벌을 적극 활용한다.
⑤ 백성들의 안정적인 삶을 위하여 재화를 고르게 분배한다.

04 다음과 같이 주장한 사상가가 국가의 권위를 확립하기 위하여 강조하는 방안으로 옳은 것은?

> 군주는 세상을 다스림에 있어서 사람의 성정을 바탕으로 해야만 한다. 사람의 성정에는 좋아하고 싫어하는 두 가지 마음이 있기 때문에 그 마음을 이용해 오직 상벌(賞罰)로 백성을 조종할 수 있다.

① 덕(德)으로써 백성을 교화해야 한다.
② 사욕을 극복하여 타고난 도덕성을 실현하여야 한다.
③ 백성을 근본으로 여기며 통치하고 신뢰하여야 한다.
④ 백성이 타고난 본성을 확충할 수 있도록 가르쳐야 한다.
⑤ 적절한 포상과 처벌을 활용하여 사회의 질서를 유지해야
  한다.

05 다음과 같이 주장한 사상가가 제시하는 국가의 역할로 옳은 것은?

> 하늘의 뜻을 따르는 자는 모두를 서로 사랑[兼愛]하고 서로 이익을 나누어[交利] 반드시 하늘의 상을 받을 것이다. 그러나 하늘의 뜻에 반대하는 자는 사람을 차별하여 서로 미워하며 서로 해쳐서 하늘의 벌을 받을 것이다.

① 왕과 가깝고 친한 사람만 사랑한다.
② 엄격한 처벌로써 효과적으로 통치해야 한다.
③ 다른 나라를 힘으로 정복하여 영토를 넓힌다.
④ 덕으로써 인을 행하는 왕도 정치를 실현한다.
⑤ 남의 나라를 내 나라 돌보는 것처럼 해야 한다.

06 갑, 을 사상가들 모두가 긍정의 대답을 할 질문으로 가장 적절한 것은?

> 갑: 자연 상태는 '만인의 만인에 대한 투쟁 상태'이므로 이로부터 벗어나기 위해 절대적 주권자에게 모든 권리를 양도해야 한다.
> 을: 자연 상태에서 인간은 자유롭고 평화로운 상태에 있지만 실정법과 재판관이 없어서 불안정하다. 따라서 개인은 계약을 맺어 시민 사회를 형성한다. 이러한 점에서 국가는 시민의 자유와 평등을 안전하게 보장해야 한다.

① 국가는 사람들의 생명과 재산을 보호해야 하는가?
② 국가는 개인의 선한 본성이 실현되도록 노력해야 하는가?
③ 사회 질서를 유지하기 위해 절대 군주가 지배해야 하는가?
④ 통치자는 시민의 편안한 삶을 위해 권력을 내려놓아야
  하는가?
⑤ 통치자는 시민의 권리를 보장하기 위해 자신이 가진 권
  력을 나누어야 하는가?

07 다음은 (가)를 검색했을 때의 연관 검색어이다. (가)에 들어갈 학자와 그가 지향하는 국가의 모습을 옳게 연결한 것은?

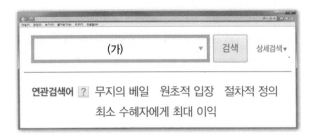

① 롤스 – 질서 정연한 사회
② 싱어 – 질서 정연한 사회
③ 소로 – 사유 재산을 인정하지 않는 사회
④ 롤스 – 사유 재산을 인정하지 않는 사회
⑤ 소로 – 국민의 삶에 최소한으로만 개입하는 사회

08 (가), (나)에서 설명하는 정치 체제의 특징으로 옳은 것은?

(가) 위민(爲民)과 애민(愛民)을 기본 정신으로 하는 정치 사상으로 "백성은 나라의 근본이며, 근본이 견고해야 나라가 평안하다."라는 『서경(書經)』의 구절에서 유래하였다.
(나) 국민의 자유와 평등의 가치 실현을 중시하는 정치사상으로 민중을 뜻하는 '데모스(demos)'와 지배를 뜻하는 '크라토스(kratos)'가 합쳐져 구성되었다.

① (가)는 통치자의 주기적인 교체를 통한 민의의 수용을 강조한다.
② (가)는 국가가 사회 구성원 전체의 정치 참여를 보장해야 한다고 본다.
③ (나)는 주권을 양도받은 통치자의 권력을 제한할 수 없다고 본다.
④ (나)는 (가)와 달리 통치자는 하늘의 명을 부여받은 사람이라는 점을 강조한다.
⑤ (가), (나)는 각각 백성과 시민을 위한 정치를 지향한다는 유사점이 있다.

09 다음 문제를 해결하기 위한 노력으로 적절하지 <u>않은</u> 것은?

현대 사회에서는 인구가 너무 많을 뿐만 아니라 시민의 전문성 부족으로 인하여 시민 모두가 정책 결정 과정에 참여하기는 어렵다. 따라서 시민들은 자격을 갖춘 대표를 뽑아 정책 결정을 일임하고 있다. 하지만 일부 대표들이 각계각층의 다양한 정치적 의견을 반영하지 못하고 있다.

① 특정 시민 단체만의 이익을 옹호한다.
② 신문과 방송에 시민의 의견을 적극적으로 표현한다.
③ 지역 행정이 공익에 부합하는지 지속적으로 감시한다.
④ 선출된 대표가 제 역할을 다하지 못할 때 책임을 묻는다.
⑤ 지역 현안에 대하여 주민들이 직접 투표하는 제도를 도입한다.

10 (가)의 한계를 보완하기 위한 방안으로 옳은 것만을 <보기>에서 있는 대로 고른 것은?

오늘날 대부분의 국가는 선출된 대표가 국민의 의견을 반영하는 (가) 을/를 채택하고 있다. 하지만 (가) 은/는 선출된 사람들이 각계각층의 입장을 제대로 대표하지 못하거나 국민의 의견을 충분히 반영하지 못한다는 한계를 가지고 있다.

보기
ㄱ. 언론 및 인터넷 매체를 통해 의견을 표출한다.
ㄴ. 불합리한 관행이 있다면 행정 기관에 건의한다.
ㄷ. 지역 주민이 생활과 관련된 조례를 직접 제정하도록 추진한다.
ㄹ. 자신이 속한 시민 단체의 이상에 부합하는 요구를 관철해야 한다.

① ㄱ, ㄴ
② ㄱ, ㄷ
③ ㄴ, ㄷ
④ ㄱ, ㄴ, ㄷ
⑤ ㄴ, ㄷ, ㄹ

11 다음과 같이 주장한 사상가의 입장으로 옳은 것은?

> 나는 우리가 먼저 인간이어야 하고, 그 다음에 시민이어야 한다고 생각한다. 법에 대한 존경심보다는 먼저 정의에 대한 존경심을 기르는 것이 바람직하다. 내가 떠맡을 권리가 있는 나의 유일한 책무는, 어떤 때이고 간에 내가 옳다고 생각하는 일을 행하는 것이다.

① 시민 불복종의 최종 목표는 부와 권력의 획득이다.
② 양심에 어긋나는 법이나 정책에 대하여 저항할 수 있다.
③ 불복종 행위를 정당화하는 근거는 국회가 제정한 법률이다.
④ 다수결은 정의로운 사회에서 가장 합리적인 의사 결정 방법이다.
⑤ 정의로운 사회란 현명한 소수가 대중에 대한 지배력을 가지는 사회이다.

☆중요
12 다음 사상가의 시민 불복종에 대한 입장으로 옳은 것은?

> 시민 불복종은 법이나 정부의 정책에 변혁을 가져올 목적으로 행해지는, 공공적이고 비폭력적이며 양심적이긴 하지만 법에 반하는 정치적 행위이다. 이러한 행위를 통해서 우리는 공동체의 다수자가 가지고 있는 정의관을 드러내고, 자유롭고 평등한 개인들 사이에서 정의의 원칙이 존중되고 있지 않음을 보여 준다.

① 개인의 정의관에 근거한 행위이다.
② 정의로운 법에 불복종하는 행위이다.
③ 부당한 법에 대해 가장 먼저 저항하는 수단이다.
④ 공공의 목적을 위해 공개적으로 이루어지는 행위이다.
⑤ 정치 체제의 변혁을 통해 정의로운 사회를 실현하고자 한다.

서술형 문제

● 정답친해 26쪽

01 다음을 읽고 물음에 답하시오.

> (가) 국가가 시민에게 제공할 수 있는 이익이란 구체적으로 무엇일까? 단도직입적으로 무임승차자를 처벌하고 사회적 협력의 보장자로 기능한다는 점일 것이다. 도둑과 강도를 체포하거나 가둠으로써 시민의 재산을 보호하고 부녀자들의 안전 귀가를 보장하는 일도 국가가 맡은 역할이다. ─ 박효종, 「국가와 권위」
>
> (나) 사람들은 사회에 들어갈 때 그들이 자연 상태에서 가졌던 평등, 자유 및 집행권을 사회가 요구하는 바에 따라 입법부가 처리할 수 있도록 사회의 수중에 양도한다. 그러나 그것은 오직 모든 사람이 그 자신, 그의 자유 및 그의 재산을 더욱 잘 보존하려는 의도에서 행하는 것이다. ─ 로크, 「통치론」

(1) (가), (나)에서 국가 권위를 정당화하는 근거를 각각 쓰시오.

(2) (가), (나)에서 공통으로 제시할 수 있는 국가의 의무를 서술하시오.

(길잡이) 국가 권위가 정당화되기 위해 국가가 해야 하는 역할을 서술한다.

02 다음 제도가 필요한 이유를 대의 민주주의의 한계와 관련지어 서술하시오.

> • 주민 소환제: 선출된 국민의 대표가 제 역할을 다하지 못할 경우 책임을 묻고자 하는 제도
> • 주민 감사 청구제: 지역 행정이 공익을 현저히 침해한다고 판단될 때 지역 주민들이 감사를 청구할 수 있는 제도

(길잡이) 오늘날 많은 국가가 채택하고 있는 대의 민주주의의 한계를 바탕으로 시민 참여의 필요성을 서술한다.

1 (가), (나)에 대한 옳은 설명을 〈보기〉에서 고른 것은?

> 국가의 역할

> (가) 공통의 권력은 외적의 침입과 상호 간의 권리 침해를 방지하고, 또한 스스로 노동과 대지의 열매로 일용할 양식을 마련하여 쾌적한 생활을 보낼 수 있도록 하기 위해서이다. 이 권력을 확립하는 유일한 길은 그들이 지닌 모든 권력과 힘을 '한 사람' 또는 '하나의 합의체'에 양도하는 것이다. …… 이리하여 바로 저 위대한 리바이어던(Leviathan)이 탄생한다.
>
> (나) 국가는 자유롭고 평등한 개인들 간의 계약에 의해 성립된다. 개인들은 자연권을 확실히 보장받기 위해 자연권의 일부를 국가에 양도하는 계약에 동의한다. 이 자발적 동의에 의한 계약이 국가에 복종할 의무와 저항할 권리의 근거가 된다.

┌─ 보기 ─
ㄱ. (가)는 국가는 시민의 생명과 재산, 자유를 보장해야 할 의무가 있다고 본다.
ㄴ. (가)는 국가는 어느 경우에도 개인의 본성에서 나온 행동을 제약할 수 없다고 본다.
ㄷ. (나)는 국가가 국민의 평화와 안전을 보장해야 한다고 본다.
ㄹ. (나)는 인간이 지닌 이성이 자연 상태의 평화로움을 보장한다고 주장한다.

① ㄱ, ㄴ   ② ㄱ, ㄷ   ③ ㄴ, ㄷ
④ ㄴ, ㄹ   ⑤ ㄷ, ㄹ

2 (가)를 지지하는 입장에서 (나)의 물음에 대해 제시할 답변으로 적절하지 않은 것은?

> 시민 참여의 필요성

> 완자쌤의 시험 꿀팁
>
> 시민 참여의 필요성에 관한 문항이 출제될 수 있으므로 민주주의 사회에서 시민은 참여를 통해 사회 구성원으로서 정체성을 획득하고 자아실현을 이룰 수 있다는 점을 기억해 둔다.

> (가) 우리의 정치 체제는 이웃의 관례에 따르지 않고, 남의 것을 모방한 것이 아니라 오히려 남들의 규범이 되고 있습니다. 그 명칭도, 정치 책임이 소수자에게 있지 않고 다수자 사이에 골고루 나뉘어 있기 때문에 민주주의(democracy)라고 불리고 있습니다. …… 참여하지 않는 자는 공명심이 없다고 보기보다는 쓸모없는 자로 생각하는 것은 우리뿐입니다.
>
> (나) 민주주의 사회에서 시민의 참여가 필요한 이유는 무엇인가?

① 주인 의식을 나타낼 수 있기 때문이다.
② 시민의 정치적 선호가 공공 정책에 반영될 수 있기 때문이다.
③ 획일화된 여론을 형성하여 사회적 갈등을 없앨 수 있기 때문이다.
④ 시민의 참여를 통해 국가 권력의 남용을 견제할 수 있기 때문이다.
⑤ 공동체의 문제를 함께 해결하여 국가 발전을 이룰 수 있기 때문이다.

3 (가)의 입장에서 (나)의 A에게 제시할 조언으로 가장 적절한 것은?

시민 불복종

(가)	우리는 먼저 인간이 되고 그 후에야 다스림을 받는 국민이 되어야 한다. 법률을 정의처럼 존중하는 생각을 길러 주는 것은 바람직한 일이 못 된다. 내가 마땅히 소유할 권리가 있는 단 하나의 의무, 그것은 곧 내가 옳다고 생각하는 것을 어느 때이건 행하는 것이다.
(나)	인종 분리법이 엄격했던 1950년대 어느 날, 흑인 여성 A는 목적지에 가기 위해 버스를 탔다. 당시 버스는 백인 좌석과 유색인 좌석으로 나뉘어 있었다. A는 좌석에 앉았으나, 뒤늦게 탄 백인 몇 명이 서 있었다. 이를 본 운전기사가 A에게 일어나서 자리를 양보하라고 요구했다. 이를 거부한 A는 결국 체포되었다.

① 모두를 위해 다수의 의견을 따르는 것이 좋을 것 같아.

② 네가 살고 있는 나라의 법에 저항하는 것은 잘못된 일이라고 생각해.

③ 합법적 제도로는 부정의한 법과 제도를 교정할 수 없으니 현재에 순응하는 것이 좋아.

④ 너의 양심에 비추어 보았을 때 잘못된 법이라고 생각하면 법에 복종하지 않아도 괜찮아.

⑤ 소수 의견은 항상 정당하니까 너 이외의 피해자들과 힘을 합쳐서 국가의 체제를 바꿔 봐.

수능 응용

4 갑, 을 사상가의 입장으로 옳은 설명만을 〈보기〉에서 있는 대로 고른 것은?

시민 불복종

환자샘의 시험 꿀팁

시민 불복종에 관하여 소로와 롤스의 입장을 묻는 문항이 출제되고 있다. 따라서 소로와 롤스가 생각하는 시민 불복종의 정당화 조건을 파악해 둔다.

｜환자 사전｜

• 하수인
남의 밑에서 졸개 노릇을 하는 사람

> 갑: 법에 대한 존경심보다 정의에 대한 존경심을 길러야 한다. 법에 대한 존경심 때문에 선량한 사람조차도 불의의 하수인이 될 상황이라면 그 법을 어겨라. 양심에 따라 그 법에 저항하라.
>
> 을: 국가가 시행하는 법이나 정책이 '평등한 자유의 원칙', '공정한 기회균등의 원칙'과 같은 정의의 원칙들에 위배될 경우 우리는 그 법에 저항하고 압박함으로써 정의로운 사회를 만들어 나가야 한다.

보기

ㄱ. 갑: 개인은 법에 우선하여 양심과 정의에 따라 행동해야 한다.

ㄴ. 을: 시민 불복종은 법에 대한 충실성을 거부하는 정치 행위이다.

ㄷ. 을: 시민 불복종의 대상은 일부의 부정의한 법이나 정책들에 한정된다.

ㄹ. 갑, 을: 정의관에 호소하는 시민 불복종이 비폭력적일 필요는 없다.

① ㄱ, ㄷ   ② ㄱ, ㄹ   ③ ㄴ, ㄷ

④ ㄱ, ㄴ, ㄹ   ⑤ ㄴ, ㄷ, ㄹ

01 직업과 청렴의 윤리

1. 직업 생활과 행복한 삶

(1) **직업의 의의**: 생계유지, 자아실현, 사회적 역할 분담

(2) **직업 생활과 행복한 삶의 관계**

경제적 차원	행복한 삶을 위한 물질적 토대를 마련할 수 있음
개인적 차원	자아실현을 통해 행복한 삶을 영위할 수 있음
사회적 차원	사회 구성원으로서 역할 수행을 통해 사회 발전에 기여함으로써 행복한 삶을 영위할 수 있음

2. 직업 윤리와 동서양의 직업관

(1) **직업 윤리의 의미와 필요성**

의미	직업 생활에서 지켜야 할 윤리 규범
필요성	개인의 자아실현과 공동체의 발전에 기여함

(2) **동서양의 직업관**

공자	정명(正名): 자신의 사회적 역할과 직분에 충실해야 함
맹자	생업이 보장되어야 바른 마음을 지킬 수 있음
순자	적성과 능력에 따라 사회적 역할이 분담됨
장인 정신	직업적 자부심을 지니고 사회적 책임을 다함
플라톤	통치자, 방위자, 생산자 계급이 각자 자기의 직분을 충실하게 수행해야 함
칼뱅	직업은 (❶)이자 직업의 성공은 신에 의한 구원의 징표
베버	프로테스탄티즘 윤리가 서구 자본주의 발전에 기여
마르크스	분업화된 노동은 인간 소외 현상을 야기함

3. 다양한 직업 윤리와 청렴

(1) **기업가 윤리와 근로자 윤리**

기업가 윤리	• 정당한 이윤 추구 • 윤리 경영
근로자 윤리	• 자신이 맡은 업무를 성실히 수행하는 (❷) 있는 자세 • 자신의 업무 분야에 관한 전문성 향상

(2) **전문직 윤리**

전문직의 의미	고도의 교육과 훈련을 거쳐 일정한 자격을 취득함으로써 전문 지식과 기술을 독점적으로 사용하는 직업
특성	• 전문성: 고도의 전문적 훈련을 통해 전문 지식을 갖추어야 함 • (❸): 일정한 자격을 갖춘 사람만이 그 직업을 수행할 수 있음 • 자율성: 독자적이고 자율적으로 업무를 수행할 수 있음
필요한 자세	사회에 주는 영향력이 크므로 더 높은 수준의 직업적 양심과 책임 의식이 필요함

(3) **공직자 윤리**

공직자의 의미	국가 기관이나 공공 단체에 종사하는 사람으로 국민에게 봉사하는 사람
필요한 자세	• 엄격하고 공평한 업무 처리 자세 • 봉공의 자세와 (❹) 정신 • 청렴한 공직 문화 조성을 위한 노력

(4) **청렴의 의미와 중요성**

의미	성품과 행실이 높고 맑으며, 탐욕이 없음
중요성	• 부정부패가 사회에 만연하면 행복한 삶을 살 수 없음 • 직업인이 청렴하지 못하면 사회 전체에 해악을 줄 수 있음

02 사회 정의와 윤리

1. 사회 정의의 의미

(1) **개인 윤리와 사회 윤리**

구분	개인 윤리	사회 윤리
문제 원인	개인의 잘못된 이기심과 비양심	사회 구조와 제도의 부조리
해결 방안	도덕 판단 능력과 실천 의지, 습관 등 개인의 도덕성 함양	개인의 도덕성 함양 + 사회 구조와 제도의 개선

(2) **사회 정의의 의미와 필요성**

의미	개인 간의 올바른 도리 또는 사회를 구성하고 유지하는 공정한 도리
필요성	• 사회가 정의로울 때 개인의 자유와 권리를 보장받을 수 있음 • 구성원 각자의 (❺)이 보장되기 위해 필요함

2. 분배적 정의의 의미와 기준

사상가	주요 내용
롤스	• 공정으로서의 정의 • 절차의 공정성이 결과의 공정성을 보장함 • 평등한 기본적 자유의 원칙을 바탕으로 한 차등의 원칙과 공정한 기회균등의 원칙을 제시함
노직	• 소유 권리로서의 정의 • 재화의 최초 취득, 양도 혹은 이전, 교정의 과정이 정당하면 현재의 소유권이 정당함
왈처	• (❻　　　　) 평등으로서의 정의 • 사회적 가치에 따라 각각 다른 정의의 기준이 필요함
마르크스	능력에 따라 일하고 필요에 따라 분배받는 사회

3. 분배적 정의의 윤리적 쟁점

(1) 우대 정책의 윤리적 쟁점

찬성	반대
• 보상의 논리 • 공리주의의 논리 • 재분배의 논리	• 업적주의에 위배됨 • 과거의 차별에 대한 현재의 보상은 부당함 • (❼　　　　)로 인한 새로운 사회 갈등이 발생함

(2) 부유세의 윤리적 쟁점

찬성	반대
• 부의 재분배로 불평등 교정 • 빈부 격차 완화	• 개인의 재산권 침해 • 부자들에 대한 또 다른 차별

4. 교정적 정의의 윤리적 쟁점

(1) 교정적 정의의 관점

응보주의	처벌의 본질은 정당한 응보에 있음
공리주의	처벌의 목적은 범죄를 예방하고 공리를 증진하는 데 있음

(2) 사형 제도의 윤리적 쟁점

찬성	• 범죄 예방 효과가 있음 • 과학 기술의 발전으로 오판의 가능성이 낮아짐 • 범죄에 대한 (❽　　　　)의 원칙에 따라 정당함
반대	• 범죄 예방 효과가 없음 • 오판의 가능성이 있음 • 정치적으로 악용할 가능성이 있음 • 국가가 인간의 생명권을 박탈해서는 안 됨

03 국가와 시민의 윤리

1. 국가의 권위와 시민에 대한 의무

(1) 국가 권위의 정당화 관점

인간의 본성	정치적 동물로서의 본성에 부합함
동의	준법에 동의함(사회 계약)
공공재와 관행의 혜택	국가의 혜택을 받음

(2) 동양 사상에 나타난 국가의 역할

공자와 맹자	유덕한 군주가 백성을 위하여 통치하는 국가
묵자	겸애와 교리를 실천하는 국가
한비자	포상과 처벌로 사회 질서를 유지하는 국가
정약용	애민을 실현하고자 노력하는 공직자

(3) 서양 사상에 나타난 국가의 역할

사회 계약론	개인의 생명과 자유, 재산을 보호함
밀	시민의 (❾　　　　) 등 기본권을 보장함
롤스	'질서 정연한 사회'를 구현하기 위한 사회 정의 실현

2. 민주 시민의 참여와 시민 불복종

(1) 민주 시민의 권리와 의무

권리	시민의 생명, 재산, 인권의 보호, 사회 보장과 사회 복지 증진 등을 국가에 요구할 수 있음
의무	국가가 시민을 위한 역할을 잘 수행하는지 지속적으로 확인하고 참여해야 함

(2) 민주 시민 참여의 필요성과 방법

필요성	대의제의 한계를 보완하고 공동체의 발전을 도모할 수 있음
방법	• 선거, 주민 소환제, 주민 발의제 등에 참여 • 언론에 의견 보내기, 시민 단체 활동 등

(3) 시민 불복종

공개성	공개적으로 저항해야 함
최후의 수단	합법적인 방법이 효과가 없을 때 마지막으로 고려해야 함
행위 목적의 정당성	특정 개인이나 집단의 이익이 아닌 (❿　　　　) 가치를 추구해야 함
비폭력성	폭력 행위에 가담하지 않고 비폭력적으로 전개해야 함
처벌 감수	위법 행위에 대한 처벌을 감수함으로써 기존의 법질서를 존중하고 있음을 분명히 해야 함

01 다음 글이 강조하는 직업의 의의로 가장 적절한 것은?

> 임금의 푸줏간에는 살진 고기가 있고 마구간에는 말이 있으면서 백성들은 굶주린 기색이 있고 들에는 굶어 죽은 시체가 있다면 이것은 짐승을 몰아서 사람을 잡아먹게 한 것이다. 따라서 임금이 나라를 다스림에 있어서 가장 먼저 고려할 것은 백성들이 떳떳이 살 수 있는 항산(恒産)이 없으면, 떳떳한 마음인 항심(恒心)도 유지될 수 없다는 것이다.

① 사회적 지위를 높일 수 있다.
② 가문의 명예를 빛낼 수 있다.
③ 경제적으로 안정된 삶을 살 수 있다.
④ 성취감과 보람을 느껴 자아실현을 이룰 수 있다.
⑤ 생존에 필요한 생리적 욕구를 모두 제거할 수 있다.

02 다음은 서술형 평가 문제와 학생 답안이다. ㉠~㉤ 중 옳지 않은 것은?

> **서술형 평가**
>
> ◎ 문제: 밑줄 친 A와 B에 대하여 서술하시오.
>
> > 직업 윤리는 직업 생활에서 지켜야 할 윤리 규범을 의미한다. 직업 윤리에는 A 일반 직업 윤리와 B 특수 직업 윤리가 있다. 직업인은 직업 윤리를 올바르게 확립하고 실천해야 개인의 자아실현과 공동체의 발전에 기여할 수 있다.
>
> ◎ 학생 답안
> ㉠ A는 직업 생활을 하는 모든 사람에게 필요한 윤리이며, ㉡ 정직, 성실, 배려 등의 내용을 포함한다. ㉢ B는 각각의 직업 생활에서 요구되는 윤리 규범으로, ㉣ 의료인은 환자의 비밀을 보장해야 할 의무가 있다는 것을 사례로 들 수 있다. 한편 ㉤ A와 B의 내용은 상충하므로 전문직에 종사하는 사람은 B만 따르는 것이 바람직하다.

① ㉠   ② ㉡   ③ ㉢   ④ ㉣   ⑤ ㉤

03 갑은 긍정, 을은 부정의 대답을 할 질문으로 옳은 것은?

> 갑: 기업에게 유일한 한 가지 사회적 책임만 있는데, 그것은 속임수나 부정행위 없이 누구에게나 개방된 자유 경쟁이라는 규칙 한도 내에서 자신의 자원을 이용하여 자신의 이익을 늘리기 위해 마련된 행동을 하는 것이다.
> 을: 기업은 이윤을 추구하는 것뿐만 아니라 도덕적 의무를 다해야 한다. 기업은 공익을 위한 활동에도 최선을 다해야 한다. 기업은 앞으로 더 책임 있게 행동하게 될 것이다. 책임 있게 경영하는 기업은 그렇지 못한 경쟁자들에 비해 사업상의 위험에 덜 노출될 것이다.

① 기업을 운영하기 위해 근로자가 필요하다고 보는가?
② 기업은 윤리 경영에 힘쓰고 공익을 추구해야 하는가?
③ 기업은 사회 자선적 책임으로부터 자유로워야 하는가?
④ 기업은 이윤 추구보다 자선적 책임을 중시해야 하는가?
⑤ 기업가는 기업이 창출한 이윤 중 일부를 사회에 환원해야 하는가?

04 다음 글의 관점에서 내부 고발에 관하여 평가할 수 있는 내용으로 가장 적절한 것은?

> 요즘 우리 사회에 부정부패가 심각하다. 이를 막기 위한 제도로 자신이 속한 조직이 저지른 부도덕한 행위를 외부에 공식적으로 알림으로써 부정의를 시정하고 조직의 변화를 모색하는 내부 고발이 있다. 내부 고발은 조직에 혼란을 준다고 비난받기도 하지만, 결과적으로 개인의 양심에 입각해 사회 전체의 공익을 위해 행동하는 것이다. 또한 조직의 부당한 행위가 지속될 경우 발생하게 되는 위험을 제거한다는 면에서 조직에도 도움이 된다.

① 조직의 이익을 개인의 양심보다 우선해야 한다.
② 조직의 문제는 조직 내부에서만 해결해야 한다.
③ 내부 고발은 조직에 대한 신뢰도와 경쟁력을 약화시킨다.
④ 내부 고발이 활성화되면 사회 및 조직 문화가 삭막해진다.
⑤ 내부 고발은 사회 정의뿐만 아니라 조직의 이익을 위해 필요한 조치이다.

05 다음 글의 목민관에게 필요한 자세로 가장 적절한 것은?

> 백성을 다스리는 목민관이 백성을 위해서 있는 것인가, 백성이 목민관을 위해서 있는 것인가? 백성이 곡식과 옷감을 생산하여 목민관을 섬기고, 수레와 수레꾼을 보내어 목민관을 전송하고 환영하며, 모든 노력과 정성을 다하여 목민관을 살찌우고 있으니, 백성이 과연 목민관을 위하여 있는 것일까? 아니다. 그건 아니다. 목민관이 백성을 위하여 있는 것이다.

① 사회적 지위를 고려한 경제적 보상을 받는다.
② 백성에게 봉사하는 자세로 공정하게 직무를 수행한다.
③ 백성들의 이익을 도모하며 자신의 이익을 극대화한다.
④ 강력한 처벌을 활용하여 백성이 처한 문제를 해결한다.
⑤ 사회 문제는 가문의 이해관계를 중심에 두고 해결한다.

06 밑줄 친 사람의 관점에서 옳은 내용을 〈보기〉에서 고른 것은?

> 현대 사회의 윤리 문제는 개인의 양심이나 도덕성을 회복하는 것만으로는 해결하기 힘들다. 우리는 이러한 윤리 문제 해결을 위해 <u>어떤 서양 사상가</u>에 주목할 필요가 있다. 그는 "모든 인간 집단은 개인과 비교할 때 충동을 억제할 수 있는 이성과 자기 극복의 능력, 그리고 다른 사람들의 욕구를 수용하는 능력이 훨씬 결여되어 있다. 게다가 집단을 구성하는 개인들은 개인적 관계에서 보여 주는 것보다 훨씬 심한 이기주의를 집단에서 표출한다."라고 비판하였다.

┌ 보기 ┐
ㄱ. 개인의 도덕성과 집단의 도덕성은 구별되지 않는다.
ㄴ. 개인의 양심은 사회 문제 해결에 도움이 되지 않는다.
ㄷ. 개인의 선한 의지만으로 사회 문제를 해결할 수 없다.
ㄹ. 사회 집단의 도덕성은 개인의 도덕성보다 현저히 떨어진다.

① ㄱ, ㄴ 　② ㄱ, ㄷ 　③ ㄴ, ㄷ
④ ㄴ, ㄹ 　⑤ ㄷ, ㄹ

07 갑~병의 입장에 대한 옳은 설명만을 〈보기〉에서 있는 대로 고른 것은?

> 갑: 천부적으로 보다 유리한 처지에 있는 사람들은 그들이 누구든지 간에 아주 불리한 처지에 있는 사람들의 여건을 향상시켜 준다는 조건하에서만 자신의 행운에 따른 이익을 볼 수 있다.
> 을: 지나침과 모자람이 있는 모든 행위에는 반드시 균등이 있다. 균등한 사람들이 균등하지 않은 몫을 받거나, 균등하지 않은 사람들이 균등한 몫을 차지하는 경우에 분쟁과 불평이 생긴다. 따라서 분배에서의 옳음이란 일종의 비례라 할 수 있다.
> 병: 정의로운 분배란 능력에 따라 노동하고 필요에 따라 분배받는 것이다.

┌ 보기 ┐
ㄱ. 갑은 모든 사람에게 동등하게 재화를 분배해야 한다고 주장한다.
ㄴ. 갑은 절차의 공정성을 확보하기 위해 무지의 베일을 쓴 가상의 상황을 설정하였다.
ㄷ. 을은 '같은 것은 같게, 다른 것은 다르게' 분배해야 한다고 본다.
ㄹ. 병의 분배 정의를 따를 경우 경제적 불평등이 심화된다.

① ㄱ, ㄴ 　② ㄱ, ㄷ 　③ ㄴ, ㄷ
④ ㄱ, ㄴ, ㄹ 　⑤ ㄴ, ㄷ, ㄹ

08 다음과 같이 주장한 사상가의 관점으로 옳지 않은 것은?

> 각 개인은 자기 소유물을 합법적으로 취득할 경우 그에 대한 소유 권리를 갖는다. 따라서 정당한 획득과 정당한 이전 혹은 양도, 그리고 부정의 교정의 원칙에 따른 소유물에 대해서 개인의 권리를 보장받아야 한다.

① 적법하게 얻은 재화의 소유권 보장을 중시한다.
② 근로 소득에 대한 과세는 강제 노동과 같은 것이다.
③ 우연적 차이를 줄이려는 국가의 적극적 노력이 필요하다.
④ 복지를 위한 국가에 의한 소득 재분배는 정의롭지 못한 정책이다.
⑤ 재화의 획득과 양도의 과정에서 발생한 부정의는 교정해야 한다.

09 갑, 을이 생각하는 사회 정의에 대한 설명으로 옳은 것은?

질문	대답	
	갑	을
개인의 기본적 자유는 보장되어야 하는가?	예	예
근로 소득에 대한 과세를 강제 노동으로 보는가?	예	아니요
가상의 상황을 가정하여 정의의 원칙을 도출하였는가?	아니요	예
사회적 약자를 위한 분배는 온전히 개인의 자유에 맡겨야 하는가?	예	아니요

① 갑: 개인의 선천적 능력은 사회적 공동 자산이다.

② 갑: 사회적 약자를 위한 기본적 자유의 제한은 허용된다.

③ 을: 능력에 따라 일하고 필요에 따라 분배받는다.

④ 을: 모든 사회적 가치는 동일하게 분배되어야 한다.

⑤ 갑, 을: 정의로운 사회에서 사회적·경제적 불평등이 존재할 수 있다고 본다.

10 갑, 을의 입장으로 옳은 설명을 〈보기〉에서 고른 것은?

진행자: 사회적 약자에 대한 우대 정책이 필요하다고 생각하십니까?

갑: 오랫동안 부당한 차별로 고통받아 왔던 사회적 약자에 대한 우대 정책을 적극적으로 실시해야 합니다.

을: 글쎄요. 사회적 약자에 대한 우대 정책은 또 다른 차별을 가져오기 때문에 거부되어야 합니다.

보기

ㄱ. 갑: 사회적 가치는 능력과 업적에 따라 분배되어야 한다.

ㄴ. 갑: 사회적 약자에게 유리한 기회를 제공하는 것이 정의로운 것이다.

ㄷ. 을: 차등적 배려를 통해 실질적인 정의를 실현해야 한다.

ㄹ. 을: 과거의 차별에 대해 현세대가 고통을 분담하는 것은 옳지 않다.

① ㄱ, ㄴ   ② ㄱ, ㄷ   ③ ㄴ, ㄷ

④ ㄴ, ㄹ   ⑤ ㄷ, ㄹ

11 다음 사상가가 긍정의 대답을 할 질문으로 적절한 것은?

공적인 정의가 원칙과 표준으로 삼는 것은 어떤 종류의 형벌이고 어느 정도의 형벌인가? 그것은 다름 아니라 다른 한쪽보다 한쪽으로 더 기울지 않는 동등성(평등)의 원칙이다. …… 그러므로 범인에게 법적으로 집행되는 사형 외에 범죄와 보복의 동등성은 없다.

① 형벌은 사회 전체의 행복을 증진하는 데 기여하는가?

② 범죄자의 인권 보장을 위해 사형 제도를 폐지해야 하는가?

③ 형벌을 부과하는 것의 목적은 범죄를 예방하는 것인가?

④ 범죄자를 교화하는 데 종신 노역형이 효과적이라고 보는가?

⑤ 살인자를 사형에 처하는 것은 동등성의 원리에 부합하는가?

12 갑, 을이 생각하는 국가 권위의 정당화 근거에 대한 설명으로 옳지 않은 것은?

국가에 대한 복종은 국가로부터 받는 이익이 있고 국가가 베푸는 혜택을 누리기 때문이야.
갑

을
국가는 시민이 국가의 권위에 명시적 또는 묵시적으로 동의한다는 전제하에서만 명령을 내릴 수 있어.

① 갑은 인간의 정치적·사회적 본성 때문에 국가가 자연스럽게 권위를 가진다고 본다.

② 갑은 국가가 다양한 공공재와 제도에서 비롯되는 다양한 혜택을 제공하고 있다고 본다.

③ 을은 명시적 동의뿐만 아니라 묵시적 동의도 복종의 근거가 된다고 본다.

④ 을에 의하면 개인의 동의를 얻은 국가는 개인을 통치할 수 있는 권리를 가진다.

⑤ 을에 대하여 시민과 국가 간 동의가 실제로 이루어지는가와 관련한 의문을 제기할 수 있다.

13 (가), (나)에서 제시하는 국가에 대한 옳은 설명을 〈보기〉에서 고른 것은?

> (가) 국가는 개인의 생명을 보호할 때 정당하다. 자유를 원하고 타인을 지배하려는 인간이 구속을 받아들이는 것은 비참한 자연 상태에서 벗어나고 싶기 때문이다.
>
> (나) 군주는 꾀로 마음을 묶거나 사심으로 자신을 얽매지 않는다. 통치는 법술(法術)에 의거하고 상벌(賞罰)을 통해 시비가 가려지도록 하며 저울에다 무거운지 가벼운지 달아 본다.

〈보기〉
ㄱ. (가)는 국가가 자연적 산물이 아닌 인간 의지의 산물이라고 본다.
ㄴ. (가)는 개인의 이기적 본성의 실현을 위해 국가가 성립된다고 본다.
ㄷ. (나)는 군주가 차별 없는 사랑과 상호 이익을 실현하기 위해 노력해야 한다고 본다.
ㄹ. (나)는 백성들을 효과적으로 통치하기 위해 적절한 포상과 처벌로 통치해야 한다고 본다.

① ㄱ, ㄴ ② ㄱ, ㄹ ③ ㄴ, ㄷ
④ ㄴ, ㄹ ⑤ ㄷ, ㄹ

14 다음과 같은 입장에서 강조하는 내용을 〈보기〉에서 고른 것은?

> 백성이 가장 귀하고 국가는 그 다음이며 군주는 가벼운 존재이다. 왕도 정치에서 군주는 백성을 나라의 근본이자 뿌리로 보는 민본주의를 바탕으로 통치자의 역할을 실현해야 한다.

〈보기〉
ㄱ. 사회 구성원 모두가 정치 참여의 주체이다.
ㄴ. 민의에 어긋나는 통치자의 교체를 인정한다.
ㄷ. 권력의 분산과 국민의 정치 참여 절차를 강조한다.
ㄹ. 지도자는 백성에게 도덕적 모범이 되어야 함을 중시한다.

① ㄱ, ㄴ ② ㄱ, ㄷ ③ ㄴ, ㄷ
④ ㄴ, ㄹ ⑤ ㄷ, ㄹ

15 다음 문제를 해결하기 위한 방안으로 적절하지 않은 것은?

> 대의 민주주의는 선출된 대표자가 어느 정도의 대표성을 가지느냐에 따라 민주주의의 수준이 결정된다. 만약 대표자가 다양한 정치적 견해를 대표하지 못한다면 단순히 다수 집단의 이익만을 대변하여 계층 간의 불화를 초래하고 소수의 의견과 권리를 무시하여 사회 통합을 저해할 수 있기 때문이다.

① 시민 단체 활동을 통해 행정 기관에 의사를 표시한다.
② 주민 투표제를 통해 지역 현안에 대해 주민들이 직접 투표한다.
③ 자신이 직접 뽑은 대표를 신뢰하여 정치에 대한 관심을 줄여 나간다.
④ 선출된 대표가 제 역할을 못할 때 주민 소환제를 통해 책임을 묻는다.
⑤ 지역 행정이 공익을 침해한다고 생각할 때 주민들이 감사를 청구한다.

16 갑, 을 사상가들에 대한 설명으로 옳은 것은?

> 갑: 국가가 시행하는 법이나 정책이 '평등한 자유의 원칙', '공정한 기회균등의 원칙'과 같은 정의의 원칙들에 위배될 경우 우리는 그 법에 저항하고 압박함으로써 정의로운 사회를 만들어 나가야 한다.
>
> 을: 내가 해야 하는 유일한 책무는 어떤 때이고 간에 내가 옳다고 생각하는 일을 행하는 것이다. 법이 사람들을 조금이라도 더 정의로운 인간으로 만든 적은 없다. 오히려 법에 대한 존경심 때문에 선량한 사람들조차도 매일매일 불의의 하수인이 되고 있다.

① 갑의 불복종 목적은 국가 체제의 변혁이다.
② 갑은 개인의 정의관을 근거로 시민 불복종을 주장한다.
③ 을은 법에 불복종하는 근거를 양심에서 찾는다.
④ 을은 갑과 달리 불복종 운동을 통해 다수의 정의관을 만족시키고자 한다.
⑤ 갑, 을은 공공의 목적을 가지고 은밀하게 불복종 운동을 펼치고자 한다.

과학과 윤리

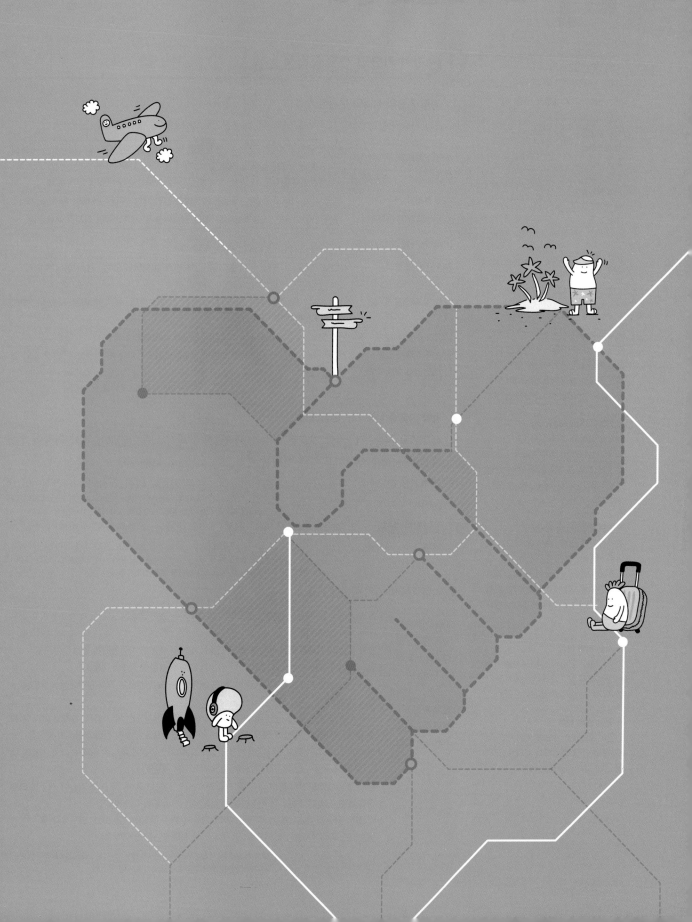

01 과학 기술과 윤리

학습 목표
• 과학 기술의 가치 중립성에 대한 입장을 비교·설명할 수 있다.
• 과학 기술의 사회적 책임을 제시할 수 있다.

이것이 핵심!

과학 기술의 가치 중립성 논쟁	
과학 기술의 가치 중립성을 강조하는 입장	과학 기술은 그 자체로 좋은 것도 나쁜 것도 아님 → 가치 중립성 타당
과학 기술의 가치 중립성을 부정하는 입장	과학 기술의 발견과 활용 과정에는 가치가 개입됨 → 가치 판단 필요
바람직한 입장	• 연구 과정: 가치 중립성 보장 • 발견과 활용 과정: 윤리적 가치 평가에 의해 지도 및 규제 필요

★ 과학 기술
관찰, 실험, 조사 등의 객관적인 방법으로 얻어 낸 자연 현상에 대한 체계적인 지식과 그 지식을 활용하여 무엇인가를 만들어 내는 전 과정을 말한다.

★ 판옵티콘(panopticon)
영국의 철학자 벤담이 죄수를 감시할 목적으로 제안한 원형 모양의 감옥으로, 감시자의 존재를 드러내지 않으면서 끊임없이 수용자를 감시할 수 있는 구조이다.

★ 빅브라더(big brother)
조지 오웰의 소설 『1984』에 나오는 용어로, 집안과 거리 곳곳에 설치된 '텔레스크린'으로 사람들의 행동을 감시하는 권력을 일컬으며, 일반적으로 정보를 독점하고 사회를 통제하는 권력을 상징한다.

★ 기술 지배 현상
과학 기술이 인간의 선한 목적을 위해서 통제되지 않고 오히려 기계가 인간을 지배하는 상황이 발생하는 현상

★ 인간 소외 현상
인간이 스스로의 필요에 의해 만든 기술, 문화 등을 지배하지 못하고, 오히려 그에 의해 지배되는 현상

① 과학 기술의 가치 중립성 논쟁

1. *과학 기술의 성과와 문제점

(1) 과학 기술의 성과 ─ 과학 기술의 발달은 합리적이고 실증적인 사고를 촉진하여 사회 전반의 효율성을 높였어.

물질적 풍요와 안락한 삶 향유	• 기계 공학의 발달과 신소재의 개발로 의식주와 관련된 재화의 대량 생산 → 물질적으로 풍요로운 삶을 누리게 됨 • 자동화의 진전으로 더 많은 여가 확보 → 편리하고 안락한 삶을 누리게 됨
수명 연장과 건강 증진	생명 공학 기술의 발달로 새로운 치료법과 신약 개발 → 난치병 예방 및 치료 가능
시공간적 제약 극복	교통과 정보 통신 기술의 발달로 자유로운 여행 및 세계인들과 실시간 교류 가능

(2) 과학 기술의 문제점 ─ 자연을 인간의 도구로 보는 사고방식을 낳았어.

환경 문제의 발생	자연을 개발하고 활용 → 자원 고갈, 기후 변화, 동식물의 종(種) 감소, 생태계 파괴
인권 및 사생활 침해	• 인터넷을 통한 개인 정보 유출과 사이버 폭력 • 위치 추적 시스템, 감시 카메라를 이용한 감시와 통제 → '*판옵티콘' 사회와 '*빅브라더'의 출현 우려
생명의 존엄성 훼손	생명 복제, 유전자 조작 등 → 생명의 도구화·수단화를 초래
인간의 주체성 약화 및 비인간화 현상 초래	인간이 과학 기술에 지나치게 의존하거나 종속됨 → *기술 지배 현상과 *인간 소외 현상 등이 발생

예 컴퓨터, 휴대 전화에 지나치게 의존하거나 생산 현장에서 인간을 기계의 부품처럼 여기는 경우를 들 수 있어.

2. 과학 기술을 바라보는 관점 【자료①】

(1) 과학 기술 지상주의: 과학 기술의 발전을 지나치게 낙관적으로 바라보며 과학 기술이 인류의 모든 문제를 해결하고 부와 행복을 가져다줄 것이라고 보는 입장

(2) 과학 기술 혐오주의: 과학 기술의 발전을 비관적으로 바라보며 과학 기술의 비인간적이고 비윤리적인 측면을 부각하는 입장 **예** 산업 혁명의 결과로 발명된 새로운 기계의 보급이 실업의 원인이라고 보고 기계를 파괴한 '러다이트 운동'이 대표적인 사례야.

(3) 바람직한 태도: 과학 기술의 성과를 누리면서도 이에 내재된 부작용을 최소화하기 위해 비판적으로 성찰하는 자세 **Q왜?** 과학 기술 지상주의는 과학 기술의 부정적 측면을 간과하고 인간의 반성적 사고 능력을 훼손할 수 있어. 그리고 과학 기술 혐오주의는 과학 기술의 가치와 그것이 가져다준 여러 가지 혜택과 성과를 부정한다는 문제점이 있어.

3. 과학 기술의 가치 중립성 논쟁

과학 기술의 가치 중립성을 강조하는 입장	• 과학 기술은 그 자체로 좋은 것도 나쁜 것도 아님 → 과학 기술은 사회적 책임과 윤리적 평가에서 자유로워야 함 • 과학 기술의 결과에 대한 책임은 과학 기술을 실제로 활용한 사람들에게 있음 • 야스퍼스: 기술을 수단으로 보고 과학 기술의 가치 중립성을 강조함 【자료②】
과학 기술의 가치 중립성을 부정하는 입장	• 과학 기술의 발견과 활용 과정에는 가치가 개입됨 → 과학 기술은 가치 판단에서 자유로울 수 없음 • 과학 기술의 연구 대상 선정 및 연구 결과의 활용 과정에서 개인의 가치관, 기업의 이익, 사회적 필요, 정치적·경제적 목적 등 다양한 가치가 개입되므로 윤리적 검토나 통제가 필요함 • 하이데거: 과학 기술을 가치 중립적인 것으로 고찰하면 인간은 무방비 상태로 과학 기술에 내맡겨지므로 과학 기술에 가치 판단이 필요하다고 봄 【자료③】
바람직한 입장	• 연구 과정에서의 가치 중립성: 과학 기술의 이론적 정당화 맥락, 즉 과학 기술이 객관적 타당성을 갖춘 지식이나 원리로 인정받는 과정에서는 가치 중립적이어야 함 • 발견과 활용 과정에서의 가치 판단: 과학 기술의 연구 목적을 설정하고, 연구 결과를 현실에 활용하는 과정에서는 윤리적 가치 평가에 의해 지도 및 규제받아야 함

과학 기술의 파급력이 엄청나고 현세대뿐만 아니라 미래 세대에까지 영향을 미치기 때문에 윤리적 검토나 통제가 필요하기도 해.

자료 ① 과학 기술의 자연 친화적인 활용

라틴아메리카의 콜롬비아 동부에는 아주 특별한 마을이 있다. 1971년 콜롬비아 이상주의자들과 기술자들이 나무 하나 없는 열대 사바나 지역의 황무지에 건설한 가비오따스 마을이다. 마을 사람들은 외부의 지원을 전혀 받지 않고 그 척박한 곳에 알맞은 기술과 그곳에서 생산되는 자원만을 이용해 살아간다. 예를 들어 적도의 바람을 이용한 풍차, 수경 재배법을 이용한 먹거리 생산, 석유가 없어도 살아갈 수 있는 태양열 주방, 병원, 학교 그리고 자생력이 강한 나무를 심어 되살아난 짙푸른 열대 우림 등이 있다. 가비오따스 마을은 지속 가능한 과학 기술을 활용하여 자연을 파괴하지 않고도 공동체가 생존할 수 있음을 증명하였다. 가비오따스의 대안적 기술은 콜롬비아 700여 개 마을로 전수되었고, 다른 나라로 퍼져 나가고 있다.

– 가치를 꿈꾸는 과학 교사 모임, 『과학, 일시 정지』

친환경적 마을인 가비오따스의 사례는 자연환경과 공존할 수 있는 과학 기술의 가능성을 보여 준다. 자연환경을 이용하여 과학 기술을 친환경적으로 활용하는 것이다. 이러한 사례는 과학 기술의 발전을 단순히 낙관하거나 혹은 과학 기술의 발전을 혐오하는 편협한 시각을 지양하고, 과학 기술에 대한 균형 잡힌 시각이 우리 삶에 필요함을 역설한다.

자료 ② 야스퍼스 – "과학 기술은 가치 중립적이다."

기술은 수단일 뿐이며 그 자체로 선도 아니고 악도 아니다. 과학 기술이 선한지 악한지는 인간이 기술로부터 무엇을 만들어 내고, 기술을 어디에 사용하고, 어떤 조건에서 기술이 만들어지느냐에 달려 있다.

– 야스퍼스, 『역사의 기원과 목표』

우리가 칼을 사용할 때, 그것을 맛있는 요리를 하는 데 사용할지 아니면 타인의 생명을 위협하는 데 사용할지는 칼을 사용하는 인간에게 달려 있다. 이와 마찬가지로 야스퍼스는 과학 기술 그 자체는 칼과 같은 수단에 불과하며, 인간의 의지에 따라 그 성격이 변하는 가치 중립적인 것으로 보았다.

자료 ③ 하이데거 – "과학 기술에는 가치 판단이 필요하다."

과학 기술은 좀처럼 상상하지 못하는 방식으로 우리들의 존재를 철저하게 지배하고 있다. 오늘날 우리는 어디서나 과학 기술에 붙들려 있다. 그러나 최악의 경우는 기술을 중립적인 것으로 고찰하여 우리와 무관한 것으로 보게 되는 것이다. 이 경우 우리는 무방비 상태로 기술에 내맡겨진다.

– 하이데거, 『기술과 전향』

현대는 과학 기술의 시대로 이미 인간의 생명과 자연은 과학 기술에 의해 속속들이 파헤쳐지고 있다. 하지만 이보다 더 우려할 만한 사실은 우리가 과학 기술의 본질에 대해 아무런 숙고도 하고 있지 않다는 사실이다. 하이데거는 오늘날 증대되고 있는 과학 기술의 영향력에 무방비로 내맡겨진 인간에게 과학 기술에 대한 사유와 숙고의 필요성을 강조하며, 과학 기술에 대한 가치 판단이 필요하다고 주장하였다.

정리　비법을 알려줄게!

과학 기술을 바라보는 관점

과학 기술 지상주의	과학 기술의 발전이 인류의 모든 문제를 해결하고 부와 행복을 가져다줄 것이라고 보는 입장
과학 기술 혐오주의	과학 기술의 비윤리적이고 비인간적인 측면을 부각하는 입장
바람직한 태도	과학 기술의 긍정적·부정적 측면을 모두 고려하여 과학 기술을 성찰하는 비판적 자세

정리　비법을 알려줄게!

과학 기술의 가치 중립성 논쟁

과학 기술의 가치 중립성을 강조하는 입장
• 과학 기술은 객관적인 사실의 영역이므로 가치 판단과 무관함
• 과학 기술은 윤리적 규제나 평가로부터 자유로워야 함

⇅

과학 기술의 가치 중립성을 부정하는 입장
• 과학 기술은 발견과 활용 과정에서 다양한 가치가 개입되므로 가치 판단이 필요함
• 과학 기술은 윤리적 가치 평가에 의해 규제되어야 함

문제로 확인할까?

과학 기술에 대한 하이데거의 입장이 아닌 것은?
① 과학 기술에 대한 가치 판단이 필요하다.
② 과학 기술은 인간 존재를 철저히 지배하고 있다.
③ 과학 기술의 본질에 대해 고찰하려는 태도가 필요하다.
④ 과학 기술에 무방비 상태로 내맡겨지지 않도록 주의해야 한다.
⑤ 과학 기술이 미치는 영향력은 그것을 사용하는 사람들에게 한정되어 있다.

⑤ 📖

이것이 핵심!

과학 기술의 사회적 책임	
과학 기술자의 책임	• 내적 책임: 연구 윤리 준수 • 외적 책임: 연구 결과의 사회적 영향 고려
사회적 차원의 노력	• 과학 기술의 부작용 검토 및 예방 • 과학 기술 시대에 어울리는 책임 윤리 의식 확립 • 인류의 당면 과제를 해결할 수 있는 새로운 과학 기술 개발 • 기술 영향 평가 제도 실시, 각종 윤리 위원회 활동 강화, 시민의 감시와 참여를 이끌어 내는 장치의 제도화

★ **연구 윤리**
과학 기술 연구자가 정직하고 성실한 태도로 책임 있는 연구를 수행하기 위해 지켜야 할 윤리적 원칙과 행동 양식

★ **요나스**
독일의 철학자로, 인류를 멸망의 위기에 처하게 할 수 있는 과학 기술의 위협을 고찰하고 미래에 관한 책임 윤리를 주장하였으며, 주요 저서로는 『책임의 원칙』이 있다.

★ **적정 기술**
지역의 자원과 노동력을 사용하여 지역 주민들의 필요에 따라 친환경적이고 지속 가능한 방법으로 개발되고 쓰이는 기술

★ **기술 영향 평가 제도**
과학 기술이 경제, 문화 등 사회 전반에 미치는 영향을 파악하여 긍정적인 영향을 극대화하고 부작용은 사전에 방지하여 과학 기술의 바람직한 발전 방향을 모색하는 제도

❷ 과학 기술의 사회적 책임

1. 과학 기술의 사회적 책임 문제의 등장 배경

(1) **과학 기술의 파급 효과**: 현대의 과학 기술은 개인과 사회에 지속적이고 광범위한 영향을 줌

(2) **결과 예측의 불확실성**: 과학 기술의 결과에 대한 예측이 분명하지 않고, 과학자의 의도나 과학 기술의 사용 목적과 상관없이 부정적인 결과를 가져올 수 있음

(3) **적용의 강제성**: 과학 기술의 적용에 대한 요구가 커지고 과학 기술의 사용은 지속적인 욕구로 자리 잡게 되면서 비윤리적인 과학 기술의 개발과 적용을 막기가 어려워짐

(4) **시공간적 광역성**: 현대의 과학 기술은 지구 전체와 미래 세대에까지 영향을 미칠 수 있음

2. 과학 기술자의 사회적 책임

> **잠깐!** 과학자의 사회적 책임이 본격적으로 대두된 것은 원자 폭탄의 등장 이후로 볼 수 있어. 이것은 과학 기술의 잘못된 사용이 얼마나 위험한지 깨닫는 계기가 되었지.

(1) **과학 기술자에게 사회적 책임이 요구되는 이유**: 과학 기술자의 연구 성과물이 사회에 미치는 영향력이 커지면서 높은 수준의 도덕성과 책임 의식이 요구됨 **자료 ④**

(2) **과학 기술자의 내적 책임과 외적 책임**

내적 책임	• 연구 윤리를 준수하며 연구 자체에 대한 책임을 져야 함 **예** 위조, 변조, 표절, 부당한 저자 표기 금지 • 엄격한 자기 검열의 자세를 가져야 함
외적 책임	• 사회적 책임: 과학 기술자는 자신의 연구 결과가 사회에 미칠 영향에 대해 책임을 져야 함 • 선한 의도로 시작한 연구일지라도 사회적으로 해로운 결과가 예상될 경우 연구를 중단해야 함 • 자신의 연구 활동이 인간의 존엄성 구현과 삶의 질 향상을 위한 것인지 성찰하는 자세를 지녀야 함

(3) **과학 기술자의 사회적 책임에 대한 입장** **교과서 자료**

과학 기술자의 사회적 책임을 인정하는 입장	과학 기술이 인간의 삶과 불가분의 관계에 있으므로 과학 기술의 연구와 활용 과정을 독립적인 영역으로 여기면 안 된다고 봄 — **꼭!** 과학 기술의 가치 중립성을 부정하는 사람들의 입장이야.
과학 기술자의 사회적 책임을 부정하는 입장	과학 기술자는 연구 윤리를 지키며 자신의 연구가 진리임을 밝히면 될 뿐이며, 연구 결과가 사회에 미칠 영향까지 고려할 필요는 없다고 봄 — **꼭!** 과학 기술의 가치 중립성을 강조하는 사람들의 입장이야.

3. 과학 기술의 사회적 책임을 실현하기 위한 노력

(1) **부작용의 검토 및 대처**: 과학 기술의 개발 단계에서부터 그 결과물이 가져올 수 있는 부정적인 영향과 위험을 검토하여 예방적 조치를 해야 함

(2) **책임 윤리 의식 함양**: *요나스는 과학 기술 시대에 걸맞은 책임 윤리의 확립을 주장함 **자료 ⑤**

① 책임의 범위를 현세대로 한정하는 기존의 전통적 윤리관의 한계를 지적함

② 윤리적 책임의 범위를 자연과 미래 세대로 확대하며 과거의 행위에 대한 책임에서 더 나아가 미래의 결과에 대한 책임까지 강조함

(3) **새로운 과학 기술의 개발**: 기아나 환경 문제 등의 해결을 위해 *적정 기술, 식량 증산 기술, 대체 에너지 기술 등을 개발해야 함

(4) **제도적 장치 마련**

① *기술 영향 평가 제도를 실시함 — 과학 기술 개발과 정책에 시민이 참여할 수 있는 대표적인 제도야.

② 과학 기술의 연구 개발 과정과 결과를 평가·감시·통제할 수 있는 기관 또는 국가의 각종 윤리 위원회 활동을 강화함

③ 과학 기술의 활용에 관한 시민들의 감시와 참여를 이끌어 내는 장치를 제도화함

> 시민들도 과학 기술의 연구·개발에 관련된 사회적 토론과 합의 과정에 적극적으로 참여해야 해.

자료 ④ 프리츠 하버의 사례로 보는 과학 기술의 명암

독일인 과학자 프리츠 하버는 암모니아 합성법을 발견함으로써 인류를 식량 위기에서 벗어나게 하는 데 큰 공헌을 했고, 이를 인정받아 1918년 노벨 화학상을 수상하였다. 그러나 한편으로는 제1차 세계 대전 당시 '독가스'를 개발하여 전쟁에서 무수한 인명 피해를 낳는 데 영향을 주기도 하였다.

하버는 인류에게 빛과 재앙을 동시에 가져다준 과학자이다. 그는 암모니아 합성법을 연구하여 질소 비료를 만들었고, 이를 통해 식량 생산을 늘리는 데 기여하였다. 동시에 그는 암모니아 합성법을 개량하여 폭탄의 원료를 만들었고, 독가스도 개발하였다. 그의 사례는 과학 기술이 그 쓰임에 따라 전혀 다른 결과를 가져올 수 있다는 것을 보여 준다.

수능이 보이는 교과서 자료 | 과학 기술자의 사회적 책임에 대한 논쟁

> 내가 원자 폭탄을 만든 것은 사실이지만, 원자 폭탄의 사용에 관한 결정은 정치인이 내린 것이며, 나는 맡은 바 임무에 충실했을 뿐이다.　－ 오펜하이머

> 원자 폭탄을 만든 사람은 응분의 책임을 져야 한다. 과학자는 한 개인의 차원에서뿐만 아니라, 인간 공동체의 차원에서 행동해야 하기 때문이다.　－ 하이젠베르크

오펜하이머는 원자 폭탄의 제조 행위는 과학 기술자와 기술인의 행위로, 가치 중립적이라고 보았다. 다만 원자 폭탄을 제조하도록 정책을 입안하고 연구 결과를 전쟁에 이용하려고 한 것은 정치인들이므로, 과학 기술의 결과에 대한 책임은 그들에게 있다고 보았다. 반면에 하이젠베르크는 과학 기술자도 한 개인이자 사회의 구성원으로서 과학 기술이 사회에 미친 영향을 고려해야 할 의무가 있으므로, 원자 폭탄이 불러온 결과에 책임이 있다고 보았다.

자료 ⑤ 요나스의 책임 윤리

행해진 것에 대한 사후적 책임 부과와 관련되지 않고 행위되어야 할 것의 결정과 관련한 전혀 다른 책임의 개념이 있다. 이에 따르면 나는 나의 행동과 그 결과에 관해 책임 있다고 느끼는 것이 아니라 나의 행위로 인해 앞으로 발생할 사태에 관해 책임이 있다고 느낀다. 책임의 대상은 나의 밖에 놓여 있기는 하지만 나의 권력에 의존하고, 또 나의 권력에 의해 위협을 받음으로써 나의 권력의 작용 영역 안에 있다. …… 오늘날 필요한 책임의 윤리에 관해 말하면, 우리는 이러한 종류의 책임감을 말하는 것이지, 자신의 행위에 대한 모든 행위자의 형식적이고 공허한 책임을 말하는 것이 아니다.
　　　　　　　　　　　　　　　　　　　　　　　　　　　　－ 요나스, 「책임의 원칙」

요나스가 주장한 새로운 책임 윤리의 핵심은 단지 인간이 과거에 행했던 것에 대한 책임만이 아니라, 인간의 행위가 앞으로 발생시킬 문제를 예측하고 고려하여 그에 대한 책임도 지고자 하는 태도이다. 왜냐하면 인간은 과학 기술을 통해 미래의 자연환경과 인류에까지 영향을 미칠 수 있는 힘을 가지게 되었기 때문이다.

문제 로 확인할까?

프리츠 하버의 사례를 통해 알 수 있는 과학자에게 요구되는 태도로 적절하지 않은 것은?

① 내적 책임을 지는 태도
② 외적 책임을 지는 태도
③ 연구 윤리를 준수하는 태도
④ 연구 윤리로부터 자유로운 태도
⑤ 연구 결과에 대해 성찰하는 태도

④ 目

완자쌤의 탐구 강의

• 과학 기술자의 사회적 책임에 대한 오펜하이머와 하이젠베르크의 입장을 각각 서술해 보자.
오펜하이머는 과학 기술자에게는 과학 기술이 사회에 미치는 영향에 대한 책임이 없다고 본다. 반면 하이젠베르크는 과학 기술자는 과학 기술과 사회의 연관성을 고려해야 하며, 과학 기술이 가져온 결과에 대한 사회적 책임을 져야 한다고 본다.

함께 보기 119쪽, 1등급 정복하기 3

자료 하나 더 알고 가자!

요나스가 제시한 책임 윤리의 덕목

> 책임의 범위를 현세대로 한정하는 기존의 전통적 윤리관으로는 과학 기술 시대에 발생하는 문제를 해결하는 데 한계가 있다. 새롭게 요구되는 윤리는 과학 기술로 인한 상황을 적극적으로 반성하는 책임 윤리로서 두려움, 겸손, 검소, 절제, 성스러운 것에 대한 외경심 등의 덕목들이다.　－ 요나스, 「기술 의학 윤리」

요나스는 기존의 전통적인 책임 윤리가 현대의 과학 기술 사회에 적합하지 않다고 보고, 과학 기술이 발전한 시대에 새로운 책임 윤리를 확립해야 한다고 주장하였다.

1 과학 기술이 인류에게 가져다준 혜택으로 보기 어려운 것만을 〈보기〉에서 있는 대로 골라 기호를 쓰시오.

> 보기
> ㄱ. 기후 변화　　　　ㄴ. 물질적 풍요
> ㄷ. 생명의 수단화　　ㄹ. 시공간적 제약 극복

2 다음 설명에 해당하는 과학 기술을 바라보는 관점을 쓰시오.

> • 과학 기술의 발전을 낙관적으로 바라본다.
> • 인류가 과학 기술을 이용하여 사회의 모든 문제를 해결하고 무한한 부와 행복을 누릴 것이라고 본다.

3 다음 설명이 맞으면 ○표, 틀리면 ×표를 하시오.

(1) 야스퍼스는 기술을 수단으로 보고 과학 기술의 가치 중립성을 강조하였다. 　　　　　　　　　　　　(　　)

(2) 하이데거는 과학 기술의 발견과 활용 과정에 가치 판단이 필요하지 않다고 보았다. 　　　　　　　　　(　　)

(3) 과학 기술의 발전은 생명의 존엄성 훼손, 비인간화 현상 등 다양한 윤리 문제를 일으키고 있다. 　　　(　　)

(4) 현대의 과학 기술은 과거보다 더욱 발전하여 과학 기술이 미래에 가져올 결과를 정확히 예측할 수 있다. 　(　　)

4 과학 기술자의 책임과 그 의미를 옳게 연결하시오.

(1) 외적 책임 •　　　　• ㉠ 과학 기술자는 연구 윤리를 준수하며 연구 자체에 대한 책임을 져야 한다.

(2) 내적 책임 •　　　　• ㉡ 과학 기술자는 자신의 연구 결과가 사회에 미칠 영향에 대해 책임을 져야 한다.

5 요나스의 (　　　　)는 과거의 행위에 대한 책임에서 더 나아가 미래의 결과에 대한 책임까지 강조하는 것이다.

[01~02] 다음을 보고 물음에 답하시오.

과학 기술의 발전이 불러온 문제점	
환경 문제	자연을 개발하고 활용하는 과정에서 자원 고갈, 기후 변화, 동식물의 종(種) 감소, 생태계 파괴 등이 발생함
(가)	인터넷을 통해 개인 정보가 유출되고, 감시 카메라와 위치 추적 시스템 등을 이용한 감시와 통제가 가능해짐
(나)	생명 복제, 유전자 조작 등의 실험으로 생명체를 수단으로 여기게 됨
㉠ 비인간화 현상	인간을 위해 존재하는 과학 기술에 인간이 지나치게 의존하거나 종속됨

★중요
01 (가), (나)에 들어갈 말을 옳게 연결한 것은?

	(가)	(나)
①	시공간의 제약	인권 및 사생활 침해
②	인간의 주체성 약화	생명의 존엄성 훼손
③	생명의 존엄성 훼손	사이버 폭력
④	인권 및 사생활 침해	생명의 존엄성 훼손
⑤	인권 및 사생활 침해	인간의 주체성 약화

02 ㉠에 대한 설명으로 적절하지 않은 것은?

① 생산 현장에서 인간을 기계의 부품처럼 여긴다.

② 과학 기술에 의해 인간이 소외되어 주체성이 약화된다.

③ 컴퓨터나 휴대 전화에 지나치게 의존하는 현상을 예로 들 수 있다.

④ 과학 기술의 발달에 따른 대량 생산과 대량 소비로 쓰레기가 증가하고 환경이 오염되었다.

⑤ 과학 기술이 인간의 목적을 위해 통제되지 않고 기계가 인간을 지배하는 상황이 나타나면서 발생한다.

03 (가), (나)에서 공통으로 추론할 수 있는 과학 기술의 부정적 측면으로 가장 적절한 것은?

(가) 이것은 영국의 철학자 벤담이 죄수를 감시할 목적으로 제안한 원형 모양의 감옥 건축 양식이다. 이것은 감시자의 존재를 드러내지 않으면서 끊임없이 수용자를 감시할 수 있는 구조이다.
(나) 이것은 정보를 독점하고 사회를 통제하는 권력을 일컫는 말로, 조지 오웰의 소설 『1984』에 처음 등장하였다. 이것은 집안과 거리 곳곳에 설치된 '텔레스크린'으로 사람들의 행동을 감시하는 권력을 일컫는다.

① 대량 생산과 자동화는 생명을 도구화하여 인간의 존엄성을 훼손한다.
② 정보 통신 기술의 발전은 과학 기술에 대한 불신과 혐오를 가져왔다.
③ 누구나 인터넷을 통해 정보에 접근하기가 쉬워지자 정보의 가치가 하락하였다.
④ 시공간적 제약이 줄어들어 다양한 문화가 교류하면서 각 문화의 고유한 특징이 사라졌다.
⑤ 사회에 대한 거대한 감시 체제를 가능하게 하여 전자·정보 판옵티콘 사회가 도래할 수 있다.

04 다음 사례에 대한 옳은 설명을 〈보기〉에서 고른 것은?

18~19세기의 수공업 노동자들이 산업 혁명의 결과로 발명된 새로운 기계의 보급을 실업과 저임금의 원인으로 파악하여 기계를 파괴하였다.

ㅡ 보기 ㅡ
ㄱ. 과학 기술 혐오주의의 대표적인 사례이다.
ㄴ. 과학 기술의 부정적 측면만을 강조하는 관점이 드러나 있다.
ㄷ. 기후 변화와 생태계 파괴 등 환경 문제에 대한 반발로 일어난 운동이다.
ㄹ. 과학 기술의 긍정적 측면을 발전시키고 부정적 측면을 비판적으로 성찰하여 최소화하려는 입장이다.

① ㄱ, ㄴ ② ㄱ, ㄷ ③ ㄴ, ㄷ
④ ㄴ, ㄹ ⑤ ㄷ, ㄹ

05 갑, 을의 입장에 대한 설명으로 옳은 것은?

갑: 기술은 수단일 뿐이며 그 자체로 선도 아니고 악도 아닙니다. 과학 기술이 선한지 악한지는 인간이 기술로부터 무엇을 만들어 내고, 기술을 어디에 사용하고, 어떤 조건에서 기술이 만들어지느냐에 달려 있습니다.
을: 과학 기술은 좀처럼 상상하지 못하는 방식으로 우리들의 존재를 철저하게 지배하고 있습니다. 최악의 경우 과학 기술을 가치 중립적인 것으로 고찰할 때, 우리는 무방비 상태로 과학 기술에 내맡겨집니다.

① 갑은 과학 기술의 가치 중립성을 인정한다.
② 갑은 과학 기술에 대해 가치 판단을 해야 한다고 본다.
③ 을은 과학 기술을 가치 중립적인 것으로 고찰해야 한다고 본다.
④ 을은 과학 기술에는 윤리적 판단이 개입되어서는 안 된다고 본다.
⑤ 갑과 을은 모두 과학 기술의 결과에 대한 책임이 과학자에게 있다고 본다.

06 갑에 비해 을이 더욱 강조할 내용으로 가장 적절한 것은?

나는 과학 기술이 객관적인 사실의 영역이니까 가치 중립적이라고 생각해.

과학 기술의 정당화 과정과 달리, 발견과 활용의 과정에서는 가치 중립성이 타당하다고 할 수 없어.

갑   을

① 과학 기술의 연구 과정은 가치 중립적이다.
② 과학자는 연구 결과에 대한 책임이 전혀 없다.
③ 과학 기술의 정당화 과정에는 가치가 개입되어야 한다.
④ 과학 기술을 활용하는 과정에서는 가치 판단을 해야 한다.
⑤ 과학 기술은 어떠한 가치 판단도 하지 않을 때 발전한다.

07 (가)에 들어갈 내용으로 적절하지 <u>않은</u> 것은?

> 과학 기술을 개발하고 활용하는 과정은 가치 평가에 의해 규제되어야 하며, 과학 기술의 자유 역시 다른 자유처럼 윤리적 책임과 정당화 의무를 져야 한다. 왜냐하면
> _____(가)_____

① 연구 대상이 정치적, 경제적 목적에 따라 결정될 수 있기 때문이다.

② 과학 기술의 활용 과정에 과학자 개인의 가치관이 개입될 수 있기 때문이다.

③ 인간이나 자연에 피해를 줄 수 있는 과학 기술을 연구 대상으로 삼을 수 있기 때문이다.

④ 개발된 과학 기술의 파급력이 현세대뿐만 아니라 미래 세대에까지 영향을 미치기 때문이다.

⑤ 과학 기술의 이론은 객관적인 관찰과 실험, 논리적 사고 등을 통해 검증되어야 하기 때문이다.

08 ★중요 다음은 과학 기술의 가치 중립성 논쟁에 대한 필기 내용이다. ㉠~㉤ 중 옳은 것은?

과학 기술의 가치 중립성 논쟁	
과학 기술의 가치 중립성을 강조하는 입장	• 과학 기술의 연구는 객관적인 진리 탐구를 주된 활동으로 하는 학문적 목적에서 이루어짐 → 특정 가치가 개입해서는 안 됨 ……… ㉠ • 연구 결과를 미리 판단할 수 없음 → 과학 기술에 대한 윤리적 평가가 개입해야 함 …… ㉡ • 과학 기술의 결과에 대한 책임: 과학 기술을 연구하는 사람 ………………………… ㉢
과학 기술의 가치 중립성을 부정하는 입장	• 과학 기술은 정치, 경제 등 사회적 요인들과 결합하여 발전하고 내용적 제약을 받음 → 가치 판단을 배제하여 객관성을 확보해야 함 …… ㉣ • 과학 기술을 연구하거나 발견, 활용하는 주체는 모두 인간임 → 과학 기술과 도덕적 가치를 분리해야 함 ……………………………… ㉤

① ㉠   ② ㉡   ③ ㉢   ④ ㉣   ⑤ ㉤

09 현대 과학 기술이 발전하면서 사회적 책임이 커지는 근거로 적절하지 <u>않은</u> 것은?

① 과학 기술이 미래에 어떤 영향력을 미칠지 정확히 예측하기 어렵다.

② 과학 기술의 결과는 장기간에 걸쳐 광범위한 영역에 영향을 줄 수 있다.

③ 과학 기술이 과학자의 의도나 사용 목적과 다르게 부정적인 영향을 미칠 수 있다.

④ 과학 기술이 미래에 가져올 무한한 가능성이 윤리적 규제에 의해 훼손될 수 있다.

⑤ 과학 기술의 적용에 대한 요구가 커져서 비윤리적인 과학 기술의 개발과 적용을 막기 어렵다.

10 갑보다 을이 더욱 강조할 과학 기술자의 태도만을 〈보기〉에서 있는 대로 고른 것은?

> 갑: 과학 기술자는 과학적·윤리적 절차와 방법에 따라 학문적 지식을 추구하고 연구 과정에서 부정행위를 절대 하지 않는 것이 가장 중요해.
> 을: 그뿐만 아니라 과학 기술자는 자신의 연구나 개발 활동이 사회에 미칠 영향력을 인식하여 연구와 개발, 그 활용에 관한 사회적 책임도 져야 해.

보기
ㄱ. 과학 기술 연구 윤리를 준수해야 한다.
ㄴ. 엄격한 자기 검열의 자세를 가져야 한다.
ㄷ. 자신의 연구 활동이 인간의 존엄성을 구현하고 삶의 질 향상을 위한 것인지 성찰해야 한다.
ㄹ. 선한 의도로 시작한 연구일지라도 사회적으로 해로운 결과가 예상되면 연구를 중단해야 한다.

① ㄱ, ㄴ   ② ㄱ, ㄷ   ③ ㄴ, ㄹ
④ ㄷ, ㄹ   ⑤ ㄱ, ㄷ, ㄹ

11 밑줄 친 부분에 해당하는 적절한 사례만을 〈보기〉에서 있는 대로 고른 것은?

> 과학 기술의 부작용을 최소화하려면 과학 기술자 개인의 노력뿐만 아니라 사회적 차원의 노력, 시민 차원의 노력도 함께해야 한다.

보기
ㄱ. 정부에서 기술 영향 평가 제도를 철저하게 시행한다.
ㄴ. 과학 기술을 연구하고 활용하는 전 과정을 독립적인 영역으로 인정한다.
ㄷ. 국가의 각종 윤리 위원회 활동으로 과학 기술 연구에 대한 윤리적 규제를 강화한다.
ㄹ. 과학 기술의 연구와 개발 과정에서 시민의 참여와 합의가 이루어질 수 있는 제도적 장치를 마련한다.

① ㄱ, ㄴ   ② ㄴ, ㄷ   ③ ㄷ, ㄹ
④ ㄱ, ㄷ, ㄹ   ⑤ ㄱ, ㄴ, ㄷ, ㄹ

12 다음과 같이 주장한 사상가의 견해로 옳지 <u>않은</u> 것은?

> 행해진 것에 대한 사후적 책임 부과와 관련되지 않고 행위되어야 할 것의 결정과 관련한 전혀 다른 책임의 개념이 있다. 이에 따르면 나는 나의 행동과 그 결과에 관해 책임이 있다고 느끼는 것이 아니라 나의 행위로 인해 앞으로 발생할 사태에 관해 책임이 있다고 느낀다.

① 과학 기술 시대에 적합한 책임 윤리를 확립해야 한다.
② 윤리적 책임의 범위를 인간과 현세대로 한정해야 한다.
③ 윤리적 책임의 범위를 인간뿐만 아니라 자연으로까지 확장해야 한다.
④ 과학 기술의 발전이 미래에 끼치게 될 결과를 예견하여 윤리적 책임을 져야 한다.
⑤ 기존의 전통 윤리관으로는 과학 기술 시대에 발생하는 문제를 해결하는 데 한계가 있다.

서술형 문제

● 정답친해 30쪽

01 (가)에 들어갈 과학 기술을 바라보는 바람직한 태도를 서술하시오.

> 인간은 과학 기술이 주는 풍요와 편리함이라는 혜택을 누리면서도, 한편으로는 인간을 압도하는 과학 기술의 발달에 대한 두려움 속에서 '좋지만 두려운' 이중적 감정에 빠져 있다. 과학 기술은 긍정적·부정적 측면을 동시에 지닌다. 따라서 _____(가)_____

길잡이 과학 기술의 긍정적 측면과 부정적 측면을 모두 고려하여 서술한다.

02 다음을 읽고 물음에 답하시오.

> (가) 과학자는 개발하는 연구자로서 할 수 있는 것을 할 뿐이며, 원자 폭탄에 대한 책임은 연구자가 아닌 사용자의 몫이다. 이제 우리는 원자 폭탄의 다음 단계인 수소 폭탄을 개발해야 한다.
>
> (나) "기술은 양날의 칼이다."라는 주장은 기술이 선하거나 악한 방향으로 사용될 수 있으며, 기술의 오용은 이를 오용한 사람의 잘못이지 과학 기술자의 잘못이 아니라는 의미를 함축한다. 그러나 어떤 기술은 분명히 그것의 가치가 뚜렷하게 한쪽으로 기울어진 경우도 있다. 전쟁에서 사용되는 총이 사람을 죽이는 데 사용되듯이, 우리는 원자 폭탄의 '좋은 사용'을 상상하기 힘들다.

(1) 과학 기술의 가치 중립성에 대한 (가)의 입장을 쓰시오.

(2) (나)의 입장에서 (가)의 입장을 비판하시오.

길잡이 과학 기술의 이론적 정당화 맥락과 발견 및 활용의 맥락을 구분하여 가치 판단 여부를 서술한다.

평가원 응용

1 그림의 강연자가 강조하는 내용만을 〈보기〉에서 있는 대로 고른 것은?

> 기술은 기술을 실현시키는 존재와는 독립된 것으로서 단지 도구에 불과한 것이며, 그 자체는 선도 아니고 악도 아닙니다. 기술이 스스로 인간에게 광기를 부릴 수 있다든가, 기술에 의해 인간이 부품화될 수 있다는 말은 터무니없는 주장입니다. 중요한 것은 인간이 기술을 어떻게 사용하고, 인간이 기술을 어떤 조건 아래 놓는가 하는 것입니다.

> **보기**
>
> ㄱ. 기술의 부정적 결과는 인간에 의해 생겨날 수 있다.
> ㄴ. 기술 자체를 도덕 판단의 대상으로 보아서는 안 된다.
> ㄷ. 기술은 인간과 사회를 지배하려는 속성을 지닌 악이다.
> ㄹ. 인간은 기술로부터 어떠한 좋은 것도 만들어 낼 수 없다.

① ㄱ, ㄴ　　　　　② ㄱ, ㄹ　　　　　③ ㄷ, ㄹ
④ ㄱ, ㄴ, ㄹ　　　　⑤ ㄴ, ㄷ, ㄹ

> ▶ **과학 기술의 가치 중립성에 대한 논쟁**
>
> **완자샘의 시험 꿀팁**
>
> 과학 기술의 가치 중립 및 가치 판단과 관련된 문제가 자주 출제되고 있다. 따라서 각 입장을 대표하는 철학자들의 견해와 더불어 과학 기술의 맥락에 따른 가치 판단 개입 여부를 잘 알아 두면 과학 기술의 가치 중립과 관련된 문제를 푸는 데 도움이 된다.

2 (가) 사상가의 입장에서 (나) 사상가에게 제시할 조언으로 적절하지 <u>않은</u> 것은?

> (가) 프로메테우스는 과학을 통해 이제까지 알려지지 않았던 힘을 부여받아 마침내 사슬로부터 풀려났지만, 그는 자신의 힘이 불행을 자초하지 않도록 스스로를 제어해야 한다.
>
> (나) 과학은 관찰과 실험에 기초해 자연을 객관적으로 이해한다. 우리는 이러한 과학을 활용하여 자연을 지배하고 통제함으로써 인간의 복지를 무한히 증대할 수 있다.

① 과학 기술에 대한 윤리적 성찰이 필요하다.
② 과학 기술은 가치의 문제로부터 자유로울 수 없다.
③ 과학 기술의 부정적 결과를 막기 위해 윤리적 통제가 필요하다.
④ 과학 기술은 경제적 생산성과 효율성을 증진하는 데 기여해야 한다.
⑤ 과학 기술의 발전이 가져온 부정적 영향에 대해 경각심을 가져야 한다.

> ▶ **과학 기술의 사회적 책임**

3 갑은 부정, 을은 긍정의 대답을 할 질문으로 가장 적절한 것은?

> 갑: 내가 원자 폭탄을 만든 것은 사실이지만, 원자 폭탄의 사용에 대한 결정은 전적으로 정치인들이 내린 것이다. 나는 나에게 주어진 역할에 충실했을 뿐이다.
>
> 을: 핵분열 이론을 연구한 사람은 원자 폭탄 투하의 책임이 없다. 그러나 원자 폭탄을 만든 사람은 다르다. 과학자는 자신의 연구 활동을 사회와의 연관성 안에서 생각해야 한다. 원자 폭탄을 만든 미국의 원자 물리학자들은 정치적인 영향력을 행사하는 데 너무 소극적이었다는 비난을 피할 수 없을 것이다. 그들은 연구 초기부터 이미 원자 폭탄의 역효과를 충분히 알고 있었을 것이기 때문이다.

① 과학자의 책임은 내적 책임만으로도 충분한가?
② 과학자는 가치 중립적 입장에서 연구해야 하는가?
③ 과학자는 연구에 대한 사회적 책임에서 자유로운가?
④ 과학자는 객관적인 방법으로 연구를 진행해야 하는가?
⑤ 과학자는 과학 기술의 개발과 활용에 대한 책임을 져야 하는가?

> ▶ **과학 기술자의 사회적 책임에 대한 논쟁**

4 다음 사상가의 입장으로 가장 적절한 것은?

> 우리에게는 악의 인식이 선의 인식보다 무한히 쉽다. 선은 눈에 띄지 않게 존재하며 반성을 하지 않으면 인식될 수 없지만, 악의 현존은 우리에게 인식을 강요한다. 우리가 실제로 무엇을 보호해야 하는가를 알아내기 위해 새로운 윤리학은 공포를 논의 대상으로 삼아야 한다. 인간 행위의 새로운 유형에 적합하고 새로운 유형의 행위 주체를 지향하는 명법은 다음과 같다. "너의 행위의 효과가 지상에서의 진정한 인간적 삶의 지속과 조화될 수 있도록 행위하라."

① 사후적 책임뿐만 아니라 사전적 책임도 중시해야 한다.
② 새로운 윤리학은 선에 대한 인식으로부터 출발할 필요가 있다.
③ 자연의 자정 능력을 넘어서 과학 기술의 발전을 추구해야 한다.
④ 새로운 윤리학은 "A이면 B하라."라는 형식의 명법만을 지향한다.
⑤ 과학 기술의 부정적인 영향보다 긍정적인 영향에 주목해야 한다.

> ▶ **요나스의 책임 윤리**
>
> **완자쌤의 시험 꿀팁**
> 요나스의 책임 윤리는 빈출 주제로, 최근에는 공포의 발견술과 과학 기술 단원을 연계한 문제가 자주 출제되고 있으므로 관련 내용을 숙지해 두어야 한다.

02 정보 사회와 윤리

이것이 핵심!

정보 사회의 윤리적 문제와 정보 윤리

윤리적 문제	• 사이버 폭력: 사이버 따돌림, 사이버 명예 훼손, 사이버 모욕, 사이버 스토킹, 사이버 성폭력 등 • 저작권 침해: 타인의 저작물을 무단으로 이용하여 저작권자의 권리를 침해하는 것 • 사생활 침해: 자신의 의사와 무관하게 개인 정보가 유출되어 악용되는 것
정보 윤리	존중, 책임, 정의, 해악 금지

★ **사이버 따돌림(cyber bullying)**
인터넷, 휴대 전화 등 정보 통신 기기를 이용해 특정인의 개인 정보나 그에 대한 허위 사실을 유포해 지속적·반복적으로 공격을 하는 행위, 또는 온라인 그룹에서 고의로 특정인을 배제하여 상대방이 고통을 느끼도록 하는 행위

★ **저작권**
문학, 예술, 학술과 관련된 창작물에 대하여 저작자가 가지는 권리

★ **잊힐 권리**
온라인상에서 자신과 관련된 모든 정보에 대한 삭제 및 확산 방지를 요구할 수 있는 정보 주체의 자기 결정권 및 통제 권리이다. 개인 정보를 비롯하여 자신이 드러내기를 원하지 않는 민감한 정보들이 온라인상에서 많은 사람에게 공개되지 않아야 한다는 생각이 확산하면서 등장하였다.

★ **피싱(phishing)**
불특정 다수에게 메일을 발송해 위장된 홈페이지로 접속하게 한 뒤 인터넷 이용자들의 금융 정보 등을 빼내는 것

★ **파밍(pharming)**
사용자가 자신의 웹브라우저에서 정확한 웹 페이지 주소를 입력해도 가짜 웹 페이지에 접속하게 하여 개인 정보를 훔치는 것

① 정보 통신 기술의 발달과 정보 윤리

1. 정보 통신 기술의 발달에 따른 긍정적 변화
— 정보의 수집, 처리, 전달과 관련된 일이 경제 활동의 중심이 되고, 그로 인해 정보와 지식의 중요성이 커지고 있어.

(1) **삶의 편의성 향상**: 인터넷을 통해 일상적인 활동이나 업무를 처리할 수 있게 됨

(2) **전문적인 지식 습득**: 정보 통신 매체를 통해서 의학, 법률 등의 정보를 쉽게 얻을 수 있게 됨

(3) **사회 참여 기회의 확대**: 가상 공간에서 자신의 의견을 자유롭게 표현하고, 청원이나 서명 운동 등의 정치적 의사 결정 과정에 직접 참여하여 영향을 미칠 수 있게 됨

(4) **다양성이 존중되는 사회 분위기 조성**: 다양한 문화에 대한 이해의 폭이 넓어지고, 가상 공간에서 다양한 의견을 주고받음으로써 사회가 더욱 수평화·다원화됨

2. 정보 통신 기술의 발달에 따른 윤리적 문제
꼭! 가상 공간에서는 개인이 다양한 활동을 하면서 자신의 의견을 자유롭게 표현할 수 있는 '표현의 자유'가 있지만, 이를 근거로 다른 사람의 인권을 침해하거나 사회 질서를 훼손해서는 안 돼.

(1) **사이버 폭력**

의미	가상 공간에서 상대방이 원하지 않는 언어, 이미지 등을 이용하여 정신적·심리적 피해를 주는 행위로, 사이버 따돌림, 사이버 명예 훼손, 사이버 모욕, 사이버 스토킹, 사이버 성폭력 등이 있음
문제점	• 익명성을 활용하여 은밀하고 가혹한 폭력이 행해짐 • 정보가 쉽고 빠르게 복제·유포되고 한번 유포된 정보를 수정하거나 회수하기가 어려워 피해자에게 지속적인 고통을 줌 • 가해자가 피해자의 고통을 직접 목격하기 어려워 폭력의 심각성을 인식하지 못할 수 있음

(2) **저작권 침해** — 저작물에 대한 경제적 대가를 보호하는 재산적 측면과 저작권자의 의사를 존중하는 인격적 측면을 포함해.

의미	저작권법에 의해 배타적으로 보호되는 저작물을 무단으로 이용하여 저작자의 권리를 침해하는 행위 예 표절이나 무단 복제·유포·불법 다운로드 등이 해당해.
문제점	저작자의 창작 의욕을 감소시키고 양질의 정보를 생산할 수 없게 만듦
저작권에 관한 두 입장	**저작권 보호 (copyright)**: • 창작자의 노력에 대한 정당한 대가를 지불해야 함 • 창작자의 노력에 대한 경제적 이익을 보장함으로써 창작 의욕을 높여 정보의 질적 수준이 향상됨
	정보 공유 권리 (copyleft) 자료① : • 저작물은 개인의 자산인 동시에 인류 공동의 자산임 • 저작물이 모든 사람의 공동선을 위해 활용되어야 하며, 정보를 공유할 때 정보의 질적 발전이 가능함

잠깐! 과도한 저작권 행사는 교육, 소득 수준, 성별, 지역 등의 차이로 정보에 대한 접근과 이용이 차별되어 경제적·사회적 불균형이 발생하는 현상인 '정보 격차'에 따른 불평등을 초래한다고 주장해.

(3) **사생활 침해**

의미	자신의 의사와 무관하게 개인 정보가 다른 사람에게 노출되거나 악용되는 것
문제점	개인의 자유로운 활동과 행복 추구를 방해하여 인간의 존엄성을 해침
★잊힐 권리	개인의 사생활 보호를 위해 등장한 것으로, 정보의 유통 과정 전체에서 개인이 결정하고 통제하는 권한을 가져야 한다는 '정보 자기 결정권'을 중시하면서 강조되고 있음 교과서 자료

vs 국민이 정치, 사회 현실 등에 관한 정보를 자유롭게 얻을 수 있는 '알 권리'와 대립해.

3. 정보 사회에서 요구되는 정보 윤리 자료②
— 스피넬로는 정보 윤리의 기본 원칙으로 '자율성, 해악 금지, 선행, 정의의 원리'를 제시하였어.

존중	가상 공간에서는 타인의 인격과 사생활, 그리고 저작물을 존중해야 함
책임	정보가 자유롭게 제작·유통되므로 자신의 행동이 가져올 결과를 신중히 생각하고 행동해야 함
정의	타인의 기본적 자유와 권리를 침해하지 않고, 정보의 진실성과 공정성을 추구해야 함
해악 금지	사이버 폭력, ★피싱과 ★파밍, 해킹과 바이러스 유포 등의 행동으로 타인과 사회에 해악을 끼쳐서는 안 됨

— 현실에서 지켜야 할 바람직한 삶의 자세와 크게 다르지 않아.

완자 자료 탐구

자료 ① 정보 통신 기술 발달에 따른 정보 공유 문제

> 컴퓨터 시스템 전반을 제어하는 운영 체제인 리눅스(Linux)를 개발하여 이를 무료로 공개한 소프트웨어 개발자야.

"새로운 운영 체제(OS)를 만들었습니다. 사용해 보고 어떤 점이 좋은지 꼭 평을 남겨 주세요." 토르발스는 사람들에게 메일을 보내 새로운 운영 체제에 대한 의견을 남겨 달라고 부탁하였다. 새로운 버전이 나오면 사람들은 자발적으로 참여하여 프로그램에 무엇이 부족한지, 어떤 기능이 들어갔으면 좋을지를 알려 주었다. 사람들이 지적한 내용은 새로운 운영 체제를 만드는 데 중요한 길잡이가 되었다. 그가 만든 운영 체제는 결코 혼자 만드는 것이 아니다. 그래서 그는 운영 체제에 대한 재산권을 주장하지 않는다. "나는 경제적인 요인에 의해 모든 것이 결정되지 않는 기술 세계를 원합니다. 나는 언젠가 지적 재산권법으로 이익을 얻는 사람이 아닌 도덕의 지배를 받는 날이 올 것이라는 꿈을 가지고 있습니다."라고 그는 강조한다. – 토르발스, 「리눅스, 그냥 재미로」

토르발스는 저작권 문제에 대하여 사회적 산물인 정보에 대한 권리를 공유해야 하며, 저작물이 모든 사람의 공동선을 위해 활용되어야 한다고 본다.

수능이 보이는 교과서 자료 잊힐 권리에 대한 법원의 판결

> 2014년 유럽 사법 재판소는 스페인 변호사 곤잘레스가 청구한 '자신에 대한 구글 검색 결과 삭제 요구'에 대해 해당 정보를 노출해도 문제가 없는 합법적인 정보라고 해도, 개인이 요청하면 공익과 비교하여 정보를 삭제해야 한다고 판결하였다.
> 이러한 판결과 더불어 최근 개인의 신상 정보를 온라인에 공개하고 이를 퍼뜨리는 '신상 털기와 퍼 나르기' 피해 사례가 속출하고 있는 만큼, 잊힐 권리의 법제화 요구가 더욱 거세어지고 있다.
> – 아이티투데이, 2016. 5. 11.

제시된 글은 잊힐 권리에 대한 최근의 판결 사례이다. 잊힐 권리는 정보의 자기 결정권을 강조하여 온라인상에서 자신이 공개를 원하지 않는 민감한 정보를 삭제할 수 있는 근거가 되고 있다. 그러나 잊힐 권리를 지나치게 강조하면 공공성을 지닌 정보나 기록물까지 삭제함으로써 이용자의 정보 접근권이나 알 권리를 침해할 우려가 있어 찬반 의견이 엇갈린다.

자료 ② 정보 윤리의 기본 원칙

- 자율성의 원리: 스스로 도덕 원칙을 수립하여 행동하고 타인의 자기 결정 능력을 존중해야 한다.
- 해악 금지의 원리: 남에게 해악을 끼치거나 상해를 입히는 일을 피해야 한다.
- 선행의 원리: 타인의 복지를 증진하는 방향으로 행동해야 한다.
- 정의의 원리: 공정한 기준에 따라 혜택이나 부담을 공정하게 배분해야 한다.
  – 스피넬로, 「사이버 윤리」

스피넬로가 제시한 정보 윤리의 기본 원칙은 존중, 책임, 정의 등의 전통적 가치와 밀접한 관련을 맺고 있다. 정보 사회에서 우리는 가상 공간에서도 현실 공간에서처럼 타인의 인권을 존중하고, 익명성을 이용하여 타인에게 해를 끼치거나 무책임한 행동을 해서는 안 된다. 나아가 정보로 인해 발생하는 부담이나 혜택을 공정하게 배분해야 한다.

정리 | 비법을 알려줄게!

저작권에 관한 두 입장

저작권 보호를 주장하는 입장
• 창작자가 정보 생산에 들인 시간과 노력, 비용에 대하여 대가를 지불해야 함
• 창작자의 창작 의욕을 높이고 정보의 질적 수준을 향상할 수 있음
• 정보의 자유로운 교류를 방해할 수 있음

정보 공유를 주장하는 입장
• 지적 창작물은 공공재이며, 이러한 공공재는 공동체의 이익을 위해 사용해야 함
• 사회 구성원이 정보와 지식을 공유하고 활용할 때 더욱 의미와 가치가 있음
• 창작자의 노력을 충분히 고려하지 못하고 창작물의 질적 수준이 낮아질 수 있음

완자샘의 탐구 강의

- 잊힐 권리를 지나치게 강조할 경우 발생할 수 있는 문제점을 서술해 보자.
잊힐 권리를 지나치게 강조하다 보면, 공공성을 지닌 정보나 기록물까지 삭제함으로써 이용자의 정보 접근권이나 알 권리를 침해할 수 있다.

함께 보기 129쪽. 1등급 정복하기 3

문제로 확인할까?

스피넬로가 제시한 정보 윤리의 기본 원칙에 해당하지 않는 것은?

① 선행의 원리
② 정의의 원리
③ 자율성의 원리
④ 해악 금지의 원리
⑤ 알 권리 존중의 원리

⑤ 답

02 정보 사회와 윤리

뉴 미디어의 특징과 뉴 미디어 시대의 매체 윤리

뉴 미디어의 특징	• 상호 작용화 • 비동시화 • 탈대중화 • 능동화 • 디지털화
뉴 미디어 시대의 매체 윤리	• 진실 보도 • 표절 금지 • 타인의 인격 존중 • 공정한 편집과 편성 • 미디어 리터러시 함양 • 사용자 간의 대화와 협력, 정보의 비판적·능동적 수용

★ **매체**
정보를 전달하기 위한 수단이나 방법을 말한다. 신문, 서적 등의 인쇄 매체와 텔레비전, 라디오 등의 방송 매체, 인터넷, 누리 소통망(SNS), 팟캐스트(podcast) 등의 디지털 매체에 이르기까지 여러 매체가 있다.

★ **알 권리**
국민 개개인이 자신이 처한 사회적 현실과, 자신과 이해관계에 있는 정치적·사회적 사실을 알기 위해 공공 기관이나 민간 기업에 관한 정보를 요구하고 접근할 수 있는 권리

★ **인격권**
인간의 존엄성에 바탕을 둔 사적 권리로, 인격적 이익을 기본 내용으로 하며 그 주체만이 행사할 수 있는 권리이다. 자신의 성명을 사용하는 것에 관한 권리인 성명권, 자신의 초상에 관한 독점적인 권리인 초상권, 사생활을 침해당하지 않을 권리인 사생활권, 자신의 저작물에 대해 갖는 권리인 저작 인격권 등이 있다.

★ **미디어 리터러시(media literacy)**
정보 사회에서 매체를 사용하고 이해하는 데 필요한 기본적인 읽기 및 쓰기 능력

② 정보 사회의 매체 윤리

1. 대중 *매체의 의미와 영향력 ┌─ 예 텔레비전, 라디오, 신문, 인터넷 등이 있어.

(1) 대중 매체의 의미: 불특정 다수를 대상으로 정보를 전달하는 매체

(2) 대중 매체의 영향력

순기능	역기능
• 각종 정보 제공 • 정보가 갖는 의미를 해석하고 평가 • 한 사회의 전통과 가치, 규범 등을 다음 세대에 전수 • 사회 구성원에게 휴식과 오락을 즐길 수 있는 기회 제공	• 각종 위험 정보가 심리적 긴장감이나 공포 유도 • 편견이 개입된 정보의 전달과 불공정 보도 • 사회의 다양성과 창의성 저하 • 사회적·정치적 문제에 대한 대중의 무관심 초래

┌─ 우리는 뉴 미디어를 통해 실시간으로 정보를 공유하거나 토론을 하며 여론을 형성하기도 해. 뉴 미디어의 활용은 정보 교환과 의사소통의 양을 증가시키고, 사람들의 사회적 거리를 좁히며, 참여 민주주의를 가능하게 해.

2. 뉴 미디어의 등장과 문제점

(1) 뉴 미디어의 의미: 정보 통신 기술의 발전으로 기존 매체가 인터넷이나 모바일 기기와 결합하면서 등장한 전자 신문, 인터넷 방송, 디지털 위성 방송, 지상파 디엠비(DMB) 등

(2) 뉴 미디어의 특징 (자료 3) ┌ **VS** 뉴 미디어와 달리, 기존 매체는 권위 있는 전문가가 대규모의 조직을 바탕으로 일정한 시간 간격을 두고 정보를 제작·생산해서 대중에게 일방적으로 전달했어.

상호 작용화	송수신자 간 쌍방향적인 의사소통이 이루어짐
비동시화	정보 교환에서 송수신자가 동시에 참여하지 않아도 수신자가 원하는 시간에 정보를 볼 수 있음
탈대중화	대규모 집단에 획일적 메시지를 전달하는 방식에서 벗어나 특정 대상과 특정 정보를 상호 교환할 수 있음
능동화	사용자가 정보를 생산·유통·소비하는 동시에 감시의 역할도 할 수 있어서 능동적으로 활동할 수 있음 ┌ 디지털화의 진행으로 정보는 미디어의 종류와 관계없이 매체와 독립적으로 활용 가능해졌어.
디지털화	모든 정보를 디지털화함으로써 정보를 신속하고 정확하게 처리할 수 있음 ─┘

(3) 뉴 미디어의 문제점

① 전문성이 검증되지 않은 정보가 많음 ┌─ 인터넷의 급속한 발달로 쏟아져 나오는 많은 정보 중에서 불필요하거나 허위인 정보들이 대기 오염의 주범인 스모그처럼 가상 공간에 문제를 일으킨다는 뜻의 '데이터 스모그'라는 용어도 생겼어.

② 허위 정보나 음란 및 각종 유해 정보를 전달하기도 함

③ 폭력적이고 자극적인 정보로 이윤을 추구하기도 함

┌─ 꼭! 뉴 미디어상에서도 표현의 자유에는 한계가 있다는 것을 인식하고, 사회의 소수자 보호와 공익이나 국익 증진도 고려해야 해. 매체는 다양한 주체와 관련되므로 이해관계를 조정하는 사회 제도적 장치를 마련할 필요도 있어.

3. 뉴 미디어 시대에 필요한 매체 윤리

(1) 정보의 생산 및 유통 과정에서 필요한 윤리 (자료 4)

진실 보도	있는 그대로의 사실을 시민에게 전달하는 진실한 태도를 갖추어야 함
공정한 편집과 편성	의견을 표명할 때 관련된 내용을 동등하고 균형 있게 취급하는 객관성과 공정성이 필요함
타인의 인격 존중	시민의 *알 권리 충족 과정에서 특정 개인의 명예, 사생활, *인격권을 침해하지 않도록 유의해야 함 (자료 5)
표절 금지	원작자의 권리와 소중한 재산을 침해하지 않도록 주의해야 함

(2) 정보의 소비 과정에서 필요한 윤리

*미디어 리터러시	매체를 비판적으로 이해하고 활용하며 자신이 찾아낸 정보의 가치를 제대로 평가하기 위한 비판적 사고 능력을 갖추어야 함
시민 의식	사용자 상호 간에 대화하고 교류하며 서로 협력하는 자세가 필요함
정보의 비판적·능동적 수용	매체가 제공하는 정보의 진실성을 판단하여 수용하고, 매체가 공정하고 객관적인 정보를 제공하는지 적극적으로 감시해야 함

자료 ③ 뉴 미디어를 활용한 전자 민주주의

> 인터넷과 모바일 같은 정보 통신 기술을 이용해 국민이 정치 과정에 직접 참여하는 민주주의를 전자 민주주의라고 한다. 국민은 인터넷을 이용해서 구청이나 시청은 물론 국회의원, 대통령에게도 자신의 생각과 의견을 전달할 수 있게 되었다. 정치가도 자신의 정치적 신념이나 정책을 알리기 위해 홈페이지를 만들고 국민에게 자신이 한 일을 알릴 수 있게 되었다. 유권자는 인터넷 토론 게시판에서 서로 정치적 의견을 나누고, 인터넷이나 모바일을 이용해 투표를 할 수 있다.

뉴 미디어의 특징 중 하나는 일방적으로 정보를 전달하던 기존의 매체와 다르게 정보의 양방향 소통이 가능해졌다는 것이다. 또한 사용자들이 실시간으로 정보를 공유하거나 토론할 수 있게 하며, 나아가 여론을 형성하게 하기도 한다. 이러한 특징은 사람들이 자신의 의사를 공무원이나 공직자에게 직접 전달할 수 있도록 하여 참여 민주주의를 가속화하였다.

자료 ④ 언론인에게 필요한 도덕적 사유

> 분별력은 '정당한 것과 정당하지 못한 것을 직관적으로 구별하는 능력'으로, 이는 여러 이해관계자의 이해관계를 균형 있게 고려하는 도덕적 사고를 요구한다. 언론인은 사적 정보의 공개가 사람들의 호기심 충족을 위한 행위인지, 아니면 시민 사회를 위한 행위인지를 판단하기 위해서 도덕적인 사유를 해야 한다.
> – 패터슨, 윌킨스, 『미디어 윤리의 이론과 실제』

제시된 글은 사적 정보를 공개함에 있어서 언론인에게 요구되는 도덕적 자세를 다루고 있다. 최근 몰래카메라나 파파라치 등을 통한 취재 행위가 늘어나고 있다. 언론인은 이것이 단순히 사람들의 호기심을 충족하기 위함인지, 아니면 공익을 위한 것인지 성찰하고 개인의 사생활을 불필요하게 침해하지 않도록 주의를 기울여야 한다.

자료 ⑤ 밀이 강조한 표현의 자유
영국의 공리주의 철학자로, 다른 사람에게 피해를 주지 않는 한 개인은 최대한 자유를 누릴 수 있다고 주장하였다.

> 전체 인류 가운데 단 한 사람이 다른 생각을 가지고 있다고 해서, 그 사람에게 침묵을 강요하는 일은 옳지 못하다. 이것은 어떤 한 사람이 자기와 생각이 다르다고 나머지 사람 전부에게 침묵을 강요하는 일만큼이나 용납될 수 없는 것이다. …… 그러나 다른 사람들이 옳지 못한 행동을 하도록 하는 데 직접적인 영향을 끼칠 수 있는 상황이라면, 의견의 자유도 무제한적으로 허용될 수는 없다. 어떤 종류의 행동이든 정당한 이유 없이 다른 사람에게 해를 끼치는 것은 강압적인 통제를 받을 수 있으며, 사안이 심각하다면 반드시 통제해야 한다. 나아가 필요하다면 사회 전체가 적극적으로 간섭해야 한다.
> – 밀, 『자유론』

밀에 따르면, 인간은 누구나 자유롭게 자신의 의견을 가질 수 있고, 그것을 표현할 수 있으며, 그것이 잘못되었을지라도 표현의 자유를 억압받아서는 안 된다. 그러나 밀은 표현의 자유가 다른 사람에게 해를 끼치는 경우에는 그 자유를 제한할 수 있다고 하였다. 누구에게나 표현의 자유는 보장되어야 하지만, 그것이 자기 마음대로 할 수 있는 무제한적이고 방종적인 자유를 허용한다는 의미는 아니라고 보았기 때문이다.

정리 비법을 알려줄게!

뉴 미디어의 특징

상호 작용화	정보의 생산자와 소비자 간 쌍방향적 의사소통이 이루어짐
비동시화	수신자가 원하는 시간에 정보를 얻을 수 있음
탈대중화	특정 대상과 특정 정보를 상호 교환할 수 있음
능동화	사용자가 정보를 생산·유통·소비하는 동시에 감시할 수 있어서 능동적으로 활동할 수 있음
디지털화	모든 정보를 디지털화함으로써 정보를 신속하게 정확하게 처리할 수 있음

자료 하나 더 알고 가자!

언론의 자유와 책임

> 언론의 자유란 출판에 대한 사전적 억압이 없는 상태를 말한다. 모든 자유인은 대중 앞에서 자신의 즐거운 감정을 표출할 절대적인 권리를 갖는다. …… 그러나 만일 개인이 부적절하거나 장난스럽거나 또는 불법적인 것을 출판한다면, 그 사람은 자신의 무모한 행위의 결과에 대해 책임을 져야 한다.
> – 이재진, 『인터넷 언론의 자유와 인격권』

정보의 생산자로서 언론이 객관성 및 공정성을 지니지 않으면 사회에 악영향을 끼치므로 언론의 자유는 인권 보장과 공익 실현의 범위 안에서 정당화될 수 있다.

문제 로 확인할까?

표현의 자유에 대한 밀의 관점으로 옳은 것은?

① 표현의 자유는 무제한적으로 허용되어야 한다.
② 잘못된 의견이면 표현의 자유를 억압해야 한다.
③ 무리에서 자신의 의견만 다르다면 침묵해야 한다.
④ 표현의 자유가 다른 사람에게 해를 끼치면 제한해야 한다.
⑤ 모든 사람의 의견이 동일할 때 표현의 자유가 허용되어야 한다.

④ 답

STEP 1 핵심 개념 확인하기

정답친해 31쪽

1 빈칸에 들어갈 용어를 쓰시오.

(1) 자신의 의사와 무관하게 개인 정보가 다른 사람에게 노출되거나 악용되는 것은 (　　　　　)에 해당한다.

(2) (　　　　　)이란 가상 공간에서 상대방이 원하지 않는 언어, 이미지 등을 이용하여 정신적·심리적 피해를 주는 행위이다.

(3) (　　　　　)는 저작권법에 의해 배타적으로 보호되는 저작물을 무단으로 이용하여 저작자의 권리를 침해하는 행위를 뜻한다.

2 저작권에 관한 입장과 그 내용을 옳게 연결하시오.

(1) 정보의 공유·　　　　　　• ⊙ 저작물에 대한 무단 표절과 복
　　를 주장하는　　　　　　　　 제를 막고 저작자의 노력에 정
　　입장　　　　　　　　　　　　 당한 대가를 지불해야 한다.

(2) 저작권 보호·　　　　　　　• ⓒ 저작물은 개인의 자산인 동시
　　를 주장하는　　　　　　　　 에 인류 공동의 자산이므로 공
　　입장　　　　　　　　　　　　 동선을 위해 활용되어야 한다.

3 정보 윤리 중 (　　　　　)의 원칙은 가상 공간에서 타인과 사회에 해를 끼치는 행동을 해서는 안 된다는 내용이다.

4 다음 괄호 안의 내용 중 알맞은 말에 ○표를 하시오.

(1) 다양한 매체 중 (종이 신문, 전자책)이 뉴 미디어에 해당한다.

(2) 뉴 미디어는 송수신자 간에 (일방향, 쌍방향) 정보 교환을 가능하게 한다.

(3) 뉴 미디어 시대에 우리는 매체를 (비판적, 무비판적)으로 이해하고 활용하는 능력을 갖추어야 한다.

5 ⊙, ⓒ에 들어갈 권리를 각각 쓰시오.

> 정보 사회에서 뉴 미디어를 통해 개인에 대한 각종 정보가 공개되면서 온라인상에서 자신과 관련된 정보에 대한 삭제를 요구할 수 있는 권리를 뜻하는 '(⊙　　　　　)'와 국민이 정치, 사회 현실 등에 관한 정보를 자유롭게 얻을 수 있는 권리를 뜻하는 '(ⓒ　　　　　)'를 두고 논쟁이 일어나고 있다.

STEP 2 내신 만점 공략하기

01 밑줄 친 부분의 적절한 사례를 〈보기〉에서 고른 것은?

> 오늘날 컴퓨터와 각종 유무선 통신 기술의 발전은 많은 양의 정보를 쉽고 빠르게 주고받을 수 있는 정보 사회를 열어 주었다. 정보 사회에서는 정보가 중요한 가치를 지니며 정보 통신 기술로 삶의 모습이 변화하기도 한다.

〈보기〉
ㄱ. 인터넷을 통해 일상적인 업무를 처리할 수 있다.
ㄴ. 다양한 문화를 경험할 수 있는 기회가 차단되었다.
ㄷ. 일반인도 의학, 법률 등의 정보를 쉽게 얻을 수 있다.
ㄹ. 가상 공간이 등장하여 의사 결정 과정에 참여할 기회가 축소되었다.

① ㄱ, ㄴ　　　② ㄱ, ㄷ　　　③ ㄴ, ㄷ
④ ㄴ, ㄹ　　　⑤ ㄷ, ㄹ

02 갑이 을에게 제기할 반론으로 가장 적절한 것은?

나는 저작자의 권리가 침해당하지 않도록 보호해야 한다고 생각해.

나와는 생각이 다르구나. 나는 정보를 사회 구성원이 공유해야 한다는 입장이야.

갑　　　　　을

① 지식과 정보가 인류의 공동 자산임을 알아야 해.

② 정보를 공유하면 정보 격차에 따른 불평등이 발생할 수 있어.

③ 저작물에 대한 과도한 권리 행사는 새로운 창작을 방해할 수도 있어.

④ 저작권을 보호하면 창작 의욕을 고취시켜 정보의 질적 수준을 향상시킬 수 있어.

⑤ 창작자의 노력에 대한 경제적 이익을 보장하면 정보의 지속적인 발전이 어려워질 수 있어.

03 (가)에 들어갈 용어와 그 문제점을 옳게 연결한 것은?

> (가) 은/는 인터넷에서 허위 사실을 유포하거나 악성 게시물과 댓글 등으로 다른 사람의 명예를 훼손하고 정신적, 물질적으로 피해를 주는 행위이다. 사이버 따돌림, 사이버 모욕, 사이버 명예 훼손, 사이버 스토킹 등이 있다.

① 무단 복제와 표절 – 저작자의 창작 의욕을 감소시킨다.
② 개인 정보 유출 – 가해자들이 폭력의 심각성을 인식하지 못할 수 있다.
③ 사이버 폭력 – 한번 정보가 유포되면 피해자에게 지속적인 고통을 준다.
④ 사이버 폭력 – 신체적 폭력을 행사하여 피해자에게 물리적 피해를 준다.
⑤ 저작권 침해 – 자신의 이익을 위하여 다른 사람의 인권과 사회 질서를 침해한다.

[04~05] 다음을 읽고 물음에 답하시오.

> (가) (이)란 가상 공간에서 개인이 다양한 활동을 하면서 의견을 표현할 수 있는 자유로, 민주주의 사회에서 매우 중요한 가치이며 인간 존엄성 실현의 바탕이 된다.

04 (가)에 들어갈 용어로 옳은 것은?

① 거주의 자유 　　　② 표현의 자유
③ 신체의 자유 　　　④ 종교의 자유
⑤ 직업 선택의 자유

05 (가)를 제한할 수 있는 경우를 〈보기〉에서 고른 것은?

> 보기
> ㄱ. 정치적 의사 결정에 참여하는 경우
> ㄴ. 사회 질서를 심각하게 훼손하는 경우
> ㄷ. 타인에게 해악이나 상처를 입히는 경우
> ㄹ. 국가의 정책에 비판적인 의견을 개진할 경우

① ㄱ, ㄴ 　　② ㄱ, ㄷ 　　③ ㄴ, ㄷ
④ ㄴ, ㄹ 　　⑤ ㄷ, ㄹ

06 갑, 을의 입장에서 주장할 내용으로 적절하지 않은 것은?

> 갑: 프랑스의 국가정보위원회가 잊힐 권리를 충분히 수행하지 않았다는 이유로 미국의 인터넷 기업에 벌금을 부과한 것은 정당하다고 생각해.
> 을: 그렇지만 우리에게는 정치, 사회 현실 등에 관한 정보를 자유롭게 얻을 수 있는 권리가 있어. 나는 알 권리가 더 중요하다고 생각해.

① 갑: 아무리 사소한 개인 정보일지라도 인간의 존엄성을 유지하기 위해 철저히 보호되어야 한다.
② 갑: 잊힐 권리를 통해 걸러진 정보만 보게 되면 이용자의 정보 접근권이나 알 권리가 훼손된다.
③ 갑: 정보의 유통 과정에서 개인이 결정하고 통제하는 정보 자기 결정권을 가지는 것이 중요하다.
④ 을: 범죄자의 신상은 공공의 이익과 안전을 위해 중요한 사항이므로 필요에 따라 공개될 수 있다.
⑤ 을: 개인의 사생활은 국민의 알 권리를 보장하기 위해 일부 제한될 수 있다.

07 다음 사례에 나타난 문제를 해결하기 위해 지켜야 할 정보 윤리로 옳지 않은 것은?

> ○○는 하굣길에 휴대 전화로 누리 소통망(SNS)에 접속했다가 한참을 울었다. 같은 반 친구가 자신을 흉보는 글을 누리 소통망(SNS)에 올려놓고 자신과 반 친구 10여 명에게 알린 것이다. 이를 본 친구들은 공감을 뜻하는 '좋아요'를 눌렀고, 돌아가며 ○○의 누리 소통망(SNS)에 '옆에 가면 냄새가 난다.', '키가 작고 뚱뚱하다.', '영어를 못 읽는다.' 등 ○○에 대한 욕설을 잔뜩 써 놓았다.
> – 조선일보, 2016. 5. 16.

① 다른 사람의 인격을 존중한다.
② 해악 금지의 윤리 원칙을 지킨다.
③ 표현의 자유를 무엇보다 중시한다.
④ 공동체와의 조화로운 삶을 추구한다.
⑤ 자신의 행동에 대한 책임 의식을 지닌다.

08 (가)에 들어갈 내용으로 가장 적절한 것은?

> 갑: 대중 매체의 기본적인 기능은 정보 제공에 있어.
>
> 을: 맞아. 다양한 오락 프로그램으로 휴식을 제공하기도 하지. 하지만 대중이 지나치게 오락만 탐닉하면 사회 문제에 무관심해지는 부작용이 나타나기도 해.
>
> 갑: 그래도 특정한 인물이나 사회의 쟁점을 파고들어 사회적으로 부각하는 긍정적인 기능을 하지 않아?
>
> 을: 맞아. 그뿐만 아니라 대중 매체는 정보가 가지는 의미를 해석하고 평가하는 기능도 하지. 하지만 이 점 또한 역기능이 있는데, ＿＿＿＿(가)＿＿＿＿

① 대중이 다양한 오락 프로그램을 즐기는 동안 정치 참여를 외면하게 된다는 것이지.

② 교양·예술 프로그램을 통해 대중의 문화와 예술에 대한 안목이 지나치게 높아지기도 한다는 것이지.

③ 대중 매체가 대량의 정보를 일시에 전달하기 때문에 정보 활용 능력이 뒤떨어지는 사람이 발생하게 된다는 것이지.

④ 대중 매체가 한 사회의 전통과 규범을 강요함으로써 대중이 일상생활을 하는 데 스트레스를 줄 수 있다는 것이지.

⑤ 대중 매체가 정보의 해석 및 평가 과정에서 고의로 중요한 사회적 문제를 다루지 않는다면 공정성을 잃을 수도 있다는 것이지.

09 다음 사례를 통해 알 수 있는 뉴 미디어의 특징으로 적절하지 <u>않은</u> 것은?

> 국민은 인터넷을 이용해서 구청이나 시청은 물론 국회의원, 대통령에게도 자신의 생각과 의견을 전달할 수 있게 되었다. 정치가도 자신의 정치적 신념이나 정책을 알리기 위해 홈페이지를 만들고 국민에게 자신이 한 일을 알릴 수 있게 되었다. 유권자는 인터넷 토론 게시판에서 서로 정치적 의견을 나누고, 인터넷이나 모바일을 이용해 투표를 할 수 있다.

① 참여 민주주의를 활성화시킨다.

② 정보의 쌍방향 소통이 이루어진다.

③ 정보의 교환과 의사소통의 양을 증가시킨다.

④ 정보의 생산자와 소비자를 엄격하게 분리시킨다.

⑤ 실시간으로 의견을 제시하거나 여론을 형성할 수 있다.

10 다음은 기존 매체와 뉴 미디어의 특징을 비교한 수행 평가 보고서이다. ㉠~㉤ 중 옳지 <u>않은</u> 것은?

> **기존 매체와 뉴 미디어의 특징 비교**
>
> 1. 기존 매체의 특징
> • 권위 있는 전문가가 대규모의 조직을 바탕으로 일정한 시간 간격을 두어 정보를 제작하고 생산함 ………… ㉠
> • 대부분 소수가 다수에게 정보를 일방적으로 전달하는 방식임 → 수동적 대중 ………… ㉡
>
> 2. 뉴 미디어
> • 정보를 생산하는 주체와 소비하는 주체의 쌍방향적인 의사소통이 이루어짐 ………… ㉢
> • 정보 교환에서 송수신자가 동시에 참여해야만 수신자가 원하는 시간에 정보를 볼 수 있음 ………… ㉣
> • 정보의 생산자와 소비자는 비교적 수평적인 관계를 바탕으로 상호 작용함 → 능동적 대중 ………… ㉤

① ㉠　　② ㉡　　③ ㉢　　④ ㉣　　⑤ ㉤

11 밑줄 친 부분과 관련된 적절한 진술을 〈보기〉에서 고른 것은?

> 분별력은 '정당한 것과 정당하지 못한 것을 직관적으로 구별하는 능력'으로, 이는 여러 이해관계자의 이해관계를 균형 있게 고려하는 도덕적 사고를 요구한다. 언론인은 사적 정보의 공개가 사람들의 호기심 충족을 위한 행위인지, 아니면 시민 사회를 위한 행위인지를 판단하기 위해서 도덕적인 사유를 해야 한다.

〈보기〉

ㄱ. 정보의 자기 결정권을 인정해서는 안 된다.

ㄴ. 인격권을 침해하지 않는 한도에서 알 권리를 추구한다.

ㄷ. 잊힐 권리를 인정하는 것은 이러한 사유의 결과일 수 있다.

ㄹ. 공익 증진에 도움이 되지 않더라도 국민의 알 권리를 무조건적으로 우선시한다.

① ㄱ, ㄴ　　② ㄱ, ㄷ　　③ ㄴ, ㄷ

④ ㄴ, ㄹ　　⑤ ㄷ, ㄹ

12 을의 질문에 대한 대답으로 옳지 <u>않은</u> 것은?

> 뉴 미디어는 기존의 매체와 다르게 상호 작용화, 비동시화, 능동화 등의 특징이 있어. 대표적인 뉴 미디어인 인터넷이나 누리 소통망(SNS)에서 이러한 특징을 발견할 수 있지.
>
> 갑

> 그런데 뉴 미디어가 발생시키는 문제점은 없을까?
>
> 을

① 이윤 추구를 위해 폭력적이고 자극적인 정보를 추구하는 경우도 있어.
② 뉴 미디어의 정보가 객관성을 지니는지 점검할 장치가 부족해서 정보를 신뢰하기 어려워.
③ 부정확한 정보가 뉴 미디어의 빠른 확산력과 결합하면 심각한 사회 문제가 발생할 수 있어.
④ 인터넷에 허위 정보들이 쏟아져 나오는 데이터 스모그 현상으로 가상 공간이 혼란스러워질 수 있어.
⑤ 모든 정보가 디지털화되어 수신자가 사용하는 미디어의 종류에 따라 활용할 수 있는 정보가 매우 제한적이야.

13 밑줄 친 세대에게 필요한 매체 윤리로 옳지 <u>않은</u> 것은?

> 디지털 네이티브란 태어나면서부터 휴대 전화와 인터넷 등의 디지털 환경을 자연스럽게 경험한 세대를 지칭한다. 이들은 정보의 홍수 속에서 다양한 일을 빠르게 처리할 수 있다. 휴대 전화, 문자 메시지나 메신저 등을 통해 언제나 자신이 원할 때에 상대방과 쌍방향의 의사소통을 할 수 있다.

① 정보를 활용할 때 원작자의 권리를 침해하지 않아야 한다.
② 사회 질서나 공익을 해치지 않는 범위 내에서 자유롭게 의견을 표현해야 한다.
③ 정보의 소비자들은 독립성을 유지하며 서로 정보 공유나 협력을 지양해야 한다.
④ 자신의 알 권리를 충족한다는 이유로 타인의 인격권을 함부로 침해하지 말아야 한다.
⑤ 자신이 찾아낸 정보의 가치를 제대로 평가할 수 있는 비판적 사고 능력을 갖추어야 한다.

서술형 문제

● 정답친해 33쪽

01 다음을 읽고 물음에 답하시오.

> • 인터넷, 휴대 전화 등 정보 통신 기기를 이용해 특정인과 관련된 개인 정보 또는 허위 사실을 유포해 지속적·반복적으로 공격을 가하는 행위이다.
> • 온라인 그룹에서 고의로 특정인을 배제하여 상대방이 고통을 느끼도록 하는 행위이다.

(1) 윗글에서 설명하는 사이버 폭력의 종류를 쓰시오.

(2) (1)에서 답한 사이버 폭력으로 인한 피해가 심각한 이유를 가상 공간의 특성과 관련하여 서술하시오.

> 길잡이 가상 공간의 특성인 익명성, 정보의 신속한 확산, 비대면성 등에 초점을 맞추어 서술한다.

02 ㉠의 입장에서 ㉡의 입장을 비판하시오.

> 정보 사회에서 정보가 지닌 가치가 증대되면서 저작권을 둘러싼 윤리적 문제가 발생하였다. 이에 대해 ㉠ 지적 산물에 대한 창작자의 재산권 및 인격권을 보호해야 한다는 입장과 ㉡ 사회적 산물인 정보에 대한 권리를 공유해야 한다는 입장이 대립하고 있다.

> 길잡이 저작권에 대한 두 가지 입장의 차이점에 초점을 맞추어 서술한다.

03 밑줄 친 용어의 의미와 그 역할을 서술하시오.

> 전문성이 검증되지 않은 뉴 미디어의 정보는 기존 매체 수준으로 신뢰하기 어렵다. 실제로 뉴 미디어의 정보가 객관성을 지니는지를 점검할 감시 장치는 기존 매체에 비해 부족하다. 이와 관련하여 <u>미디어 리터러시(media literacy)</u>는 뉴 미디어 시대를 살아가는 우리가 갖추어야 할 핵심적인 삶의 기술이라고 할 수 있다.

> 길잡이 뉴 미디어의 특징을 생각해 보고, 미디어 리터러시의 의미와 역할을 서술한다.

평가원 응용

1 다음 글의 입장에서 그림의 A 학생에게 제시할 수 있는 조언으로 가장 적절한 것은?

> "대지에서 자연적으로 산출되는 모든 열매와 거기에서 자라는 짐승들은 인류에게 공동으로 속한다. 그러나 한 개인이 모두에게 공동으로 주어진 것에 자신의 노동을 투입하면 그것은 그의 소유가 되며 타인의 권리는 배제된다."라는 재산권 이론은 노동의 형태가 어떤 것이든 간에 인간의 노동을 통해 산출된 모든 산물에 적용될 수 있다.

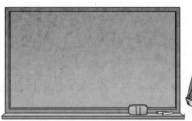

개인이 시간과 노력을 들여 만든 예술 작품의 저작권 보장 문제에 대해 수업 발표를 맡았는데 어떤 입장을 취할까?

A 학생

① 지적 산물의 가치는 개인의 노동과는 무관하다는 점을 강조하세요.
② 창작자에게 지적 창작물에 대한 배타적 독점권을 부여해야 함을 강조하세요.
③ 무형의 정신노동이 들어간 지적 창작물은 소유권이 인정되지 않음을 강조하세요.
④ 지적 산물에 대한 과도한 권리 행사는 정보 격차를 불러올 수 있음을 강조하세요.
⑤ 지적 산물은 인류가 생산한 정보와 지식으로 구성된 것이므로 공공재임을 강조하세요.

2 그림의 강연자가 지지할 주장만을 〈보기〉에서 있는 대로 고른 것은?

> 우리는 개인을 존중하듯이 개인의 정보를 자아의 연장으로 간주하고 그것을 존중하는 법을 배워야 합니다. 각 개인은 자신의 민감한 정보에 대해 공개를 원하지 않을 경우 포털 사이트 운영자에게 그 정보의 삭제를 요구할 수 있어야 합니다. 또한 포털 사이트 운영자에게 데이터베이스에 있는 자신의 정보가 어떤 목적으로 사용되고 있는지 확인을 요청할 수 있어야 합니다.

보기

ㄱ. 개인 정보에 관한 통제권은 포털 사이트에 일임해야 한다.
ㄴ. 정보에 대한 자기 결정권과 잊힐 권리가 보장되어야 한다.
ㄷ. 알 권리와 잊힐 권리가 충돌할 경우 알 권리가 우선해야 한다.
ㄹ. 잊힐 권리의 보장은 개인 정보 유출로 인한 사생활 침해 문제를 줄여 줄 수 있다.

① ㄱ, ㄷ   ② ㄴ, ㄹ   ③ ㄱ, ㄷ, ㄹ
④ ㄴ, ㄷ, ㄹ   ⑤ ㄱ, ㄴ, ㄷ, ㄹ

▶ 정보 소유 권리에 대한 입장

완자샘의 시험 꿀팁

저작권 보호를 주장하는 정보 사유론과 정보 공유를 주장하는 정보 공유론을 비교·구분하는 문제가 자주 출제되고 있으므로 각 입장의 주장을 잘 알아 둔다.

완자 사전

• 정보 격차
소득 수준, 교육, 지역 등의 차이로 인해 정보에 대한 접근과 이용에 차이가 생기고, 그 결과 경제적·사회적 불균형이 발생하는 현상

▶ 잊힐 권리

완자샘의 시험 꿀팁

잊힐 권리는 빈출 주제이므로 그 의미와 관련 사례를 잘 파악해 두고, 알 권리와도 비교해 잘 알아 둔다.

3 ⊙, ⓒ의 입장에 대한 설명으로 적절하지 <u>않은</u> 것은?

잊힐 권리와 알 권리에 대한 입장

2016년 3월 ⊙ 프랑스 국가정보위원회(CNIL)는 잊힐 권리를 충분히 수행하지 않았다는 이유로 ⓒ 미국 인터넷 기업인 G사에 약 1억 3000만 원의 벌금을 부과했다. 미국 인터넷 기업인 G사가 프랑스 내 검색 엔진의 정보만 삭제하고, 다른 나라 도메인에 남아 있는 정보는 삭제하지 않았다는 이유이다. 국가정보위원회는 "프랑스에 거주하는 사람들이 완벽하게 사생활을 보장받기 위해서는 인터넷 검색 엔진으로 나타나는 모든 결과를 삭제해야 한다."라며 "G사는 충분한 권리 보호 노력을 하지 않았다."라고 벌금을 부과한 까닭을 설명했다. 그러나 G사는 여전히 '알 권리 침해'를 주장하며 반발하고 있다.

– 이투데이, 2016. 9. 19.

① ⊙: 개인 정보에 대한 결정권이 당사자에게 있어야 한다.
② ⊙: 사소한 정보도 철저히 보호하는 것이 인간의 존엄성을 유지하는 것이다.
③ ⓒ: 공공의 이익을 위해서는 개인의 사생활이 공개될 수 있다.
④ ⓒ: 개인의 잊힐 권리를 보장하면 대중의 알 권리는 침해당한다.
⑤ ⊙, ⓒ: 자기 정보에 대한 배타적인 결정권을 보장해야 한다.

4 다음과 같이 주장한 사상가가 긍정의 대답을 할 질문으로 옳은 것은?

표현의 자유

다른 사람들이 옳지 못한 행동을 하도록 하는 데 직접적인 영향을 끼칠 수 있는 상황이라면, 의견의 자유도 무제한적으로 허용될 수는 없다. 어떤 종류의 행동이든 정당한 이유 없이 다른 사람에게 해를 끼치는 것은 강압적인 통제를 받을 수 있으며, 사안이 심각하다면 반드시 통제해야 한다. 나아가 필요하다면 사회 전체가 적극적으로 간섭해야 한다.

① 가상 공간은 현실에서 억눌렸던 감정을 마음껏 해소하는 공간인가?
② 디지털 익명성과 표현의 자유는 어떤 경우에도 제한되어서는 안 되는가?
③ 디지털 익명성과 표현의 자유에 대한 규제는 인간의 기본권을 보장하는가?
④ 가상 공간에서 실명을 공개하면 표현의 자유를 제한 없이 허용해도 되는가?
⑤ 디지털 익명성을 이용해 타인에게 해를 끼친다면 표현의 자유는 제한될 수 있는가?

03 자연과 윤리

이것이 핵심!

서양의 자연관

인간 중심주의	인간만이 도덕적 가치를 지닌다고 보는 입장
동물 중심주의	도덕적 고려의 범위를 동물까지 확대해야 한다고 보는 입장
생명 중심주의	도덕적 고려의 범위를 모든 생명체로 확대해야 한다고 보는 입장
생태 중심주의	무생물을 포함한 생태계 전체를 도덕적 고려의 대상으로 여기는 입장

★ **이분법적 세계관**
정신 대 육체, 인간 대 자연, 남자 대 여자 등과 같이 세계를 두 개의 서로 배척되는 객체로 인식하는 것

★ **쾌고 감수 능력**
쾌락과 고통을 느낄 수 있는 능력

★ **이익 평등 고려의 원칙**
쾌락과 고통을 느끼는 모든 존재의 이익을 동등하게 고려해야 한다는 원칙

★ **내재적 가치**
인간의 경험적 좋음이나 평가에서 독립하여 스스로 자기 안에서 갖는 가치

★ **삶의 주체**
쾌락과 고통의 감정을 느낄 수 있을 뿐만 아니라, 자기의 욕구와 목표를 위해 행동하며 자신의 정체성을 느낄 수 있는 능력을 가진 존재

① 자연을 바라보는 서양의 관점

1. 서양의 자연관

(1) 인간 중심주의 (자료①)

> 자연이 인간을 위해 존재한다는 아리스토텔레스와 자연을 마음껏 사용해도 된다는 아퀴나스의 자연관에서 잘 드러나.

입장	• 인간을 자연과 구별되는 유일한 존재로 여기고 인간만이 도덕적 가치를 지닌다고 보는 입장 └ Q&? 인간만이 이성과 자율성을 지니고 있다고 보기 때문이야. • 인간만이 직접적인 도덕적 고려의 대상이며, 동물이나 식물 등은 도덕적 고려의 대상으로 보지 않음	
특징	• 이분법적 세계관: 인간과 자연을 분리하고, 인간이 자연보다 우월한 존재라고 보는 관점 • 도구적 자연관: 자연은 인간을 위한 도구로서 사용될 때 가치가 있다고 보는 관점 • 기계론적 자연관: 자연은 정신이 없는 물질에 불과한 것으로서 기계처럼 물리적 개념으로 환원하여 설명할 수 있다고 보는 관점	
대표 사상가	베이컨	• 자연을 인류의 복지를 위한 수단으로 보고, 자연에 관한 지식의 활용을 강조함 • "지식이 곧 힘이다.", "방황하고 있는 자연을 사냥해서 노예로 만들어 인간의 이익에 봉사하게 해야 한다."라고 주장함 └ 베이컨의 말에서 정복 지향적 자연관을 엿볼 수 있어.
	데카르트	• 이분법적 세계관에 입각하여 인간과 자연의 관계를 인식 주체와 인식 대상으로 설정함 • 자연을 단순한 물질 또는 기계로 파악함으로써 도덕적 고려의 대상에서 제외함
	칸트	• 이성적 존재만이 자율적으로 행동하는 도덕적 주체가 될 수 있다고 강조함 • 인간의 도덕적 지위를 인정한 반면 자연의 도덕적 지위를 부정함 • "이성이 결여된 동물은 도덕의 주체가 될 수 없고, 다만 우리의 간접적인 도덕적 의무의 대상일 뿐이다."라고 주장함. └ 이성적 존재인 인간 상호 간의 의무만이 직접적 의무라고 보았어.
의의 및 한계	• 의의: 인류가 자연을 적극적으로 이용하여 물질적 풍요를 누릴 수 있게 해 줌 • 한계: 자연에 대한 인간의 지배와 착취를 정당화함 → 자연에 대한 무분별한 개발과 훼손을 야기하여 오늘날 환경 문제의 원인이 됨	

> 잠깐! 이처럼 환경 문제의 주범으로 지목된 '강경한 인간 중심주의'에 반해 패스모어로 대표되는 '온건한 인간 중심주의'에서는 인류의 장기적인 이익을 위해 자연 친화적인 삶을 추구해야 한다고 주장했어.

(2) 동물 중심주의 — 인간은 동물을 도덕적으로 배려해야 할 직접적 의무가 있다고 보았어.

입장	• 도덕적 고려의 대상을 동물까지 확대해야 한다고 보는 입장 • 동물을 인간을 위한 수단으로 여기는 것에 반대하고, 동물의 복지와 권리의 향상을 강조함	
대표 사상가	싱어	• 공리주의에 기초하여 도덕적 고려의 기준을 '쾌고 감수 능력'으로 보고, 동물도 쾌락과 고통을 느끼므로 도덕적 고려의 대상이라고 주장함 (교과서 자료) • 동물이 인간과 마찬가지로 쾌락과 고통을 느끼는 능력을 가지고 있기 때문에 동물을 고통에서 해방하자는 '동물 해방론'을 주장함 • 이익 평등 고려의 원칙에 근거하여 동물의 고통을 저급하게 여기거나 무시하는 행위는 일종의 '종 차별주의'라고 비판함
	레건	• 의무론에 기초하여 내재적 가치를 지닌 존재는 수단이 아니라 목적으로 대우해야 한다고 봄 • 자기의 삶을 영위할 수 있는 '삶의 주체'인 동물은 그 자체로 목적인 본래적 가치를 지닌다고 보고 동물도 도덕적으로 존중받을 권리가 있다는 '동물 권리론'을 주장함 (자료②) • 동물을 수단으로 취급하는 실험, 매매, 사냥, 식용 등이 비윤리적인 이유는 그것이 동물에게 단순히 고통을 주기 때문이라기보다 동물이 지닌 가치와 권리를 부정하기 때문이라고 봄
의의 및 한계	• 의의: 상업적 이익을 위한 동물 학대 및 동물 실험 등 동물에 대한 인간의 비도덕적 관행을 반성하도록 하여 동물의 복지와 권익 증진에 기여함 • 한계: 인간과 동물 또는 고등 동물과 하등 동물 간의 이익이 충돌할 때 무엇을 우선시해야 하는지 판단하기 어려움, 동물 이외의 식물이나 생태계 전체를 고려하지 않음, 고통을 도덕적 고려 기준으로 강조하여 무분별한 동물 안락사 허용을 정당화하는 근거로 이용될 수 있음	

> 꼭! 레건도 동물이 도덕적 고려의 대상이 되기 위한 조건으로 쾌고 감수 능력이 있어야 한다고 보지만, 그것으로 충분하다고 보지는 않아.

완자 자료 탐구   내 옆의 선생님

자료 ① 서양의 인간 중심주의 사상가들

- 아리스토텔레스: "식물은 동물을 위해, 동물은 인간을 위해 존재한다."
- 아퀴나스: "신의 섭리에 따라 동물은 자연의 과정에서 인간이 사용하도록 운명 지어졌다."
  "야수를 죽이는 것이 죄라고 주장하는 사람은 오류를 범하고 있다."
- 베이컨: "방황하고 있는 자연을 사냥해서 노예로 만들어 인간의 이익에 봉사하게 해야 한다."
- 칸트: "이성이 없지만, 생명이 있는 동물을 잔학하게 다루는 것은 인간의 자기 자신에 대한 의무에 어긋난다."

서양의 근대와 그 이전 사상가들은 대부분 인간 중심주의 윤리를 주장해 왔다. 그들은 인간이 식물이나 동물과 같은 자연의 대상들보다 도덕적으로 더 우월한 존재라고 보았다. 이러한 관점은 자연스럽게 인간의 이익을 위해 자연을 이용하고 활용하는 것이 정당하다는 인식을 만들었다. 다만 칸트는 이성이 결여된 동물을 우리의 간접적인 도덕적 의무의 대상으로 보았다.

자료 하나 더 알고 가자!

온건한 인간 중심주의의 논증

- 영리함의 논증: 인간이 영리하다면 자원을 장기간 이용하기 위해 자연을 보호할 것이다.
- 세대 간 분배 정의 논증: 미래 세대에 대한 책임을 아는 사람은 미래 세대의 생존 근거를 악화시키지 않을 것이다.

온건한 인간 중심주의는 강경한 인간 중심주의에 비해 자연에 대한 존중과 책임 문제에 관심을 기울인다는 점에서 의미가 있다. 그러나 이 입장은 인간의 이익이나 관심을 벗어난 환경 오염이나 생태계 파괴는 여전히 고려하지 않는다는 한계를 지니고 있다.

수능이 보이는 교과서 자료   싱어의 동물 중심주의

> 만약 한 존재가 고통을 느낀다면 그와 같은 고통을 고려의 대상으로 삼기를 거부하는 자세를 옹호할 수 있는 도덕적인 논증은 없다. 한 존재의 본성이 어떠하든, 평등의 원리는 그 존재의 고통을 다른 존재의 동일한 고통과 동일하게 취급할 것을 요구한다. 따라서 쾌고 감수 능력은 다른 존재의 이익에 관심을 가질지의 여부를 판가름하는 유일한 경계가 된다.
>
> – 싱어, 「동물 해방」

싱어는 쾌고 감수 능력을 이익 관심의 전제 조건으로 보고, 동물도 인간처럼 고통을 싫어하고 쾌락을 좋아하는 이익 관심을 가지고 있으므로 '이익의 평등한 고려 원칙'에 근거하여 인간과 동물의 이익을 동등하게 고려해야 한다고 보았다.

완자샘의 탐구 강의

- 싱어가 주장하는 동물 중심주의의 의의와 한계를 서술해 보자.
- 의의: 상업적 이익을 위한 동물 학대 및 동물 실험 등 동물에 대한 비도덕적 관행을 반성하는 계기를 마련해 주었다.
- 한계: 인간과 동물, 고등 동물과 하등 동물 간의 이익이 충돌할 때 고려해야 할 우선순위와 기준을 제시하지 못한다.

함께 보기 141쪽, 1등급 정복하기 1

자료 ② 레건의 동물 중심주의

> 삶의 주체라는 것은 단지 살아 있다는 것, 또는 단지 의식을 가지고 있다는 것 이상을 의미한다. 삶의 주체가 된다는 것은 믿음, 욕구, 지각, 기억, 자신의 미래를 포함해 미래에 관한 의식, 쾌락과 고통 등의 감정을 느낄 수 있다는 것, 즉 선호와 복지에 관한 이익 관심, 자기의 욕구와 목표를 위해 행위할 수 있는 능력, 순간순간의 시간을 넘어서 자신의 정체성을 느낄 수 있고, 타자와는 별개로 자신의 삶이 좋을 수도 나쁠 수도 있다는 의미에서 자신의 복지를 가지고 있다는 것이다.
>
> – 레건, 「동물의 권리」

레건은 동물(최소한 몇몇 포유류)이 도덕적으로 무능할지라도 자신의 삶을 영위할 수 있는 삶의 주체이므로, 자신만의 고유한 삶을 살아갈 권리를 가진다고 보았다. 따라서 동물이 단순히 인간을 위한 수단으로 취급되어서는 안 되며, 도덕적으로 존중받을 권리가 있다고 하였다.

문제로 확인할까?

레건에 대한 설명으로 옳지 않은 것은?

① 동물 권리론을 주장한다.
② 의무론의 관점을 지닌다.
③ 공리주의적 입장을 취한다.
④ 동물 중심주의의 입장이다.
⑤ 삶의 주체로서 동물의 권리를 강조한다.

③ 답

03 자연과 윤리

★ **생명 외경**
생명의 신비를 두려워하고 존경하는 마음으로 생명을 지극히 소중히 하는 태도

★ **개체론**
전체를 이해할 때 부분들로 나누어 그 특성을 파악하고, 이를 다시 합하는 것으로 전체를 온전히 파악했다고 여긴다. 개체론적 환경 윤리에는 동물 중심주의와 생명 중심주의가 있다.

★ **큰 자아실현**
큰 자아는 자신을 자연이라는 더 큰 전체의 일부로 인식하는 것으로, 큰 자아실현이란 자신을 자연과의 상호 연관 속에서 존재하는 것으로 이해하는 과정

★ **생명 중심적 평등**
모든 생명체가 상호 연결된 전체의 평등한 구성원이며 동등한 가치를 가진다는 것

★ **환경 파시즘**
동물 권리론자인 레건이 생태 중심주의를 비판하면서 사용한 용어로, 전체의 자연환경이나 생태계의 선을 위해 인간을 포함한 개별 동물을 희생할 수 있다는 관점이다.

---

(3) 생명 중심주의

잠깐! 슈바이처는 원칙적으로 모든 생명체가 동등한 가치를 지니지만, 불가피하게 생명을 해쳐야 하는 선택의 상황이 있을 수 있다는 점을 인정해.

입장		• 도덕적 고려의 범위를 모든 생명체로 확대해야 한다고 보는 입장 • 도덕적 지위를 가지는 기준을 '생명'으로 보며, 인간과 동물뿐만 아니라 식물을 포함한 모든 생명체가 내재적 가치를 지닌다고 봄
대표 사상가	슈바이처	• 모든 생명은 살고자 하는 의지를 지니고 있으며 그 자체로 신성하므로 모든 생명을 소중히 여기고 존중하라는 *생명 외경을 강조함 • 생명을 유지하고 고양하는 것은 선이고, 생명을 파괴하고 억압하는 것은 악으로 봄 • 불가피하게 다른 생명을 해쳐야 할 때도 생명을 함부로 죽여서는 안 되며, 그에 대한 도덕적 책임을 자각해야 한다고 주장함
	테일러	• 모든 생명체를 자기 보존과 행복이라는 목적을 지향하는 '목적론적 삶의 중심(목표 지향인 삶의 중심체)'으로 봄 **자료 ❸** Q왜? 모든 생명체가 각기 고유한 방식으로 자신의 생존, 성장, 발전, 번식이라는 목적을 지향하며 이를 실현하기 위해 애쓰는 존재이기 때문이야. • 모든 생명체가 의식의 유무나 유용성에 상관없이 고유한 가치인 선(善)을 지니므로 도덕적으로 고려되어야 함
의의 및 한계		• 의의: 도덕적 고려의 범위를 생명체에까지 확대하여 모든 생명체의 가치를 일깨워 줌 • 한계: 모든 생명체를 존중하는 것은 현실적으로 어려움, *'개체론'의 한계를 벗어나지 못함, 무생물을 포함하는 생태계 전체를 고려한 것은 아니므로 환경 문제를 극복하는 데 한계가 있음

(4) 생태 중심주의

환경 윤리에서의 개체론은 각 개체가 가지는 생명체의 도덕적 지위나 권리를 인정하고, 이를 도덕적으로 배려하는 것이 자연환경과 생태계를 보존하는 길이라고 봐.

입장		• 무생물을 포함한 생태계 전체를 도덕적 고려의 대상으로 여기는 입장 • 전일론적 관점: 도덕적 고려의 범위를 개별 생명체가 아닌 생태계 전체로 보아야 한다는 입장
대표 사상가	레오폴드	• 대지 윤리: 인간을 동식물, 물, 바위, 공기 등과 함께 거대한 대지 공동체의 구성원으로 보고, 자연 전체가 도덕적 고려의 대상이 되어야 한다고 주장함 **자료 ❹** '생명 공동체'라고도 했어. • 개체로서 생명의 가치보다 생태계 전체의 유기적 관계와 균형을 중시함
	네스	• 심층 생태주의: 피상적인 환경 보호 활동보다는 세계관이나 사고방식과 같은 근본적인 의식 자체를 생태 중심적으로 바꾸어야 한다고 주장함 • *'큰 자아실현'과 *'생명 중심적 평등'을 제시함
의의 및 한계		• 의의: 환경 문제를 해결하기 위해 생태계 전체에 대한 포괄적 시각이 필요함을 일깨워 줌 • 한계: *'환경 파시즘'으로 흐를 수 있음, 환경 문제 해결을 위해 불특정 다수에게 과도한 책임을 부과할 수 있음, 환경 보존을 위한 구체적 방안을 제시하기 어려움

네스는 인류의 건강과 풍요를 위해 환경 오염과 자원 고갈 등의 문제 해결에만 관심을 가지는 것을 비판했어.

이것이 **핵심!**

동양의 자연관

유교	인간과 자연이 조화를 이루는 천인합일 지향
불교	만물이 상호 의존하는 연기적 세계관 주장
도가	자연의 순리에 따르는 무위자연의 삶 추구

★ **주역(周易)**
인간을 포함한 모든 자연이 변화하는 원리를 담고 있는 유교 경전

② 자연을 바라보는 동양의 관점

1. 동양의 자연관 **자료 ❺**

꼭! 자연 친화적인 삶을 바탕으로 인간과 자연의 조화를 강조하는 자세가 잘 나타나 있어.

유교	• 하늘과 인간을 하나로 보는 천인합일(天人合一)을 지향함 • *주역의 자연관: 하늘과 땅은 서로 느끼고 상응하고 교합하면서 끊임없이 만물을 낳고 기르는 존재 → 인간과 자연을 상호 유기적인 관계로 파악하고 조화를 이루는 삶을 지향함 • 유교는 인간과 자연의 조화를 중시하지만, 도덕적 고려에 있어서는 분별적 차이를 두고 있음
불교	• 연기적 세계관: 모든 존재가 원인과 조건으로 연결되어 서로 영향을 주고받음 → 만물의 상호 의존성 강조 불교에서는 인간과 자연이 분리된 존재가 아니라, 하나의 그물망으로 긴밀하게 연결되어 있기 때문에 모든 생명을 소중히 여기고 자비를 베풀어야 한다고 봐. • 살아 있는 것을 죽이지 않는 불살생의 계율을 가장 으뜸으로 여김 • 자타불이(自他不二): 너와 내가 둘이 아님 → 만물에 대한 자비심을 낳게 함
도가	• 자연은 아무런 목적이 없는 무위(無爲)의 체계로서 무목적의 질서를 담고 있음 • 노자: 자연의 순리에 따르는 무위자연(無爲自然)을 강조함 • 장자: 인간을 포함한 모든 존재의 평등과 물아일체(物我一體)를 강조함

'천지는 나와 함께 살고 만물은 나와 더불어 하나'라는 뜻이야.

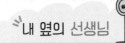
자료 ③ 테일러의 자연 존중에서 비롯된 네 가지 의무

> ┌ '불침해의 의무'라고도 해.
> • 악행 금지의 의무: 가장 기본적인 의무로서, 어떤 생명체도 해치지 말아야 한다.
> • 불간섭의 의무: 개별 생명체의 자유를 침해하거나 생태계를 조작·통제하려고 해서는 안 된다.
> • 성실의 의무: 인간의 즐거움을 위해 덫을 놓는 등 야생 동물을 기만하는 행위를 해서는 안 된다.
> • 보상적 정의의 의무: 인간이 다른 생명체에게 해를 끼쳤을 때 그 피해를 보상해야 한다.
> └ '신의의 의무'라고도 해.
> – 테일러, 『자연에 대한 존중』

슈바이처의 영향을 받아 생명 중심주의를 더욱 발전시킨 테일러는 환경 문제를 해결하기 위해 생명체에 대한 인간의 네 가지 의무를 제시하였다. 그는 모든 생명은 목적론적 삶의 중심이며, 상호 의존적 체계의 일부이므로 인간은 고유한 선(善)을 지니는 모든 생명체를 도덕적으로 고려해야 한다고 보았다.

자료 ④ 레오폴드의 대지 윤리

> 대지 윤리는 인간을 대지 공동체의 정복자에서 그 구성원으로 변화시키는 것이다. 공동체의 구성원은 동료나 전체 공동체에 대해 존경심을 가져야 한다. 대지 윤리는 인간에게 자원들(흙, 물, 식물, 동물 등)의 사용, 권리, 혹은 변화를 금지하지 않는다. 그러나 그들이 비록 일부 지역에 국한되더라도 자연 상태 그대로 생존할 권리는 보장되어야 한다. 어떤 것이 생명 공동체의 온전성, 안정성, 아름다움을 보전하는 경향이 있다면 옳고, 그렇지 않으면 그르다.
> – 레오폴드, 『모래 군의 열두 달』

레오폴드는 대지란 인간을 비롯한 자연의 모든 존재들이 한데 어울려 살아가는 생명 공동체이며, 인간은 대지의 지배자가 아니라 다른 구성원들과 동등한 하나의 구성원이라고 보았다. 따라서 그는 생태계 즉, 생명 공동체의 온전함과 안정성, 아름다움을 보전하는 것이 윤리적이라고 주장하였다.

자료 ⑤ 인간과 자연의 조화를 강조한 동양의 자연관

> • 하늘은 나의 아버지이며 땅은 나의 어머니이다. 그리고 나와 같이 작은 존재도 이들 가운데서 친밀한 위치를 발견한다. 그러므로 우주를 가득 채우고 있는 것을 나는 나의 몸으로 여기며, 우주를 이끌고 가는 것을 나의 본성으로 여긴다. 모든 사람은 나의 형제자매이며, 만물은 나의 식구이다.
> 송대 유학자들의 저술을 수록한 책이야. ┐ – 『성리대전』
> • 한 개의 작은 티끌 그 가운데서 수없는 세계들을 모두 본다. 한 개의 티끌에서 그런 것처럼 일체의 티끌마다 모두 그러해 온갖 세계 그 가운데 다 들어가니 이것은 헤아릴 수 없는 일이다.
> 불교 화엄종의 근본 경전이야. ┐ – 『화엄경』
> • 하늘도 땅도 나와 함께 태어났으며 만물이 나와 더불어 하나이다.
> – 『장자』

동양의 대표적인 전통 사상인 유교, 불교, 도가는 인간과 자연의 관계를 상호 의존적인 것으로 보는 유기적 세계관을 지니고 있다. 이는 인간 중심주의와 도구적 자연관에서 비롯된 오늘날의 환경 문제를 극복하는 데 주요한 시사점을 제공해 준다.

문제 로 확인할까?

테일러가 제시한 생명체에 대한 인간의 네 가지 의무가 아닌 것은?

① 성실의 의무
② 통제의 의무
③ 불간섭의 의무
④ 악행 금지의 의무
⑤ 보상적 정의의 의무

② 目

자료 하나 더 알고 가자!

네스의 큰 자아실현

> 더 넓은 관점인 (자연과 나의) 동일시를 통하면, 환경 보호가 자신의 이익에도 도움이 된다는 것을 알 수 있다. …… 자기실현을 협소한 자아의 만족으로 보는 것은 자신을 심각하게 과소평가하는 일이라는 것을 알 때, 우리는 사람들에게 더 큰 나라는 관념을 이야기할 수 있다.
> – 네스, 『산처럼 생각하라』

네스는 환경 문제의 해결을 위해 레오폴드의 대지 윤리보다 한층 더 근본적인 변화와 실천을 요구하는 심층 생태주의를 주장하였다. 그는 기존의 세계관을 비판하며 인간과 자연을 동일시함으로써 큰 자아실현을 이루어야 한다고 강조하였다.

자료 하나 더 알고 가자!

맹자의 자연관

> 군자는 동식물을 사랑하지만 인애(仁愛)하지는 않고, 백성들을 인애하지만 친애(親愛)하지는 않는다. 부모를 친애하고 백성들을 인애하며, 백성들을 인애하고 동식물을 사랑한다.
> – 맹자

맹자에 따르면, 나의 마음을 미루어 다른 사람에게 미치는 '인(仁)'은 사람에게는 적용할 수 있으나 동식물에는 적용할 수 없다. 맹자가 말하는 동물에 대한 '애', 백성에 대한 '인애', 부모에 대한 '친애'는 모두 사랑으로 동일하지만, 나누어 말하면 차례가 있는 것이다.

환경 문제에 대한 윤리적 쟁점

기후 정의 문제	• 기후 변화 피해국에 대한 선진국의 적극적 보상과 지원 필요 • 온실가스 배출량 감소
미래 세대에 대한 책임 문제	• 미래 세대의 생존 보장 및 삶의 질 배려 필요 • 요나스: 미래 세대를 고려하는 책임 윤리 제시
성장과 보존의 딜레마 문제	경제 성장과 환경 보전 사이의 갈등 → 환경적으로 건전하고 지속 가능한 발전 추구

✱ 기후 변화
자연적 요인이나 인간 활동의 결과로 기후가 평균 상태를 벗어나 변하는 현상으로, 지구 온난화가 대표적이다.

✱ 교토 의정서(1997)
기후 변화 협약의 구체적 이행을 위해 선진국의 온실가스 감축 목표를 설정하였으며, 탄소 배출권 거래 제도를 도입하였다.

✱ 파리 기후 협약(2015)
선진국뿐만 아니라 협약에 참여한 당사국 모두 온실가스 감축 목표를 지키기로 합의하였다.

✱ 정언 명법
자연적 경향성을 따르지 않고 이성의 법칙에 따르는 언제 어디서나 타당한 명령

✱ 지속 가능한 발전
1987년 '환경과 개발에 관한 세계 위원회'가 발표한 「우리 공동의 미래」라는 보고서에 처음으로 등장하였다. 지속 가능한 발전은 환경 보호, 사회 발전과 통합, 경제 성장이라는 3가지 축을 포함하고 있다.

✱ 녹색기후기금
선진국이 개발 도상국의 온실가스 감축과 기후 변화 적응을 지원하기 위해 마련한 기금을 관리하기 위해 설립된 국제기구

③ 환경 문제에 대한 윤리적 쟁점

자연을 오직 인간을 위한 수단으로 여기는 도구적 자연관이 환경 문제의 근본적인 원인이야.

1. 환경 문제의 특징

전 지구적 문제	한 지역이나 국가에서 발생한 환경 문제가 다른 지역이나 국가에 연쇄적으로 영향을 줌 — 그래서 환경 문제는 한 국가만의 노력으로 해결할 수 없고 전 세계적인 협력이 필요해.
책임 소재의 불분명	일정 시간이 흐른 후 불특정 다수에게 피해를 주기 때문에 가해자와 피해자를 구분하기가 쉽지 않음
지구의 자정 능력을 넘어섬	생태계가 다시 회복하기 어려운 수준으로 파괴됨
미래 세대에 영향	문제가 현세대에만 국한되지 않고 미래 세대까지 영향을 미침

2. 기후 변화와 기후 정의 문제

(1) ✱기후 변화의 원인: 산업화와 도시화로 인한 각종 공해 물질의 발생과 온실가스 배출 증가

(2) 기후 정의 (자료 ⑥) Qₐ? 기후 변화에 직접적인 영향을 미치는 온실가스의 75%가 선진국에서 배출되지만, 기후 변화에 따른 자연재해는 대부분 온실가스 배출량이 적은 개발 도상국에서 발생하고 있기 때문이야.

의미	기후 변화에 따른 불평등을 해소함으로써 실현되는 정의로, 기후 변화 문제를 형평성의 관점에서 바라봄
실현 방안	• 선진국의 책임 있는 자세: 기후 변화로 피해를 본 나라들에 대한 적극적인 보상과 지원이 필요함 • 온실가스 배출량을 줄이기 위한 노력: 선진국은 물론 개발 도상국도 산업 구조를 생태 친화적으로 바꾸어 나가야 하며, 국제적 차원에서 ✱교토 의정서 및 ✱파리 기후 협약 등의 협력을 지속하여야 함 예 탄소 배출권 거래 제도: 국가나 기업별로 탄소 배출량을 미리 정해 놓고, 허용치 미달분을 탄소 배출권 거래소에서 팔거나 초과분을 사는 제도 (자료 ⑦)

꿀! 시장 경제의 원리에 따라 운영되기 때문에 합리성과 효율성을 지닌 제도이지만, 온실가스 배출에 대한 도덕적 책임에서 쉽게 벗어날 수 있게 허용한다는 문제점이 있어.

3. 미래 세대에 대한 책임

필요성	• 자연은 현세대뿐만 아니라 미래 세대가 함께 누려야 할 삶의 터전이기 때문임 • 환경 문제는 미래 세대의 생존 및 삶의 질 문제와 직결되어 있기 때문임
요나스의 책임 윤리	• 현세대는 인류의 존속을 위해 미래 세대에 대한 책임을 가진다고 주장하며, 새로운 생태학적 ✱정언 명법을 제시함 • 현세대의 잘못으로 미래 세대가 생존할 수 없을지도 모른다는 두려움을 가지고 겸손한 태도를 지니며, 검소한 생활과 절제하는 소비 습관을 길러야 함 • 환경 문제에서 그동안 소홀하게 다루었던 '책임'의 정당성을 확보하여 미래 세대에 대한 책임 있는 행동을 실천하도록 했다는 데 큰 의의가 있음

"너의 행위의 결과가 미래에 지구상에서 인간이 살아갈 수 있는 가능성을 파괴하지 않도록 행위하라."

4. 성장과 보존의 딜레마와 ✱지속 가능한 발전

(1) 성장과 보존의 딜레마 — 지나친 성장과 개발은 환경 파괴로 이어질 수 있고, 지나친 환경 보존은 성장을 둔화시키거나 개발을 가로막을 수 있다는 점을 고민하는 거야.

개발론자	자연은 도구적 가치를 지니며, 개발에 따른 환경 문제는 경제 성장과 기술 발달로 해결할 수 있다고 봄
보존론자	자연은 내재적 가치를 지니며, 자연 보존이 장기적으로도 인류에 큰 이익이라고 봄

(2) 환경적으로 건전하고 지속 가능한 발전 (자료 ⑧)

의미	• 미래 세대가 그들의 필요를 충족할 수 있는 범위에서 현세대의 필요를 충족하는 개발 방식 • 생태적 지속 가능성의 범위에서 환경 개발을 추구함으로써 인간과 자연이 공존하며 개발과 보존을 조화와 균형의 관점에서 바라보자는 것
실현 방안	• 개인적: 생태계에 도움이 되는 친환경적·윤리적 소비와 같은 바람직한 생활 습관을 형성함 • 국가적: 친환경 기술과 신·재생 에너지 등을 이용한 녹색 성장을 지향하고, 이를 위한 제도와 법을 마련함 • 국제적: 국가 간에 적극적으로 협력하는 체제를 갖춤 예 람사르 협약(1971), 생물 다양성 협약(1992), 사막화 방지 협약(1994), ✱녹색기후기금과 같은 기구를 통한 협력

예 일회용품 사용 줄이기, 재활용 및 재사용하기, 가까운 거리는 걸어 다니거나 자전거 이용하기, 에너지 효율성이 높고 환경을 고려하여 생산된 제품을 구매하기 등이 있어.

자료 ⑥ 정의의 관점에서 살펴본 기후 변화 문제

> 기후 변화 현상은 지역에 따라 미치는 영향도 다르고, 해당 국가의 경제력에 따라 대처할 수 있는 역량도 다르다. …… 기후 변화로 인한 피해가 특정 국가나 특정 계층에게 더 크게 발생한다면, 이를 단순한 자연 현상이 아닌 사회 구조적 문제로 보아야 한다. 오늘날 기후 변화는 그 발생에 대해 책임이 거의 없는 국가들이 도리어 위험에 노출되는 현상, 즉 '기후 불평등'을 야기하고 있다. 이제 기후 변화 문제는 환경 문제를 넘어 '정의'에 관한 문제이다. – 이유진, 『기후 변화 이야기』

제시된 글은 기후 변화로 동일한 자연 재해가 일어나더라도 선진국과 개발 도상국 사이의 경제력과 사회 구조가 달라 이에 대처하는 역량과 방식에서 차이가 있고, 책임 소재가 적은 개발 도상국에 더 큰 피해를 준다는 점에서 이 문제를 정의의 관점에서 다루어야 한다고 본다.

자료 ⑦ 기후 변화 협약
교토 의정서에서 탄소 배출권 거래 제도를 처음 도입하였는데, 우리나라는 당시 개발 도상국으로 분류되어 온실가스 배출 감소 의무가 유예되었어.

구분	교토 의정서(1997)	파리 기후 협약(2015)
대상 국가	선진국 37개국	195개 당사국 '파리 협정'이라고도 해.
적용 시기	2020년까지 기후 변화 대응 방식 규정	2020년 이후 신(新)기후 체제
특징	• 온실가스 배출량을 1990년 수준보다 평균 5.2% 감축 • 선진국에만 온실가스 감축 의무 부여 • 탄소 배출권 거래 제도 도입	• 지구 평균 온도 상승폭을 산업화 이전과 비교하여 1.5도까지 제한 • 2020년부터 개발 도상국에 1000억 달러 지원 • 2023년부터 5년마다 탄소 감축 상황 보고

세계 각국은 기후 변화와 지구 온난화에 대응하고자 '기후 변화 협약(1992)'을 채택하였으며, 이를 의무적으로 이행하기 위해 교토 의정서를 마련하였다. 파리 기후 협약은 탄소 배출 감축 의무를 개발 도상국에까지 확대하였으며, 탄소 감축 목표를 각국이 자율적으로 정하도록 하였다.

자료 ⑧ 생태적 지속 가능성을 위한 세 가지 고려 사항

> 생태적 지속 가능성은 세 가지 사항을 고려해야 한다. 첫째, 장기적 관점을 지녀야 한다. 농업, 제조업, 건축업뿐만 아니라 인간 생존에 필요한 깨끗한 공기, 물, 먹거리 등을 장기적으로 확보할 수 있는가는 생태계가 성공적으로 작동하는지에 달려 있다. 둘째, 인간의 생존에 생태계가 필수 불가결함을 체계적으로 이해해야 한다. 생태계와 생물 종들은 공기와 물의 정화, 홍수와 가뭄의 완화, 식물의 가루받이 등 인간 생명을 유지하는 데 필요한 생태계 서비스를 제공해 준다. 셋째, 생태계가 수용할 수 있는 인간 활동의 결과에는 한계가 있음을 알아야 한다. 무분별한 어획은 바다를 오염하고, 나무를 함부로 베어 산림이 파괴되는 것은 생태계의 수용 능력에 한계가 존재한다는 사실을 보여 준다. – 에드워즈, 『지속 가능성 혁명』

생태적 지속 가능성이란 '생태계의 본질적인 기능과 과정들을 유지하고 생태계의 생명 다양성을 보존할 수 있는 생태계의 능력'을 의미한다. 에드워즈는 이러한 생태적 지속 가능성이 유지되지 않는다면 인간의 삶도 지속할 수 없다는 점을 강조한다.

자료 하나 더 알고 가자!

지구 온난화가 미치는 영향

+4℃	• 30~50% 물 감소 • 해안 지역 최대 3억 명 홍수 피해
+3℃	• 기근 피해자 5억 5천만 명 증가 • 최대 50% 생물 멸종
+2℃	• 남아프리카와 지중해 물 공급량 20~30% 감소 • 열대 지역 농작물 크게 감소
+1℃	• 안데스 산맥의 작은 빙하 녹음 • 5천만 명 물 부족 • 10% 생물 멸종 위기

– 문하영, 『기후 변화의 경제학』

기후 변화는 지구가 온난화되면서 발생하는 것으로, 인류의 생존을 위협하고 지구 생태계를 파괴한다.

정리 비법을 알려줄게!

탄소 배출권 거래 제도의 의의와 한계

의의
• 할당량보다 배출량이 적은 약소국은 남은 배출권을 팔아 이득을 취할 수 있음 • 선진국은 경제적 부담을 줄이기 위해 배출량을 감소하고자 노력할 것임

한계
• 기후 변화에 책임이 큰 선진국들에게 도덕적인 면죄부를 줌 • 기업이나 국가는 돈만 지불하면 아무 거리낌 없이 온실가스를 배출해도 된다는 그릇된 인식을 가질 수 있음

문제로 확인할까?

생태적 지속 가능성을 유지하기 위한 방안으로 적절하지 않은 것은?

① 친환경 기술을 개발한다.
② 신·재생 에너지를 사용한다.
③ 경제적 효율성만을 생각하여 자연을 개발한다.
④ 국가 간 환경을 보존하기 위한 협력 체제를 갖춘다.
⑤ 국가에서는 녹색 성장을 위한 제도와 법을 마련한다.

ⓒ

STEP 1 핵심 개념 확인하기

정답친해 34쪽

1 자연을 바라보는 관점 중, 인간을 자연과 구별되는 유일한 존재로 여기고 인간만이 도덕적 가치를 지닌다고 보는 입장을 ( )라고 한다.

2 자연에 대한 관점과 관련된 용어를 옳게 연결하시오.

(1) 인간 중심주의 •　　　　　• ㉠ 대지 윤리

(2) 동물 중심주의 •　　　　　• ㉡ 이분법적 세계관

(3) 생명 중심주의 •　　　　　• ㉢ 목적론적 삶의 중심

(4) 생태 중심주의 •　　　　　• ㉣ 이익 평등 고려의 원칙

3 다음 설명이 맞으면 ○표, 틀리면 ✕표를 하시오.

(1) 싱어는 동물을 인간의 간접적인 도덕적 의무의 대상으로 보았다.　　　　　　　　　　　　　　　( )

(2) 자연에 관한 지식의 활용을 강조한 베이컨은 정복 지향적 자연관을 지니고 있다.　　　　　　　( )

(3) 레오폴드는 인간 중심주의에서 벗어나 모든 생명체의 고유한 가치를 강조하며 개체론을 주장하였다.　( )

(4) 생명 외경 사상을 주장한 슈바이처는 생명을 대하는 윤리적 자세를 선악 판단의 중요한 기준으로 삼았다. ( )

4 ㉠, ㉡에 들어갈 내용을 각각 쓰시오.

(㉠)를 실현하기 위해 국가나 기업별로 탄소 배출량을 미리 정해 놓고, 허용치 미달분을 탄소 배출권 거래소에서 팔거나 초과분을 사는 제도를 (㉡)라고 한다.

5 빈칸에 들어갈 용어를 쓰시오.

요나스는 "너의 행위의 결과가 미래에 지구상에서 인간이 살아갈 수 있는 가능성을 파괴하지 않도록 행위하라."라고 말하면서 미래 세대를 고려하는 ( )를 강조하였다.

STEP 2 내신 만점 공략하기

01 다음 사상가들이 자연을 바라보는 공통적인 관점을 옳게 설명한 것은?

베이컨: 저는 방황하고 있는 자연을 사냥해서 노예로 만들어 인간의 이익에 봉사하게 해야 한다고 봅니다.
데카르트: 인간과 자연은 철저히 구분됩니다. 자연은 영혼이 없는 물질이나 기계에 불과합니다.
아리스토텔레스: 식물은 동물을 위해서, 동물은 인간을 위해서 존재합니다.

① 인간만이 직접적인 도덕적 고려의 대상이라고 본다.

② 도덕적 고려의 대상을 인간에서 동물에까지 확장해야 한다고 본다.

③ 개별 생명체가 아니라 생태계 전체를 도덕적 고려의 대상으로 본다.

④ 인간을 동식물, 바위, 공기 등과 함께 거대한 대지 공동체의 한 구성원으로 본다.

⑤ 인간과 동물뿐만 아니라 식물을 포함한 모든 생명체가 내재적 가치를 지닌다고 본다.

02 다음 자연관에 대한 옳은 설명을 〈보기〉에서 고른 것은?

인류의 장기적인 이익을 위해 자연 친화적인 삶을 추구해야 한다. 우리는 영리한 인간이므로 자원을 장기간 이용하고, 미래 세대의 생존 근거를 악화시키지 않기 위해 자연을 존중하면서 신중하고 분별력 있게 사용해야 한다.

보기
ㄱ. 온건한 인간 중심주의의 입장이다.
ㄴ. 미래 세대에 대한 책임을 완전히 부정한다.
ㄷ. 인간과 자연이 동일한 가치를 지닌다고 본다.
ㄹ. 인간의 이익을 벗어난 환경 문제는 고려하지 않는다.

① ㄱ, ㄴ　　　② ㄱ, ㄷ　　　③ ㄱ, ㄹ
④ ㄴ, ㄷ　　　⑤ ㄷ, ㄹ

03 다음과 같이 주장한 사상가에 대한 설명으로 옳지 <u>않은</u> 것은?

> 쾌고 감수 능력은 어떤 존재를 도덕적으로 고려할지를 결정하는 유일한 기준이다. 쾌고 감수 능력은 이익 관심을 갖는 전제 조건이 된다.

① 동물 해방론을 주장하였다.
② 벤담의 공리주의 사상에 영향을 받았다.
③ 동물도 쾌락과 고통을 느낄 수 있다고 보았다.
④ 도덕적 고려의 대상을 동물까지 확대하고자 하였다.
⑤ 생태 중심주의의 입장에서 동물의 권리를 주장하였다.

☆중요
04 (가), (나)에 대한 옳은 설명만을 〈보기〉에서 있는 대로 고른 것은?

> (가) 동물도 인간처럼 고통을 싫어하고 쾌락을 좋아하는 이익 관심을 가지고 있기 때문에 인간과 동물의 이익을 평등하게 고려해야 한다.
> (나) 일부 동물은 본래적 가치를 지닌 목적적 존재로서 삶을 살아갈 권리를 가지므로 도덕적 고려의 대상으로 보아야 한다.

ㅡ 보기 ㅡ
ㄱ. (가)는 의무론적 관점의 레건, (나)는 공리주의적 관점의 싱어의 주장이다.
ㄴ. (가)는 동물 해방론을 펼치는 반면, 인간에 대한 고려가 미흡하다는 한계가 있다.
ㄷ. (나)는 일부 동물이 자신의 욕구와 목표를 위해 행동하는 삶의 주체라고 본다.
ㄹ. (나)는 내재적 가치를 지니는 존재는 수단이 아니라 목적으로 대우해야 한다고 본다.
ㅁ. (가)와 (나)는 동물에 대한 인간의 비도덕적 관행을 반성하는 계기를 마련해 주었다.

① ㄱ, ㄴ   ② ㄷ, ㄹ   ③ ㄱ, ㄷ, ㄹ
④ ㄷ, ㄹ, ㅁ   ⑤ ㄴ, ㄷ, ㄹ, ㅁ

[05~06] 다음을 읽고 물음에 답하시오.

> 갑: 선(善)이란 생명을 유지하는 것, 생명을 촉진하는 것, 그리고 발전 가능한 생명을 그 최고의 가치에까지 끌어올리는 것이다. 반면 악(惡)은 생명을 파괴하는 것, 생명을 저해하는 것, 그리고 발전 가능한 생명을 억누르는 것이다.
> 을: 모든 생명체는 각기 고유한 방식으로 자신의 생존, 성장, 발전, 번식이라는 목적을 지향하고 있으며 그러한 목적을 실현하기 위해 환경에 적응하고자 애쓰는 존재이다. 따라서 모든 생명체는 '목적론적 삶의 중심'이다.

05 갑, 을의 입장에서 주장할 내용으로 옳지 <u>않은</u> 것은?

① 갑: 생태계 전체의 상호 의존성을 강조하는 전일론적 관점을 가져야 한다.
② 갑: 모든 생명을 소중히 여기고 존중하라는 생명 외경 사상에 따라 행동해야 한다.
③ 을: 개별 생명체의 자유를 침해하거나 생태계를 조작하려고 해서는 안 된다.
④ 을: 모든 생명체가 의식의 유무나 유용성에 관계없이 고유한 가치를 지닌다.
⑤ 을: 인간의 즐거움을 위해 덫을 놓는 등 야생 동물을 기만하는 행위를 해서는 안 된다.

☆중요
06 갑, 을의 입장에 나타난 공통점을 〈보기〉에서 고른 것은?

ㅡ 보기 ㅡ
ㄱ. 개별 생명체의 존중에 초점을 둔다.
ㄴ. 생태계를 구성하는 무생물을 고려하지 않는다.
ㄷ. 생태계를 포괄적으로 바라볼 수 있는 시각을 제공한다.
ㄹ. 생태계 전체의 선을 위하여 개별 구성원을 희생시키는 환경 파시즘으로 흐를 수 있다.

① ㄱ, ㄴ   ② ㄱ, ㄷ   ③ ㄴ, ㄷ
④ ㄴ, ㄹ   ⑤ ㄷ, ㄹ

[07~08] 다음을 읽고 물음에 답하시오.

공동체의 구성원은 동료나 전체 공동체에 대해 존경심을 가져야 한다. 대지 윤리는 인간에게 자원들(흙, 물, 식물, 동물 등)의 사용, 권리, 혹은 변화를 금지하지 않는다. 그러나 그들이 비록 일부 지역에 국한되더라도 자연 상태 그대로 생존할 권리는 보장되어야 한다. 어떤 것이 생명 공동체의 온전성, 안정성, 아름다움을 보전하는 경향이 있다면 옳고, 그렇지 않으면 그르다.

07 윗글의 자연관에 대한 설명으로 적절하지 않은 것은?

① 자연의 모든 존재가 서로 그물망처럼 얽혀 있다.
② 인간은 대지의 정복자가 아니라 한 구성원일 뿐이다.
③ 개체로서 생명의 가치보다 생태계 전체의 균형이 중요하다.
④ 인간을 비롯하여 동식물, 토양, 물 등 자연 전체를 도덕적 공동체의 범위에 포함해야 한다.
⑤ 자연 전체는 삶의 주체로서 내재적 가치를 지니기 때문에 도덕적으로 고려하고 존중해야 한다.

08 윗글의 자연관이 지닌 한계를 〈보기〉에서 고른 것은?

┌─ 보기 ─────────────────────────────┐
ㄱ. 개체 중심적인 관점을 벗어나지 못한다.
ㄴ. 생태계 보존을 위해 불특정 다수에게 과도한 책임을 부과할 수 있다.
ㄷ. 합리적이고 이성을 지닌 인간이 자연을 지배하고 정복해야 한다고 본다.
ㄹ. 인류의 건강과 풍요를 위해 환경 오염과 자원 고갈 등의 문제 해결에만 관심을 가진다.
ㅁ. 복잡한 현실 세계에 적용할 수 있는 환경 보존의 실천 방안을 제시하지 못한다는 비판을 받기도 한다.
└────────────────────────────────┘

① ㄱ, ㄴ ② ㄴ, ㄷ ③ ㄴ, ㅁ
④ ㄷ, ㄹ ⑤ ㄹ, ㅁ

09 다음 글에 나타난 자연관에 대한 설명으로 옳은 것은?

군자는 동식물을 사랑하지만 인애(仁愛)하지는 않고, 백성들을 인애하지만 친애(親愛)하지는 않는다. 부모를 친애하고 백성들을 인애하며, 백성들을 인애하고 동식물을 사랑한다.

① 도가의 자연관으로 자연 친화적인 삶을 중시한다.
② 도덕적 고려에 있어 인간과 자연 간의 차이를 둔다.
③ 인간과 자연은 상호 무관하며 각각 독립된 존재라고 본다.
④ 인간과 자연이 평등하여 일체가 된다는 물아일체(物我一體)를 강조한다.
⑤ 살아 있는 모든 존재를 죽이지 않는 불살생의 계율을 가장 중요하게 여긴다.

10 (가), (나)에 대한 옳은 설명만을 〈보기〉에서 있는 대로 고른 것은?

┌─────────────────────────────────┐
 (가) 에서는 인간을 포함한 동물, 식물, 흙, 물, 공기 등 우주의 모든 것이 상호 의존 관계로 존재한다는 연기적 세계관을 주장한다. (나) 의 노자는 무위자연을 추구하여 인간의 인위적인 의지나 욕구와 무관하게 존재하는 자연의 가치와 아름다움을 중시한다.
└─────────────────────────────────┘

┌─ 보기 ─────────────────────────────┐
ㄱ. (가)는 불교, (나)는 유교로, 모두 천인합일(天人合一)의 경지를 지향한다.
ㄴ. (가)는 모든 생명을 소중히 여기면서 자비를 베풀어야 한다고 주장한다.
ㄷ. (가)는 모든 존재가 원인과 조건으로 연결되어 서로 영향을 주고받는다고 주장한다.
ㄹ. (나)는 자연의 한 부분인 인간이 자연에 조작과 통제를 가하는 것에 반대한다.
ㅁ. (나)의 관점은 『주역』과 『논어』, 『성리대전』에 나타난 자연관에서 잘 드러난다.
└────────────────────────────────┘

① ㄱ, ㅁ ② ㄴ, ㄷ ③ ㄴ, ㄷ, ㄹ
④ ㄴ, ㄹ, ㅁ ⑤ ㄷ, ㄹ, ㅁ

11 다음 사례를 통해 알 수 있는 현대 환경 문제의 특징으로 가장 적절한 것은?

> 우리나라 대기 오염의 주범인 미세 먼지의 30~50%는 중국에서 날아온 것으로 알루미늄, 구리, 카드뮴, 납 등 중금속을 포함하고 있어 국민 건강을 심각하게 위협하고 있다.

① 국가 간, 계층 간 소득 불평등을 야기한다.
② 국경을 초월하여 전 지구적으로 영향을 끼친다.
③ 문제가 발생한 후 일정 시간이 흐르면 자연적으로 피해가 복구된다.
④ 영향력이 현세대에 국한되어 있어 미래 세대에까지 영향을 주지는 않는다.
⑤ 한 지역 또는 국가에서 발생한 문제는 해당 지역이나 국가에만 영향을 미친다.

12 ㉠, ㉡에 대한 설명으로 옳지 **않은** 것은?

> ㉠ 지구 온난화는 기후 변화의 대표적인 예로, 대기 중에 존재하는 온실가스의 작용으로 지구 표면의 기온이 상승하는 것이다. 온실가스는 자연 상태에서도 존재하지만, 오늘날 화석 연료의 사용 증가와 산림 파괴 등으로 대기 중 온실가스 농도가 급증하면서 지구 온난화가 심화하고 있다. 이를 해결하기 위해 여러 국가에서 ㉡ 탄소 배출권 거래 제도를 시행하고 있다.

① ㉠은 생물 종의 다양성 감소를 초래한다.
② ㉠은 자연재해, 질병 증가는 물론 극지방 해빙, 해수면 상승과 같은 문제를 일으킨다.
③ ㉡은 회원국들이 탄소 배출권을 자유롭게 사고팔 수 있게 한 제도이다.
④ ㉡은 시장 경제의 원리에 따라 운영되어 합리성과 효율성을 지니고 있다.
⑤ ㉡은 2015년 195개국이 동참하여 체결된 파리 기후 협약에서 처음으로 도입되었다.

13 (가)에 들어갈 말로 가장 적절한 것은?

> 기후 변화 현상은 지역에 따라 미치는 영향도 다르고, 해당 국가의 경제력에 따라 대처할 수 있는 역량도 다르다. 네덜란드처럼 물에 뜨는 집을 지어 대처할 수 있는 나라가 있는가 하면, 방글라데시처럼 흙과 짚으로 지은 집이 홍수로 떠내려가 버리는 곳도 있다. 이처럼 기후 변화로 인한 피해가 특정 국가나 특정 계층에게 더 크게 발생한다면, 이를 단순한 자연 현상이 아닌 사회 구조적 문제로 보아야 한다. 오늘날 기후 변화는 그 발생에 대해 책임이 거의 없는 국가들이 도리어 위험에 노출되는 현상, 즉 '기후 불평등'을 야기하고 있다. 이제 기후 변화 문제는
>
> | (가) |

① 인간의 주체성 회복과 관련된 문제이다.
② 환경 문제를 넘어 정의에 관한 문제이다.
③ 세대 간 윤리를 확립하기 위한 문제이다.
④ 미래 세대에 대한 책임과 관련된 문제이다.
⑤ 생태 중심주의의 관점에서 살펴볼 문제이다.

14 다음과 같이 주장한 사상가의 견해로 적절하지 **않은** 것은?

> 오직 인간만이 책임을 질 수 있는 유일한 존재이며, 책임질 수 있는 능력은 곧 책임을 이행해야 하는 당위(堂爲)로 이어져야 한다. 미래에도 인간다운 삶을 살아가는 데 적합한 환경이 존재해야 인류가 영속(永續)할 수 있다.

① 미래 세대의 이익을 위해 개발 중심의 경제 성장이 가장 중요하다.
② 미래 세대를 고려하는 책임 윤리를 통해 환경 문제를 극복해야 한다.
③ 현세대는 미래 세대의 존재를 보장하고 그들의 삶의 질을 배려할 책임이 있다.
④ 현세대는 인류 존속을 위해 두려움, 겸손, 검소, 절제와 같은 덕목을 지녀야 한다.
⑤ 현세대에 의한 환경 오염의 책임은 먼 미래의 후손뿐만 아니라 전 지구의 영역까지 이른다.

15 갑, 을의 입장을 설명한 것으로 옳지 <u>않은</u> 것은?

> 자연은 도구적 가치를 지니므로 개발을 통해 많은 사람에게 이익을 주는 것이 중요해.
> 갑

> 자연은 그 자체로 내재적 가치를 지니고 있어. 그리고 자연의 가치를 온전히 지키는 것이 인류의 생존에 필수적이야.
> 을

① 갑은 자연 개발론자의 입장이다.
② 갑은 경제 성장과 기술의 발달로 환경 문제를 해결할 수 있다고 본다.
③ 갑은 인류가 풍요로운 삶을 누리는 것이 환경 보존보다 우선이라고 본다.
④ 을은 자연을 보존하는 것이 장기적으로 인류에게 큰 이익이 되지는 않는다고 본다.
⑤ 을의 입장은 지나친 환경 보존으로 성장이 둔화할 수 있다는 딜레마에 빠질 수 있다.

16 다음은 환경적으로 건전하고 지속 가능한 발전에 대한 필기 내용이다. ㉠~㉤ 중 옳지 <u>않은</u> 것은?

환경적으로 건전하고 지속 가능한 발전	
의미	미래 세대에게 남겨 주어야 할 자연환경을 파괴하지 않는 범위에서 현세대의 필요를 만족하게 하는 발전 ······ ㉠
실현 방안	• 개인적 차원: 경제적 효율성과 편리함을 추구하는 생활 양식을 습관화함 ·········· ㉡ • 국가적 차원: 친환경 기술과 신·재생 에너지 등을 이용한 녹색 성장을 지향함 ·········· ㉢ • 국제적 차원: 환경 문제를 해결하기 위한 국가 간의 적극적인 협력이 필요함 ·········· ㉣ ⑩ 파리 협정, 람사르 협약, 생물 다양성 협약, 탄소 배출권 거래 제도 등 ·········· ㉤

① ㉠   ② ㉡   ③ ㉢   ④ ㉣   ⑤ ㉤

서술형 문제

● 정답친해 36쪽

01 다음과 같은 자연관의 문제점을 쓰시오.

> 인간 이외의 모든 자연 존재의 가치를 오직 인간을 위한 수단으로서 인정하는 도구적 자연관의 성격을 지닌다. 이에 따르면 인간은 이성과 자율성을 지니기 때문에 도덕적으로 대우받아야 하지만, 자연은 인간의 이익에 이바지하는 한에서 가치가 있다.

(길잡이) 자연을 바라보는 관점 중 인간 중심주의의 문제점을 서술한다.

02 다음을 읽고 물음에 답하시오.

> (가) 모든 생명체는 그 자체로서 가치를 지니므로 도덕적 고려의 범위를 모든 생명체로 확대해야 한다.
> (나) 무생물을 포함한 생태계 전체를 도덕적 고려의 대상으로 여긴다.

(1) (가), (나)의 자연관을 각각 쓰시오.

(2) (나)의 입장에서 (가)의 입장을 비판하시오.

(길잡이) (가), (나)의 입장을 비교하여 (가) 입장의 한계를 서술한다.

03 다음 관점에서 추론할 수 있는 환경 문제에 대한 윤리적 쟁점과 우리가 실천할 수 있는 해결 방안을 서술하시오.

> 너의 행위의 결과가 미래에 지구상에서 인간이 살아갈 수 있는 가능성을 파괴하지 않도록 행위하라.

(길잡이) 환경 문제에 대한 윤리적 쟁점을 생각해 보고, 이를 해결하기 위해 필요한 생활 습관을 서술한다.

STEP 3 1등급 정복하기

1 (가)의 갑~병 사상가들의 입장을 (나)의 그림으로 표현할 때, A~D에 해당하는 적절한 진술을 〈보기〉에서 고른 것은?

(가)	갑: 어떤 존재의 고통을 고려하지 않는 도덕적 논증은 있을 수 없다. 이익 평등 고려의 원리는 존재들 간의 동일한 고통을 동일하게 고려할 것을 요구한다. 을: 생명체가 목적론적 삶의 중심이라는 것은 그 활동이 목표 지향적이라는 뜻으로, 생명 활동을 성공적으로 수행하는 항상적인 경향성이 있다는 말이다. 병: 인류는 대지 공동체의 평범한 구성원이 되어야 한다. 이러한 인류의 역할은 동료 구성원과 대지 공동체 자체에 대한 존중을 필연적으로 수반한다.
(나)	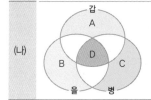 〈범례〉 A: 갑만의 입장 B: 을만의 입장 C: 병만의 입장 D: 갑, 을, 병의 공통 입장

〈보기〉
ㄱ. A: 쾌고 감수 능력을 지닌 동물은 도덕적 고려 대상에 속한다.
ㄴ. B: 인간은 생명체에 끼친 해악에 대한 보상적 정의의 의무를 지닌다.
ㄷ. C: 전일론적 관점에서 생명 공동체의 유기적 관계와 균형을 중시한다.
ㄹ. D: 개체주의적 관점을 지양하고 인간 중심주의에서 벗어나야 한다.

① ㄱ, ㄴ   ② ㄱ, ㄷ   ③ ㄴ, ㄷ   ④ ㄴ, ㄹ   ⑤ ㄷ, ㄹ

2 다음은 형성 평가 문제와 학생 답안이다. ㉠~㉣ 중 학생의 답이 옳게 표시된 것만을 있는 대로 고른 것은?

형성 평가

◎ 문제: 갑, 을 사상가의 공통적인 입장으로 옳으면 '예', 틀리면 '아니요'에 V표를 하시오.

갑: 어떤 것이 생명 공동체의 온전성, 안정성, 아름다움을 보전하는 경향이 있다면 옳고, 그렇지 않으면 그르다.
을: 평등의 원리는 어떤 존재의 고통을 다른 존재의 고통과 동등하게 취급하는 것이다. 어떤 존재가 고통을 느낄 수 없다면 고려해야 할 바는 없다.

◎ 학생 답안
(1) 탈(脫)인간 중심주의적 관점을 취한다.   예 ☑ 아니요 □ ·················· ㉠
(2) 무생물을 도덕 공동체의 범위에 포함시킨다. 예 □ 아니요 ☑ ·················· ㉡
(3) 개별 생명체에 초점을 맞추어 생태계 전체를 보지 못한다. 예 ☑ 아니요 □ ·········· ㉢
(4) 인간을 포함한 자연 전체를 도덕적 고려의 대상에 포함시킨다. 예 ☑ 아니요 □ ········ ㉣

① ㉠, ㉡   ② ㉠, ㉢   ③ ㉢, ㉣
④ ㉠, ㉡, ㉣   ⑤ ㉡, ㉢, ㉣

자연에 대한 다양한 관점

완자쌤의 시험 꿀팁
자연을 바라보는 서양의 관점, 즉 인간 중심주의, 동물 중심주의, 생명 중심주의, 생태 중심주의를 서로 비교·구분하는 문항이 자주 출제되므로, 각각의 내용을 잘 정리해 두어야 한다.

자연에 대한 다양한 관점

완자 사전
• 탈(脫)인간 중심주의
인간 중심주의적 입장에서 벗어났다는 의미로, 동물 중심주의, 생명 중심주의, 생태 중심주의가 이에 속한다.

평가원 응용

3 (가)의 갑~병 사상가들의 입장을 (나) 그림으로 탐구할 때, A~D에 해당하는 적절한 질문만을 〈보기〉에서 있는 대로 고른 것은?

> 자연에 대한 다양한 관점

> **완자샘의 시험 꿀팁**
> 다양한 자연관의 입장을 '예/아니요'로 구분하는 유형의 문제가 자주 출제되고 있다. 따라서 각 입장을 대표하는 사상가들의 제시문과 주장을 잘 알아 두어야 한다.

(가)

갑: 동물을 이용하는 것이 자연법을 거스르는 것은 아니다. 하지만 인간이 동물의 고통에 동정심을 느낀다면 인간에게는 더 많은 동정심을 갖게 될 것이다. 이것이 바로 신의 뜻이다.

을: 모든 생명체는 내재적 가치를 지니며 자기 보존을 위해 자신의 고유한 방식으로 각자의 선을 추구한다는 점에서 동등한 목적론적 삶의 중심이다.

병: 생명 공동체의 범위를 대지까지 확장시키기 위해서는 생태계를 경제적 관점뿐만 아니라 윤리적·심미적 관점으로도 살펴봐야 한다.

(나)

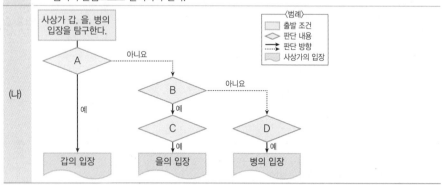

보기

ㄱ. A: 이성적 존재인 인간 상호 간의 의무만이 직접적 의무인가?
ㄴ. B: 생명이 없는 무생물은 도덕적 고려의 대상이 아니라고 보는가?
ㄷ. C: 생태계의 모든 존재들은 상호 의존적이며 평등한 가치를 지니는가?
ㄹ. D: 인간은 동식물, 물, 바위, 공기 등과 함께 거대한 대지 공동체의 구성원 중 하나인가?

① ㄱ, ㄴ   ② ㄱ, ㄷ   ③ ㄷ, ㄹ
④ ㄱ, ㄴ, ㄹ   ⑤ ㄴ, ㄷ, ㄹ

4 다음과 같이 주장한 사상가가 부정의 대답을 할 질문으로 옳은 것은?

> 생태 중심주의

> 환경 문제 해결을 위해 환경 캠페인처럼 인간 중심주의적인 환경 보호 운동에만 관심을 가져서는 안 된다. 환경 위기를 극복하려면 인간의 세계관과 행동 양식 자체를 바꾸어야 한다.

① 생명 중심적 평등과 생태 공동체의 가치를 인정하는가?
② 인간은 자연의 주인으로서 책임 의식을 가져야 하는가?
③ 개별 생명체의 존속보다 생태계 전체의 건강이 중요한가?
④ 인간은 모든 자연적 존재들과 공생할 때 '큰 자아'를 실현할 수 있는가?
⑤ 인간 중심주의적 환경 정책은 환경 파괴를 일시적으로 지연시킬 뿐인가?

5 (가), (나)에 들어갈 내용으로 옳은 것은?

▶ **기후 변화와 기후 정의**

> 기후 변화 문제에 대한 국제적 대응 차원에서 채택된 교토 의정서는 탄소 배출권 거래 제도를 도입하였다. 탄소 배출권 거래 제도는 국가나 기업별로 탄소 배출량을 미리 정해 놓고, 허용치 미달분을 탄소 배출권 거래소에서 팔거나 초과분을 사는 제도로, 온실가스 감축 의무를 각 국가에 부여하고 있다. 이 제도는 [(가)   ]는 장점이 있다. 반면, [(나)   ]는 비판이 제기되기도 한다.

① (가) – 국가나 기업의 자율적 준수를 강조하며 법적 강제력은 없다
② (가) – 특정 국가나 특정 계층에 더 큰 피해를 주는 기후 불평등을 초래한다
③ (나) – 선진국뿐만 아니라 개발 도상국과 후진국의 경제 성장 속도를 가속화한다
④ (나) – 자연환경을 보존한다는 명분으로 산업 발전과 경제 개발을 적극 찬성한다
⑤ (나) – 온실가스 배출에 대한 도덕적 책임으로부터 벗어나 환경 파괴를 정당화할 수 있다

6 (가) 문제에 대한 (나) 사상가의 견해로 적절한 것을 〈보기〉에서 고른 것은?

▶ **요나스의 책임 윤리**

완자샘의 시험 꿀팁

요나스의 책임 윤리는 자주 출제되므로 환경 문제, 미래 세대에 대한 책임과 관련지어 구체적인 내용을 잘 알아 두어야 한다.

> (가) 현세대는 무분별하게 자연을 개발하고 자원을 낭비하며 환경을 오염하고 있다. 만약 이러한 상황이 계속된다면 미래 세대는 깨끗하고 풍요로운 삶을 누릴 수 없다.
> (나) 이 사상가는 인류의 실존을 최우선으로 여기는 책임 윤리를 제시하였다. 그래서 칸트의 정언 명법을 수정하여 "네 행위의 결과가 지구상의 인간의 삶에 대한 미래의 가능성을 파괴하지 않도록 행위하라."라는 새로운 생태학적 정언 명법을 제시하였다.

┌ **보기** ┐
ㄱ. 인간은 인류가 존속할 수 있는 가능성을 파괴하지 않도록 행동해야 한다.
ㄴ. 인간은 과학 기술이 예측할 수 없는 결과에 대해서는 책임져야 할 의무가 없다.
ㄷ. 인간과 자연은 상호 의존적인 관계이므로 공존을 위해 서로를 책임질 의무가 있다.
ㄹ. 환경 오염에 대한 인간의 책임은 시간적으로는 먼 미래, 공간적으로는 전 지구에까지 이른다.

① ㄱ, ㄴ   ② ㄱ, ㄷ   ③ ㄱ, ㄹ
④ ㄴ, ㄷ   ⑤ ㄴ, ㄹ

01 과학 기술과 윤리

1. 과학 기술의 가치 중립성 논쟁

(1) 과학 기술의 성과와 문제점

성과	• 물질적 풍요와 생활의 편리함 증대 • 인간의 수명 연장과 건강 증진 • 시간적·공간적 제약 극복
문제점	• 환경 문제의 발생 　　• 인권 및 사생활 침해 • 생명의 존엄성 훼손 　　• 비인간화 현상 초래

(2) 과학 기술의 가치 중립성 논쟁

가치 중립성을 강조하는 입장	• 과학 기술은 그 자체로 좋은 것도 나쁜 것도 아님 → 과학 기술은 윤리적 평가나 책임에서 자유로워야 함 • 과학 기술의 결과에 대한 책임은 과학 기술을 실제로 활용한 사람들에게 있음
가치 중립성을 부정하는 입장	과학 기술의 발견과 활용 과정에는 가치가 개입됨 → 과학 기술이 (❶　　　) 판단에서 자유로울 수 없음
바람직한 태도	• 이론적 정당화 과정: 가치 중립성을 확보해야 함 • 연구 목적 설정 및 연구 결과 활용의 과정: 윤리적 가치 평가로 지도되고 규제받아야 함

2. 과학 기술의 사회적 책임

(1) 과학 기술의 사회적 책임 문제의 등장 배경

과학 기술의 파급 효과	개인과 사회에 지속적이고 광범위한 영향을 줌
결과 예측의 불확실성	과학 기술이 부정적인 결과를 가져올 수 있음
적용의 강제성	과학 기술의 적용 요구가 커짐
시공간적 광역성	과학 기술의 결과가 지구 전체와 미래 세대에까지 영향을 미침

(2) 과학 기술자의 책임

(❷　　　) 책임	• 과학 기술자는 연구 자체에 대한 책임을 져야 함 • 과학 기술자는 연구 윤리를 준수해야 함
(❸　　　) 책임	• 과학 기술자는 자신의 연구 결과가 사회에 미칠 영향에 대해 책임을 져야 함 • 자신의 연구 활동이 인간의 존엄성 구현과 삶의 질 향상을 위한 것인지 성찰하는 자세를 지녀야 함 • 선한 의도로 시작한 연구일지라도 사회적으로 해로운 결과가 예상될 경우 연구를 중단해야 함

(3) 과학 기술의 사회적 책임을 위한 노력

부작용 검토 및 대처	개발 단계에서부터 과학 기술의 결과가 미칠 부정적 영향과 위험을 폭넓게 검토하여 예방적 조치 마련
요나스의 책임 윤리	• 과학 기술 시대에 걸맞은 책임 윤리의 확립을 주장 • 전통적 윤리관의 한계를 지적하고 윤리적 책임의 범위를 자연은 물론 (❹　　　)로까지 확장
새로운 과학 기술의 개발	환경 문제나 기아 등 전 지구적인 문제를 해결할 수 있는 적정 기술, 대체 에너지 기술, 식량 증산 기술 등 개발
제도적 장치 마련	• 기술 영향 평가 제도의 실시 • 과학 기술 윤리 위원회 등 각종 윤리 위원회 활동의 강화 • 시민들의 감시와 참여를 이끌어 내는 장치의 제도화

02 정보 사회와 윤리

1. 정보 통신 기술의 발달과 정보 윤리

(1) 정보 통신 기술의 발달에 따른 윤리적 문제

사이버 폭력	• 의미: 가상 공간에서 상대방이 원하지 않는 언어, 이미지 등을 이용하여 정신적·심리적 피해를 주는 행위 • 문제점: 한번 유포된 정보는 수정 및 회수가 어려워 피해자는 지속적인 고통에 시달림
(❺　　　) 침해	• 의미: 저작권법에 의해 배타적으로 보호되는 저작물을 무단으로 이용하여 저작자의 권리를 침해하는 행위 • 문제점: 저작자의 창작 의욕을 감소시키고 양질의 정보를 생산할 수 없게 만듦 → '저작권 보호'와 '정보 공유'를 주장하는 입장이 서로 대립함
사생활 침해	• 의미: 자신의 의사와 무관하게 여러 가지 개인 정보가 다른 사람에게 노출되거나 악용되는 것 • 문제점: 개인의 자유로운 활동과 행복 추구를 방해하여 인간의 존엄성을 해침 → '잊힐 권리'와 '알 권리'에 대한 논쟁이 있음

(2) 정보 사회에서 요구되는 정보 윤리

존중	타인의 인격과 사생활, 저작물을 존중해야 함
책임	자신의 행동이 가져올 결과를 생각하고 행동해야 함
정의	정보의 진실성과 공정성을 추구해야 함
(❻　　　) 금지	사이버 폭력, 피싱과 파밍, 해킹과 바이러스 유포 등의 행동으로 타인과 사회에 해를 끼쳐서는 안 됨

2. 정보 사회의 매체 윤리

(1) 뉴 미디어의 특징

특징	• 상호 작용화: 송수신자 간 쌍방향적 의사소통이 이루어짐 • 비동시화: 수신자가 원하는 시간에 정보를 얻을 수 있음 • 탈대중화: 특정 대상과 특정 정보를 상호 교환할 수 있음 • 능동화: 사용자가 정보를 생산·유통·소비·감시할 수 있음 • 디지털화: 정보의 디지털화 → 정보 처리가 정확하고 신속함
문제점	정보의 객관성 및 전문성을 검증할 장치 부족, 각종 허위·유해 정보 전달, 폭력적이고 자극적인 정보로 이윤 추구

(2) 정보 사회에서 필요한 매체 윤리

정보의 생산 및 유통 과정	진실 보도, 공정한 편집과 편성, 타인의 인격 존중, 표절 금지 등
정보의 소비 과정	• 매체를 이해하고 활용하는 능력인 (❼　　　　　)를 갖추어야 함 • 시민 의식: 정보의 사용자 간에 대화 및 교류와 협력

03 자연과 윤리

1. 자연을 바라보는 동서양의 관점

(1) 인간 중심주의

입장		인간만이 도덕적 가치를 지닌다고 보는 입장
사상가	베이컨	자연을 인류의 복지를 위한 수단으로 봄
	데카르트	이분법적 세계관에 입각, 자연을 단순한 물질로 파악
	칸트	이성적 존재인 인간만이 도덕적 주체가 될 수 있음
의의 및 한계		• 의의: 인류가 자연을 적극적으로 이용하여 물질적 풍요를 누릴 수 있게 함 • 한계: 자연에 대한 인간의 지배와 착취를 정당화함

(2) 동물 중심주의

입장		도덕적 고려의 대상을 동물까지 확대해야 한다고 보는 입장
사상가	싱어	공리주의에 기초하여 도덕적 고려의 기준을 (❽　　　　) 감수 능력으로 봄
	레건	(❾　　　　)에 기초하여 내재적 가치를 갖는 대상은 수단이 아니라 목적으로 대우해야 한다고 봄
의의 및 한계		• 의의: 동물에 대한 비도덕적 관행을 반성하는 계기가 됨 • 한계: 인간과 동물의 이익이 충돌할 경우 무엇을 우선시해야 하는지 판단하기 어렵고, 동물 이외에 식물, 생태계 전체에 대한 고려가 미흡함

(3) 생명 중심주의

입장		모든 생명체는 그 자체로서 가치를 지니므로 도덕적 고려의 범위를 모든 생명체로 확대해야 한다고 보는 입장
사상가	슈바이처	모든 생명을 소중히 여기고 존중하는 (❿　　　　) 사상을 강조함
	테일러	• 모든 생명체를 목적론적 삶의 중심으로 봄 • 모든 생명체는 자신의 고유한 방식으로 자신의 선(善)을 추구한다는 점에서 내재적 존엄성을 지님
의의 및 한계		• 의의: 도덕적 고려의 범위를 생명체에까지 확대하여 모든 생명의 소중함을 일깨워 줌 • 한계: 생태계 전체를 고려한 것은 아니므로 오늘날 환경 문제를 극복하는 데 한계를 지님

(4) 생태 중심주의

입장		무생물을 포함한 생태계 전체를 도덕적 고려의 대상으로 여기는 입장 → 전일론적 관점
사상가	레오폴드	(⓫　　　　) 윤리를 주장함
	네스	심층적 생태주의를 주장함
의의 및 한계		• 의의: 환경 문제 해결을 위해 생태계 전체에 대한 포괄적 시각이 필요함을 일깨워 줌 • 한계: 환경 파시즘으로 흐를 수 있음

(5) 동양의 자연관

유교	천인합일을 지향하며, 인간과 자연을 상호 유기적 관계로 파악
불교	(⓬　　　　)적 세계관으로, 만물의 상호 의존성 강조
도가	(⓭　　　　)을 바탕으로, 자연에 따르는 삶을 추구

2. 환경 문제에 대한 윤리적 쟁점

기후 정의 문제	• 선진국의 온실가스 배출로 개발 도상국이 피해를 입음 • 피해국에 대한 선진국의 적극적 보상과 지원이 필요함 • 각 국가의 온실가스 배출 감소 노력이 필요함
미래 세대에 대한 책임 문제	• 미래 세대의 생존 및 삶의 질 문제에 관심이 필요함 • 요나스: 책임 윤리를 주장하며 현세대가 지녀야 할 덕목으로 두려움, 겸손, 검소, 절제를 제시함
성장과 보존의 딜레마 문제	• 개발론자: 개발에 따른 환경 문제는 경제 성장과 기술 발달로 해결할 수 있음 • 보존론자: 자연을 보존하는 것이 장기적으로도 인류에 큰 이익임 • (⓮　　　　) 가능한 발전: 미래 세대에게 남겨 주어야 할 자연환경을 파괴하지 않는 범위에서 현세대의 필요를 만족하게 함

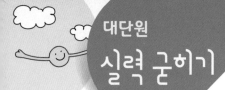
01 갑, 을의 입장에 대한 옳은 설명을 〈보기〉에서 고른 것은?

> 갑: 최악의 경우는 기술을 중립적인 것으로 고찰하여 우리와 무관한 것으로 보게 되는 것이다. 이 경우 우리는 무방비 상태로 기술에 내맡겨진다.
> 을: 과학 기술이 선한지 악한지는 인간이 기술로부터 무엇을 만들어 내고, 기술을 어디에 사용하고, 어떤 조건에서 기술이 만들어지느냐에 달려 있다.

보기
> ㄱ. 갑은 을과 달리 과학 기술의 가치 중립성을 인정한다.
> ㄴ. 갑은 과학 기술에 대한 가치 판단이 필요하다고 본다.
> ㄷ. 을은 과학 기술 자체는 선하지도 악하지도 않다고 본다.
> ㄹ. 을은 과학 기술의 결과에 대한 책임이 과학 기술자에게 있다고 본다.

① ㄱ, ㄴ ② ㄱ, ㄷ ③ ㄴ, ㄷ
④ ㄴ, ㄹ ⑤ ㄷ, ㄹ

02 다음과 같이 주장한 사상가가 긍정의 대답을 할 질문으로 옳은 것은?

> 우리는 발명 이후에 일어나는 모든 결과를 내다볼 수는 없다. 따라서 개인은 어떤 집단의 이익을 위하여 더 큰 공동체를 위험에 빠뜨리지 않아야 한다는 요구를 내세울 수 있다. 근본적으로 기술적·과학적 진보가 이룩하는 커다란 연관성에 대한 세심하고 양심적인 배려만이 과학 기술자에게 요구될 뿐이다. 이 연관성은 자신의 이익과는 무관하게 고려해야 할 사항이다.

① 과학 기술은 사회로부터 독립적인가?
② 과학자의 사회적 책임을 부정하는가?
③ 과학 기술의 가치 중립성을 강조하는가?
④ 과학자의 연구는 윤리적 평가로부터 자유로운가?
⑤ 과학자는 연구의 사회적 영향력을 고려해야 하는가?

03 그림의 강연자가 강조할 과학자의 책임으로 가장 적절한 것은?

> 내가 원자 폭탄을 만든 것은 사실이지만, 원자 폭탄의 사용에 대한 결정은 정치인이 내린 것이지 내가 내린 것이 아닙니다. 나는 단지 주어진 임무에 충실했을 뿐입니다.

① 과학 기술의 부정적 측면을 강조해야 할 책임이 있다.
② 주어진 연구와 실험을 윤리적으로 수행할 책임이 있다.
③ 정치인과 마찬가지로 정치적 결단을 내릴 책임이 있다.
④ 연구의 결과가 사회에 미칠 영향을 고려할 책임이 있다.
⑤ 과학 기술이 모든 문제를 해결할 수 있음을 알릴 책임이 있다.

04 (가), (나)의 입장에 대한 설명으로 가장 적절한 것은?

> (가) 인류는 과학 기술을 이용하여 사회의 모든 문제를 해결하고 무한한 부와 행복을 누릴 수 있다. 과학 기술의 발전에 따른 부작용도 과학 기술의 힘으로 해결할 수 있다.
> (나) 책임의 범위를 현세대로 한정하는 기존의 전통적 윤리관으로는 과학 기술 시대에 발생하는 문제를 해결하는 데 한계가 있다. 따라서 우리는 과거의 행위에 대한 책임에서 더 나아가 미래의 결과에 대한 책임을 강조하는 책임 윤리 의식을 길러야 한다.

① (가)는 과학 기술의 발전과 성과를 부정한다.
② (가)는 과학 기술의 긍정적 측면을 간과하고 있다.
③ (나)는 과학 기술에 대한 반성적 태도를 취하고 있다.
④ (나)는 과학 기술 지상주의에 입각하여 책임 윤리를 촉구한다.
⑤ (가), (나)는 모두 과학 기술의 발전이 오늘날 환경 문제를 충분히 해결할 수 있다고 본다.

05 다음은 서술형 평가 문제와 학생 답안이다. ㉠~㉤ 중 옳지 않은 것은?

서술형 평가

◎ 문제: 과학 기술의 가치 중립성 보장 여부를 두 가지 과정으로 나누어 서술하시오.

◎ 학생 답안

과학 기술의 가치 중립성 보장 여부는 두 가지 과정으로 나누어 이해해야 한다. ㉠ <u>과학 기술은 이론적 정당화 과정을 거치면서 객관적 타당성이 있는 원리나 지식으로 확립된다.</u> 이때 ㉡ <u>연구자의 주관적 가치가 개입되면 과학 기술의 객관적 타당성을 확보하기 어렵다.</u> 따라서 ㉢ <u>과학 기술의 이론적 정당화 과정에서는 과학 기술의 가치 중립성이 보장되어서는 안 된다.</u> 하지만 ㉣ <u>연구자가 연구 목적을 선정하거나 연구 결과를 활용하는 과정에는 가치 판단이 개입되어야 한다.</u> ㉤ <u>이 과정에는 개인의 가치관이나 기업의 이익, 사회적 필요, 정치적 목적 등 다양한 가치가 개입될 수 있기 때문이다.</u>

---

① ㉠ ② ㉡ ③ ㉢ ④ ㉣ ⑤ ㉤

06 다음을 통해 추론할 수 있는 정보 사회의 특징을 〈보기〉에서 고른 것은?

정보 통신 기술의 발달로 현대인들은 은행 업무, 전자 상거래 등 일상적인 업무를 쉽고 빠르게 처리할 수 있고, 조직, 국가, 인종을 초월하여 자신이 원하는 사람과 직접 연결하고 자유롭게 교류할 수 있다. 또한 수평적·쌍방향의 의사소통이 가능해지고 다원적인 사회 분위기가 형성되었다. 그러나 한편으로는 정보 통신 기술을 활용한 판옵티콘이 재현될 것이라는 우려도 있다.

보기

ㄱ. 삶의 편리성 증대
ㄴ. 시공간적 제약의 증가
ㄷ. 정치 참여 기회의 확대
ㄹ. 감시와 통제의 가능성 감소

① ㄱ, ㄴ ② ㄱ, ㄷ ③ ㄴ, ㄷ
④ ㄴ, ㄹ ⑤ ㄷ, ㄹ

[07~08] 다음을 보고 물음에 답하시오.

07 갑은 긍정, 을은 부정의 대답을 할 질문으로 옳은 것은?

① 정보 공유 권리를 주장하는가?
② 정보의 공공재적 성격을 중시하는가?
③ 정보는 공동체의 이익을 위해 공유해야 하는가?
④ 지적 창작물을 개인의 재산으로 보호해야 하는가?
⑤ 정보를 공유할 때 정보의 질적인 발전이 가능한가?

08 을의 입장에서 갑에게 제기할 수 있는 반론으로 가장 적절한 것은?

① 정보는 인류 공동의 자산이 아님을 고려해야 해.
② 지적 창작물에 대한 배타적 권리를 인정해야 해.
③ 정보의 무단 복제가 불가능한 환경을 조성해야 해.
④ 저작권 침해가 저작자의 창작 의욕을 감소시킨다는 것을 알아야 해.
⑤ 과도한 저작권 행사는 정보 격차에 따른 불평등을 발생시킨다는 것을 알아야 해.

09 다음과 같은 문제점을 해결하기 위해 필요한 자세로 옳지 <u>않은</u> 것은?

> • 문학 작품이나 예술 작품, 논문 등을 무단 복제하여 대량으로 유포하는 사례
> • 단체 대화방에서 고의로 특정 친구를 배제하여 상대방이 고통을 느끼도록 하는 사례
> • 가상 공간에서 허위 사실을 유포하거나 악성 게시물과 댓글 등으로 다른 사람의 명예를 훼손하는 사례
> • 상대방의 의사와 무관하게 인터넷에 당사자의 이름과 주소, 전화번호, 행적 등을 공개하면서 신상 털기를 하는 사례

① 타인의 기본적 자유와 권리를 침해하지 않는다.
② 자신의 행동이 가져올 결과에 대해 책임을 진다.
③ 다른 사람과 사회에 해를 끼치는 행위를 삼간다.
④ 공동체의 조화로운 삶과 복지 증진을 위해 행동한다.
⑤ 익명성을 이용하여 한계 없이 자유롭게 말하고 행동한다.

10 ㉠의 질문에 대한 대답으로 옳지 <u>않은</u> 것은?

> 오늘날 정보 통신 기술의 발전으로 기존 매체가 인터넷 또는 모바일 기기와 결합하면서 새로운 매체가 등장하였는데, 이것을 뉴 미디어(new media)라고 한다. 뉴 미디어의 발달로 정보의 양방향 소통이 가능해졌으며, 사용자가 정보를 직접 생산, 유통, 소비하는 1인 미디어 시대가 도래하였다. ㉠ 이러한 시대에 현대인에게 필요한 매체 윤리에는 어떤 것이 있을까?

① 다른 매체의 저작물이나 정보를 표절하지 않는다.
② 알 권리라는 명분으로 다른 사람의 개인 정보를 함부로 다루지 않는다.
③ 정보를 자의적으로 해석하거나 왜곡하지 않고 있는 그대로 전달한다.
④ 매체를 이해하고 활용하고 정보를 비판적으로 해석하는 능력을 갖춘다.
⑤ 개인적이고 주관적인 정보를 생산하여 매체의 성격이 잘 드러나게 한다.

11 갑은 긍정, 을은 부정의 대답을 할 질문으로 옳은 것은?

> 갑: 살아 있는 모든 것은 자신의 고유한 방식으로 자신의 목적을 추구한다. 자기 보존과 행복을 위해 움직인다는 점에서 모든 생명체는 동등하다.
> 을: 우리는 이익 평등 고려의 원칙에 따라 인간과 동물의 이익을 차별해서는 안 된다. 종(種)이 다르다는 이유로 동물을 차별하는 것은 정당화될 수 없다.

① 모든 생명체는 내재적 가치를 지니는가?
② 인간 중심주의적 관점에서 자연을 바라보는가?
③ 쾌고 감수 능력의 유무에 근거하여 판단하는가?
④ 도덕적 고려의 대상을 무생물까지 확대하는가?
⑤ 이성적 존재만을 도덕적 고려의 대상으로 여겨야 하는가?

12 (가), (나)의 입장에서 질문에 모두 옳게 대답한 것은?

> (가) 어떤 것이 생명 공동체의 온전성, 안정성, 아름다움에 이바지하는 경향이 있다면 옳은 것이며, 그렇지 않다면 그른 것이다.
> (나) 이성이 없지만 생명이 있는 동물을 잔학하게 다루는 것은 인간의 자기 자신에 대한 의무에 어긋난다.

	질문	대답	
		(가)	(나)
①	개별 생명체에 중점을 두고 있는가?	예	예
②	도덕적 지위를 가지는 기준을 생명으로 보는가?	아니요	예
③	도덕 공동체의 범위를 생태계까지 확대하고 있는가?	예	아니요
④	자연에 대한 의무는 인간의 도덕성을 위한 간접적 의무인가?	예	아니요
⑤	고통을 느낄 수 있는 동물을 도덕적 고려의 대상으로 보는가?	아니요	아니요

13 (가)의 갑, 을 사상가의 입장을 (나)의 그림과 같이 탐구할 때, A~C에 들어갈 질문으로 옳은 것은?

(가)	갑: 모든 생명은 살고자 하는 의지를 지니고 있으며 그 자체로 신성하다. 따라서 생명을 고양하는 것은 선이고, 생명을 훼손하는 것은 악이다. 을: 식물은 동물을 위해, 동물은 인간을 위해 존재한다. 자연은 목적이 없거나 헛된 일을 하지 않는다. 자연은 이성적 존재인 인간을 위해 모든 동물을 만들었다.
(나)	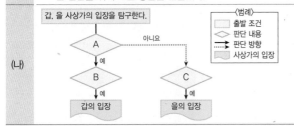

① A: 이익 평등 고려의 원칙에 근거하는가?
② A: 생태계 전체에 초점을 맞추고 있는가?
③ B: 무생물까지도 도덕적 고려의 대상인가?
④ C: 모든 생명이 내재적 가치를 지니는가?
⑤ C: 자연은 인류의 복지를 위한 수단인가?

14 (가)의 관점에서 (나)의 주장을 지지할 경우 그 논거로 가장 적절한 것은?

(가)	성장한 포유동물은 쾌락과 고통의 감정이 있을 뿐만 아니라 자기의 욕구와 목표를 위해 행동하며 자신의 정체성을 느낄 수 있는 능력을 갖춘 삶의 주체이다. 따라서 자신의 삶을 영위할 권리가 있다.
(나)	**동물 실험을 중단하라!**

① 공리주의에 근거한 동물 해방이 중요하다.
② 동물은 인간과 달리 쾌고 감수 능력이 있다.
③ 동물은 그 자체로 본래적 가치를 지닌 존재이다.
④ 지구상의 모든 존재는 유기적으로 관계를 맺고 있다.
⑤ 동물을 포함하여 모든 생명은 살고자 하는 의지가 있으며 그 자체로 신성하다.

15 갑~병 사상가들의 입장에 대한 옳은 설명을 〈보기〉에서 고른 것은?

갑: 생명이 있는 존재는 자신의 선을 고유한 방식대로 추구한다는 점에서 목적론적 삶의 중심이며 모두 내재적 가치를 지닌다.
을: 쾌락과 고통을 느낄 수 있는 능력은 다른 존재들의 이익에 관심을 가질지의 여부를 판가름하는 유일한 경계가 된다.
병: 인간과 동물, 식물, 물, 토양 등은 도덕 공동체의 평등한 구성원이며, 자연의 모든 존재는 상호 의존적 관계에 있다.

〈보기〉
ㄱ. 갑은 을과 달리 모든 생명체가 내재적 가치를 지닌다고 본다.
ㄴ. 갑은 병처럼 자연의 모든 존재가 그 자체로 존중의 대상이라고 본다.
ㄷ. 을, 병은 고통을 느낄 수 있는 동물을 도덕적 고려의 대상으로 본다.
ㄹ. 갑, 을, 병은 인간이 자연 전체에 대한 직접적인 의무를 가진다고 본다.

① ㄱ, ㄴ   ② ㄱ, ㄷ   ③ ㄴ, ㄷ
④ ㄴ, ㄹ   ⑤ ㄷ, ㄹ

16 다음 글에서 다루고 있는 환경 문제에 대한 윤리적 쟁점으로 가장 적절한 것은?

현세대에 의한 환경 오염의 책임은 시간적으로는 먼 미래의 후손에까지 미치며, 공간적으로는 전 지구의 영역에까지 이른다. 그래서 칸트의 정언 명법을 수정하여 "네 행위의 결과가 지구상의 인간의 삶에 대한 미래의 가능성을 파괴하지 않도록 행위하라."라는 새로운 생태학적 정언 명법이 제시되기도 한다.

① 국가 간 협력 문제
② 탄소 배출권 거래제 문제
③ 성장과 보존의 딜레마 문제
④ 미래 세대에 대한 책임 문제
⑤ 기후 변화와 기후 정의 문제

문화와 윤리

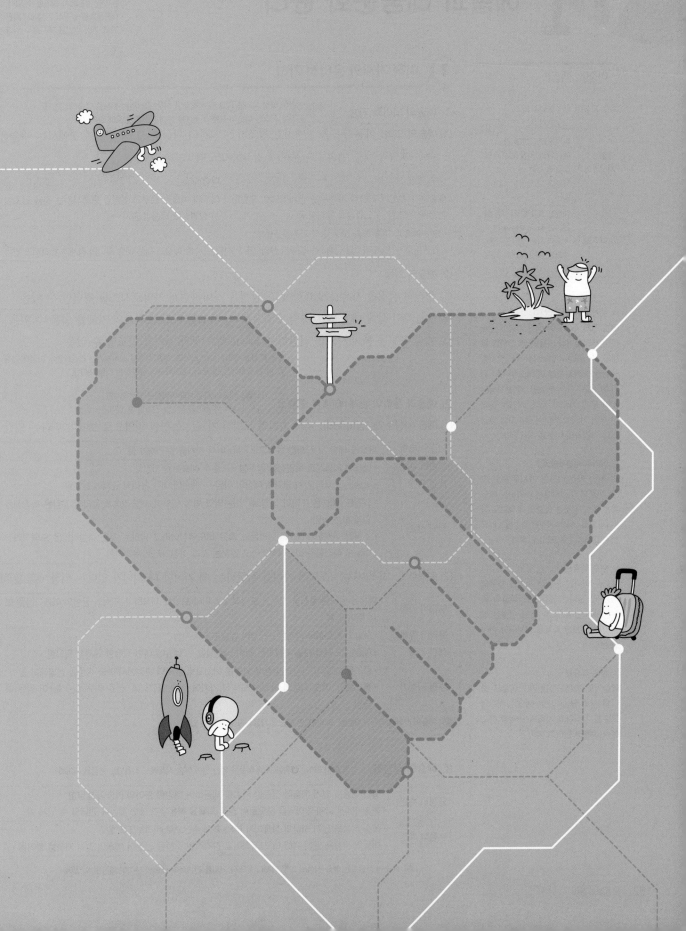

01 예술과 대중문화 윤리

이것이 핵심!

예술 지상주의와 도덕주의

예술 지상주의	• 예술은 예술 그 자체를 목적으로 삼아야 함 • 예술가의 자율성과 독립성을 중시함 • 와일드, 스핑건이 대표적임
도덕주의	• 예술은 도덕적 가치를 실현하는 데 기여해야 함 • 예술의 사회성을 중시함 • 플라톤, 톨스토이가 대표적임

★ **부가 가치(附加價値)**
개별 경제 주체들이 생산 과정에서 새로이 추가하거나 만들어 낸 가치를 말한다. 즉 어떤 기업이 생산해 낸 최종 생산물의 가치에서 여기에 투여된 원자재나 중간재의 가치를 제하고 남은 것이 부가 가치가 된다. 기업은 이러한 부가 가치에 의하여 근로자의 임금이나 기업가의 이윤을 지급한다.

★ **심미주의(審美主義)**
미(美)를 가장 지고한 가치로 보고 모든 것을 미의 견지에서 파악하는 태도 혹은 미의 창조를 예술의 목적으로 삼는 사조로, 탐미주의(耽美主義)나 유미주의(唯美主義)라고도 한다.

★ **순수 예술론**
예술은 어떠한 현실적 목적을 추구해서는 안 된다는 입장으로, 예술의 목적은 예술만이 될 수 있고 예술은 예술 외적인 모든 타율을 거부해야 한다고 본다.

★ **참여 예술론**
예술가도 사회 구성원이고 예술도 하나의 사회 활동이므로 예술은 사회의 모순을 지적하고 사회의 도덕적 성숙에 기여해야 한다고 본다.

① 미적 가치와 윤리적 가치

1. 예술의 의미와 기능
> 잠깐! 인간이 미적 가치를 담고 있는 작품을 창작·감상하는 활동을 예술이라고 해. 인간은 이러한 예술적 표현과 감상을 통해 문화를 창조해 왔어.

(1) 예술의 의미: 아름다움을 표현하고 창조하는 인간의 활동과 그 산물로, 한편에서는 예술을 순수 예술과 대중 예술로 구분하여 평가하기도 함

순수 예술	대중 예술
예술가가 자신의 예술적 세계관을 창의적으로 표현하는 것을 강조함 → 고유성과 독창성 중시	대중의 예술적 요구와 취향을 충족시키는 것을 강조함 → 상업성과 대중성 중시

• 순수 예술과 대중 예술 모두 미적 가치를 지향함
• 최근 문화가 *부가 가치를 창출하는 중요한 산업으로 인식됨 → 순수 예술과 대중 예술 사이의 경계가 흐려지고 있음

(2) 예술의 기능

① 생각과 감정을 자유롭게 표현하고, 감정을 정화하면서 카타르시스를 경험할 수 있음
② 예술가의 삶에 대한 깊은 통찰에 감동하며, 사고를 확장하고 삶의 지혜를 얻을 수 있음
③ 예술 활동을 통해 사회를 비판하거나 새로운 사상과 가치를 창조할 수 있음

> 정화, 배설을 뜻하는 그리스어로, 예술 작품을 창작하거나 감상하면서 마음에 슬픔, 두려움과 같은 감정을 토해 내고 깨끗이 정화하는 것을 의미해.

2. 예술과 윤리의 관계 [자료①] [자료②]
> 꼭! 예술의 자율성과 독립성을 인정하지만 사회적 영향과 책임을 간과할 수 있어.

(1) 예술 지상주의(*심미주의): 미적 가치와 도덕적 가치는 독립된 영역으로 보아야 한다는 입장

예술의 목적	예술은 예술 그 자체를 목적으로 삼고 미적 가치를 추구해야 함
윤리적 규제에 대한 입장	• 예술의 자율성과 독립성을 강조함 → *순수 예술론을 지지함 • 예술은 도덕적 가치 평가의 대상이 아님 → 예술에 대한 윤리적 규제에 반대함
관련 사상가	• 와일드: 예술은 도덕이 미칠 수 있는 영역 밖에 있으며, 예술가에게 윤리적 공감은 독창성을 잃게 하는 것임 • 스핑건: 시(詩)가 도덕적이라든가 혹은 비도덕적이라고 말하는 것은 정삼각형은 도덕적이고 이등변 삼각형은 비도덕적이라고 말하는 것과 마찬가지로 무의미함

(2) 도덕주의: 미적 가치는 도덕적 가치를 실현하는 데 기여할 때 의미가 있다는 입장 [교과서 자료]

예술의 목적	예술은 올바른 품성을 기르고 도덕적 교훈이나 모범을 제공하며, 조화와 균형의 아름다움을 보여 주어야 함
윤리적 규제에 대한 입장	• 예술의 사회성을 강조함 → *참여 예술론을 지지함 • 예술은 도덕적 선을 지향하는 것이 바람직함 → 예술에 대한 적절한 규제가 필요함
관련 사상가	• 플라톤: 예술이 인간의 영혼에 영향을 미치므로 윤리의 관점에서 예술 작품을 선별해야 함 • 톨스토이: 예술 작품의 가치는 도덕적 가치에 의해 결정되며, 선을 추구하는 예술이 참된 예술임

> 꼭! 예술의 사회적 영향과 책임을 고려하지만 예술의 자율성을 침해할 수 있어.

3. 예술의 상업화
> 상품을 사고파는 행위를 통해 이윤을 얻는 일이 예술 작품에도 적용되는 현상을 의미해.

긍정적 측면	• 일반 대중도 쉽게 예술에 접근할 기회를 제공하여 다양한 분야의 예술이 발달함 • 예술가에게 경제적 이익을 줌으로써 창작 의욕을 북돋우고 예술 활동에 전념할 수 있게 함
부정적 측면	• 예술 작품을 단지 하나의 상품이자 부의 축적 수단으로 바라보도록 함 • 대중의 관심을 끌기 위해 더 자극적이고 감각적인 작품을 만들어 예술의 질적 저하를 불러옴

> 꼭! 예술의 상업화는 예술 작품의 미적 가치나 윤리적 가치를 간과하여 예술의 본질이 왜곡될 수 있어.

완자 자료 탐구

내 옆의 선생님

시, 예, 악이 인간됨의 형성에 있어 기본적인 교양이 된다는 의미야.

자료 1 와일드의 예술 지상주의와 플라톤의 도덕주의

- 아름다운 것에서 아름다운 의미를 찾는 자들은 교양 있는 자들이다. 세상에 도덕적인 작품, 비도덕적인 작품이라는 것은 없다. 작품은 잘 쓰였거나 형편없이 쓰였거나 둘 중의 하나일 뿐이다.
  – 와일드, 『도리언 그레이의 초상』
- 예술 작품이 몸에 좋은 곳에서 불어오는 미풍처럼 그들에게 좋은 영향을 주며, 어릴 때부터 곧장 자기도 모르는 사이에 아름다운 말을 닮고 사랑하고 공감하도록 그들을 이끌어 준다.
  – 플라톤, 『국가』

와일드는 예술과 도덕을 별개의 영역으로 보고 예술 작품을 도덕적인 기준으로 평가하는 것은 바람직하지 않다고 주장하였다. 플라톤은 좋은 예술 작품이 청소년들의 도덕성 함양에 도움을 준다고 보고 예술 작품이 도덕적인지 판단하여 선별해야 한다고 주장하였다.

자료 2 순수 예술론과 참여 예술론

순수 예술의 옹호자들은 예술이 현실로부터 자유로운 영역이어야 한다고 본다. 이들에 따르면 예술은 어떠한 현실적 목적을 추구해서는 안 된다. 예술의 목적은 예술만이 될 수 있고, 예술은 예술 외적인 모든 타율을 거부해야 한다. 요컨대 예술은 자율적이고 순수하며 아름다워야 한다. 이에 반해 참여 예술의 옹호자들은 현실과의 모든 관계를 부정하는 순수 예술을 현실 도피라고 비판한다. 예술가도 시대의 아들이고 예술도 시대의 소산이기 때문이다. 따라서 예술은 현실을 반영하고 개선하며, 이를 통해 역사 발전에 기여해야 한다고 본다. 요컨대 예술은 참여인 것이다.
– 김수용 외, 『예술의 시대』

순수 예술론은 예술이 예술 그 자체를 목적으로 삼아야 한다고 보기 때문에 예술의 독자성과 자율성을 강조하는 반면, 참여 예술론은 예술이 인간의 도덕성 함양과 바람직한 사회 건설에 기여해야 한다고 보기 때문에 예술의 사회 참여를 강조한다.

수능이 보이는 교과서 자료 예술의 사회 참여 어떻게 보아야 할까?

레게 음악을 통해 사회의 변화를 촉구한 밥 말리(Marley, B.)는 "의도하지 않은 것을 노래하면 그 음악은 의미가 없다. 음악은 무엇인가를 의미해야 한다."라고 말한다. 파블로 엘게라(Helguera, P.)는 예술에 관해 다음과 같이 말한다. "모든 예술은 사회적 상호 작용을 유발한다. 사회 참여 예술에서 작품을 만드는 행위는 그 자체가 사회적이다." …… 예술의 사회 참여에 주목하는 사람들은 예술 작품을 통해 이 세계의 추한 모습을 고발하고, 또 이 세상을 더 나은 세계로 바꾸어 갈 수 있다는 희망을 예술 작품에 담아 우리에게 변화의 힘을 불어넣기도 한다.

제시된 자료에서 예술가들은 모두 예술의 사회 참여를 강조하고 있다. 예술이 사회의 문제점을 비판하고 해결하는 데 도움을 줄 수 있다고 보기 때문이다.

자료 하나 더 알고 가자!

도덕주의 입장을 가진 사상가들

- "인간은 시(詩)로써 일어나고, 예(禮)로써 바로 서고, 악(樂)으로써 완성된다."
  – 공자
- "인간은 칠정(七情)이 있어 마음이 고르지 못한 까닭에 음악을 듣고 마음을 씻어 평온해져야 한다." – 정약용

공자는 예술을 통해 인격을 도야하여 진정한 인간다움[仁]에 이를 수 있다고 보았다. 정약용은 음악을 들으며 희(喜)·노(怒)·애(哀)·락(樂)·애(愛)·오(惡)·욕(欲)의 일곱 가지 마음을 정화할 수 있다고 보았다. 음악이 인격 향상에 기여한다는 것이다.

문제로 확인할까?

순수 예술론의 입장으로 가장 적절한 것은?
① 예술의 목적은 예술 그 자체이다.
② 예술은 미적 가치를 거부해야 한다.
③ 예술은 현실 개선에 앞장서야 한다.
④ 예술은 도덕적 가치를 추구해야 한다.
⑤ 예술은 자율성보다 사회성을 중시해야 한다.

① 답

완자샘의 탐구 강의

- 자료에 나타난 예술가들은 예술과 윤리의 관계를 어떻게 바라보고 있는지 서술해 보자.

자료에 나타난 예술가들은 예술이 의미가 있어야 하며, 사회적 상호 작용을 유발하여 사회를 개선해야 한다고 보고 있다. 이 관점은 도덕주의와 연결되며, 예술의 사회성을 강조하는 참여 예술론을 지지한다.

함께 보기 160쪽. 1등급 정복하기 1

이것이 **핵심!**

대중문화의 윤리적 문제

지나친 상업성	대중문화를 단순히 이윤을 창출하는 상품으로 여김
선정성과 폭력성	청소년을 포함한 대중의 정서에 악영향을 줌
대중문화의 자본 종속	• 대중문화가 획일화됨 • 예술가의 자율성과 독립성이 제약될 수 있음
대중문화에 대한 윤리적 규제	• 찬성하는 입장: 성의 상품화를 예방하고, 대중의 정서에 미칠 부정적 영향을 방지할 수 있음 • 반대하는 입장: 표현의 자유와 대중의 문화적 권리를 침해하고, 규제 기준이 공정성을 잃을 수 있으며, 대중문화가 정치적 이데올로기의 전달 도구로 악용될 수 있음

★ 대중 매체

대중에게 똑같은 정보를 동시에 대량으로 전달하는 수단으로, 신문, 잡지, 라디오, 텔레비전, 인터넷 등이 있다. 대중 매체는 대중문화의 형성과 발달에 큰 영향을 미치며, 정보를 신속하게 전달하고 활용하는 것이 중요한 현대 사회에서 그 중요성이 커지고 있다.

★ 가치관(價値觀)

인간이 자기를 포함한 세계나 그 속의 사상(事象)에 대하여 가지는 평가의 근본적 태도를 말한다. 인간이 사회 현상이나 문화, 예술, 정치 등 인간 생활과 관련된 여러 일들을 판단하는 기준이 된다.

★ 문화 산업

문화 상품의 기획, 개발, 제작, 생산, 유통, 소비 등과 이에 관련된 서비스를 하는 산업

★ 이데올로기

세계관, 종교관, 가치관, 사상, 사고방식 등 세상에 대한 다양한 신념 체계 혹은 인식 체계를 말한다. 따라서 현재 사회의 모습과 무관하지 않으며, 현재 사회의 문제점을 인식케 하고 이를 극복하여 이상 사회를 이룩할 수 있게 방향을 설정해 주는 이념이나 사고 체계이다.

② 대중문화의 윤리적 문제

1. 대중문화의 의미와 특징

(1) **대중문화의 의미**: 텔레비전, 라디오, 드라마, 영화, 공연, 신문, 잡지, 음반, 게임, 만화 등을 통해 많은 사람이 쉽게 접하고 즐길 수 있는 통속적이고 가벼운 오락물이나 생활 예술

(2) **대중문화의 특징** ┌ 꽥! 대중문화는 대중이 살아가는 시대상을 반영하며 불특정 다수의 대중에게 대량 공급하여 대중의 의식을 표준화해.

① 대중 매체에 의해 생산되고 확산하는 경우가 많음

② 시장을 통해 유통되면서 이윤을 창출하는 상업적 특징을 지님

③ 현대인들의 일상과 긴밀하게 연관되어 있음

(3) **대중문화의 중요성**: 개인의 *가치관이나 행동 양식, 사회 변화에 많은 영향을 주기 때문임

┌ 잠깐! 우리는 대중문화 속에 내포된 생각이나 가치의 영향을 받아 새로운 가치관, 취향, 삶의 형태 등을 형성하기도 해.

2. 대중문화의 윤리적 문제

(1) **지나친 상업성**

① 대중문화를 단순한 상품으로 여김 ┌ Qw? 오늘날 대중문화는 이윤을 창출하는 상품으로서 최소 비용으로 최대 이윤을 얻어야 한다는 경제 원칙의 지배를 받기 때문이야.

② 대중문화는 사람들에게 직간접적으로 영향을 줌 → 대중문화의 영향과 사회적 효과를 신중하게 고려해야 함

(2) **선정성과 폭력성** ┌ 꽥! 대중문화가 흥행과 수익성만을 지나치게 추구하여 대중의 관심과 소비를 유도하기 위해 폭력성을 조장하고 성을 상품화하면 사회의 도덕성에 부정적인 영향을 미칠 수 있어.

① 인간의 육체와 성을 욕구 충족의 수단 및 과시적 대상으로 삼는 경우가 많음

② 폭력을 지나치게 미화하거나 정당화하여 폭력에 대한 그릇된 인식을 지니게 할 수 있음
→ 청소년을 포함한 대중의 정서에 악영향을 주고, 모방 범죄로 이어지기도 함

(3) **대중문화의 자본 종속** [자료 ③] ┌ Qw! 미리 기획된 간접 광고(PPL) 때문에 드라마의 내용이 바뀌거나 영화관에서 거대 자본이 투입된 영화를 우선 상영하기도 해.

의미	자본의 힘이 대중문화를 지배하는 현상
문제점	• 투자자나 자금력을 갖춘 일부 문화 기획사가 대중문화를 주도하게 됨 • 획일화된 문화 상품만 양산되어 대중문화의 다양성이 위축될 위험이 커짐 • 문화 산업에 종속된 예술은 대중의 취향과 기호를 중요하게 여겨 예술가의 상상력과 자율성, 독립성이 제약될 수 있음

(4) **대중문화에 대한 윤리적 규제** [자료 ④]

┌ 인간은 성을 통해 상대방을 이해하고 존중하며 서로에 대한 사랑과 책임을 확인할 수 있지. 인간의 성은 사랑을 전제로 할 때 진정한 의미를 지닌다고 할 수 있어.

찬성하는 입장	• 성의 상품화 예방 강조: 성을 상품으로 대상화하여 성의 인격적 가치를 훼손하지 않아야 함 • 대중의 정서에 미칠 부정적 영향 방지: 규제를 통해 청소년에게 해로운 대중문화를 걸러 낼 수 있음
반대하는 입장	• 대중문화의 자율성 및 표현의 자유를 강조함 • 대중이 다양한 대중문화를 즐길 권리를 강조함 • 대중문화를 규제하는 기준이 공정성을 잃을 수 있음 • 대중문화가 다수나 강자를 대변하거나 정치적 이데올로기를 전달하는 도구가 될 수 있음

┌ Qw? 청소년들은 컴퓨터와 스마트폰, 대중 매체를 자주 이용하므로 대중문화에 특히 더 많은 영향을 받기 때문이야.

3. 대중문화에 대한 바람직한 태도 [자료 ⑤]

생산자의 측면	지나친 이윤 추구에서 벗어나 건전하고 다양한 대중문화를 보급하기 위해 노력하면서 미적 가치를 지향해야 함
소비자의 측면	대중문화를 주체적으로 선별하고 비판적으로 수용해야 함
법적·제도적 측면	방송법 등을 통해 생산과 소비에 대한 공적 책임을 부여하고, 사회적 기구를 만들어 대중문화에 대한 자율적인 자정 노력도 해야 함

자료 ③ 대중문화 속에 숨은 문화 산업

우리 시대에서 객관적이라고 여겨지는 사회 흐름은 사실상 최고 경영자의 은밀한 주관적 의도에 달려 있다. 이런 것에 비하면 문화 부분의 독점은 부차적인 문제일 것이다. 대중 사회에서 문화는 실질적으로 권력 소유자들의 비위를 맞추지 않으면 안 된다. 산업의 각 영역은 경제적으로 서로 얽혀 있는데, 방송 산업이 전기 산업에 종속되어 있다든지 영화 산업이 은행업에 매여 있다는 점들이 그 예이다. …… 문화의 이러한 특징 속에서 개인의 주체성은 사라진다. 자본이 모든 것을 알아서 해 주는 사회 속에서 개인은 단지 그것을 향유하기만 하는 존재이다. 자본은 개인이 적극적으로 사유하는 것을 불가능하도록 만든다.   – 아도르노·호르크하이머, 「계몽의 변증법」

호르크하이머는 자본이 이윤의 극대화를 위해 대중문화의 생산에서부터 유통·소비에 이르는 전 과정에 개입하는 문제를 비판하고 있다. 그는 대중문화에 자본이 진출함으로써 대중은 비판적으로 사고하고 상상하기보다는 매체가 제공하는 문화 상품을 그대로 수용하고 소비할 것을 강요받고 있다고 본다. 이처럼 문화가 자본에 종속되면 사고와 정신을 고양한다는 문화 본연의 가치가 훼손될 수 있다.

자료 ④ 대중문화에 대한 윤리적 규제

웹툰이 최근 또다시 여론의 도마에 올랐다. …… 미성년자를 성적 대상화하고 성폭력을 적나라하게 묘사해 팬들이 먼저 비판을 하고 나선 것이다. …… ○○○ 문화 평론가는 "경쟁이 치열해지면서 더 선정적이고 자극적인 콘텐츠로 눈길을 끌려다 보니 문제가 발생하는 것"이라고 꼬집었다. …… 업계에선 법적 규제에 대해서는 부정적이다. "시대를 거꾸로 돌려 사전 심의나 검열을 연상시키는 법적 규제는 할 수도 없고, 해서도 안 된다"는 주장이다.   – 한겨레, 2020. 09. 16.

제시된 사례처럼 대중문화가 상업적 수익을 위해 지나치게 선정적이고 폭력적인 내용을 포함하는 경우가 많아지면서 이를 모방한 일탈 사례와 범죄도 증가하고 있다. 이에 따라 대중문화에 대한 윤리적 규제를 두고 미풍양속과 청소년 보호 등을 근거로 찬성하는 입장과 표현의 자유와 문화를 향유할 권리를 근거로 반대하는 입장 사이에 논쟁이 벌어지고 있다.

자료 ⑤ 대중문화와 자본, 그리고 독립 영화

일명 '인디 영화'라고도 불리는 독립 영화는 이윤 확보를 1차 목적으로 하는 일반 상업 영화와는 달리, 창작자의 의도를 우선시하는 영화이다. 그래서 주제와 형식, 제작 방식 측면에서 차별성을 가진다. 즉, '독립'은 자본과 배급망으로부터의 독립을 뜻한다. 이러한 독립 영화를 다루는 세계에서 가장 권위 있는 영화제는 선댄스 영화제(The Sundance Film Festival)이다. 이 영화제는 할리우드(Hollywood)의 상업주의에 반발하여 독립 영화 제작을 활성화하기 위해 창설되었다.

선댄스 영화제는 대중문화의 상업화가 예술가의 순수한 상상력과 독립성을 제약하는 문제를 극복하기 위해 창설된 것으로 볼 수 있다. 대중문화의 건전한 발전을 위해 생산자는 지나친 이윤 추구에서 벗어나 다양한 대중문화를 생산하고, 소비자는 문화 자본이 생산하는 획일화된 상품에서 벗어나 자율성을 행사하며 대중문화를 비판적으로 수용하여야 한다.

자료 하나 더 알고 가자!

아도르노의 문화 산업론

사람들의 여가 시간은 문화 산업이 제공하는 획일적인 생산물로 채워진다. 소비자가 직접 분류할 무엇은 더 이상 남아 있지 않다. 생산자들이 소비자를 위해 그러한 분류를 다 끝내 놓았기 때문이다.   – 아도르노·호르크하이머, 「계몽의 변증법」

문화 산업은 이윤 추구를 위해 대량 생산, 대량 소비를 추구하는 과정에서 대중의 취향에 따라 획일화된 문화 상품을 끊임없이 생산한다. 아도르노는 대중이 획일화된 문화 상품을 소비하며 즐거움을 추구하는 동안 그들의 사유 가능성은 사라진다고 주장하였다.

정리 비법을 알려줄게!

대중문화에 대한 윤리적 규제

찬성	• 성의 상품화를 예방하고, 대중에게 미치는 부정적 영향을 방지할 수 있음 • 대중문화의 자본 종속화 및 획일화, 대중의 수동적인 문화 수용 태도를 예방할 수 있음
반대	• 특정한 기준으로 대중문화를 규제하면 공정성을 잃을 수 있음 • 다수나 강자의 목소리, 정치적 이데올로기를 일방적으로 전달하는 도구가 될 수 있음 • 대중이 다양한 문화를 창조하는 역할을 방해하여 대중문화의 본질을 잃게 할 수 있음

문제로 확인할까?

대중문화의 윤리적 문제를 극복하기 위해 가져야 할 태도로 바람직한 것은?
① 생산자는 이윤 추구를 우선시한다.
② 생산자는 예술가의 자율성을 제한한다.
③ 소비자는 획일화된 상품만을 소비한다.
④ 소비자는 대중문화를 비판적으로 수용한다.
⑤ 소비자는 대중문화를 수동적으로 소비한다.

⑦

STEP 1 핵심 개념 확인하기

1 미적 가치, 즉 아름다움을 표현하고 창조하는 인간의 활동과 그 산물을 (   )이라고 한다.

2 다음 설명에 해당하는 예술과 윤리의 관계에 대한 입장을 쓰시오.

> • '예술을 위한 예술'을 주장한다.
> • 예술은 도덕적 가치 평가로부터 자유로워야 한다.

3 다음 설명이 맞으면 ○표, 틀리면 ✕표를 하시오.

(1) 예술 지상주의는 예술이 사회 참여에 적극적이어야 한다고 본다. (   )

(2) 도덕주의는 예술이 도덕적 교훈이나 모범을 제공해야 한다고 본다. (   )

(3) 도덕주의에서는 미적 가치와 도덕적 가치를 독립된 영역으로 본다. (   )

4 다음 설명에 해당하는 용어를 〈보기〉에서 골라 기호를 쓰시오.

> 보기
> ㄱ. 대중문화   ㄴ. 문화 산업   ㄷ. 예술의 상업화

(1) 많은 사람이 쉽게 접할 수 있는 통속적이고 가벼운 오락물이나 생활 예술이다. (   )

(2) 상품을 사고파는 행위를 통해 이윤을 얻는 일이 예술 작품에도 적용되는 현상이다. (   )

(3) 문화 상품의 기획, 개발, 제작, 생산, 유통, 소비 등과 이에 관련된 서비스를 하는 산업이다. (   )

5 대중문화의 윤리적 문제와 그에 대한 설명을 옳게 연결하시오.

(1) 자본 종속   •
    문제

(2) 선정성과   •
    폭력성 문제

• ㉠ 청소년을 포함한 대중의 정서에 악영향을 주고 모방 범죄로 이어질 수 있다.

• ㉡ 대중문화의 다양성이 위축되고 예술가의 자율성과 독립성이 제약될 수 있다.

STEP 2 내신 만점 공략하기

01 다음 사상에 나타난 관점으로 옳지 <u>않은</u> 것은?

> • 인간은 시(詩)로써 일어나고, 예(禮)로써 바로 서고, 악(樂)으로써 완성된다.
> • 음악을 통한 교화를 잘 행하면 백성들이 바른 방향으로 가게 되고, 그들에게 덕(德)을 볼 수 있다.

① 예술을 통해 인격을 도야할 수 있다.
② 예술은 사회적, 교육적 기능이 있다.
③ 예술이 인간다움[仁]의 실현에 기여할 수 있다.
④ 예술은 미적 가치 실현을 위해 현실에서 벗어나야 한다.
⑤ 예술은 인간의 영혼에 영향을 주며 사람들을 감화시키고 바람직한 방향으로 이끌 수 있다.

02 _{중요} 갑과 을은 예술과 윤리의 관계에 대하여 서로 다른 입장을 보이고 있다. 갑과 을의 입장에 대한 설명으로 옳은 것은?

> 예술은 올바른 품성을 기르고, 도덕적 교훈이나 모범을 제공하는 것이야.

> 예술은 '예술을 위한 예술'이어야지, 다른 어떤 것의 수단이 되어서는 안 돼.

갑   을

① 갑은 예술이 도덕적 가치와 무관하다고 본다.
② 갑은 예술에 어떠한 가치도 개입되어서는 안 된다고 본다.
③ 을은 예술의 사회성보다 자율성을 더 중시해야 한다고 본다.
④ 을은 예술이 도덕을 실현하기 위한 도구가 되어야 한다고 본다.
⑤ 갑과 을은 모두 예술의 목적이 도덕적 가치를 실현하는 데 있다고 본다.

03 다음 사상가의 견해로 적절하지 <u>않은</u> 것은?

> 예술 작품이 몸에 좋은 곳에서 불어오는 미풍처럼 그들에게 좋은 영향을 주며, 어릴 때부터 곧장 자기도 모르는 사이에 아름다운 말을 닮고 사랑하고 공감하도록 그들을 이끌어 준다.

① 예술은 선을 권장하고 덕성을 장려해야 한다.
② 인간의 도덕성 함양을 위해 윤리의 관점에서 예술 작품을 선별해야 한다.
③ 예술은 자율성과 독립성이 중요하므로 윤리적 평가로부터 자유로워야 한다.
④ 예술은 인간의 영혼에 영향을 미치므로 예술과 윤리는 서로 밀접한 관련이 있다.
⑤ 도덕적 기준에 따라 선별된 예술 작품을 통해서 청소년은 건전한 품성과 사고를 기를 수 있다.

04 (가)에 들어갈 내용으로 가장 적절한 것은?

> 성인은 조석으로 음을 듣고 마음을 씻어 혈맥을 고동치게 함으로써 화평한 뜻을 유발하도록 했던 것이다. 그러므로 순임금이 나라를 세울 때 악(樂)이 완성됨에 따라 그 효과로 모든 관원이 성실하게 화합하고 덕으로 겸양했으니 인간은 반드시 음악으로써 가르치는 것이 알맞지 않은가.

정약용은 음악을 통해 인격을 갈고닦아 성인(聖人)이 될 수 있으므로 악(樂)을 항상 가까이 해야 한다고 보았다. 즉 _____(가)_____ 는 것이다.

① 음악은 정치와 아무런 관계가 없다
② 인간은 음악으로써 교화되지 않는다
③ 음악은 인간의 품성 향상에 기여한다
④ 성인(聖人)은 백성에게 음악을 가르쳐서는 안 된다
⑤ 예(禮)와 악(樂)은 인간과 사회로부터 독립된 영역으로 발전해야 한다

05 다음 사상가의 입장과 일치하는 관점으로 가장 적절한 것은?

> 시(詩)가 도덕적이라든가 혹은 비도덕적이라고 말하는 것은 정삼각형은 도덕적이고 이등변 삼각형은 비도덕적이라고 말하는 것과 마찬가지로 무의미하다.

① 예술을 도덕적 기준으로 평가해서는 안 된다.
② 미적 가치와 도덕적 가치는 서로 독립적이라고 보기 어렵다.
③ 예술에 있어서 미적 가치보다 도덕적 가치가 우선시되어야 한다.
④ 예술은 도덕적 가치를 실현하는 데 기여할 때 가치를 지닐 수 있다.
⑤ 예술은 도덕적 선을 권장하는 것이 바람직하므로 적절한 윤리적 규제가 필요하다.

06 다음 글에 나타난 주장을 해석한 내용으로 가장 적절한 것은?

> 어떤 면에서 예술은 세상을 바꿀 수 있습니다. 예술은 세상을 바꾸기 위한 것이 아닙니다. 현존하는 것을 바꾸는 게 아닙니다. 하지만 세상에 대한 인식을 바꿀 수는 있습니다. 예술은 세상을 보는 방법을 바꿉니다. …… 보이는 것이 사람을 바꿉니다. 우리가 같이 움직이면, 전체는 부분의 합보다 큽니다. 그렇게 되기를 바랍니다. 우리는 다 같이 세상이 기억할 뭔가를 만들 것입니다.

① 예술은 예술 외적인 모든 타율을 거부해야 한다.
② 예술은 오직 미적 가치에 의해서 평가받아야 한다.
③ 예술은 순수성이나 가치 중립성이 강조되어야 한다.
④ 예술은 사회적 영향과 책임을 고려하지 않아도 된다.
⑤ 예술은 사회의 모순을 지적하고 사회의 도덕적 성숙에 기여해야 한다.

07 예술의 상업화에 대한 다음과 같은 입장을 뒷받침할 수 있는 근거로 가장 적절한 것은?

나는 상업 미술가로 출발했지만, 사업 미술가로 마감하고 싶다. 나는 미술 사업가 또는 사업 미술가이기를 원했다. 사업에서 성공하는 것은 가장 환상적인 예술이다. 돈 버는 일은 예술이고, 일하는 것도 예술이며, 잘되는 사업은 최고의 예술이다.

① 예술과 경제적 가치는 상호 관련성이 없다.
② 예술이란 부유한 일부 계층이 즐기는 문화이다.
③ 예술가에게 있어 명예는 경제적 이익보다 더 중요하다.
④ 예술가는 경제적 이익을 얻고 예술 활동에 전념할 수 있다.
⑤ 예술의 감상자가 일반 대중으로 확대되면서 예술이 획일화될 수 있다.

08 다음은 수행 평가 문제와 학생 답안이다. (가)에 들어갈 적절한 내용만을 〈보기〉에서 있는 대로 고른 것은?

수행 평가

◎ 문제: 예술의 상업화의 의미와 그 영향을 서술하시오.
◎ 학생 답안
예술의 상업화란 상품을 사고파는 행위를 통해 이윤을 얻는 일이 예술 작품에도 적용되는 현상을 말한다. 예술의 상업화는 일반 대중도 쉽게 예술에 접근할 기회를 제공하고, 예술의 발전에 이바지한다. 그러나 ____(가)____ 는 부정적 측면도 있다. 따라서 우리는 예술의 상업화가 지닌 긍정적 측면과 부정적 측면을 균형 있게 인식해야 한다.

보기

ㄱ. 예술 작품을 단지 부의 축적 수단으로 여기게 한다
ㄴ. 예술 작품의 미적 가치와 윤리적 가치에만 집중한다
ㄷ. 문화적 취향이 다양한 대중이 예술을 소비하고 감상할 기회를 차단한다
ㄹ. 대중의 관심을 끌기 위해 더 자극적이고 감각적인 작품을 만들며 예술의 질적 저하로 이어질 수 있다

① ㄱ, ㄴ   ② ㄱ, ㄹ   ③ ㄷ, ㄹ
④ ㄱ, ㄴ, ㄹ   ⑤ ㄴ, ㄷ, ㄹ

09 밑줄 친 '이것'에 대한 설명으로 옳지 않은 것은?

오늘날 우리는 영화, 음악, 드라마, 공연, 게임 등 다양한 이것을 접하고 있다. 이것이란 다수의 사람이 공통으로 쉽게 접하고 즐기는 문화로, 대중 매체를 통해 생산된 정신적, 문화적 산물을 총칭한다.

① 개인의 가치관이나 행동 양식에 많은 영향을 준다.
② 시장을 통해 유통되면서 이윤을 창출하는 상업적 특성을 지닌다.
③ 대량으로 생산되고 복제되어 불특정 다수를 대상으로 빠르게 전파된다.
④ 현실을 비판하고 풍자함으로써 사회 변화를 이끌어 내기 위한 수단으로 이용되기도 한다.
⑤ 뉴 미디어의 등장으로 현대인의 삶이나 현대 사회에서 차지하는 비중이나 영향력이 점점 줄어들고 있다.

10 ☆중요 다음 글에서 지적한 내용과 관련된 진술로 가장 적절한 것은?

대중 매체가 거대 자본에 예속될 경우 비슷한 문화 상품만 양산되어 대중문화의 다양성이 위축될 위험성이 커진다. 생산자인 거대 자본은 상업적 수익을 위해 모험을 피하고 시장에서 검증된 것만을 생산하려는 경향이 있기 때문이다.

① 인디 가수가 길거리 공연을 하며 직접 음반을 파는 사례가 대표적이다.
② 거대 자본은 대중문화에 대하여 윤리적으로 엄격한 기준을 적용하고 있다.
③ 소수의 거대 자본이 대중문화의 흐름을 좌우하면서 대중문화가 획일화될 수 있다.
④ 현대 사회에서 대중문화는 자본에 종속되면서 창조성과 다양성을 더욱 보장받고 있다.
⑤ 대중문화에 대한 거대 자본의 진출은 대중문화가 창작자의 예술가 정신을 중시하는 계기가 되었다.

11 다음 신문 기사에서 제기한 문제에 대한 설명으로 적절하지 **않은** 것은?

> 인기 여성 그룹 ○○○는 과도한 무대 의상으로 구설에 올랐다. ○○○가 입는 의상이 선정적이라는 이유로 이들의 노래는 방송 불가 판정을 받았다. 시선 몰이를 위해 의도된 무대 의상을 입은 이들 그룹에게는 오직 이윤만 추구하는 기획사들의 숨은 의도가 있는 것이 아니냐는 의혹이 따라붙는다.
> – 세계일보, 2016. 3. 15.

① 대중문화의 성 상품화는 사회의 도덕성에 부정적인 영향을 미칠 수 있다.
② 대중문화의 선정성은 사고와 정신을 고양하는 문화 본연의 가치에 어긋난다.
③ 대중문화에 지나치게 선정적인 내용이 들어가면 청소년의 정서에 악영향을 줄 수 있다.
④ 대중문화의 선정적 장면은 인간의 육체와 성을 욕구 충족의 수단으로 삼는 경우가 많아 문제가 된다.
⑤ 대중문화의 흥행이 자금력을 갖춘 일부 기획사에 의해 좌우되면서 대중문화에 대한 투자가 줄어들고 있다.

12 ⭐중요 갑에 비해 을이 강조할 내용을 〈보기〉에서 고른 것은?

> 갑: 대중문화의 폭력성을 이유로 윤리적 규제를 가하는 것은 바람직하지 않아. 특정한 기준으로 대중문화를 규제하면 공정성을 잃을 수 있기 때문이야.
> 을: 대중문화는 현대인의 삶에 큰 영향을 주므로 윤리적 규제가 필요해. 오늘날 자본의 영향으로 획일화되고 있는 대중문화는 대중의 삶도 획일화할 수 있어.

보기
ㄱ. 대중문화를 통한 성의 상품화를 예방해야 한다.
ㄴ. 대중에게는 표현의 자유와 문화를 향유할 권리가 있다.
ㄷ. 대중문화로 인해 대중이 폭력에 대한 그릇된 인식을 지니게 될 수 있다.
ㄹ. 국가에 의한 대중문화에 대한 검열은 특정한 정치적 의도를 관철하는 수단이 될 수도 있다.

① ㄱ, ㄴ
② ㄱ, ㄷ
③ ㄴ, ㄷ
④ ㄴ, ㄹ
⑤ ㄷ, ㄹ

---

01 다음을 읽고 물음에 답하시오.

> (가) 윤리적 가치와 미적 가치는 깊은 관련이 있으며 윤리적 가치가 미적 가치보다 우위에 있다. 예술이 가치 있는 까닭은 그 속에 윤리적 가치를 포함하기 때문이다.
> (나) 미적 가치와 윤리적 가치는 무관하다. 예술을 다른 목적을 위한 도구로 이용하면 예술이 규격화되어 창조성과 창의성이 파괴된다.

(1) (가)와 (나)에 나타난 예술과 윤리의 관계에 대한 입장을 각각 쓰시오.

(2) (가)와 (나)에 나타난 입장의 문제점을 각각 서술하시오.

길잡이 (가)와 (나)에 나타난 입장의 특징을 떠올리며 서술한다.

02 다음 작품에 나타난 예술의 사회 참여에 대한 입장을 서술하시오.

⬆ 스페인 내전 중 폭격받은 마을의 모습을 통해 전쟁의 참혹함을 알리는 「게르니카」

길잡이 피카소의 「게르니카」 작품의 내용과 관련지어 서술한다.

03 (가), (나)에 들어갈 내용을 각각 서술하시오.

> 오늘날 자본을 소유한 소수의 집단이 대중문화 전반을 독점 혹은 과점함으로써 대중문화의 창조성과 [(가)]을/를 저해하고, 소비자를 문화 산업의 도구로 전락시킬 수 있다. 따라서 우리는 [(나)]

길잡이 대중문화의 소비 주체로서 우리가 가져야 할 바람직한 자세를 서술한다.

평가원 응용

1 갑은 긍정, 을은 부정의 대답을 할 질문으로 가장 적절한 것은?

> 갑: 교육이 중요한 것은 다음과 같은 이유일 것이네. 첫째, 리듬과 선법은 그 무엇보다 더 깊숙이 혼의 내면으로 침투하며 우아함을 가져다줌으로써 혼에 가장 큰 영향을 끼치네. 그것들은 좋게 교육받은 사람을 우아하게 만들고 나쁘게 교육받은 사람을 그와 반대되는 사람으로 만드네. 둘째, 이 분야에서 제대로 교육받은 사람은 예술 작품이나 자연의 결점들을 가장 분명히 알아보게 될 것이네. 그러면 그는 그것들의 추함이 역겨워 아름다운 것들을 칭찬하고 반길 것이며, 아름다운 것들을 그렇게 혼 안으로 받아들이면 그 자신도 아름답고 훌륭해질 것이네.
>
> 을: 세상에 도덕적인 책이나 비도덕적인 책은 없다. 책은 잘 쓰여 있거나 아니면 형편없이 쓰여 있거나 둘 중의 하나일 뿐이다. 예술가는 그 어떤 것이든 표현할 수 있다. 예술가에게 사유와 언어는 예술의 도구이다. 예술가에게 악덕과 미덕은 예술을 위한 소재일 뿐이다.

① 예술은 예술 그 자체를 목적으로 삼아야 하는가?
② 예술은 도덕적 가치 평가로부터 자유로워야 하는가?
③ 예술은 사회성보다 자율성과 독립성을 지향해야 하는가?
④ 예술은 인간이 건전한 품성을 기르는 데 도움이 되어야 하는가?
⑤ 예술은 정치나 도덕 등 다른 것을 위한 수단이 되어서는 안 되는가?

> **예술과 윤리의 관계**
>
> **완자쌤의 시험 꿀팁**
>
> 예술과 윤리의 관계에 대한 다양한 사상가들의 입장을 비교하는 문제가 자주 출제된다. 따라서 각 입장을 강조하는 사상가들이 누구이며, 어떤 견해를 가지고 있는지 잘 알아 두어야 한다.

2 갑, 을의 입장에 대한 옳은 설명만을 〈보기〉에서 있는 대로 고른 것은?

> 갑: 음악은 즐거움[樂]으로, 사람의 감정상 없을 수 없지만 도리에 맞지 않으면 어지러워진다. 선왕은 천하를 크게 바로잡아 조화시키고자 예(禮)와 함께 음악을 제정했다.
>
> 을: 음식의 목적이 즐거움이 아닌 것처럼 예술의 목적도 즐거움이 아니다. 인간 상호 간의 교류 수단인 예술의 목적은 이웃에 대한 사랑을 불러일으키는 데에 있다.

보기

ㄱ. 갑은 예술이 선의 실현에 기여해야 한다고 본다.
ㄴ. 갑은 예술을 통해 도덕성을 함양할 수 있다고 본다.
ㄷ. 을은 예술의 사회적 기능을 심미적 가치보다 중요시한다.
ㄹ. 갑, 을은 예술이 예술 그 자체를 목적으로 삼고 미적 가치만 추구해야 한다고 본다.

① ㄱ, ㄴ   ② ㄱ, ㄷ   ③ ㄴ, ㄷ
④ ㄱ, ㄴ, ㄷ   ⑤ ㄴ, ㄷ, ㄹ

> **예술과 윤리의 관계**

3 갑, 을의 입장에 대한 설명으로 가장 적절한 것은?

> 갑: 나는 상업 미술가로 출발했지만, 사업 미술가로 마감하고 싶다. 나는 미술 사업가 또는 사업 미술가이기를 원했다. 사업에서 성공하는 것은 가장 환상적인 예술이다. 돈 버는 일은 예술이고, 일하는 것도 예술이며, 잘되는 사업은 최고의 예술이다.
>
> 을: 미술 전체가 거대한 투기사업이 되었다. 진정으로 그림을 좋아하는 사람은 많지 않다. 대부분 속물적인 의도로 그림을 구매해 미술관에 맡겨 둔다. 사람들은 확신이 없어서 가장 비싼 것만 구입한다. 감상은커녕 창고에 넣어 두고 최종가를 알기 위해 매일 화랑에 전화를 거는 사람들도 있다.

① 갑은 예술이 미적 가치뿐만 아니라 경제적 가치도 포함할 수 있다고 본다.
② 갑은 예술의 상업화로 인해 예술이 본래 목적을 상실하고 질적으로 저하되었다고 본다.
③ 을은 예술의 상업화가 대중이 예술의 심미적 가치를 향유하는 데 도움이 된다는 점을 강조한다.
④ 을은 예술의 상업화가 예술의 양과 질 향상에 크게 기여할 뿐만 아니라 예술가에게 경제적 이익을 제공하는 점을 긍정적으로 본다.
⑤ 갑, 을은 예술 작품의 상품성을 높이고 예술의 발전을 위해서 국가적 차원에서 예술의 상업화를 장려해야 한다고 주장한다.

4 그림의 강연자가 지지할 주장으로 적절한 것만을 〈보기〉에서 있는 대로 고른 것은?

> 자본주의의 한 양식으로서 문화 산업은 예술의 상품화를 확산시키고 있습니다. 그것은 대중의 욕구를 일괄적으로 처리하고, 나아가 그러한 욕구마저 창출하여 조정합니다. 문화 산업은 일상생활의 구석구석까지 사람들의 의식을 지배하여 심미적 경험의 빈곤화를 극한으로 진행합니다. 그 결과 문화 산업이 독점한 대중문화는 사람들의 모든 사고를 동질적으로 반응하게 합니다.

완자샘의 시험 꿀팁

대중문화의 자본 종속에 따른 윤리적 문제를 아도르노의 문화 산업론과 관련지어 묻는 문제가 출제되기도 한다. 따라서 대중문화에 대한 자본 진출의 부정적 측면과 대중문화의 소비자로서 바람직한 태도를 연관 지어 잘 알아 둔다.

│완자 사전│
• 몰개성
어떤 대상에 마땅히 있어야 할 개성이 없는 상태

〈보기〉
ㄱ. 문화 산업은 사회의 몰개성화를 가속화시킨다.
ㄴ. 문화 산업으로 인해 대중의 의식이 표준화되고 문화가 획일화된다.
ㄷ. 문화 산업은 미적 가치 구현이라는 예술의 본질을 실현하는 데 기여한다.
ㄹ. 문화 산업의 발전을 통해 대중은 비판적 안목을 함양하고 이는 예술의 질적 향상으로 이어진다.

① ㄱ, ㄴ
② ㄱ, ㄷ
③ ㄷ, ㄹ
④ ㄱ, ㄴ, ㄹ
⑤ ㄴ, ㄷ, ㄹ

02 의식주 윤리와 윤리적 소비

학습목표
• 의복, 음식, 주거와 관련된 윤리적 문제와 해결 방안을 제시할 수 있다.
• 윤리적 소비의 의미와 실천 방안을 설명할 수 있다.

이것이 핵심!

의식주와 관련된 윤리적 문제

의복 관련 윤리적 문제	• 유행 추구 현상 • 명품 선호 현상
음식 관련 윤리적 문제	• 식품 안정성 문제 • 환경 문제 • 동물 복지 문제 • 음식 불평등 문제
주거 관련 윤리적 문제	• 이웃 간의 소통 단절 • 삶의 질 저하 • 경제적 가치 중시

★ **패스트 패션(fast fashion)**
소비자의 기호를 바로 파악해 유행에 따라 신제품을 출시하여 제품 수명이 짧은 의류로, 주로 개발 도상국에서 생산되어 가격이 저렴하다. 막대한 물량의 생산과 공급, 값싼 원단과 저렴한 인건비에 기반하고 있다.

★ **유전자 변형 식품(GMO)**
식품 생산성과 질을 높이기 위해서 본래의 유전자를 새롭게 조작하고 변형해 만든 식품으로, '유전자 조작 식품'이라고도 한다.

★ **로컬 푸드(local food) 운동**
장거리 운송을 거치지 않은 안전하고 건강한 지역 농산물을 구매하려는 운동

★ **슬로푸드(slow food) 운동**
비만 등을 유발하는 패스트푸드의 문제를 해결하고자 가공하지 않고 사람의 손맛이 들어간 음식, 자연적인 숙성이나 발효를 거친 음식 등 전통적인 방식으로 만든 음식을 섭취하자는 운동

① 의식주의 윤리

1. 의복 문화와 윤리적 문제

(1) 의복의 윤리적 의미 — 전통적으로 의복은 신체를 보호하거나 추위와 더위를 막아 주는 기능을 할 뿐만 아니라, 신분이나 지위, 성별 또는 직업을 나타내는 등의 기능을 수행해 왔어.

개인적 차원	자신의 개성을 표현하고 가치관을 드러냄 → 자아 및 가치관의 형성에 영향을 줌
사회적 차원	• 소속 집단이나 사회의 가치관을 나타냄 • 때와 장소에 맞는 의복 착용을 통해 예의를 표현함

(2) 의복과 관련된 윤리적 문제

① 유행 추구 현상

꼭! 버려진 옷은 소각될 때 각종 유해 물질을 배출하여 환경 오염을 유발해. 또한 기업이 인건비 절감에만 몰두하면 근로자들이 인권과 노동 환경을 제대로 보장받지 못해.

긍정적 입장	부정적 입장 Qn? 유행은 기업의 판매 전략에 불과하다고 보기 때문이야.
• 유행을 따르려는 개인의 선택권을 존중해야 함 • 개성과 미적 감각, 가치관을 표현할 수 있음 • 창조의 과정을 촉진하여 문화 발전의 바탕이 됨	• 맹목적인 모방과 동조 현상으로 몰개성화를 초래함 • 최신 유행을 반영하는 ★패스트 패션은 자원 낭비, 환경 문제, 노동 착취 등을 초래함

② 명품 선호 현상 자료①

긍정적 입장 ┌기업이 명품을 만들고자 노력함으로써 제품의 질적 향상을 가져온다고 봐.	부정적 입장
• 개인의 자유로운 소비는 정당함 • 심리적 만족감과 더불어 소유자의 품격을 높여 줌	• 자신을 돋보이게 하기 위한 과시적 소비일 뿐임 • 과소비와 사치 풍조 조장 → 사회적 위화감 조성

(3) 바람직한 의복 문화 형성을 위한 노력: 패스트 패션 기업은 사회적 책임 의식을 지니고 윤리 경영을 실천하며, 소비자는 인권과 생태 환경을 고려하는 윤리적 소비를 해야 함

2. 음식 문화와 윤리적 문제

(1) 음식의 윤리적 의미 — 음식은 전통적으로 인간의 생존을 위한 수단으로 인식되었지만, 오늘날에는 삶의 즐거움을 누리기 위한 하나의 문화로 인식되고 있어.

생명권 유지	음식 섭취를 통해 생명과 건강이 유지됨
사회적 도덕성 구현	믿을 수 있는 음식을 생산하고 유통해야 함
건강한 생태계 유지	올바른 방법으로 음식 재료를 획득하고 가공할 때 생태계가 건강하게 보존될 수 있음

(2) 음식과 관련된 윤리적 문제 자료② 자료③

꼭! 대량 생산을 위한 목초지 조성이나 벌목은 숲을 파괴하고 지구 온난화에 영향을 주지. 또 대량 소비로 생기는 음식물 쓰레기도 엄청나.

식품 안전성 문제	• 오염된 음식 재료나 인체에 유해한 각종 식품 첨가물이 인간의 건강과 생명을 위협할 수 있음 • ★유전자 변형 식품(GMO)의 유해성 논란
환경 문제	• 음식의 대량 생산과 대량 소비에 따른 환경 오염 • 식품의 원거리 이동에 따른 탄소 배출량 증가와 육류 생산 과정의 온실가스 배출 증가
동물 복지 문제	• 육류 소비 증가에 따라 동물에 대한 비윤리적 처우 문제 발생 Qn? 육류를 대량으로 생산하기 위해 • 대규모 공장식 사육 및 도축 과정에서 동물이 큰 고통을 겪음 좁고 기계화된 공간에서 동물을 사육하기 때문이야.
음식 불평등 문제	• 국가 간 빈부 격차 심화와 식량 수급의 불균형으로 발생 • 일부 지역에서는 비만으로 건강을 해치고 있는 반면, 다른 지역에서는 영양실조와 기아 발생

(3) 바람직한 음식 문화 형성을 위한 노력 ┌ 단지 음식 문화를 누리기 위해 다른 존재의 희생을 무조건 정당화해서는 안 되며, 건강과 생명의 가치를 저해하는 음식 문화의 비윤리성을 성찰해야 해.

생태계를 고려하는 음식 문화 형성	음식물 쓰레기 줄이기, ★로컬 푸드 운동과 ★슬로푸드 운동에 동참하기, 육류 소비 절제하기 등
사회적 제도 마련	안전한 먹거리 인증이나 성분 표시 등의 의무화, 육류 생산 과정에서 동물의 고통을 최소화하는 제도 마련 등

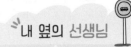

자료 ① 과시적 소비의 본질

> 고도로 산업화된 사회에서 명성을 획득할 수 있는 근거는 다름 아닌 재력이다. 재력을 과시하는 방편인 동시에 명성을 획득하고 유지하는 방편은 과시적 여가와 과시적 소비이다. 그 과정에서 두 가지 방편은 모두 그런 여가나 소비의 가능성을 지닌 중하류 계급에서도 유행하기에 이른다. …… 명성 획득을 위한 수단으로 유용할 뿐만 아니라 체면 유지를 위한 요소로도 강조되는 과시적 소비는 개인의 인간적인 접촉이 가장 광범위하게 이루어지고, 인구 이동이 가장 심한 사회의 구성원들에게는 최선의 소비로 여겨진다.
> — 베블런, 『유한 계급론』

미국의 사회학자 베블런은 물건의 가격이 높아져도 수요가 크게 증가할 수 있다고 보았는데, 이는 과시적 소비가 존재하기 때문이다. 과시적 소비는 부를 과시하거나 자신이 남들과 다르다는 것을 드러내려는 목적으로 이루어지는 소비로, '베블런 효과'라고도 한다. 명품 선호 현상에 부정적인 입장에서는 명품 선호가 이 같은 과시적 소비일 뿐이라고 비판한다.

자료 ② 좋은 음식과 정의의 문제

> 신선한 먹을거리에 대한 접근 여부는 건강과 직결되어 있다. 미국은 물론이고 우리나라 역시 저소득 계층이 신선한 먹을거리에 접근하기는 쉽지 않다. 저소득 계층은 대체로 유기농 음식보다 값싼 패스트푸드를 먹고 있으며, 음식을 못 먹어서 죽기보다는 잘못된 음식을 먹어 죽는 경우가 많다. 이처럼 좋은 먹을거리에 대한 접근이 소득과 관련이 있다는 점으로 볼 때, 저소득층 주민에게 신선한 양질의 먹을거리를 제공해야 할 사회적 의무가 제기된다.
> — 변순용, 『음식 윤리』

유기농 과일이나 채소 등은 대량 생산하기가 쉽지 않기 때문에 단가가 높아 저소득 계층이 구매하기 어렵다. 반면 패스트푸드는 가격이 싸기 때문에 저소득 계층도 쉽게 구매할 수 있다. 글쓴이가 말한 것처럼 빈부 격차가 신선한 양질의 먹을거리를 섭취할 수 있는지의 여부를 결정하기도 하므로 좋은 음식을 먹는 것은 사회 정의의 문제와 연결될 수 있다.

자료 ③ 산업형 농업으로 인한 환경 문제와 비용

> 유기농 식품이 더 비싼 이유는 집약적인 산업형 농업이 숨은 비용을 남들에게 전가하며 생산비를 절감했기 때문이다. 그런 농장의 이웃 사람들은 더 이상 자기 집 뒤뜰에 나갈 수도 없고, 아이들은 고향의 냇물에서 미역을 감을 수도 없으며, 농장 노동자들은 자신들이 뿌리는 농약으로 병이 들고, 갇혀 지내는 동물들은 잔혹한 삶을 강요당하는 것이다. 물고기는 오염된 강물과 바닷물에 죽어 떠오르며, 방글라데시나 이집트의 낮은 지대에 사는 수많은 사람이 지구 온난화로 높아진 바닷물에 삶의 터전을 빼앗기고 있다.
> — 피터 싱어, 『죽음의 밥상』

피터 싱어는 산업형 농업으로 생산된 음식은 생산 비용을 낮추어 유기농 음식보다 저렴하지만, 생산 과정에서 환경 오염을 일으키고 인간과 동물의 삶을 피폐하게 만들었다고 하였다. 거시적인 관점에서 볼 때 산업형 농업은 우리에게 더 많은 비용을 지불하게 하는 결과를 초래한다. 따라서 우리는 산업형 농업의 이면에 숨겨진 비용을 고려할 필요가 있다.

정리 비법을 알려줄게!

명품 선호 현상에 대한 입장

긍정적 입장
• 명품 선호는 개인의 자유이므로 정당함
• 명품의 우수한 품질과 희소성은 만족감을 주고 소유자의 품격을 높여 줌

⇕

부정적 입장
• 명품 선호는 과시적 소비일 뿐임
• 과소비와 사치 풍조를 조장하여 사회적 위화감을 조성하고, 사회 계층 간의 분열을 조장함

문제로 확인할까?

음식 불평등 문제의 원인과 관련된 내용으로 가장 적절한 것은?
① 식품 첨가제 사용
② 식품의 원거리 이동
③ 농약의 무분별한 사용
④ 사회 계층 간 빈부 격차
⑤ 대규모 공장식 동물 사육과 도축

④ 🔑

자료 하나 더 알고 가자!

유전자 변형 식품(GMO)에 대한 논쟁

찬성	• 과일과 채소의 숙성을 늦추어 신선도를 유지할 수 있음 • 식품이 지닌 영양소를 인위적으로 높일 수 있음 • 병충해와 환경에 강한 유전자로 변형하여 대량 생산이 가능함
반대	• 새로운 물질이 알레르기나 독성을 일으켜 인체에 해를 줄 수 있음 • 해충에 강한 유전자 변형 식물에 내성을 가진 해충이 생기는 등 생태계에 교란을 일으킬 수 있음

유전자 변형 식품(GMO)은 농약과 화학 비료나 각종 식품 첨가제 사용 문제와 함께 유해성 논란이 끊이지 않고 있다.

3. 주거 문화와 윤리적 문제

(1) 주거의 윤리적 의미 자료④   주거는 우리가 살아가는 장소뿐만 아니라 그곳에서 이루어지는 생활까지 포함하는 개념이야.

개인적 차원	신체의 안전을 도모하고 심리적 안정감과 휴식을 제공함
공동체 차원	공동체의 유대감과 소속감을 형성함

(2) 주거와 관련된 윤리적 문제

이웃 간의 소통 단절	공동 주택의 폐쇄성에 따른 소통과 정서적 교감 단절로 갈등과 분쟁 발생
삶의 질 저하	도시에 주거가 밀집하여 환경 오염, 교통 혼잡, 녹지 공간 부족 등의 문제 발생
경제적 가치 중시	집의 본질적 가치보다 경제적 가치를 더 중시하여 집을 부의 축적 수단으로만 여김

(3) 바람직한 주거 문화 형성을 위한 노력   꼭! 집을 주거 목적이 아닌 투기의 수단으로 인식하면서 주거의 불안정성과 불평등의 윤리 문제를 불러일으키고 있어.

공동체를 고려하는 주거 문화 형성	이웃에 관심을 가지고 지역 사회의 일에 적극적으로 참여하여 유대감과 소속감을 형성해야 함
지역 간 격차 해소	기반 시설 등의 격차를 해소하여 주거 환경의 균형적 발전과 주거 정의를 추구해야 함
주거의 본질적 가치 회복	집을 인간 삶의 바탕이자 정신적 평화와 안정을 제공하는 공간으로 인식해야 함

이것이 핵심!

윤리적 소비를 실천하기 위한 노력

개인적 차원	• 인권과 정의를 생각하는 소비 • 공동체적 가치를 생각하는 소비 • 동물 복지를 생각하는 소비 • 환경 보전을 생각하는 소비
사회적 차원	• 환경 제품 인증과 환경 마크 부여 • 기업의 윤리 경영을 촉진하기 위한 제도 마련 • 사회적 기업의 활동을 지원하는 법률 제정

★ 공정 무역
선진국과 개발 도상국 사이의 불공정한 무역 구조에서 발생하는 부의 편중, 노동력 착취 등의 문제를 해결하기 위해 나타난 무역 형태

★ 사회적 기업
취약 계층의 고용 및 복지 문제를 해결하는 과정에서 등장한 기업으로, 공공성을 기반으로 사회적 목적을 우선적으로 추구한다. 자립적 운영을 위해 이익을 추구하지만 발생한 이익은 공익을 위한 일이나 지역 사회에 재투자된다.

② 윤리적 소비문화

1. 합리적 소비와 윤리적 소비 교과서 자료   VS 합리적 소비는 개인의 경제적 이익이나 만족감 등 합리성과 효율성을 중시하고, 윤리적 소비는 환경, 인권, 복지, 노동 조건, 공동체를 중시해.

합리적 소비	자신의 경제력 내에서 가장 큰 만족을 추구하는 소비
윤리적 소비	• 윤리적인 가치 판단에 따라 상품이나 서비스를 구매하고 사용하는 것 • 소비자의 이익을 넘어 환경, 인권, 경제 정의 문제 등을 적극적으로 고려함 • 원료의 재배 및 제품의 생산과 유통에 이르는 전 과정이 윤리적인지에 관심을 가짐

왜? 합리적 소비는 의도하지 않게 인권 침해, 사회 부정의, 동물 학대, 환경 문제 등을 조장할 수 있는데, 이를 보완하는 과정에서 윤리적 소비가 등장했기 때문이야.

2. 윤리적 소비의 실천

(1) 필요성

개발 도상국 노동자들의 인권 향상	*공정 무역을 통해 개발 도상국의 소규모 생산자와 노동자들이 노동에 대한 정당한 대가를 받게 됨 자료⑤
사회 정의 구현	*사회적 기업의 제품을 구매하여 사회적 불평등을 완화하고 공정한 사회 실현에 기여할 수 있음
환경 오염 방지 및 건강한 생태계 유지	고효율 전자 제품이나 친환경 농산물을 구입하면 환경 오염을 줄이고 생태계를 보전하여 현세대뿐만 아니라 미래 세대까지 고려할 수 있음

(2) 개인적 차원의 노력   생산자와 소비자 사이에 신뢰를 형성하고, 지역 공동체를 생각하는 소비야.

인권과 정의를 생각하는 소비	• 의미: 생산·유통·판매 과정에서 인권이 보장되고, 관련된 사람들에게 정당한 대가를 지급하며, 소비자의 안전이 보장된 상품을 소비하는 것 • 사례: 노동자의 인권과 복지를 생각하는 기업의 상품이나 공정 무역 상품을 구매하는 것
공동체적 가치를 생각하는 소비	• 의미: 구성원 간의 상호 의존성을 높이고 지역 공동체의 지속 가능한 발전을 도모하는 소비 • 사례: 지역에서 생산된 농산물을 지역에서 소비하는 로컬 푸드 운동
동물 복지를 생각하는 소비	• 의미: 동물의 생명을 존중하고 고통을 최소화하는 방식으로 생산된 상품을 소비하는 것 • 사례: 모피, 털, 가죽 등을 재료로 사용하지 않은 애니멀 프리 패션 상품을 구매하는 것
환경 보전을 생각하는 소비	• 의미: 생태계의 보존과 지속 가능한 소비가 가능하도록 하는 친환경적 소비 • 사례: 여행지의 경제, 환경, 문화에 대한 존중과 보호의 의무를 다하는 공정 여행(책임 여행)

(3) 사회적 차원의 노력: 윤리적 소비의 확산을 위한 제도적 장치를 마련함

예 동물에게 큰 고통을 유발하는 방식으로 생산된 상품을 이용하지 않는 것도 포함돼.

예 친환경 제품 인증과 환경 마크 부여, 기업의 윤리 경영을 촉진하기 위한 제도 마련, 사회적 기업의 활동을 지원하는 법률 제정 등의 방법이 있어.

자료 ④ 볼노브의 주거 윤리

> 볼노브에 따르면, 집을 소유하는 차원의 문제보다는 집과 내적인 관계를 맺는 문제가 더 중요해. 볼노브는 집과의 내적 관계를 위해 마음 편함, 믿을 만한 친숙함 등과 같은 집의 거주성을 강조하였어.

인간은 체험을 통해 자신이 위치한 공간을 삶의 중심으로 형성할 수 있다. 체험된 공간은 가치를 지향하는 삶의 관계들을 통해서 사람과 관계된다. 체험된 모든 공간은 그것을 체험한 인간과 서로 분리될 수 없다. 인간과 집의 관계는 집을 짓고 그 안에 살면서 자기 집 같고, 마음 편하며, 믿을 만한 친숙함이 있다고 이해될 수 있다. 인간은 이성적 노력을 통해 자신의 집을 지어야 하며, 그 집에서 자기 삶의 질서를 만들어 나가야 하고, 혼란을 일으키는 외부 세계와의 끊임없는 투쟁 속에서 이러한 질서를 지켜 내야 할 책임을 갖는다.

― 볼노브, 『인간과 공간』

볼노브는 인간에게는 집에서 자기 삶의 질서를 만들고 이를 지켜 내야 할 책임이 있다는 공간 책임론을 제시하였다. 그는 집이라는 공간은 인간 삶의 중심이며 존재의 뿌리가 되는 장소로, 인간과의 관계 속에서 의미를 지닌다고 보았다.

수능이 보이는 교과서 자료 　현대인들의 소비문화의 특징 – 기호 소비

소비 과정은 기호를 흡수하고 기호에 의해 흡수되는 과정이다. 기호의 발신과 수신만이 있을 뿐이며, 개인으로서의 존재는 기호의 조작과 계산 속에서 소멸한다. 소비의 시대의 인간은 자기 노동의 생산물뿐만 아니라 자기 욕구조차도 직시하는 일이 없으며, 자신의 모습과 마주 대하는 일도 없다. 초월성도, 궁극성도, 목적성도 더 이상 존재하지 않게 된 이 사회의 특징은 '반성'의 부재, 자신에 대한 시각의 부재이다. 현대의 질서에서는 인간이 자신을 비춰 보는 것이 아니라 대량의 기호화된 사물을 응시할 따름이며, 사회적 지위 등을 의미하는 기호 속으로 흡수되어 소비의 주체는 기호의 질서이다.

― 장 보드리야르, 『소비의 사회』

장 보드리야르는 소비의 시대에 사람들은 단순히 상품을 소비하는 것이 아니라 상품의 기호를 소비한다고 보았다. 여기에서 기호란 자신을 비춰 봄으로써 형성된 것이 아닌 사회적 지위 등을 포함하여 조작되고 계산된 대량의 기호를 의미한다. 오늘날 현대인들이 기호를 소비함으로써 얻으려는 최종 목표는 다른 집단과의 차별성이다.

자료 ⑤ 공정 무역의 필요성

개발 도상국에서는 1,400만 명에 이르는 사람들이 카카오 생산을 통해 생계를 꾸려 나가고 있고, 약 1억 가구가 면화 생산에 종사하고 있습니다. 개발 도상국이 안고 있는 심각한 문제 중 하나로 아동 노동을 들 수 있습니다. 그 수는 2억 1,800만 명으로 전 세계 아이들의 7분의 1에 해당합니다. 아동 노동 착취가 일어나는 요인으로는 사회의 관습, 문화적 배경, 교육 제도와 복지 제도의 부재 등을 들 수 있으며 대부분의 경우 경제적 빈곤이 원인입니다.

― 페어트레이드 서울

개발 도상국에서 다국적 기업 등이 이윤을 극대화하는 과정에서 생산자와 노동자들은 적정한 몫이나 임금을 받지 못해 빈곤에 시달리며, 심지어 아동 노동 착취까지 일어나고 있다. 만약 공정 무역을 확대한다면 생산자에게 합당한 이윤이 돌아가고 노동자의 인권을 보호하며 아동 노동 착취를 근절할 수 있을 것이다.

자료 하나 더 알고 가자!

주거의 본질

- 인간은 어떤 특정한 자리에 정착하여 거주할 공간인 집을 필요로 한다. ― 볼노브
- 인간은 집에서 비로소 평화를 누리게 된다. ― 하이데거

볼노브와 하이데거는 모두 집이 인간 삶의 기본 바탕이자 정신적 안정과 평화를 제공하는 공간이라는 주거의 본질적 가치를 강조하였다.

완자쌤의 탐구 강의

- 윤리적 소비의 관점에서 기호 소비에 대하여 비판적으로 서술해 보자.

기호 소비는 윤리적인 가치 판단을 기준으로 소비하는 것이 아니라 사회적 지위를 과시하기 위한 것으로 볼 수 있다. 이는 소비로 인해 발생하는 인권, 환경 등과 관련된 다양한 문제를 고려하지 않는 것이므로 바람직하지 않다.

함께 보기 169쪽. 1등급 정복하기 2

문제로 확인할까?

공정 무역의 목표로 옳지 않은 것은?

① 아동 노동 근절
② 기업의 이윤 극대화
③ 건강한 노동 환경 추구
④ 노동자에게 정당한 임금 지불
⑤ 생산자에게 합당한 이윤 보장

② 답

STEP 1 핵심 개념 확인하기

1 다음 설명이 맞으면 ○표, 틀리면 ×표를 하시오.

(1) 공동 주택의 폐쇄성은 이웃 간의 소통과 대화를 원활하게 하는 중요한 요인이다. ( )

(2) 집을 투기의 수단으로 보는 것은 집이 가진 경제적 가치보다 본질적 가치를 중시하는 것이다. ( )

(3) 명품 선호 현상을 긍정적으로 보는 입장에서는 명품의 희소성이 소유자의 만족감을 높여 준다고 주장한다. ( )

2 음식과 관련된 윤리적 문제와 그에 대한 설명을 옳게 연결하시오.

(1) 환경 문제 •　　　• ㉠ 과도한 음식 소비로 인해 음식물 쓰레기가 증가한다.

(2) 동물 복지 문제 •　　　• ㉡ 대규모 공장식 사육과 도축으로 인해 동물들이 고통당한다.

3 다음 설명에 해당하는 용어를 〈보기〉에서 골라 기호를 쓰시오.

> **보기**
> ㄱ. 공정 무역　　ㄴ. 패스트 패션　　ㄷ. 과시적 소비

(1) 소비자의 기호를 파악해 유행에 따라 신제품을 출시하여 제품 수명이 짧은 의류이다. ( )

(2) 부를 과시하거나 자신이 남들과 다르다는 것을 드러내려는 목적으로 이루어지는 소비이다. ( )

(3) 개발 도상국과 선진국 사이의 불공정한 무역 구조에서 발생하는 문제를 해결하고자 나타난 무역 형태이다. ( )

4 ( )는 자신의 경제력 내에서 가장 큰 만족을 추구하는 소비로, 소비자 개인의 경제적 이익이나 만족감을 중시하는 특징이 있다.

5 다음 설명에 해당하는 용어를 쓰시오.

> 윤리적인 가치 판단에 따라 상품이나 서비스를 구매하고 사용하는 것으로, 환경, 인권, 경제 정의 문제 등을 적극적으로 고려하는 소비를 말한다.

STEP 2 내신 만점 공략하기

01 다음 현상에 대한 설명으로 적절하지 <u>않은</u> 것은?

> 오늘날에는 의복 문화와 관련하여 유행이 빠르게 변화하고 있다. 이러한 시대의 흐름에 발맞추어 소비자의 기호를 바로 파악해 유행에 따라 신제품을 출시하여 제품 수명이 짧은 의류가 등장하게 되었고, 이와 관련한 산업이 크게 성장하였다.

① 생산과 소비가 빠르게 이루어져 과소비를 불러올 수 있다.

② 유행에 민감한 소비자의 기호를 빠르게 충족시킬 수 있다.

③ 문화적 배경에 따라 다양한 의복 문화의 전통을 지킬 수 있다.

④ 생산과 유통, 폐기 과정에서 쓰레기와 탄소 배출량이 크게 늘어 환경을 해칠 수 있다.

⑤ 기업이 인건비 절감을 위해 근로자들의 인권과 노동 환경을 보장해 주지 못할 수 있다.

02 갑, 을이 제시할 논거로 옳은 것은?

> 유행을 추구하는 것은 자신의 개성을 표현하는 것이기 때문에 존중해 주어야 해.

> 유행 추구 현상은 오히려 몰개성화를 가져올 뿐이기 때문에 바람직하지 않아.

갑　　　　　　　을

① 갑: 유행 추구 현상은 노동 착취와 환경 문제를 초래해.

② 갑: 유행은 기업의 판매 전략에 불과하다고 볼 수 있어.

③ 갑: 유행 추구 현상은 패스트 패션으로 이어져 자원 낭비를 초래해.

④ 을: 유행을 창조하여 새로운 가치관을 형성할 수 있어.

⑤ 을: 유행 추구 현상은 무분별한 동조 소비를 조장할 수 있어.

03 다음 신문 기사에서 알 수 있는 음식과 관련된 윤리적 문제로 가장 적절한 것은?

> 국내 달걀에서 살충제 성분인 피프로닐이 검출됨에 따라 정부가 전수 조사에 착수해 검출 달걀을 전량 폐기하는 등 사태 진화에 적극 나서고 있다. …… 피프로닐은 벼룩·진드기를 없애는 데 광범위하게 사용되는 살충제로 개와 고양이에는 사용할 수 있으나 닭에는 사용이 금지된 약품이다. …… 부적합 판정을 받은 농가에서 생산된 달걀은 전량 회수 폐기 조치에 들어갔다.
> – 위클리 공감, 2017. 8. 21.

① 음식물 쓰레기의 증가로 환경이 오염된다.
② 식품의 원거리 이동에 따라 탄소 배출량이 증가한다.
③ 오염된 음식 재료가 소비자의 건강과 생명을 위협한다.
④ 세계에 비만과 영양실조로 고통받는 사람들이 공존한다.
⑤ 생산 및 유통 과정에서 생산자와 노동자가 정당한 몫을 받지 못한다.

04 다음 사상가의 견해로 적절하지 <u>않은</u> 것은?

> 인간은 체험을 통해 자신이 위치한 공간을 삶의 중심으로 형성할 수 있다. 체험된 공간은 가치를 지향하는 삶의 관계들을 통해서 사람과 관계된다. 체험된 모든 공간은 그것을 체험한 인간과 서로 분리될 수 없다. 인간과 집의 관계는 집을 짓고 그 안에 살면서 자기 집 같고, 마음 편하며, 믿을 만한 친숙함이 있다고 이해될 수 있다.

① 인간이 체험한 공간은 인간과 밀접한 관계를 맺는다.
② 인간의 체험으로 구성된 집은 인간 삶의 중심이 된다.
③ 인간은 외부 세계와 투쟁해야 하므로 거주 공간인 집을 필요로 하지 않는다.
④ 인간에게는 집을 소유하는 것보다 집과 내적인 관계를 맺는 것이 더 중요하다.
⑤ 인간이 집이라는 공간에서 마음 편함, 믿을 만한 친숙함을 느낄 때 집과 내적인 관계를 형성할 수 있다.

05 다음 신문 기사를 통해 추론할 수 있는 내용으로 가장 적절한 것은?

> 공동체 주택 '○○○'는 소통을 위해 주민들이 직접 설계하고 제작한 주택이다. 건물 안에는 독립된 생활 공간과 더불어 대화나 식사를 할 수 있는 공동 거실과 옥상, 다목적실이 있으며, 지역 주민들도 사용할 수 있는 방과 후 교실, 도서관, 작은 체육관 등도 있다. 이러한 ○○○이 들어서자 동네 분위기도 달라졌다. 입주 5년 차인 박 씨는 "○○○ 사람들은 새로운 가족이다. 남남끼리 만나 새로운 가족이 되었지만 합리적인 소통이 가능하다."라고 말한다.
> – 중앙일보, 2016. 9. 18.

① 지역 간 주거 환경의 격차가 해소되고 있다.
② 공동체를 고려하는 주거 문화가 형성되고 있다.
③ 집은 타인을 배제한 가족들만의 거주 공간이다.
④ 집을 투자의 수단으로 활용하려는 사람이 늘고 있다.
⑤ 개인의 사생활을 철저히 보호하는 주거 생활이 실현되고 있다.

06 다음 입장에서 지지할 주장으로 적절한 것을 〈보기〉에서 고른 것은?

> 소비자들은 윤리적 가치 판단과 신념에 따라 상품이나 서비스를 구매하고 사용해야 한다. 이는 최소한의 비용으로 자신의 욕구를 최대한 충족하려는 소비에서 벗어나 도덕적 가치 실현을 중시하고 경제 활동 전반의 윤리성에 관심을 가지는 것이다.

보기
ㄱ. 자신의 소득 범위 내에서 최대의 효율성을 주는 소비를 지향해야 한다.
ㄴ. 지구촌 환경보다는 현세대만의 욕구 충족을 우선시하는 소비를 추구해야 한다.
ㄷ. 당장의 경제적 이익보다 환경, 인권, 정의 등의 가치를 고려하는 소비가 필요하다.
ㄹ. 장기적인 차원에서 이웃을 고려하고 동물과 자연환경까지 생각하는 소비를 추구해야 한다.

① ㄱ, ㄴ
② ㄱ, ㄹ
③ ㄴ, ㄷ
④ ㄴ, ㄹ
⑤ ㄷ, ㄹ

07 다음 문제 상황을 해결하기 위한 사례로 적절한 것을 〈보기〉에서 고른 것은?

> 오늘날 소비문화는 경제적인 합리성과 효율성을 중시한 나머지 지구 온난화, 생태계 파괴와 같은 환경 문제, 노동자의 인권 억압과 아동을 대상으로 하는 노동 착취 문제 등 다양한 사회 문제를 불러오고 있다.

보기

ㄱ. 최신 유행이 반영되고 가격이 저렴한 의류를 자주 산다.
ㄴ. 유기농 식품보다 공장식 사육으로 생산된 식품을 구매한다.
ㄷ. 공정 무역 상품이나 지역에서 생산된 친환경 농산물을 구매한다.
ㄹ. 멸종 위기 동물의 모피나 털, 가죽 등을 재료로 사용한 상품을 구매하지 않는다.

① ㄱ, ㄴ　　② ㄱ, ㄷ　　③ ㄴ, ㄷ
④ ㄴ, ㄹ　　⑤ ㄷ, ㄹ

08 밑줄 친 '이것'의 실천 방법으로 적절하지 <u>않은</u> 것은?

> 관광 산업은 전 세계적으로 매년 발전하고 있지만, 그 이익의 대부분은 관광지가 아닌 일부 선진국의 다국적 기업이나 외국인에게 돌아간다. 이러한 점을 반성하는 취지로 <u>이것</u>이 등장하였다. <u>이것</u>은 여행자 자신뿐만 아니라 여행지의 주민까지 함께 행복해질 수 있는 여행을 의미한다.

① 현지인들이 운영하는 숙소와 식당을 이용한다.
② 현지인들의 삶의 터전인 환경을 파괴하지 않는다.
③ 유명 관광지보다 작은 마을 중심의 문화 체험을 한다.
④ 안전을 위해 대형 호텔에 투숙하고 쇼핑 센터를 이용한다.
⑤ 탄소를 배출하는 교통수단을 이용하기보다 걷거나 자전거, 기차를 이용한다.

서술형 문제

● 정답친해 42쪽

01 (가), (나)에 들어갈 내용을 각각 서술하시오.

> 명품 선호 현상을 긍정적으로 보는 입장에서는 명품 선호는 개인의 자유이며 명품의 우수한 품질과 희소성은 ▢▢▢▢(가)▢▢▢▢고 본다. 반면, 명품 선호 현상을 부정적으로 보는 입장에서는 명품 선호 현상이 과시적 소비일 뿐이며 사회적으로 ▢▢▢▢(나)▢▢▢▢고 비판한다.

(길잡이) 명품 선호 현상에 대한 긍정적 입장과 부정적 입장의 논거를 서술한다.

02 다음 글에 나타난 문제의 해결 방안을 <u>두 가지</u> 서술하시오.

> 인간은 식량을 대량 생산하기 위해 화학 비료나 농약을 많이 사용하고, 넓은 경작지를 확보하려고 산림을 불태워 토양·수질·대기 오염 등을 초래하고 있다. 또한, 과거보다 음식의 이동 거리가 늘어나면서 탄소 배출량이 증가하여 환경 오염이 심화하였으며, 과도한 양의 음식 소비는 음식물 쓰레기 증가로 이어지고 있다.

(길잡이) 음식과 관련된 윤리적 문제를 해결할 수 있는 방법을 서술한다.

03 다음을 읽고 물음에 답하시오.

> 주거 문화와 관련된 윤리적 문제로 ▢▢▢▢(가)▢▢▢▢을/를 들 수 있다. 폐쇄적인 구조로 만들어진 공동 주택은 이웃 간의 왕래를 어렵게 하여, 이웃이 어려움을 겪을 때에도 도움을 주는 데 한계가 있다. 또한 층간 소음과 같은 이웃 간 갈등이 발생하였을 때 자신의 주장만을 고집하여 갈등이 심화될 수 있다.

(1) (가)에 들어갈 문제를 쓰시오.

(2) (가)를 해결하기 위해 필요한 자세를 서술하시오.

(길잡이) 바람직한 주거 문화를 형성하기 위한 자세를 서술한다.

STEP 3 1등급 정복하기

1 갑의 입장에 비해 을의 입장이 가지는 상대적 특징을 그림의 ㉠~㉤ 중에서 고른 것은?

> 갑: 소비의 목적은 소비자의 만족감 충족이다. 소비자는 자신의 욕구와 상품에 대한 정보를 바탕으로 소득 범위 내에서 상품을 적절하게 선택하여 최소 비용으로 최대 만족을 얻을 수 있어야 한다.
>
> 을: 소비는 자신을 넘어 사회 및 환경에 이르기까지 영향을 미친다. 따라서 자신에게 돌아오는 직접적인 혜택만 생각하지 말고, 장기적 관점에서 사회와 자연에 미치는 영향도 고려하여 소비해야 한다.

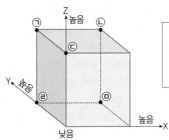

> • X: 경제적 효율성을 우선시하는 소비를 강조하는 정도
> • Y: 친환경 상품 및 공정 무역 상품의 소비를 강조하는 정도
> • Z: 공동체를 고려하고 사회적 책임을 실천하는 소비를 강조하는 정도

① ㉠   ② ㉡   ③ ㉢   ④ ㉣   ⑤ ㉤

> **합리적 소비와 윤리적 소비**
>
> **완자쌤의 시험 꿀팁**
> 합리적 소비와 윤리적 소비의 개념과 특징을 묻는 문제가 자주 출제되므로 각각의 내용을 비교하여 잘 알아 둔다.

수능 응용

2 다음 사상가가 긍정의 대답을 할 질문으로 가장 적절한 것은?

> 현대 사회의 사람들은 상품을 소비한다고 생각하지만 정작 소비하는 것은 상품의 기호(記號)와 상품이 지니고 있는 이미지이다. 광고 속에 나오는 상품이 기호라면 행복, 풍요로움, 성공, 권력 등은 그 상품에 부여된 이미지이다. 사람들은 상품의 구입과 사용을 통해 자신을 돋보이게 하며 동시에 사회적 지위와 위세를 드러내고자 한다. 하지만 실제로는 욕구의 체계를 발생시키고 관리하는 생산 질서의 지배를 받고 있다. 그 결과 사람들은 자율성과 창의성을 박탈당하여 사물과 같은 존재가 된다.

① 현대인은 소비에 따르는 문제를 책임질 필요가 없는가?
② 현대인은 소비를 통해 사회적 지위를 과시하고자 하는가?
③ 현대인은 소비 활동을 통해 자율성과 창의성을 발휘하는가?
④ 현대인의 소비 활동은 의무적으로 윤리적인 판단하에 이루어지도록 되어 있는가?
⑤ 현대 사회에서 소비의 대상은 어떤 상징도 나타내지 않는 상품 그 자체일 뿐인가?

> **현대인의 소비문화의 문제**
>
> **완자쌤의 시험 꿀팁**
> 장 보드리야르의 『소비의 사회』를 제시하며 현대인의 소비문화의 문제점을 묻는 문제가 출제되기도 하므로, 기호 소비의 개념을 파악해 두고 윤리적 소비의 필요성과도 연관 지어 알아 둔다.

03 다문화 사회의 윤리

학습목표
- 문화 다양성 존중의 필요성을 다문화 이론의 관점에서 설명할 수 있다.
- 종교 갈등의 원인과 극복 방안을 제시할 수 있다.

이것이 핵심!

다문화 사회의 윤리적 자세

문화적 편견 극복	문화적 편견인 자문화 중심주의, 문화 사대주의, 문화 제국주의 지양
문화 상대주의	·다른 나라의 문화를 상대의 관점에서 인정하고 존중하는 태도 ·윤리적 상대주의로 흐르는 것을 경계해야 함
관용	·타인의 인권과 자유 등을 훼손하지 않는 범위 내에서 관용해야 함 ·사회의 질서를 훼손하지 않는 범위 내에서 관용해야 함

★ **윤리적 상대주의**
행위에 대한 옳고 그름의 기준은 사람이나 사회마다 다르고, 보편적으로 인정할 수 있는 도덕적 기준은 없다고 보는 관점

★ **관용의 역설**
관용을 무제한으로 허용한 결과, 관용 자체를 부정하는 사상이나 태도까지 인정하게 되어 인권이 침해되고, 사회 질서가 무너지는 현상

① 문화 다양성과 존중

1. 다문화 사회와 다문화 이론

— 한 국가 안에 다양한 인종과 문화적 배경이 다른 사람들이 공존하는 사회를 의미해.

(1) **다문화 사회의 특징:** 국가 간의 장벽이 약화하고 다양한 분야에서 교류와 협력이 활발해지는 세계화와 관련이 있으며 통일성보다 다양성을, 단일성보다 다원성을, 동일성보다 차이를 강조함

> 잠깐! 이주민들을 특정 목적으로만 받아들이고 내국인과 동등한 권리를 인정하지 않는 '차별적 배제 모형'도 있는데, 이는 인간의 존엄성과 평등이라는 보편 윤리에 어긋난다는 한계가 있어.

(2) **다문화를 바라보는 관점** [교과서 자료]

동화주의	관점	이주민의 문화 등 소수 문화를 주류 문화에 적응시키고 통합하려는 입장
	특징	·문화적 충돌에 따른 사회 갈등을 방지하고, 사회적 연대감이나 결속력을 강화할 수 있음 ·문화적 역동성과 문화 다양성을 훼손할 수 있다는 한계가 있음 ·용광로 모형: 다양한 문화를 섞어서 하나의 새로운 문화로 만든다는 것으로, 다양한 이주민의 문화를 주류 사회에 융합하여 편입시키려는 관점
문화 다원주의	관점	주류 문화를 바탕으로 문화 다양성을 인정하는 입장
	특징	·소수 문화의 문화적 정체성을 존중하지만, 주류 문화가 주체로서 존재해야 함을 강조함 ·국수 대접 모형: 주류 문화는 국수와 국물처럼 중심 역할을 하며, 이주민의 문화는 고명이 되어 자신의 문화적 정체성을 유지하면서 조화롭게 공존할 수 있다는 입장
다문화주의	관점	이주민의 고유한 문화와 자율성을 존중하여 문화 다양성을 실현하려는 입장
	특징	·다양한 문화를 평등하게 인정하여 문화 간의 갈등을 줄이는 데 기여함 ·사회적 연대감이나 결속력이 부족하여 사회적 통합을 이루기 어렵다는 한계가 있음 ·샐러드 볼 모형: 각 재료의 특성이 살아 있는 샐러드처럼 다양한 문화가 각각의 정체성을 유지하면서 조화와 공존을 이룬다는 입장 ·모자이크 모형: 다양한 조각들이 모여 하나의 모자이크가 되듯이, 여러 이주민의 문화가 모여 하나의 문화를 이룬다는 입장

꾹! 주류 문화를 우위에 두고 주류 문화의 역할을 강조함.

2. 다문화 사회의 윤리적 자세

꾹! 고유한 사회적 맥락 속에서 각각의 문화가 지닌 고유성과 상대적 가치를 이해하고 존중하기 때문에 다양한 문화가 평화롭게 공존할 수 있는 토대를 제공해 줘.

문화적 편견 극복	·문화적 편견이 타인의 보편적 권리를 침해할 경우 심각한 문제가 될 수 있음 ·자문화 중심주의, 문화 사대주의, 문화 제국주의는 문화적 편견이므로 지양해야 함
문화 상대주의	·다른 나라의 문화를 상대의 관점에서 인정하고 존중하는 태도 ·문화적 차이에 따른 갈등을 예방하고, 다양한 문화의 공존을 위해 필요함 ·*윤리적 상대주의 지양: 윤리적 상대주의는 문화의 이면에 있는 보편적 가치와 규범을 무시할 수 있고, 비도덕적인 행위까지 그 사회의 관습이나 전통이라는 명목으로 정당화할 위험성이 있음 [자료①] — 예) 노예 제도, 인종 차별, 명예 살인 등이 있어.
관용	**관용의 의미** ·소극적 의미: 다른 문화를 접할 때 반대나 간섭, 배타적인 태도를 보이지 않는 것 ·적극적 의미: 받아들일 수 없는 상대방의 주장이나 가치관을 이해하려고 노력하며 타자의 인권을 존중하고 평화를 실현하려는 자세 **관용의 한계** ·타인의 인권과 자유 등 보편적 가치를 훼손하지 않는 범위 내에서 관용해야 함 ·사회 질서를 훼손하지 않는 범위에서 관용해야 함 → 다문화에 대한 관용의 한계를 인식하고 *관용의 역설을 경계해야 함 [자료②]
바람직한 문화적 정체성	·"군자는 다른 사람들과 화합하되 동화되지는 않는다." → 자신의 주관이나 문화적 정체성을 버리지 않고도 사람들과 조화를 이루며 살아갈 수 있음 ·"군자는 천하의 일에 있어서 이것만이 옳다고 주장하거나 이것은 절대로 안 된다고 주장해서는 안 된다. 다만 의(義)에 따를 뿐이다." → 문화 다양성을 수용하면서도 보편적 규범을 간직하는 것이 중요함

— 남과 화목하게 지내지만 자기의 중심과 원칙을 잃지 않는 화이부동(和而不同)을 가리켜.

꾹! 문화의 상대적 가치를 인정하되 보편 윤리의 관점에서 문화를 비판적으로 볼 수 있는 안목 또한 길러야 해.

완자 자료 탐구

수능이 보이는 교과서 자료 — 조화를 추구하는 다문화 모형

- 모자이크는 색깔 있는 유리, 돌 또는 다른 재료의 작은 조각들을 조합하고 모음으로써 조화를 이룬 이미지의 예술이다. 그것은 장식용 예술과 내부 장식으로 가톨릭교회의 문화적 영감의 중대함으로 자리 잡았다. 서로 다른 색깔의 유리나 돌의 작은 조각들이 어우러져 조화로운 모형과 그림을 창조하였다.
- 조화는 수프라는 요리로 설명할 수 있다. 생선을 조리하면서 물을 넣고 불을 지피며 식초와, 피클, 소금, 플럼 등을 넣는다. 장작불로 끓이는 과정에서 모자라면 첨가하고, 넘치면 덜어 내어 몇 가지 맛을 음미하며 재료를 섞는다.

제시된 두 가지 자료에서 공통의 핵심어는 '조화'이다. 이와 관련하여 다문화 사회에 적합하다고 평가되는 모형으로 '샐러드 볼 모형'과 '모자이크 모형'이 있다. 다문화주의에 근거한 이 두 모형은 서로 다른 문화가 동등한 자격으로 조화를 이루고 공존할 수 있다고 본다. <u>한 사회 안에서 다양한 문화를 평등하게 인정하며, 다문화 정책의 목표를 다양한 문화의 공존에 둔다는 특징이 있어.</u>

완자쌤의 탐구 강의

- 다문화 모형의 사례를 서술해 보자.

샐러드 볼 모형	각 재료의 특성이 살아 있는 샐러드처럼 다양한 문화가 각각의 정체성을 유지하면서 조화를 이루고 공존함
모자이크 모형	다양한 조각이 어우러져 모자이크를 이루듯 여러 이주민 문화가 모여 한 문화를 이룸

함께 보기 178쪽, 1등급 정복하기 1

자료 ① 보편 윤리의 필요성

> 사람들이 자기 마음대로 다른 사람을 죽일 수 있고 누구도 그러한 행위를 잘못된 것으로 생각하지 않는다고 가정해 보자. 그런 사회에서는 어떤 사람도 자신이 안전하다고 느끼지 못할 것이다. 이런 상황이라면 타인과 관계를 맺는 것이 위험해질 것이며 결국에 사회는 붕괴될 것이다. …… 살인의 금지는 모든 사회에 필수적인 특징이라고 할 수 있다. 정리하자면 모든 사회에는 사회가 존재하기 위해 필수적인 도덕률이 있어야만 한다고 할 수 있다. 거짓말과 살인에 관한 규칙은 그러한 도덕률의 예이다. 그리고 이 규칙은 모든 사회에서 유효하다. 문화 간의 차이점을 과대평가하는 것은 오류이다. 모든 도덕률이 사회마다 달라질 수는 없다. — 레이첼스, 「도덕 철학의 기초」

레이첼스는 어떤 사회에서 문화 다양성을 존중한다는 이유로 살인과 같은 행위를 허용한다면 그 사회는 붕괴될 것이라고 보았다. 따라서 문화적 차이와 상관없이 모든 사회에서 유효한 도덕률, 즉 보편 윤리가 필요하다고 주장하였다.

문제 로 확인할까?

보편 윤리에 대한 설명으로 옳지 <u>않은</u> 것은?

① 살인과 같은 행위는 보편 윤리에 어긋난다.
② 보편 윤리의 내용은 각 사회마다 달라질 수 있다.
③ 어떤 사회가 존재하기 위해서는 보편 윤리가 필요하다.
④ 거짓말과 살인의 금지 규칙은 보편 윤리에 해당한다.
⑤ 보편 윤리는 문화적 차이와 상관없이 모든 사회에서 유효한 도덕률이다.

② 留

자료 ② 관용의 역설

> 무제한의 관용은 관용의 상실을 가져올 것이다. 만약 우리가 심지어 관용적이지 않은 사람들에게까지 무제한의 관용을 베푼다면, 만약 우리가 편협한 자들의 맹공격에 대항해 관용의 사회를 지켜낼 각오가 되어 있지 않다면, 관용적인 사람들은 파멸할 것이고 관용도 그들처럼 소멸할 것이다. — 포퍼, 「열린 사회와 그 적들」

포퍼는 무제한의 관용을 주장할 때 관용을 잃어버리게 될 것이라고 경고한다. <u>관용에도 반드시 한계가 있어야 한다</u>는 것이다. 따라서 인종을 차별하거나 다른 종교를 인정하지 않는 등 보편적 가치나 사회 질서를 훼손하는 행위를 관용해서는 안 된다. <u>관용을 제한 없이 허용하여 본래의 관용을 부정하게 되는 '관용의 역설'을 경계해야 해. 또한 자신을 미루어 남을 헤아리고 배려하는 서(恕)의 정신을 바탕으로 관용을 실천해야 해.</u>

정리 비법을 알려줄게!

관용의 한계

필요성	불관용의 태도를 관용하면 관용의 기반 자체를 무너뜨리며, 구성원의 기본적 자유와 권리를 침해할 수 있음
범위	보편적 가치와 사회 질서를 훼손하지 않는 범위 내에서 관용해야 함

03 다문화 사회의 윤리

② 종교의 공존과 관용

1. 종교의 본질과 윤리와의 관계

(1) 종교의 본질 ─ **꼭!** 종교는 대부분 초월자나 절대자에 대한 믿음을 기본으로 하며, 주관적 체험을 중요하게 여겨.

종교의 의미	신앙 행위와 종교의 가르침, 성스러움과 관련된 심리 상태 등 다양한 현상을 아우르는 말
종교의 발생	유한하고 불안한 존재인 인간이 삶 속에서 직면하는 실존적 문제를 해결하려는 과정에서 초월적이고 절대적인 존재에 대한 믿음을 통해 유한성을 극복하고 이상적인 경지에 이르고자 하면서 발생함
종교의 기능	• 불안감을 극복하고 마음의 안정을 얻게 하며 현실을 이겨 낼 수 있는 힘을 줌 • 개인에게 삶의 궁극적 목적과 선악의 기준을 제시하여 바람직한 삶의 방향을 모색할 수 있게 함 • 인류의 보편적 가치를 추구하는 등 사회 통합을 이루는 계기가 되기도 함 • 종교를 나타내기 위한 건축이나 미술 등은 인류의 문화 발전에 기여함
종교에 대한 관점	• 신이 실재한다고 보는 관점: 신에게 의지하려는 믿음이 종교이며, 사람들은 자신이 믿는 신에게 삶을 의탁한다고 봄 • 인간의 소망을 대상에 투사한 것이 신이라고 보는 관점: 종교는 인간의 필요로 만들어졌다고 봄 • *엘리아데는 인간을 종교적 존재로 규정하며, "비종교적 인간의 대부분은 의식하지 못해도 여전히 종교적으로 행동한다."라고 말함 **자료③**
종교의 구성 요소	• 내용적 측면: 성스럽고 거룩한 것에 관한 체험과 믿음, 사랑, 정의, 생명 존중 등 도덕규범 • 형식적 측면: 경전과 교리, 의례와 형식, 제의, 교단 등

(2) 종교와 윤리의 관계 ─ 종교적 신념에 바탕을 둔 판단과 인간의 이성이나 양심에 바탕을 둔 도덕적 판단이 서로 다를 경우 갈등이 생기기도 해.

구분	종교	윤리
공통점	인간의 존엄성을 실현하는 윤리적인 계율과 덕목, 즉 도덕성을 중시함 **예** 유교는 효제에 기초한 인륜 회복, 기독교는 이웃의 구제와 사랑의 실천, 불교는 수행을 통한 깨달음과 자비의 실천을 강조하며 보편 윤리를 담고 있음 → 다양한 종교에서 *황금률이 발견됨	
차이점	초월적 세계, 궁극적 존재에 근거한 종교적 신념이나 교리 제시	인간의 이성, 상식, 양심에 근거하여 현실 세계에서 지켜야 할 규범 제시
바람직한 관계	종교는 윤리적 삶을 고양하는 데 도움을 줄 수 있으며, 윤리는 종교가 올바른 방향으로 나아가는 데 도움을 줄 수 있음	

─ 부모에 대한 효도와 형제에 대한 우애를 의미해.

2. 종교의 갈등과 공존

(1) 종교 갈등의 원인과 유형 ─ **예** 유대교와 이슬람교 간의 팔레스타인 분쟁, 개신교와 가톨릭교 간의 북아일랜드 분쟁, 이슬람교 내에서의 수니파와 시아파 간의 갈등처럼 한 국가 안에서 내전이 벌어지거나 국가 간 분쟁이 발생하기도 해.

원인	• 타 종교에 대한 배타적인 태도 • 자기 종교를 맹신하는 태도	• 타 종교에 대한 무지와 편견 • 종교 간의 교리에 대한 해석 차이
유형	• 서로 다른 종교를 믿는 사람들 사이의 갈등이 테러와 폭력으로 이어짐 • 종교 갈등에 계급, 인종, 민족, 자원 등 다른 요소가 연관되어 갈등이 심화됨	

(2) 종교 갈등의 극복 방안 **자료④** ─ **예** 종교를 선택할 수 있는 권리, 종교에 대한 신앙을 강요받지 않을 권리, 종교를 가지지 않아도 되는 권리 등을 포함해.

종교 갈등을 극복하기 위한 자세	종교의 자유 인정, 타 종교에 대한 관용, 종교 간에 보편적 가치를 바탕으로 한 대화와 협력	
종교 갈등 극복을 강조한 사상가	*큉	• "종교 간의 대화 없이 종교 간의 평화 없고, 종교 평화 없이는 세계 평화도 없다." • 종교 간의 대화는 무지와 오해로 인한 편견을 없애고 다른 종교를 이해하도록 도와준다는 관점 **자료⑤**
	*뮐러	• "하나만 아는 자는 아무것도 모르는 자이다." • 다른 종교를 이해하려는 노력이 필요함을 강조
	원효	다양한 불교 종파들 간의 대립을 일심(一心)으로 극복하고 하나로 통합해야 한다는 화쟁(和諍)을 강조함

종교 간에 서로 올바르게 이해하는 것은 종교 간 갈등 해소에 도움이 되고, 나아가 사회 구성원 간의 협력으로 이어질 수 있어.

종교 갈등의 원인과 극복 방안

원인	• 타 종교에 대한 배타적인 태도 • 타 종교에 대한 무지와 편견 • 자기 종교를 맹신하는 태도 • 종교 간의 교리에 대한 해석 차이
극복 방안	• 종교의 자유 인정 • 타 종교에 대한 관용 • 종교 간에 보편적 가치를 바탕으로 한 대화와 협력

★ 엘리아데
루마니아 출신의 종교학자로, 세속적인 삶 속에서도 언제든지 성스러움이 드러날 수 있다고 말하며 성(聖)과 속(俗)의 밀접한 상호 관련성을 주장하였다.

★ 황금률
소극적 의미로 "자기가 하기 싫은 일을 남에게 시키지 마라."라는 악행 금지의 원리에서, 적극적 의미로 "남에게 대접받고 싶은 대로 남을 대접하라."라는 선행의 원리로 해석된다.

★ 큉
스위스 출신의 신학자로, 주요 종교들에서 비폭력과 생명에 대한 존중, 관용과 진실성, 연대와 정의로운 경제 질서, 평등과 남녀 동반 관계 등을 기본으로 하는 세계 윤리를 도출할 수 있다고 보았다.

★ 뮐러
독일 출신의 철학자로, 근대적 의미의 종교학, 즉 그리스도교의 교리만을 연구하는 신학이 아닌 세계 종교를 탐구하는 '종교 과학'의 정초를 놓았다.

자료 3 엘리아데의 성현(聖顯)

인간이 성스러움을 아는 것은 그것이 속된 것과는 전혀 다른 어떤 것으로서 스스로 드러내어 보여 주기 때문이다. 이 성스러운 것의 현현(顯現)을 여기서는 성현(聖顯)이라는 말로 불러 본다. 이 말은 어떤 성스러운 것이 우리에게 나타나는 것 이외의 다른 것을 표현하고 있지 않다. 가장 원시적인 것에서부터 고도로 발달한 것에 이르기까지 종교의 역사는 많은 성현, 다시 말하여 성스러운 여러 실재의 현현으로 이루어져 있다고 말할 수 있다. 가장 원시적인 성현(예를 들면 돌이나 나무와 같은 일상적 대상 속에 성스러운 것이 나타나는 것)에서 높은 수준의 성현(그리스도교에서 예수 안에 하느님의 신성이 부여되는 것)에 이르기까지 일관된 연속성이 흐르고 있다. 여기서 우리는 신비스러운 사건에 직면한다. 즉 이 세상 것이 아닌 하나의 실재가 이 자연적인 '속된 세계'의 여러 사물 가운데 나타나는 사건에 직면하게 된다.

– 엘리아데, 『성(聖)과 속(俗)』

엘리아데는 성스러움의 세계와 세속의 세계가 조화를 이룰 수 있다고 보았다. 그는 종교를 일상 가운데 성스러움이 드러나는 현상으로 설명하였으며 일상 속에서 얼마든지 성스러운 체험을 할 수 있다고 보았다. 그는 이것을 성스러움이 나타나는 성현(聖顯)이라고 하였다.

문제 로 확인할까?

종교에 대하여 엘리아데가 제시한 견해로 가장 적절한 것은?

① 성과 속의 조화
② 종교적 존재의 포기
③ 종교와 현실의 분리
④ 현실을 초월한 종교
⑤ 인본주의를 배제한 신본주의

① 답

자료 4 종교 간의 갈등을 극복하기 위한 태도 – 관용

비참하고 끔찍한 재난이나 변고를 의미해.

우리가 지켜야 할 교리가 적을수록 논쟁은 줄어들 것이다. 그리고 논쟁이 줄어들면 그만큼 참화를 겪을 일도 없어질 것이다. 종교는 인간이 이 세상을 사는 동안, 그리고 죽은 후에도 행복해지려고 만들어졌다. 내세에 행복한 삶을 맞이하려면 올바르게 살아가야 한다. 인간의 비뚤어진 본성이 허락하는 범위에서 현재의 삶을 행복하게 누리려면 관용을 알고 베풀 줄 알아야 한다. 한마을에 사는 사람의 정신을 예속하고 통제하려 하기보다는 차라리 무력으로 세계를 굴복시키려는 편이 훨씬 쉬우리라.

– 볼테르, 『관용론』

볼테르는 현재와 내세에 행복한 삶을 누리기 위해서는 관용을 알고 베풀어야 한다고 주장하였다. 그는 사람들의 생각이나 정신을 예속하고 통제하려는 시도는 위험한 생각이며 종교적 관용을 인정하지 않는 것이라고 비판하였다.

정리 비법을 알려줄게!

종교 간의 갈등을 극복하기 위한 자세

종교의 자유 인정	종교를 선택할 수 있는 권리, 종교에 대한 신앙을 강요받지 않을 권리, 종교를 가지지 않아도 되는 권리를 인정함
타 종교에 대한 관용	종교가 다르거나 종교가 없는 사람에게 자신의 믿음을 강요하지 않고 관용의 자세를 가짐
종교 간의 대화와 협력	대화를 통해 타 종교를 올바르게 이해하고 종교 간의 갈등을 해소할 수 있으며 이는 사회 구성원 간의 협력으로 이어짐

자료 5 큉의 종교관 – 대화를 통해 실현하는 종교 평화와 세계 평화

대화 역량은 평화 역량을 위한 덕목이다. 대화가 중단되는 곳에는 그것이 개인적인 영역이든 아니면 공적인 영역이든 전쟁이 일어났다. 대화가 실패하는 곳에서 억압이 시작되었고 권력자들의 힘이 지배했다. 대화를 시도하는 자는 발포하지 않는다. 대화를 지지하는 자는 자신의 교회와 종교의 규칙에 얽매이지 않으며, 다르게 생각하는 자 또는 이단자와의 투쟁이라는 형태를 혐오한다. 대화를 지지하는 자는 대화를 고수하고, 필요하다면 타인의 입장을 존중하고자 하는 강력한 내적인 힘을 소지해야 한다.

– 큉, 『세계 윤리 구상』

큉은 평화를 이루기 위해 대화 역량이 필요하다고 주장하였다. 대화 역량이 곧 종교 간의 평화를 가능하게 하고, 종교 평화가 세계 평화를 위한 초석이 된다고 보았기 때문이다.

자료 하나 더 알고 가자!

자기 종교에 대한 반성과 성찰

진정한 의미에서의 종교 간의 조화를 위한 방법을 모색할 때 절대적으로 요청되는 전제 조건이 있다면 그것은 모든 조건의 자아비판이다. 즉 자신의 실수와 과오의 역사를 비판적 시각으로 성찰하는 것이다. 다른 견해에 대한 비판은 오로지 단호한 자아비판이라는 바탕 위에서만 정당하다. – 큉, 『세계 윤리 구상』

큉은 종교 간의 조화를 위해서 자기 종교에 대한 반성과 성찰이 필요하다고 하였다.

1 다음 설명이 맞으면 ○표, 틀리면 ×표를 하시오.

(1) 다문화 사회는 통일성보다 다양성을, 단일성보다 다원성을, 동일성보다 차이를 강조한다. ( )

(2) 종교는 유한하고 불완전한 인간이 삶의 실존적 문제를 해결하는 과정에서 생겨났다. ( )

(3) 종교는 초월적 존재에 근거한 규범, 윤리는 인간의 이성이나 양심에 근거한 규범을 제시하므로 둘 사이에는 공통점이 존재하지 않는다. ( )

2 다음 괄호 안의 내용 중 알맞은 말에 ○표를 하시오.

(1) (국수 대접 모형, 모자이크 모형)은 주류 문화를 바탕으로 문화 다양성을 인정하는 입장이다.

(2) (용광로 모형, 샐러드 볼 모형)은 다양한 문화가 각각의 정체성을 유지하면서 조화를 이룬다는 입장이다.

3 다음 설명에 해당하는 용어를 〈보기〉에서 골라 기호를 쓰시오.

보기
ㄱ. 문화 상대주의 ㄴ. 윤리적 상대주의

(1) 다양한 문화를 대할 때 각각의 문화가 지닌 고유성과 상대적 가치를 이해하고 존중하는 태도이다. ( )

(2) 행위에 대한 옳고 그름의 기준은 사람이나 사회마다 다르고, 보편적으로 인정할 수 있는 도덕적 기준은 없다고 보는 관점이다. ( )

4 관용을 무제한으로 허용한 결과, 관용 자체를 부정하는 사상이나 태도까지 인정하게 되어 인권이 침해되고, 사회 질서가 무너지는 현상을 ( )이라고 한다.

5 다음 사상가의 주장을 옳게 연결하시오.

(1) 큉 • • ㉠ 인간의 세속적인 삶 속에서도 언제든지 성스러움이 드러날 수 있다.

(2) 엘리아데 • • ㉡ 종교 간의 대화 없이 종교 간의 평화 없고, 종교 평화 없이는 세계 평화도 없다.

01 밑줄 친 '이 모형'에 대한 설명으로 옳은 것은?

다문화 사회의 모형 중에 소수의 비주류 문화를 주류 문화에 편입시켜야 한다고 보는 동화주의가 있다. 동화주의의 대표적 사례인 이 모형은 다양한 물질을 용광로에 넣어 녹이듯이 다양한 문화를 섞어서 새로운 문화로 만들어야 한다고 보는 관점이다.

① 외래문화의 유입과 수용을 거부한다.
② 비주류 문화와 주류 문화는 동등한 자격을 지닌다.
③ 이주민이 자신의 문화적 정체성을 유지하기 어렵다.
④ 소수 문화를 존중하고 문화 다양성을 실현할 수 있다.
⑤ 문화적 배경이 다른 사람들이 차별 없이 살아가므로 문화적 역동성이 증진된다.

02 갑, 을의 입장에 대한 설명으로 옳지 <u>않은</u> 것은?

> 다문화 사회에서 가장 적합한 모형은 국수 대접 모형이야.

> 국수 대접 모형보다는 샐러드 볼 모형이 더 바람직한 모형이라고 할 수 있어.

갑   을

① 갑은 주류 문화를 비주류 문화보다 우위에 둔다.
② 을은 다양한 문화가 각각의 정체성을 유지하면서 조화를 이룰 수 있다고 본다.
③ 갑은 을과 달리 이주민 문화의 고유성과 자율성을 인정하지 않는다.
④ 을은 갑에 비해 기존의 고유문화와 이주민 문화의 평등성을 중시한다.
⑤ 갑, 을은 모두 이주민 문화가 기존의 고유문화와 조화롭게 공존할 수 있다고 본다.

03 다음 태도에 대한 옳은 설명을 〈보기〉에서 고른 것은?

> 다양한 문화가 지닌 각기 다른 특성은 그 자체로 가치가 있음을 이해하고 존중하는 태도이다. 이는 세계화 및 다문화 시대에 문화적 차이에 따른 갈등을 예방하고, 서로 다른 문화의 공존을 도모하기 위해서 필수적인 태도라고 볼 수 있다.

보기

ㄱ. 다양한 문화가 평화롭게 공존할 수 있게 해 준다.
ㄴ. 문화를 특정한 기준에 따라 평가하고 우열을 가리고자 한다.
ㄷ. 각 문화가 지닌 고유한 사회적 맥락 속에서 문화의 고유성을 이해한다.
ㄹ. 문화를 비판적으로 성찰하지 않고 모든 문화를 무조건 바람직한 것으로 본다.

① ㄱ, ㄴ   ② ㄱ, ㄷ   ③ ㄴ, ㄷ
④ ㄴ, ㄹ   ⑤ ㄷ, ㄹ

04 다음 글에 나타난 문화를 관용의 한계라는 관점에서 판단한 것으로 옳은 것은?

> 명예 살인은 이슬람 문화권에서 전통을 훼손한 여성들을 상대로 자행되어 온 관습이다. 집안의 명예를 더럽혔다는 이유로 남편 등 가족 가운데 누군가가 해당 여성을 살해하는 것을 말한다. 여성을 살해한 가족은 붙잡혀도 가벼운 처벌만 받기 때문에 이슬람 국가들에서는 이러한 살인이 공공연하게 자행되어 왔다.

① 모든 문화는 보편 윤리를 초월하여 존중해야 한다.
② 윤리적 상대주의의 관점에서 문화의 다양성을 존중해야 한다.
③ 윤리적 상대주의에 어긋나는 문화이므로 존중해서는 안 된다.
④ 인류의 보편적 가치를 훼손하는 문화이므로 존중해서는 안 된다.
⑤ 한 사회의 고유한 문화적 전통과 관습은 윤리적 문제가 없다고 여겨지므로 반드시 존중해야 한다.

05 다음은 다문화 사회에 필요한 태도에 대한 필기 내용이다. ㉠~㉤ 중 옳지 <u>않은</u> 것은?

> **다문화 사회에 필요한 태도**
> (1) **문화적 편견 극복하기**: 문화적 편견이 타인의 보편적 권리를 침해하면 심각한 문제가 될 수 있음. → 자문화 중심주의, 문화 사대주의, 문화 제국주의를 지양해야 함 ·········· ㉠
> (2) **문화 상대주의의 태도 지니기**
> • 다른 나라의 문화를 상대의 관점에서 인정하고 존중해야 함 ·········· ㉡
> • 문화적 차이에 따른 갈등을 예방하고, 다양한 문화가 공존할 수 있음 ·········· ㉢
> • 윤리적 상대주의를 바탕으로 그 사회의 관습이나 전통을 모두 존중해야 함 ·········· ㉣
> (3) **관용의 태도 지니기**: 문화의 상대적 가치를 인정하되, 보편적 가치와 사회 질서를 훼손하지 않는 범위 내에서 관용해야 함 ·········· ㉤

① ㉠   ② ㉡   ③ ㉢   ④ ㉣   ⑤ ㉤

06 다음에서 강조하는 다문화 사회에 바람직한 문화적 정체성을 확립하는 자세로 옳은 것은?

> • 군자는 다른 사람들과 화합하되 동화되지는 않는다.
> • 군자는 천하의 일에 있어서 이것만이 옳다고 주장하거나 이것은 절대로 안 된다고 주장해서는 안 된다. 다만 의(義)에 따를 뿐이다.　－ 공자

① 자신의 문화적 정체성을 버리고 타 문화에 동화되도록 노력한다.
② 자신의 문화를 기준으로 타 문화의 옳고 그름을 따진 후 수용한다.
③ 타 문화 중 자신의 고유한 문화와 비슷한 것을 수용하여 발전시킨다.
④ 이질적 문화에 대한 제한 없는 관용을 통해 문화 다양성을 실현한다.
⑤ 자신의 문화적 정체성과 보편적 규범을 간직하면서 다양한 문화를 수용한다.

07 (가)에 들어갈 내용으로 적절하지 **않은** 것은?

인간은 삶 속에서 슬픔과 괴로움으로 고통스러워하고 한계 상황에 직면하기도 해.
갑

그래서 인간을 유한하고 불완전한 존재라고 하나 봐.
을

인간이 이러한 유한성을 극복하고자 초월적 존재에 의지하면서 자연스럽게 종교가 생겨났다고 해.
갑

인류의 역사만큼 오래된 종교는 우리 삶에서 (가) 는 긍정적인 기능을 해 왔어.
을

① 개인이 고통을 극복하고 마음의 안정을 얻게 해 준다
② 보편적 가치를 추구함으로써 사회 통합을 이루는 계기가 된다
③ 종교를 나타내기 위한 건축이나 미술을 통해 인류의 문화 발전에 크게 기여하였다
④ 삶의 궁극적 목적과 선악의 기준을 제시함으로써 올바른 가치관을 형성하게 해 준다
⑤ 초월적인 현상에 대하여 객관적 사실을 증거로 제시하며 과학 기술의 발전에 이바지한다

08 다음 사상가의 입장으로 적절한 것을 〈보기〉에서 고른 것은?

> 인간이 성스러움을 아는 것은 그것이 속된 것과는 전혀 다른 어떤 것으로서 스스로 드러내어 보여 주기 때문이다. 이 성스러운 것의 현현(顯現)을 여기서는 성현(聖顯)이라는 말로 불러 본다.

보기
ㄱ. 인간은 종교성을 지닌 존재이다.
ㄴ. 인간은 현실 속에서도 성스러움을 체험할 수 있다.
ㄷ. 인간의 이성과 종교적 성스러움의 조화는 불가능하다.
ㄹ. 인간은 세속을 떠날 때에 성스러움을 발견할 수 있다.

① ㄱ, ㄴ ② ㄱ, ㄷ ③ ㄴ, ㄷ
④ ㄴ, ㄹ ⑤ ㄷ, ㄹ

[09~10] 다음을 읽고 물음에 답하시오.

> 카슈미르 분쟁은 1947년 영국이 인도 식민 지배를 끝내고 철수한 뒤 인도와 파키스탄 사이의 영토 귀속 문제에서 비롯되었다. 당시 인도가 영토를 편입하는 과정에서 카슈미르 지역의 힌두교도 영주가 인도에 귀속할 것을 결정하였다. 그러나 카슈미르 인구의 대부분을 차지했던 이슬람교 주민들이 이에 반발하였고, 파키스탄이 이에 개입함으로써 정치 분쟁으로 확대되었다. 이후 50년간 갈등의 원인이 되어 온 종교 갈등은 힌두교와 이슬람교 사이에서 세력 경쟁의 양상을 보이고 있으며, 양측의 분쟁은 여전히 끊이지 않고 있다.

09 위 사례에 나타난 문제에 대한 설명으로 옳은 것은?

① 종교 간의 갈등이 종교 영역의 문제로만 한정되었다.
② 지도층의 독단적인 결정과 종교 간의 갈등은 서로 연관성이 없다.
③ 종교 내부의 종파 간에 정통성 계승, 경전과 교리에 대한 해석을 둘러싸고 발생한 갈등이다.
④ 종교 간의 갈등은 영토 분쟁, 정치 분쟁으로 확대되는 등 여러 가지 성격이 복합적으로 얽힐 수 있다.
⑤ 개인의 가치관 차이가 갈등의 원인이므로 개인적 차원에서 이성적으로 노력하면 쉽게 극복할 수 있다.

10 위 사례에 나타난 문제를 해결하기 위한 방안으로 옳은 것은?

① 국가 권력이 종교의 고유한 영역에 강제력을 행사한다.
② 다수가 믿는 하나의 종교를 선택하여 이를 신봉하도록 유도한다.
③ 종교를 서로 비교하여 자기 종교의 우월성을 논리적으로 입증한다.
④ 정치나 영토 문제를 배제하고 순수하게 종교적 문제만을 주제로 대화한다.
⑤ 인권, 평화 등 보편적 가치를 바탕으로 서로 대화하고 이해하는 자세를 가진다.

11 다음을 통해 추론할 수 있는 내용으로 옳은 것을 〈보기〉에서 고른 것은?

> 황금률은 성경의 마태복음에 나오는 "너희는 남에게서 바라는 대로 남에게 해 주어라."라는 가르침에서 유래된 규칙으로, 다양한 종교와 사상에서 공통으로 나타난다. "네가 싫어하는 것을 남에게 시키지 마라."라는 공자의 가르침이 소극적 황금률이라면, "남에게 대접받고자 하는 대로 남을 대접하라."라는 예수의 가르침은 적극적 황금률이라고 할 수 있다.

┌─ 보기 ─
ㄱ. 다양한 종교 간에는 공통적인 윤리 규범이 존재하지 않는다.
ㄴ. 황금률은 종교 간의 갈등을 극복하기 위한 방안이 될 수 있다.
ㄷ. 종교는 인간의 윤리적 삶과 관련하여 보편적인 근거를 제시할 수 있다.
ㄹ. 동양의 윤리와 서양의 종교는 근본적인 차이가 있어 조화를 이루기 어렵다.

① ㄱ, ㄴ   ② ㄱ, ㄷ   ③ ㄴ, ㄷ
④ ㄴ, ㄹ   ⑤ ㄷ, ㄹ

12 다음과 같이 주장한 사상가의 견해로 옳은 것은?

> 종교 간의 대화 없이는 종교 간 평화 없고, 종교 평화 없이는 세계 평화도 없다.

① 종교 평화를 위해 다수의 종교를 단일화시켜야 한다.
② 종교 평화를 위해 다양한 종교가 공정하게 경쟁해야 한다.
③ 세계 평화를 위해 개인의 종교적 행위를 최대한 자제해야 한다.
④ 자신의 종교에도 오류가 존재할 수 있음을 인정하고 자신의 종교를 성찰해야 한다.
⑤ 각 종교의 교리는 매우 다양하기 때문에 종교 간의 대화를 통해 교리를 하나로 통일해야 한다.

서술형 문제

● 정답친해 45쪽

01 다음 다문화 모형의 장단점을 각각 서술하시오.

> • 동화주의는 소수 문화를 주류 문화에 적응시키고 통합하려는 입장이다.
> • 다문화주의는 이주민의 고유한 문화와 자율성을 존중하여 문화 다양성을 실현하려는 입장이다.

(길잡이) 동화주의와 다문화주의의 특징을 비교하여 서술한다.

02 (가), (나)에 들어갈 내용을 각각 서술하시오.

> 문화의 다양성과 상대성을 인정하는 것이 윤리 원칙마저 사회마다 다르다는 윤리적 상대주의로 이어지는 것을 경계해야 한다. 모든 문화에 대한 무조건적인 관용은 ___(가)___ 을/를 낳을 수 있다. 따라서 관용은 ___(나)___ 내에서 허용되어야 한다.

(길잡이) 다문화 사회에서 관용의 한계를 서술한다.

03 다음 사상가의 입장에서 종교 갈등을 극복하기 위해 필요한 자세를 서술하시오.

> 종교는 인간이 이 세상을 사는 동안, 그리고 죽은 후에도 행복해지려고 만들어졌다. 내세에 행복한 삶을 맞이하려면 올바르게 살아야 한다. 인간의 비뚤어진 본성이 허락하는 범위에서 현재의 삶을 행복하게 누리려면 관용을 알고 베풀 줄 알아야 한다. 한마을에 사는 모든 사람의 정신을 예속하고 통제하려 하기보다는 차라리 무력으로 세계를 굴복시키는 편이 훨씬 쉬우리라.

(길잡이) 볼테르가 제시한 종교적 관용에 근거하여 서술한다.

교육청 응용

1 갑의 입장에 비해 을의 입장이 가지는 상대적 특징을 그림의 ㉠~㉤ 중에서 고른 것은?

> 갑: 세계화 시대를 맞이하여 다양한 이주민 문화 수용 자체를 거부하는 것은 바람직하지 않다. 그러나 이들이 자신들의 정체성을 형성하고 기존 사회의 문화보다 더 중요한 역할을 해서는 안 된다. 이주민 문화는 자신들의 정체성을 포기하고 기존 사회의 고유한 문화적 정체성에 흡수되어야 한다.
>
> 을: 세계화 시대를 맞이하여 다양한 이주민 문화는 최대한 많이 수용되어야 할 뿐만 아니라 이들이 자신들의 정체성을 유지하는 가운데 기존 사회의 문화와 적절한 공존을 이루어야 한다. 이주민 문화나 기존 사회의 고유한 문화는 아무런 차등 없이 조화롭게 공존하고 하나가 되어야 한다.

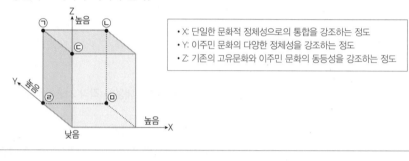

> • X: 단일한 문화적 정체성으로의 통합을 강조하는 정도
> • Y: 이주민 문화의 다양한 정체성을 강조하는 정도
> • Z: 기존의 고유문화와 이주민 문화의 동등성을 강조하는 정도

① ㉠   ② ㉡   ③ ㉢   ④ ㉣   ⑤ ㉤

다문화를 바라보는 관점

완자샘의 시험 꿀팁

동화주의, 문화 다원주의, 다문화주의 등 다문화를 바라보는 다양한 관점을 비교하는 문제가 자주 출제되므로 각각의 특징을 잘 알아 둔다.

2 (가)의 입장에서 (나)의 사례에 대하여 주장할 수 있는 내용으로 가장 적절한 것은?

> (가) 관용은 문화적 편견과 차별의 문제를 극복하기 위해서 필요하다. 그러나 타인의 불의한 행위에 무관심하거나 도덕적 악을 참는 것은 관용이 아니다. 인류의 보편적 가치에 반하는 것들에 대해서는 불관용할 수 있어야 한다. 즉, 개인의 자유권, 생명권과 같은 권리에 대한 침해는 용인되어서는 안 된다. 모든 인간은 자신이 원하는 삶을 자유롭게 선택할 수 있는 권리가 있으며 그 누구도 개인의 자유를 박탈할 수 없다.
>
> (나) 외국에서 이민을 온 어떤 가족은 여자는 교육받을 필요가 없다고 해서 어린 딸을 학교에 보내지 않았다. 더군다나 딸이 성인이 되어 외출을 하고 싶어 하는데도 집 밖으로 나가지 못하게 한다.

① 사회 질서를 훼손하지 않으므로 용인해야 한다.
② 종교 간의 갈등을 유발하므로 용인해서는 안 된다.
③ 개인의 인권을 침해한 것이므로 용인해서는 안 된다.
④ 고유한 전통문화를 계승하는 것이므로 용인해야 한다.
⑤ 다양한 문화를 평등하게 인정해야 하므로 용인해야 한다.

다문화에 대한 관용의 한계

3 그림의 강연자가 지지할 입장을 〈보기〉에서 고른 것은?

대화 역량은 평화 역량을 위한 덕목입니다. 대화가 중단되는 곳에는 그것이 개인적인 영역이든 아니면 공적인 영역이든 전쟁이 일어났습니다. 대화가 실패하는 곳에서 억압이 시작되었고 권력자들의 힘이 지배하였습니다. 대화를 시도하는 자는 발포하지 않습니다. 대화를 지지하는 자는 자신의 교회와 종교의 규칙에 얽매이지 않으며, 다르게 생각하는 자 또는 이단자와의 투쟁이라는 형태를 혐오합니다. 대화를 지지하는 자는 대화를 고수하고, 필요하다면 타인의 입장을 존중하고자 하는 강력한 내적인 힘을 소지해야 합니다.

┌─ 보기 ┐
ㄱ. 세계 평화를 실현하기 위해서 종교 간의 대화는 반드시 필요하다.
ㄴ. 다른 종교에 대한 연구는 개인의 종교적 신념을 약화시킬 뿐이다.
ㄷ. 다른 종교에 대한 배타적이고 폭력적인 태도는 바람직하지 못하다.
ㄹ. 도덕적 공동체의 실현과 종교의 단일화에 인류의 정신적·윤리적 생존이 달려 있다.

① ㄱ, ㄴ　　　　② ㄱ, ㄷ　　　　③ ㄱ, ㄹ
④ ㄴ, ㄷ　　　　⑤ ㄷ, ㄹ

> 종교 갈등의 극복 방안

완자샘의 시험 꿀팁

퀑의 종교관을 제시하며 종교 갈등의 극복 방안을 묻는 문제가 자주 출제되므로 종교 평화와 세계 평화에 대한 퀑의 견해를 잘 알아 두면 관련 문제를 푸는 데 도움이 된다.

4 다음 각 종교의 계율에서 종교 갈등을 극복하기 위해 필요한 자세를 끌어낸 것으로 가장 적절한 것은?

• 자기가 원하지 않는 바를 남에게 베풀지 말라.　　　　ㅡ 『논어』
• 너희는 남에게서 바라는 대로 남에게 해 주어라.　　　　ㅡ 『성경』
• 너에게 고통을 불러일으키는 일을 남에게 하지 마라.　　　　ㅡ 『마하바라타』
• 아무도 해치지 마라, 그러면 아무도 너를 해치지 않을 것이다.　　　　ㅡ 『하디스』
• 어떤 일로 고통받은 적이 있다면 그 방식으로 남에게 상처를 주지 마라.　　ㅡ 『우다나바르가』

① 윤리적 상대주의를 기반으로 타 종교에 대하여 관용을 베푼다.
② 자신의 종교에 대한 확신을 가지고 다른 종교인을 개종시킨다.
③ 타 종교의 교리와 계율을 자기 종교의 관점에서 판단하고 비난한다.
④ 타 종교에 대한 관용의 자세를 가지고 서로 올바르게 이해하고 존중한다.
⑤ 타 종교에 대한 무지와 편견에서 벗어나 서로 무관심한 풍토를 조성한다.

> 종교 갈등의 극복 방안

┃ 완자 사전 ┃

• 교리
종교적인 원리나 이치

대단원 되돌아보기

01 예술과 대중문화 윤리

1. 예술의 의미와 기능

의미	아름다움을 표현하고 창조하는 인간의 활동과 그 산물
기능	• 인간은 예술을 통해 자신의 생각과 감정을 자유롭게 표현하고, 정서와 감정을 정화하면서 카타르시스를 경험할 수 있음 • 인간은 예술 작품에 나타난 예술가의 삶에 대한 깊은 통찰에 감동하며, 사고를 확장하고 삶의 지혜를 얻을 수 있음 • 인간은 예술 활동을 통해 사회를 비판하거나 새로운 사상과 가치를 창조할 수 있음

2. 예술과 윤리의 관계

(1) 예술 지상주의

예술의 목적	예술 그 자체를 목적으로 하며, 미적 가치를 구현해야 함
윤리적 규제에 대한 입장	• 예술의 자율성과 독립성을 강조함 • 예술은 도덕적 가치 평가나 판단으로부터 자유로워야 함 → 예술에 대한 윤리적 규제에 (❶)함
관련 사상가	• 와일드: "예술은 도덕이 미칠 수 있는 영역 밖에 있다. 예술의 눈은 아름답고 불멸하며 끊임없이 변화하는 것에 고정되어 있기 때문이다." • 스핑건: "시(詩)가 도덕적이라든가 혹은 비도덕적이라고 말하는 것은 정삼각형은 도덕적이고 이등변 삼각형은 비도덕적이라고 말하는 것과 마찬가지로 무의미하다."

(2) 도덕주의

예술의 목적	• 예술은 올바른 품성을 기르고 (❷) 교훈이나 모범을 제공해야 함 • 예술은 사회의 개선과 발전에 기여해야 함 • 예술은 도덕적 선을 지향하는 것이 바람직함
윤리적 규제에 대한 입장	• 예술의 사회성을 강조함 • 예술에 대한 도덕적 평가가 필요하다고 봄 → 예술에 대한 적절한 규제가 필요함
관련 사상가	• 플라톤: "예술 작품이 몸에 좋은 곳에서 불어오는 미풍처럼 그들에게 좋은 영향을 주며, 어릴 때부터 곧장 자기도 모르는 사이에 아름다운 말을 닮고 사랑하고 공감하도록 그들을 이끌어 준다." • 톨스토이: "예술 작품의 가치는 도덕적 가치에 의해 결정된다. 선을 추구하는 예술이 참된 예술이다."

3. 예술의 상업화

의미	상품을 사고파는 행위를 통해 (❸)을 얻는 일이 예술 작품에도 적용되는 현상
긍정적 측면	• 일반 대중도 쉽게 예술에 접근할 기회를 제공함 • 예술가에게 경제적 이익을 주고 예술 활동에 전념하게 함
부정적 측면	• 예술 작품을 단지 하나의 상품이자 부의 축적 수단으로 바라보도록 함 • 예술의 미적·윤리적 가치를 간과하고 질적 저하를 불러옴

4. 대중문화의 윤리적 문제

지나친 상업성	대중문화를 이윤을 창출하는 단순한 상품으로 여기고, 대중문화가 미칠 정신적 영향과 사회적 효과를 고려하지 않음
선정성·폭력성	청소년을 포함한 대중의 정서에 악영향을 주고, 모방 범죄로 이어지기도 함
자본 종속	• 일부 문화 기획사가 대중문화를 주도하게 됨 • (❹)된 문화 상품만 양산되어 다양성이 위축됨 • 예술가의 상상력과 자율성, 독립성이 제약될 수 있음
대중문화에 대한 윤리적 규제	• 찬성: 성의 상품화 예방 강조, 대중의 정서에 미칠 부정적 영향 방지 • 반대: 대중문화의 자율성 및 표현의 (❺)와 대중이 다양한 문화를 누릴 권리 강조, 대중문화가 정치적 이데올로기를 전달하는 도구로 악용될 가능성 지적

02 의식주 윤리와 윤리적 소비

1. 의복 문화와 윤리적 문제

(1) 윤리적 차원에서 의복의 의미

개인적 차원	자아 및 가치관 형성에 영향을 미침
사회적 차원	• 예의에 대한 사회적 기준을 반영함 • 의복을 통해 공동체의 정체성과 유대감을 표출함

(2) 의복 관련 윤리적 문제

유행 추구 현상	• 찬성: 개성과 가치관의 표현 • 반대: 무분별한 동조 현상으로 몰개성화 초래, 최신 유행을 반영하는 (❻)은 자원 낭비 및 환경 문제와 노동 착취 초래
명품 선호 현상	• 찬성: 개인의 자유 강조, 우수한 품질과 희소성은 만족감을 줌과 더불어 소유자의 품격을 향상 • 반대: 과시적 소비에 불과, 사회 계층 간 위화감 형성, 경제력을 벗어난 그릇된 소비 풍조 조장

2. 음식 문화와 윤리적 문제

(1) 윤리적 차원에서 음식의 의미

생명권 유지	음식 섭취를 통해 생명과 건강이 유지됨
사회적 도덕성 구현	믿을 수 있는 음식의 생산과 유통은 사회의 도덕성을 구현함
건강한 생태계 유지	올바른 방법으로 음식을 획득하고 가공할 때 생태계가 건강하게 보존될 수 있음

(2) 음식 관련 윤리적 문제

식품 안정성 문제	• 오염된 음식 재료나 인체에 해로운 첨가제 사용 • 유전자 변형 식품(GMO)의 유해성 논란 • 이윤 극대화를 위한 부정 식품 생산
환경 문제	음식물의 생산·유통·소비 과정에서 산림 파괴, 음식물 쓰레기와 탄소 배출량 증가 → 환경 오염 발생
(❼　　　) 복지 문제	육류 소비 증가로 인한 공장식 동물 사육 및 도축 → 동물에 대한 비윤리적 처우 문제 발생
음식 불평등 문제	• 국가 간 빈부 격차 심화, 식량 수급 불균형으로 발생 • 세계에 비만과 영양실조 및 기아 문제가 공존함

3. 주거 문화와 윤리적 문제

(1) 윤리적 차원에서 주거의 의미

개인적 차원	신체의 안전과 마음의 안정 도모, 행복한 삶을 위한 터전
사회적 차원	공동체의 유대감 형성 및 관계성 회복

(2) 주거 관련 윤리적 문제

이웃 간의 소통 단절	• 공동 주택의 폐쇄성으로 인한 소통의 단절 • 이웃 간 갈등과 분쟁 발생
삶의 질 저하	• 주거 공간의 과도한 밀집으로 교통 혼잡, 환경 오염 발생 • 녹지 공간 부족, 유해 환경 노출 등의 문제 발생
(❽　　　) 적 가치 중시	• 집을 주거 목적이 아닌 부의 축적 수단으로 인식 • 주거의 불안정성과 불평등 초래

4. 윤리적 소비의 의미와 필요성

의미	(❾　　　)적인 가치 판단에 따라 상품이나 서비스를 구매하고 사용하는 것
필요성	개발 도상국 노동자들의 인권 향상, 사회 정의를 구현하는 데 기여, 환경 오염을 방지하고 건강한 생태계 유지

03 다문화 사회의 윤리

1. 다문화 사회에 대한 다양한 관점

차별적 배제 모형	• 이주민들을 특정 목적으로만 받아들이고, 내국인과 동등한 권리를 인정하지 않음 • 인간의 존엄성과 평등이라는 보편 윤리에 어긋난다는 한계가 있음
(❿　　) 모형	• 이주민이 출신국의 언어·문화·사회적 특성을 포기하고 주류 사회의 일원이 되게 함 • 용광로 모형: 다양한 이주민의 문화를 거대한 용광로, 즉 주류 사회에 융합하여 편입시키려는 관점 • 사회적 연대감이나 결속력을 강화할 수 있음 • 문화 다양성이 훼손되고 이주민들이 문화적 정체성을 유지하며 살아가기 어렵다는 한계가 있음
다문화 모형	• 이주민의 문화와 자율성을 존중하여 문화 다양성을 실현하려는 입장 • 문화 다원주의(국수 대접 모형): 주류 문화의 정체성을 유지하면서 비주류 문화와 공존함 • 다문화주의(샐러드 볼 모형): 한 국가 또는 사회 안에 살고 있는 다양한 문화를 평등하게 인정함 • 문화적 (⓫　　　　)을 인정하고, 이주민들도 문화적 정체성을 유지함 • 사회적 연대감이나 결속력이 부족하여 사회적 통합을 이루기 어렵다는 한계가 있음

2. 다문화에 대한 관용의 한계: 보편적 가치와 사회 질서를 훼손하지 않는 범위 내에서 관용해야 함

3. 종교와 윤리

(1) 종교와 윤리 비교

차이점	• 종교: 초월적 세계, 궁극적인 존재에 근거한 종교적 신념이나 교리 제시 • 윤리: 인간의 이성, 상식, 양심에 근거하여 규범 제시
공통점	(⓬　　　)과 윤리의 실천 중시

(2) 종교 간 갈등

원인	타 종교에 대한 배타적인 태도, 타 종교에 대한 무지와 편견
극복 방안	• 종교의 자유 인정, 타 종교에 대한 (⓭　　　)의 태도, 종교 간의 대화와 협력 • 큉: "종교 간의 대화 없이는 종교 간의 평화 없고, 종교 평화 없이는 세계 평화도 없다."라고 말하며 종교 간의 대화를 강조함

[01~02] 다음을 읽고 물음에 답하시오.

> ___(가)___ 은/는 예술이 교훈적이고 모범적인 내용을 담아야 하며, 조화와 균형의 아름다움을 보여 주어야 한다고 본다. 인간은 예술 작품을 통해 조화로운 정신과 선한 심성을 함양할 수 있다는 것이다. 한편 ___(나)___ 은/는 '예술을 위한 예술'이라는 말로 표현할 수 있다. 예술은 미적 가치를 구현할 뿐이지, 도덕적 선을 추구하거나 도덕을 위해 존재할 필요는 없다고 본다.

01 (가), (나)의 입장에 대한 설명으로 옳은 것은?

① (가)는 예술의 독자성과 자율성을 강조한다.
② (가)는 예술의 목적은 미적 가치 구현뿐이라고 본다.
③ (나)는 예술의 사회 참여와 현실 비판을 중요시한다.
④ (가)는 톨스토이, (나)는 스핑건의 사상에서 확인할 수 있다.
⑤ (가)는 예술에 대한 윤리적 규제에 반대하고, (나)는 찬성한다.

02 (가)의 입장에서 긍정의 대답을 할 질문을 〈보기〉에서 고른 것은?

> **보기**
> ㄱ. 윤리의 관점에서 예술 작품을 평가하고 선별해야 하는가?
> ㄴ. 예술은 심미적 가치보다 사회적, 교육적 기능이 더 중요한가?
> ㄷ. 예술은 윤리적 기준과 상관없이 아름다움을 추구해야 하는가?
> ㄹ. 예술을 다른 어떤 가치를 실현하기 위한 수단으로 이용해서는 안 되는가?

① ㄱ, ㄴ　　② ㄱ, ㄷ　　③ ㄴ, ㄷ
④ ㄴ, ㄹ　　⑤ ㄷ, ㄹ

[03~04] 다음을 읽고 물음에 답하시오.

> 갑: 예술 작품이 몸에 좋은 곳에서 불어오는 미풍처럼 그들에게 좋은 영향을 주며, 어릴 때부터 곧장 자기도 모르는 사이에 아름다운 말을 닮고 사랑하고 공감하도록 그들을 이끌어 준다.
> 을: 아름다운 것에서 아름다운 의미를 찾는 자들은 교양 있는 자들이다. 세상에 도덕적인 작품, 비도덕적인 작품이라는 것은 없다. 작품은 잘 쓰였거나 형편없이 쓰였거나 둘 중 하나일 뿐이다.

03 갑, 을 사상가들의 입장에 대한 설명으로 옳은 것은?

① 갑은 예술 작품은 미적 가치와 도덕적 가치로부터 자유로워야 한다고 본다.
② 을은 예술이 도덕적 가치 실현이나 정치적 목적을 위한 도구가 될 수 있다고 본다.
③ 갑은 을에 비해 예술 작품이 내용을 배제하고 형식적인 미를 추구해야 한다고 본다.
④ 을은 갑에 비해 예술은 도덕적 가치와 상관없이 자율성과 독창성을 지녀야 한다고 본다.
⑤ 갑과 을은 모두 예술이 바람직한 인격 함양과 사회의 도덕적 성숙에 기여해야 한다고 본다.

04 을이 갑에게 제기할 반론으로 가장 적절한 것은?

① 예술은 아름다움을 추구하는 인간의 활동과 그 산물이다.
② 예술이 사회의 발전에 참여하지 않는 것은 현실 도피이다.
③ 예술가에게 있어 윤리적 공감은 독창성을 잃게 하는 것이다.
④ 예술의 존재 가치는 선을 권장하고 덕성을 장려하는 데 있다.
⑤ 예술가도 사회 구성원이고 예술 활동도 사회 활동의 산물이다.

05 그림의 강연자가 지지할 견해로 가장 적절한 것은?

미술 전체가 거대한 투기사업이 되었습니다. 진정으로 그림을 좋아하는 사람은 많지 않습니다. 대부분 속물적인 의도로 그림을 구매해 미술관에 맡겨 둡니다. 사람들은 확신이 없어서 가장 비싼 것만 구입합니다. 감상은커녕 창고에 넣어 두고 최종가를 알기 위해 매일 화랑에 전화를 거는 사람들도 있습니다.

① 예술이 지닌 경제적 가치를 강조해야 한다.
② 예술이 부의 축적 수단으로만 여겨져서는 안 된다.
③ 예술의 상업화로 순수 예술의 발전을 도모해야 한다.
④ 예술가들의 생계유지를 위해 예술의 상업화를 지향해야 한다.
⑤ 자본주의 사회에서 모든 예술 작품은 상품 가치로만 평가되어야 한다.

06 밑줄 친 부분과 관련된 진술로 적절하지 <u>않은</u> 것은?

오늘날 우리는 영화, 음악, 드라마, 공연, 게임 등 다양한 대중문화를 접하고 있다. 이러한 대중문화는 현대인의 삶이나 현대 사회에서 차지하는 비중과 영향력이 매우 크다. 따라서 <u>우리는 대중문화와 관련된 윤리적 문제에 관해 깊이 성찰할 필요가 있다.</u>

① 예술이 문화 산업에 종속되면 대중의 취향을 중시하여 예술가의 자율성과 독립성이 제약될 수 있다.
② 대중문화가 자본에 종속되면서 상업적 이익을 우선시하여 대중문화가 획일화되는 경향이 나타나고 있다.
③ 대중문화가 수익성만을 추구하면서 선정성과 폭력성이 심해져 사회의 도덕성에 부정적인 영향을 줄 수 있다.
④ 대중문화에 대한 진입 장벽이 점점 높아져 사회 계층 간에 문화적 권리가 불평등해지는 문제가 발생하였다.
⑤ 대중문화의 획일화가 심해지면 대중의 지성과 판단력을 마비시켜 대중을 문화 산업의 도구로 전락시킬 수 있다.

07 (가), (나)에 들어갈 적절한 내용을 〈보기〉에서 고른 것은?

대중문화에 대한 윤리적 규제	근거
찬성편	(가)
반대편	(나)

보기

ㄱ. 대중에게는 다양한 대중문화를 누릴 권리가 있다.
ㄴ. 대중문화는 성을 상품으로 대상화하여 성의 인격적 가치를 훼손한다.
ㄷ. 대중문화는 폭력을 미화함으로써 대중에게 폭력에 대한 그릇된 인식을 심어 준다.
ㄹ. 규제된 대중문화는 정치적 이데올로기를 전달하는 일방적인 도구로 전락할 수 있다.

	(가)	(나)		(가)	(나)
①	ㄱ, ㄴ	ㄷ, ㄹ	②	ㄱ, ㄷ	ㄴ, ㄹ
③	ㄴ, ㄷ	ㄱ, ㄹ	④	ㄴ, ㄹ	ㄱ, ㄷ
⑤	ㄷ, ㄹ	ㄱ, ㄴ			

08 다음 글의 저자가 패스트 패션에 대해 내릴 평가로 적절하지 <u>않은</u> 것은?

• 패스트 패션 매장 역시 우리의 옷장 한가득 이미 옷이 있고, 더구나 아주 비슷한 스타일이 있는데도 옷을 더 많이 사게 하기 위해서 그들만의 전략을 활용한다.
• 현재 패션의 저렴한 가격은 쇼핑의 무질서 상태를 부추기고 있다. 이제 미국 사람들 전체가 한 해 동안 사들여 쌓아 두는 옷은 약 200억 벌에 이른다. 석유와 물은 점점 부족해지고 있다. 빙산이 녹고 있다.

– 엘리자베스 클라인, 「나는 왜 패스트 패션에 열광했는가」

① 기업의 판매 전략에 휘둘리는 것이다.
② 무비판적으로 동조함으로써 몰개성화를 초래한다.
③ 개성을 표현하려는 개인의 선택권을 존중해야 한다.
④ 의복의 생산과 소비 과정에서 과소비가 이루어진다.
⑤ 패스트 패션은 자원 낭비, 환경 문제, 노동 착취 등을 초래한다.

09 다음은 음식 문화와 윤리적 문제에 대한 필기 내용이다. ㉠~㉤에 대한 설명으로 옳지 않은 것은?

음식 문화와 윤리적 문제

음식과 관련된 윤리적 문제	(1) 식품 안정성 문제 ·············· ㉠
	(2) 환경 문제 ·················· ㉡
	(3) 동물 복지 문제 ·············· ㉢
	(4) 음식 불평등 문제: 지구 한쪽에서는 버려지는 음식이 넘쳐나고 다른 한쪽에서는 굶주림으로 고통받는다.
해결 방안	• 개인적 차원: 타인은 물론 생태계를 고려하는 음식 문화의 형성에 적극적으로 동참한다. ·············· ㉣
	• 사회적 차원: 바람직한 음식 문화를 확립하기 위한 제도적 기반을 마련한다. ·············· ㉤

① ㉠: 오염된 음식 재료가 인간의 건강과 생명을 위협한다.
② ㉡: 음식의 생산, 유통, 소비 과정에서 탄소 배출량과 음식물 쓰레기가 증가하여 환경 오염이 발생한다.
③ ㉢: 육류의 대량 생산을 위한 공장식 사육 및 도축은 동물들에게 엄청난 고통을 준다.
④ ㉣: 음식물 쓰레기를 줄이고 로컬 푸드 운동에 동참한다.
⑤ ㉤: 전 세계에서 생산되는 식량을 국가별로 공평하게 나누고 육류 섭취를 금지한다.

10 다음 글에서 제기하는 문제로 가장 적절한 것은?

집이 어느 순간부터 내 집 마련의 '신화'가 되자, 집은 생존을 위한 장소가 아닌 '화폐'가 됐다. 사는 곳(living)이 아닌 사는 것(buying)이 되었다. 지금 사람들은 어떻게 살 것인가를 생각해서 집을 찾지 않는다. 화폐와 수치(평방제곱미터)로 환산된 집에 매몰되어 산다. 그렇다면 계속 그렇게 살아도 좋을까? 치솟기만 하는 화폐에 맞추지 못해 '지상의 방 한 칸'조차 구할 수 없는 현실을 그냥 놔둘 것인가?

① 도시 재개발로 기반 시설 등의 격차가 커지고 있다.
② 집의 편리성을 강조하여 역사와 전통을 담기 어렵다.
③ 공동 주택의 폐쇄성으로 이웃 간의 소통이 단절되었다.
④ 집의 경제적 가치를 중시하여 주거 불안정성이 높아졌다.
⑤ 주거 공간이 과도하게 밀집되어 삶의 질이 떨어지고 있다.

11 갑, 을의 입장에 대한 옳은 설명만을 〈보기〉에서 있는 대로 고른 것은?

현대 사회는 개인의 자유와 권리 보호가 우선시되는 사회야. 따라서 합리적 소비를 추구하는 것이 현명하고 바람직해.
갑

 아니야. 현대 사회에서는 개인의 권리 못지않게 사회 정의, 환경, 인권 등의 가치가 중시되어야 해. 그러니까 합리적 소비보다는 윤리적 소비를 추구하는 것이 바람직해.
을

보기
ㄱ. 갑은 주어진 예산 범위 내에서 최대의 만족을 추구하는 소비를 강조한다.
ㄴ. 을은 소비 행위가 타인과 사회, 생태계에 미치는 영향을 고려해야 한다고 본다.
ㄷ. 갑은 을에 비해 노동 조건, 공동체를 중시한다.
ㄹ. 갑, 을은 모두 자신의 경제력의 범위를 넘어서는 과소비와 사치를 멀리해야 한다고 본다.

① ㄱ, ㄴ ② ㄴ, ㄹ ③ ㄷ, ㄹ
④ ㄱ, ㄴ, ㄹ ⑤ ㄴ, ㄷ, ㄹ

12 다음 질문에 대해 옳은 답변을 말한 사람만을 있는 대로 고른 것은?

▶ 지식 Q&A
학교에서 윤리적 소비에 대하여 배우고 저의 생활을 돌아보았어요. 윤리적 소비는 어떻게 실천할 수 있나요?

▶ 답변하기
└ 갑: 동물의 모피나 털, 가죽 등을 재료로 사용하지 않은 상품을 구매하세요.
└ 을: 여행을 간다면 대형 호텔에 투숙하는 대신, 현지인이 운영하는 숙박업소를 이용해 보세요.
└ 병: 작은 제품이라도 유명 기업이 생산한 것이면 무조건 믿을 수 있는 제품이라는 점을 기억하세요.
└ 정: 환경 오염이나 노동자의 인권을 침해하는 등 윤리적 문제를 일으킨 기업의 제품은 구매하지 마세요.

① 갑, 을 ② 갑, 정 ③ 병, 정
④ 갑, 을, 병 ⑤ 갑, 을, 정

13 (가)~(다)에서 문화를 바라보는 태도에 대한 옳은 설명만을 〈보기〉에서 있는 대로 고른 것은?

> 다문화 사회에서는 다른 나라의 문화를 상대의 관점에서 인정하고 존중하는 ____(가)____ 의 자세가 필요하다. 자신의 문화를 최고라고 여기며 다른 나라의 문화를 무시하는 ____(나)____ 나 다른 나라의 문화를 맹목적으로 추종하는 ____(다)____ 은/는 지양해야 한다.

┌ 보기 ┐
ㄱ. (가)는 다양한 문화가 평화롭게 공존할 수 있는 토대를 제공해 준다.
ㄴ. (가)는 보편적 가치를 침해하지 않는 범위 내에서 타 문화를 존중해야 한다.
ㄷ. (나)는 중국의 중화사상과 같이 타 문화를 경시하는 모습으로 나타난다.
ㄹ. (다)는 다른 나라의 문화를 수용하지 않고 배척하는 문제점을 지니고 있다.

① ㄱ, ㄴ   ② ㄱ, ㄹ   ③ ㄷ, ㄹ
④ ㄱ, ㄴ, ㄷ   ⑤ ㄴ, ㄷ, ㄹ

14 다음 글을 통해 추론할 수 있는 내용을 〈보기〉에서 고른 것은?

> 옛날 바닷새가 노(魯)나라 도성 밖에 날아와 앉았다. 노나라 임금은 이 새에게 술을 권하고 구소(九韶)의 곡을 연주해 주며 극진히 대접하였다. 그러나 새는 슬퍼할 뿐, 고기 한 점 먹지 않고 술 한 잔 마시지 않은 채 사흘 만에 죽고 말았다. 이 것은 사람을 기르는 방법으로 새를 기른 것이지, 새를 기르는 방법으로 새를 기르지 않은 것이다.
> – 장자

┌ 보기 ┐
ㄱ. 문화의 다양성은 오히려 사회 통합을 저해한다.
ㄴ. 자기 문화를 다른 사람에게 강요해서는 안 된다.
ㄷ. 상대방의 입장을 헤아리는 관용의 정신이 필요하다.
ㄹ. 자연의 모든 존재를 인간의 관점에서 다스려야 한다.

① ㄱ, ㄴ   ② ㄱ, ㄷ   ③ ㄴ, ㄷ
④ ㄴ, ㄹ   ⑤ ㄷ, ㄹ

15 (가)~(다)의 다문화 모형에 대한 설명으로 옳은 것은?

> (가) 다양한 물질을 용광로에 넣어 녹이듯이 다양한 문화를 섞어 새로운 문화로 재탄생해야 한다.
> (나) 주재료인 면 위에 고명을 얹어 국수의 맛을 내듯이 주류 문화를 중심으로 비주류 문화를 조화한다.
> (다) 다양한 채소와 과일이 그 특성을 유지하면서 조화롭게 맛을 내듯이, 다양한 문화가 서로 대등하게 조화를 이루어야 한다.

① (가)는 이주민이 문화적 정체성을 유지해야 한다고 본다.
② (나)는 비주류 문화가 주류 문화를 대체할 수도 있다고 본다.
③ (다)는 이주민이 스스로 문화적 정체성을 포기해야 한다고 본다.
④ (가), (나)는 필요하다면 주류 문화가 고유한 문화적 정체성을 포기할 수 있다고 본다.
⑤ (나), (다)는 모두 다양한 문화가 각각의 정체성을 유지하면서 조화롭게 공존할 수 있다고 본다.

16 다음 사상가의 입장으로 가장 적절한 것은?

> 진정한 의미에서의 종교 간의 조화를 위한 방법을 모색할 때 절대적으로 요청되는 전제 조건이 있다면 그것은 모든 조건의 자아비판이다. 다시 말하여 자신의 실수와 과오의 역사를 비판적 시각으로 성찰하는 것이다. 다른 견해에 대한 비판은 오로지 단호한 자아비판이라는 바탕 위에서만 정당하다.

① 종교 평화를 위해 이단자와의 투쟁에 나서야 한다.
② 종교 평화는 한 종교를 중심으로 종교의 질서를 재편할 때 실현될 수 있다.
③ 한 국가 내에서 종교 평화를 유지하려면 하나의 종교만을 신봉하도록 해야 한다.
④ 종교 평화를 위해 모든 종교를 아우를 수 있는 새로운 세계 종교를 창시해야 한다.
⑤ 종교 평화를 위해 자기 종교에 대한 비판과 아울러 타 종교와의 대화를 모색해야 한다.

평화와 공존의 윤리

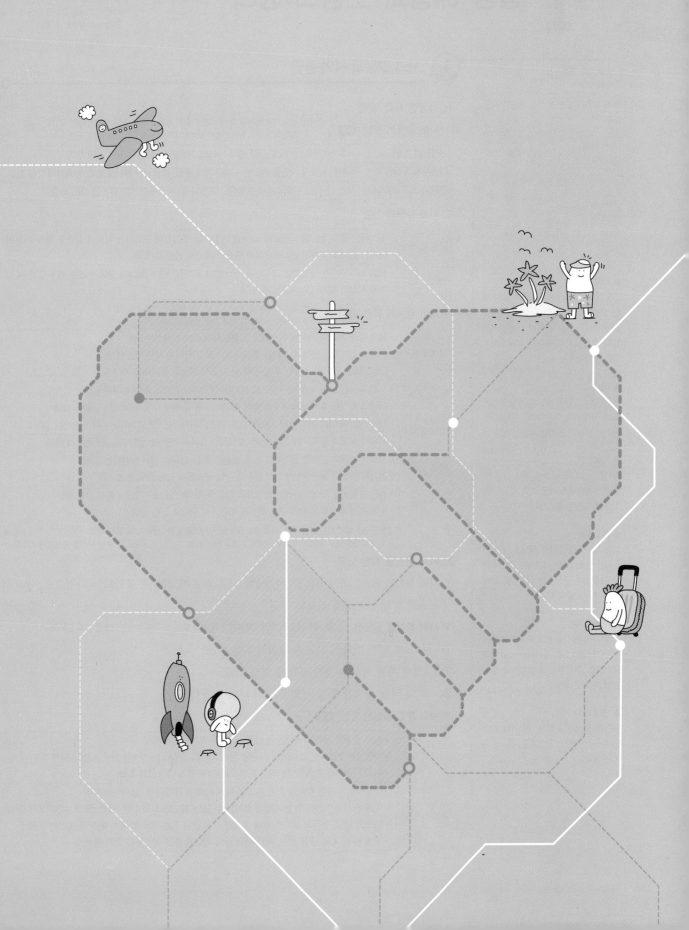

01 갈등 해결과 소통의 윤리

학 습 목 표
• 사회 갈등의 유형과 사회 통합의 실현 방안을 설명할 수 있다.
• 바람직한 소통 행위를 담론 윤리의 관점에서 설명할 수 있다.

이것이 핵심!

사회 갈등의 유형과 사회 통합을 위한 노력

사회 갈등의 유형	세대 갈등, 이념 갈등, 지역 갈등, 계층 갈등, 노사 갈등 등
사회 통합의 노력	• 상호 존중과 관용 • 개인의 이익과 공동선의 조화 • 공정하고 합리적인 제도와 정책 마련

★ 갈등
갈등은 칡[葛]과 등나무[藤]가 얽혀 있는 모습에서 유래한 말로, 개인이나 집단이 추구하는 목표나 이해관계가 달라 화합하지 못하거나 적대시하는 것을 뜻한다.

★ 이념
한 사회나 집단이 지닌 특정한 가치관이나 믿음으로, 이는 사회 현상을 이해하는 판단의 근거나 기준이 된다.

★ 지역감정
특정한 지역에 살고 있거나 그 지역 출신인 사람에게 다른 지역 사람이 가지는 좋지 않은 생각이나 편견

★ 연고주의
혈연이나 학연, 지연 등으로 맺어진 관계를 우선시하는 태도로, 파벌주의를 조장하여 공정성과 합리성을 저해하는 부작용을 가져온다.

★ 사회적 자본
사회 구성원이 공동의 목표를 추구하는 데 적극적으로 참여하는 조건이나 특성으로, 구성원 간의 협력이나 신뢰, 규범 등을 포괄한다.

★ 연대 의식
공동체 구성원이 함께 살아가야 한다는 것을 인식하고 공통으로 나누어 가지는 생각

① 사회 갈등과 사회 통합

1. 다양한 사회★갈등

(1) 사회 갈등의 원인 자료 ①

Qh? 권위주의 체제의 종식, 시민 사회의 자율성 확대 등의 변화에 따라 다양한 집단적 이익이 표출되면서 오늘날 사회 갈등이 자주 일어나고 있어.

가치관의 차이	사회 현상이나 문제에 관한 생각 차이와 가치관 및 신념 차이로 인한 대립
이해관계의 대립	한정된 사회적 자원을 둘러싼 이해관계의 충돌, 불공정한 분배로 인한 양극화와 경쟁 심화
원활한 소통의 부재	개인 간·집단 간의 의사소통 부족, 의견 대립 시 한쪽에게만 유리한 결론 도출

(2) 사회 갈등의 기능

긍정적 기능	배려와 관용의 정신을 바탕으로 갈등을 예방하고 조정하며 관리하는 사회는 갈등을 통해 사회에 내재된 문제를 명확히 인식함으로써 발전의 계기로 삼을 수 있음
부정적 기능	서로 이해관계와 가치관을 고집하며 상대방의 문제점만을 지적하고 양보가 없는 경우 갈등이 깊어져 사회가 해체되고 파괴될 수 있음

(3) 사회 갈등의 유형 자료 ②

예 안정과 질서를 중시하는 보수적 이념과 변화나 발전을 추구하는 진보적 이념 간의 갈등이 있어.

세대 갈등	• 세대 간에 서로의 차이를 이해하고 인정하지 못하여 발생하는 갈등 • 어느 사회에서나 연령과 시대별 경험의 차이로 나타나는 보편적인 현상임 • 오늘날에는 일자리나 노인 부양 문제 등 사회적 쟁점을 둘러싸고 세대 갈등이 발생하고 있음
★이념 갈등	• 사회 구성원 간에 이상적인 것으로 여기는 생각이나 견해의 차이에 따른 갈등 • 이념의 차이를 흑백 논리의 이분법적 사고로 구분할 경우 더욱 심화되는 경향이 있음
지역 갈등	• 지역 개발의 이해관계, 특정 지역에 대한 편견,★지역감정·★연고주의로 인해 발생하는 갈등 • 지역의 상황과 결부하여 정치·경제·사회적인 갈등이 복합적으로 나타나는 경우가 많음
계층 갈등	• 사회적 자원의 분배를 둘러싸고 소득 불평등 현상 심화로 인해 발생하는 갈등 • 경제적 자원이 불균등하게 분배될수록 사회 구성원의 갈등 정도가 높아짐
노사 갈등	• 생산 효율성을 극대화하려는 기업가와 임금·복지 개선을 요구하는 노동자 간의 갈등 • 노동 시장 유연화에 따른 구조 조정과 비정규직 확대로 인한 갈등

예 공공시설의 입지 선정 경쟁, 성장 가능성이 높은 지역을 집중 개발하여 낙후 지역과 격차가 발생하는 경우 등이 있어.

예 나와 같은 지역 사람에게 더 후한 점수를 주고 더 좋은 자리를 줌으로써 사회적 불평등을 가져올 수 있어.

2. 사회 통합을 위한 노력

(1) 사회 통합의 의미: 개인이나 집단이 상호 작용을 통해 하나로 통합되는 과정으로, 공동의 목표를 향해 조화롭게 결속된 상태

(2) 사회 통합의 필요성 — 꼭! 사회 통합은 개인의 행복한 삶과 사회 발전 및 국가 경쟁력 강화를 위해 필요해.

① 갈등으로 인한 개인의 고통과 사회적 비용 감소
②★사회적 자본 형성을 통한 공동체 의식 함양
③ 사회적 역량 결집을 통한 사회 발전과 국가 경쟁력 강화

(3) 사회 통합의 실현 방안 자료 ③

의식적 노력	• 상호 존중과 신뢰에 바탕을 둔 소통, 관용과 역지사지의 자세 • 다양성을 인정하면서 대화와 토론을 통해 의사를 결정하는 성숙한 민주 시민의 자세 • 사회 구성원들 간의★연대 의식 형성, 개인의 이익과 공동선의 조화
제도적 노력	• 공정하고 투명한 절차와 기준 확립을 통한 사회 가치의 배분, 법치주의 준수 • 이해 당사자가 정책 결정 과정에 참여할 수 있는 제도와 정책 마련 — 예 공청회, 설명회 등의 법제화 • 대화와 타협, 협상과 합의를 통해 문제를 해결할 수 있는 합리적 절차 마련 및 공정한 운영 • 지방 분권, 지역 균형 발전, 복지 정책 등의 확대를 통한 불평등과 격차 완화

완자 자료 탐구

자료 1 사회 갈등의 원인과 문제

소를 키워 생계를 꾸려 나가던 마을에서 마을 사람들은 소에게 풀을 먹일 때 목초지를 이용하였다. 목초지는 비용을 지불하지 않고도 사용할 수 있는 공유지였기 때문에 사람들은 좀 더 많은 이익을 얻기 위해 키우는 소의 수를 늘려 나갔다. 그 결과 소들이 먹는 풀은 더 많이 필요하게 되었고, 목초지는 어느 날부터인가 조금씩 사라져 가더니 결국 완전히 메말라 버렸다. 너무 많은 소를 목초지에 방목한 나머지 더는 소를 키울 수 없게 되어 버린 것이다. — 하딘, 「공유지의 비극」

공유지의 비극 사례를 통해 한정된 사회적 가치를 얻고자 하는 과정에서 자신의 이익만을 추구하면 사회 갈등이 발생하고, 서로 양보하지 않을 경우 갈등이 깊어져 사회가 해체되거나 파괴될 수 있다는 것을 알 수 있다.

자료 2 정년 연장을 둘러싼 사회 갈등

국회 환경 노동 위원회가 「정년 60세 연장법」을 통과시켜 근로자의 정년이 60세 이상으로 늘어난다. 평균 수명이 늘어남에 따라 현재의 정년이 짧다는 여론을 반영하여 여야가 정년을 늘리기로 한 것이다. 하지만, 정년 연장에 대해서는 찬성과 반대 의견이 엇갈린다. 재계는 정년 연장을 의무화하면 인건비 등 부담이 커질 것이라고 우려하는 반면, 노동계는 일하는 사람은 줄고 부양할 고령자가 급속도로 늘어나는 상황에서 정년 연장은 효과적인 대처법이라고 보아 환영한다. 한편, 정년 연장 의무화가 세대 간 일자리 전쟁의 신호탄이 될 것이라고 우려하기도 한다. 비어야 할 일자리가 정년 연장으로 유지되면 그 피해가 고스란히 청년층에 미치고, 결국 청년 취업자 수는 줄어들고 실업자가 급증할 수밖에 없다는 것이 경제계의 판단이다. — 한국경제, 2013. 4. 26.

정년 연장법에 대해 재계는 인건비 부담을 우려하여 반대하는 반면, 노동계는 일하는 인구가 줄고 부양 인구가 늘어나는 상황을 들어 찬성하였다. 한편 정년 연장법이 일자리 문제에 영향을 미쳐 세대 간 갈등이 발생할 것이라는 우려도 있다.

자료 3 볼테르의 관용

자연은 우리 인간을 향해 이렇게 말합니다. "당신네 모두는 연약하고 무지한 존재로 태어나 이 땅 위에서 짧은 시간을 살다가 죽어 그 육체로 땅을 비옥하게 할 것이오. 당신들은 연약한 존재이므로 서로를 도우시오. 당신들은 무지하므로 서로를 가르치고 용인하시오. 만약 당신들 모두가 같은 의견이고 단 한 사람만이 반대 의견이라면 당신들은 그 사람을 용서해야 하오. 왜냐하면 그가 그렇게 생각하는 데는 당신들 각자가 책임이 있기 때문이오. 나는 당신들 인간에게 땅을 경작할 팔을, 그리고 자신을 인도해 줄 한 줌의 이성을 주었소. 나는 당신들 각자의 가슴에 서로를 도와 삶을 견디어 나갈 수 있도록 동정심의 싹을 심어 주었소. …… 그리고 당신네의 가련할 수밖에 없는 당파적 논쟁의 격앙된 고함으로 자연의 목소리를 지우지 마시오." — 볼테르, 「관용론」

볼테르가 말하는 '자연'은 보편적 이성을 의미한다. 볼테르는 이성을 지닌 인간은 자신의 연약함과 무지를 깨닫고 상대방을 용인하는 관용을 갖출 수 있다고 보았고, 서로 차이를 이해하고 존중하는 관용의 태도로써 갈등과 분열을 막을 것을 강조하였다.

자료 하나 더 알고 가자!

갈등의 원인

- 사실 관계 갈등: 사실과 정보의 불일치
- 이해관계 갈등: 한정된 자원 배분 문제
- 구조적 갈등: 사회 규범을 제도화하거나 제도를 바꿀 때 발생
- 가치관 갈등: 생각, 신념, 사상, 종교 등 생각 체계의 차이로 발생
- 정체성 갈등: 정체성에 대한 침해로 발생

현대 사회는 갈수록 복잡해지고 다원화됨으로써 개인 간, 집단 간 갈등 양상이 다양하게 나타난다.

정리 비법을 알려줄게!

세대 갈등

의미	서로 다른 세대가 차이를 이해하고 인정하지 못하여 발생하는 갈등
발생 원인	• 신세대는 급속한 사회 변화에 빠르게 적응하는 반면 상대적으로 기성세대는 그렇지 못한 경우 • 기성세대의 권위가 약화하면서 신세대에게 존경심을 잃게 되는 경우
특징	어느 사회에나 존재하는 일반적인 현상임
사례	일자리나 노인 부양 문제 등 사회적 쟁점에 관한 의견 충돌

문제로 확인할까?

볼테르가 말하는 관용의 자세로 옳지 <u>않은</u> 것은?

① 서로의 차이를 이해하고 존중한다.
② 반대 의견을 가진 사람을 용인한다.
③ 이성을 통해 상대방의 무지를 지적한다.
④ 다른 사람의 생각을 너그럽게 받아들인다.
⑤ 인간이 연약한 존재라는 것을 깨닫고 서로 돕는다.

ⓒ 圖

이것이 **핵심!**

소통과 담론의 윤리

의미	• 소통: 서로 의견을 주고 받는 공유의 과정 • 담론: 갈등이나 문제를 해결하기 위한 이성적 의사소통 행위
필요성	• 자발적인 참여, 도덕적 권위를 갖춘 합의 도출 • 현실을 바라보는 인식과 가치관 형성 • 의미 공유와 정서적 공감
하버마스의 담론 윤리	• 의사소통의 합리성: 대화를 통해 보편적 합의에 도달하는 것 • 이상적 담화 조건: 진리성, 정당성, 진실성, 이해 가능성

★ 맹자가 말하는 소통을 방해하는 그릇된 언사

• 피사(詖辭): 한쪽으로 치우쳐 공정하지 못하고 편파적인 말
• 음사(淫辭): 음란하고 방탕한 말
• 사사(邪辭): 간교하게 속이는 말
• 둔사(遁辭): 스스로 이론이 궁색하여 회피하려고 꾸며서 하는 말

★ 화쟁
말다툼, 즉 논쟁[諍]을 조화[和]시킨다는 뜻으로, 서로 다른 종파들 간의 다툼을 더 높은 차원에서 조화하고자 하는 원효의 사상이다.

★ 심의 민주주의
소통이 의사 결정의 중심을 이루는 민주주의로, 사회적 쟁점에 관해 시민이 전문가 및 공직자들과 공적 심의를 진행하고 합의를 이끌어 내는 정책 결정 방식을 말한다.

2 소통과 담론의 윤리

1. 소통과 담론의 의미와 필요성

(1) 소통과 담론의 의미

① 소통: 막히지 않고 잘 통한다는 의미로, 나와 상대방이 서로 의견을 주고받는 공유의 과정
② 담론: 갈등이나 문제를 해결하기 위한 이성적 의사소통 행위로, 주로 토론의 형태로 이루어짐 → 담론은 사회 구성원에게 현실에서 전개되는 각종 사건과 행위를 해석하고 인식하는 틀을 제공함

> **왜?** 폐쇄적인 결정과 일방적 통보로 운영되는 사회는 불만과 갈등을 초래하지만, 소통을 통해 이루어진 합의는 도덕적 정당성과 설득력을 가지기 때문이야.

(2) 소통과 담론의 필요성

① 사회 구성원의 자발적인 참여를 이끌어 내고, 도덕적 권위를 갖춘 합의를 도출할 수 있음
② 해석의 틀을 토대로 현실을 바라보는 인식과 가치관을 형성할 수 있음
③ 대화를 통해 의미를 공유하고 정서적으로 공감할 수 있음

2. 바람직한 소통과 담론의 윤리

(1) 소통과 담론에 관한 동서양 윤리

> **꼭!** 화(和)는 여러 부분들이 조화롭게 공존하는 상태를 뜻하고, 동(同)은 다양성을 인정하지 않고 다른 사람을 지배하거나 흡수하여 하나로 동화하려는 것을 뜻해.

공자	남과 화목하게 지내지만 자기 중심을 잃지 않는다는 화이부동(和而不同)을 통해 조화를 강조함
맹자	*소통을 방해하는 그릇된 언사로 피사, 음사, 사사, 둔사를 제시하여, 진실하고 바른말을 강조함
장자	옳고 그름은 도(道)의 입장에서 다르지 않음, 차이에 대한 인정과 상호 의존 관계를 강조함 (자료④)
원효	*화쟁(和諍) 사상: 일면만을 보고 전체를 판단하지 말고 다양성을 인정하면서 더 높은 차원으로 통합할 것을 추구함 (자료⑤)
밀	인간은 잘못 판단하고 잘못 행동할 수 있다는 전제하에 오류 가능성을 검증하는 토론을 강조함
아펠	• 보편적 윤리 규범은 합리적 토론을 통해 만들어진다고 보고, 인격의 상호 인정을 강조함 • 합의를 위해 담론에 참여해야 할 책임과 의사소통 공동체를 유지해야 할 책임을 강조함

(2) 하버마스의 담론 윤리

> **잠깐!** 담론 윤리는 합의 과정의 형식을 강조하므로 도덕규범의 구체적인 내용을 제시하지 않는다는 한계가 있지만, 다양한 문제를 구성원들의 합리적인 의사소통으로 해결하고자 하는 점에서 의의가 있어.

의사소통의 합리성	• 의미: 상호 간의 논증적인 토론 과정을 거쳐 보편적 합의에 도달하는 것 • 필요성: 대화 당사자들이 합의한 결과를 수용하고 의무로 받아들이기 위해서는 대화가 합리적 의사소통의 과정을 거쳐야 함
이상적 담화 조건 (교과서 자료)	• 진리성: 대화 당사자들의 말하는 내용이 참이며, 진리에 바탕을 두어야 함 • 정당성: 대화 당사자들의 말하는 내용이 정당한 규범에 근거해야 함 • 진실성: 대화 당사자들이 말한 의도를 믿을 수 있도록 진실하게 표현해야 함 • 이해 가능성: 대화 당사자들이 말하는 내용을 서로 이해할 수 있어야 함
담론의 원칙	• 실천적 담론 원칙: 모든 당사자들의 동의를 얻을 수 있는 규범만이 타당함 • 보편화 원칙: 모든 당사자들은 타당한 규범을 따를 때 나타날 수 있는 결과와 부작용을 알고 받아들여야 함
공론장	• 의미: 시민 사회 내부에서 작동하는 의사소통의 망으로서 사회 통합의 가능성을 내포함 • 필요성: 공론장을 통해 합리적 담론을 이끌어 낼 수 있으며 구성원들의 자발적인 참여를 이끌어 내고, 도덕적 권위를 갖춘 합의를 도출할 수 있음

(3) 바람직한 소통과 담론의 자세

① 소통과 담론 참여자의 권리를 인정하고 의견을 존중함
② 상대를 속이거나 현혹하려는 태도를 버리고 진실한 대화를 통해 상호 이해함
③ 자신의 오류 가능성을 인정하고 편견과 독선적 사고를 탈피함
④ 시민의 공적 의사 결정 과정 참여를 통해 *심의 민주주의를 실현함

완자 자료 탐구

내 옆의 선생님

자료 ④ 장자의 사상에 나타난 만물의 상호 의존성

- 사물에는 저것이 아닌 것이 없고, 동시에 이것이 아닌 것이 없다. 저것은 이것 때문에 생겨나고 이것은 저것 때문에 생겨난다.
- 삶이 있기에 죽음이 있으며 옳음이 있기에 그름이 있다. 옳고 그름을 도(道)의 입장에서 바라본다면 서로 다른 것이 아니라 똑같은 것이다.

장자는 도의 관점에서 모든 것은 서로 다른 것이 아니라 똑같은 것이며 상호 의존하며 존재한다고 보았다. 서로 다른 것을 그 자체로 인정하고 그것의 상호 의존 관계를 이해한다면 우리 사회의 다양한 갈등을 줄일 수 있고 진정한 소통을 할 수 있을 것이다.

자료 ⑤ 원효의 화쟁 사상

원효에 따르면 내가 옳고 그르다는 시비(是非)의 다툼은 나와 다른 사람을 구분하여 자신만의 입장을 정당화하기 때문에 발생해.

참다운 모습이나 생성과 소멸의 모습은 모두 같으면서 다른 것에 불과하고, 결국 모든 종파의 주장은 다르면서도 같고, 같으면서도 다른 것이므로 다투거나 싸울 필요가 없다. 중요한 것은 부처의 깨달음을 실천하는 것이다.

원효는 특수하고 상대적인 각자의 입장에서 벗어나 대승적으로 융합해야 함을 강조하였어.

원효는 여러 종파가 교설의 시비를 가리며 대립하는 것을 보고 이를 해소하기 위해 화쟁 사상을 제시하였다. 화쟁은 여러 교설이 부처의 가르침에서 비롯되었고 깨달음을 목적으로 하는 한마음[一心]이므로 서로 다르지 않다고 보는 입장이다. 다양한 종파의 특수성과 상대적 가치를 인정하면서 더 높은 차원의 통합을 추구하는 화쟁 사상은 현대 사회의 갈등 해소를 위한 포용과 존중의 중요성을 일깨워 주고 있다.

하버마스는 합리적인 의사소통이 이루어지기 위해서는 돈이나 권력에 의한 왜곡과 억압이 없어야 하고, 대화 당사자들이 이상적인 담론의 조건인 개방성, 평등성, 호혜성을 지켜야 한다고 보았어.

수능이 보이는 교과서 자료 | **하버마스의 이상적 담화 상황의 조건**

- 말할 수 있고 행위 능력이 있는 사람들은 모두가 자유롭게 참여할 자격이 있다. 자신의 주장뿐만 아니라 개인적인 바람, 욕구 등도 표현할 수 있다. 다른 사람의 주장에 의문을 제기하고 비판도 할 수 있다. 그리고 이와 같은 권리들을 행사할 때 내부나 외부의 강요 때문에 방해받지 않는다. — 하버마스, 『담론 윤리의 해명』
- 이상적 대화 상황은 자유롭고 평등한 토의가 이루어지는 상황으로, 더 나은 주장에 근거하여 도달한 합의에 따라서만 규제되는 상황을 말한다. 이러한 대화 상황을 위해서는 다음의 조건을 만족해야 한다. 첫째, 표현의 이해 가능성으로, 이해 가능성을 사실적으로 전제해야 한다. 둘째, 표현하는 명제는 참된 명제이어야 한다. 셋째, 제시하는 의견이 규범적 맥락에서 정당해야 한다. 넷째, 말하는 주체가 진실하여야 하며 진지한 발언 태도를 지녀야 한다. — 하버마스, 『의사소통 행위 이론』

하버마스는 의사소통의 합리성을 실현하기 위한 이상적 담화 상황의 조건을 제시하였다. 이는 누구나 자유롭게 담론에 참여할 수 있고 자신의 생각과 원하는 바를 표현하며, 이 권리를 행사하는 데 있어 방해를 받아서는 안 된다는 것을 의미한다.

자료 | 하나 더 알고 가자!

장자의 제물론(齊物論)

> 제물론(齊物論)의 제(齊)는 가지런히 같게 함이고, 물(物)은 삼라만상을 뜻하며, 론(論)은 이치를 밝힘이다. 제물(齊物)이란 우주의 삼라만상이 모두 하나[一]라는 말이다. 그 하나를 요샛말로 하면 절대 평등이 된다.
> — 윤재근, 『인물로 읽는 장자』

장자는 만물과 나 사이의 구별이 없어지고 하나가 되는 제물론을 통해 만물이 평등하며 서로 의존 관계에 있다고 보았다.

문제 로 확인할까?

화쟁 사상을 실천하는 자세로 옳은 것은?

① 다양한 의견의 특수성을 인정한다.
② 서로 다른 입장 간의 우열을 가린다.
③ 가치의 다양성을 부정하고 획일화한다.
④ 자신의 견해를 기준으로 시비를 가린다.
⑤ 식견이 많은 사람의 판단을 우선시한다.

① 답

완자샘의 탐 구 강 의

- 의사소통의 합리성을 실현하기 위한 이상적 담화 상황의 규칙을 서술해 보자. 모든 사람이 평등하게 대화 상황에 참여하고 자유롭게 의견을 제시할 수 있어야 한다.

함께 보기 197쪽, 1등급 정복하기 3

1 다음 설명이 맞으면 ○표, 틀리면 ×표를 하시오.

(1) 한정된 사회적 자원을 두고 서로 경쟁할 때 사회 갈등이 발생하기도 한다. ( )

(2) 공자는 화이부동이라는 말을 통해 자신의 원칙을 버리고 남과 조화를 이루어야 한다고 보았다. ( )

2 다음 설명에 해당하는 갈등의 유형을 〈보기〉에서 골라 기호를 쓰시오.

보기

ㄱ. 계층 갈등   ㄴ. 세대 갈등
ㄷ. 이념 갈등   ㄹ. 지역 갈등

(1) 연령과 시대별 경험의 차이에서 발생하는 갈등이다. ( )

(2) 지역 개발의 이해관계, 지역감정 등에서 비롯되는 갈등이다. ( )

(3) 이상적인 것으로 여기는 생각이나 견해의 차이에 따른 갈등이다. ( )

(4) 사회적 자원의 분배를 둘러싸고 소득 불평등 현상 심화로 인해 발생하는 갈등이다. ( )

3 사회 통합을 실현하기 위한 방안으로 적절한 것만을 〈보기〉에서 있는 대로 골라 기호를 쓰시오.

보기

ㄱ. 개인의 이익과 공동선의 조화
ㄴ. 나와 다른 가치에 대한 배타적 태도
ㄷ. 상호 존중과 신뢰에 바탕을 둔 소통
ㄹ. 사회적 가치의 공정하고 투명한 배분

4 하버마스의 이상적 담화 조건에 대한 설명을 옳게 연결하시오.

(1) 진리성 •   • ㉠ 말하는 내용을 서로 이해할 수 있어야 한다.

(2) 정당성 •   • ㉡ 말하는 내용이 참이며, 진리에 바탕을 두어야 한다.

(3) 진실성 •   • ㉢ 말하는 내용이 사회적으로 정당한 규범에 근거해야 한다.

(4) 이해 가능성 •   • ㉣ 자신이 말한 의도에 대하여 진실하게 표현해야 한다.

STEP 2 내신 만점 **공략하기**

01 다음 사례를 통해 알 수 있는 사회 갈등의 특징으로 가장 적절한 것은?

○○시는 발전소 건설을 둘러싸고 주민 간에 찬성과 반대 입장으로 나뉘어 갈등에 휩싸였다. 갈등이 심화되자 시에서는 주민들이 참여하는 공청회를 열고 이 문제를 둘러싼 해결책을 모색하여 합의안을 도출해 냈다. ○○시는 주민과 소통함으로써 갈등을 해결할 뿐만 아니라 서로 신뢰가 쌓여 더욱 나아진 지역 공동체의 모습을 갖추게 되었다.

① 사회 갈등은 자연적으로 해결되는 현상이다.
② 사회 갈등은 개인의 도덕적 해이를 초래한다.
③ 사회 갈등이 발생하면 공동체가 해체될 수 있다.
④ 사회 갈등은 다른 지역에 대한 편견에서 비롯된다.
⑤ 사회 갈등을 해결함으로써 사회 발전을 이룰 수 있다.

02 다음 글에 나타난 갈등의 유형과 이에 대한 설명을 옳게 연결한 것은?

국회 환경 노동 위원회가 「정년 60세 연장법」을 통과시켜 근로자의 정년이 60세 이상으로 늘어난다. …… 정년 연장 의무화가 세대 간 일자리 전쟁의 신호탄이 될 것이라고 우려하기도 한다. 비어야 할 일자리가 정년 연장으로 유지되면 그 피해가 고스란히 청년층에 미치고, 결국 청년 취업자 수는 줄어들고 실업자가 급증할 수밖에 없다는 것이 경제계의 판단이다.   – 한국경제, 2013. 4. 26.

① 노사 갈등 – 빈부 간의 소득 격차 심화로 인해 발생한다.
② 이념 갈등 – 사회적 쟁점에 대한 가치관 차이에 의해 발생한다.
③ 지역 갈등 – 연고주의와 지역 간의 격차 문제로 인해 발생한다.
④ 세대 갈등 – 사회 문제를 둘러싼 세대 간의 입장 차이에 의해 발생한다.
⑤ 정체성 갈등 – 개인이나 집단의 변하기 어려운 본질인 정체성에 대한 침해로 인해 발생한다.

03 다음 글에서 얻을 수 있는 교훈으로 가장 적절한 것은?

> 마을 사람들은 소에게 풀을 먹일 때 뒷동산에 있는 목초지를 이용했다. 목초지는 마을 사람들이 아무런 비용을 지불하지 않고도 사용할 수 있는 공유지였다. 마을 사람들은 목초지를 마음대로 사용할 수 있기 때문에 좀 더 많은 이익을 얻기 위해 키우는 소의 수를 늘려 나갔다. …… 풀이 무성하던 목초지는 어느 날부터인가 조금씩 사라져 가더니 결국 완전히 메말라 버렸다.　– 하딘, 「공유지의 비극」

① 개인의 권리를 강화함으로써 사회 통합을 이룰 수 있다.
② 사회 갈등을 해결하기 위해 개인의 자유와 권리를 희생해서는 안 된다.
③ 개인의 이익과 공동선의 조화를 추구함으로써 사회 갈등을 해결해야 한다.
④ 사회 갈등을 해결하기 위해 공동체의 이익을 지나치게 추구해서는 안 된다.
⑤ 사회 발전을 위해 개인 간의 경쟁을 강조하는 사회 분위기를 조성해야 한다.

04 다음 사상가의 입장으로 가장 적절한 것은?

> 나는 당신들 인간에게 땅을 경작할 팔을, 그리고 자신을 인도해 줄 한 줌의 이성을 주었소. 나는 당신들 각자의 가슴에 서로를 도와 삶을 견디어 나갈 수 있도록 동정심의 싹을 심어 주었소. …… 당신네 인간들이 걸핏하면 벌이는 잔인한 전쟁, 과오와 우연과 불행이 펼쳐지는 영원한 무대인 그 전쟁 한복판에서도 오직 나 자연만이 당신들을, 당신들은 원하지 않더라도, 당신들 서로 간의 필요로 결합하게 할 수 있소. 오로지 나 자연만이 국가의 귀족층과 사법부 사이, 세속 권력 집단과 성직자 사이, 도시민과 농민 사이의 끊임없는 분열로 빚어지는 참담한 재앙에 종지부를 찍을 수 있소.

① 동정심을 불러일으켜서 상대방을 설득해야 한다.
② 전쟁을 해서라도 자신의 의견을 관철시켜야 한다.
③ 보편적 이성에 근거한 관용의 자세를 가져야 한다.
④ 서로 다른 생각을 가지거나 이를 주장해서는 안 된다.
⑤ 갈등을 해결하기 위해 권위자의 의견에 순응해야 한다.

05 다음과 같은 사회 갈등 유형에 대한 설명으로 적절하지 않은 것은?

> 우리나라는 단기간에 빠른 경제 성장을 이루고 변화를 겪었기 때문에 세대 간의 의식 차이가 더욱 크게 나타나고 갈등의 양상도 심각하다. 현재 한국 사회를 살아가고 있는 세대는 성장주의와 민주주의 사이에서 고민한 세대, 개인의 욕구와 공동체적 가치 사이에서 고뇌해 온 세대 등으로 구분할 수 있다.

① 자신의 지역의 이익을 추구함으로써 발생한다.
② 사회적 쟁점을 둘러싸고 서로 의견이 충돌한다.
③ 서로의 차이를 인정하지 못할 때 더욱 심화된다.
④ 급속한 사회 변화에 따라 사회 문제로 대두하였다.
⑤ 적극적으로 소통하려는 자세를 통해 해결할 수 있다.

06 다음 사례에 나타난 사회 갈등을 해결하기 위한 방안으로 가장 적절한 것은?

> ○○은 학교를 마치고 돌아오는 길에 자신이 사는 아파트 단지 입구에 걸린 현수막을 보았다. 현수막에는 '광역 화장장 건설 반대'라는 문구가 적혀 있었다. 아파트 주변으로 화장장이 들어오면 마을의 인상이 훼손되고 집값이 떨어져서 주민들이 손해를 볼 수 있기 때문이었다.

① 세대 간에 공감대를 형성하기 위해 서로 대화하고 소통한다.
② 공공 기관과 지역 주민이 대화와 소통을 통해 문제를 해결한다.
③ 사회 계층 간의 경제적 불평등을 해결할 수 있는 제도를 마련한다.
④ 이념의 차이를 이분법적 사고로 구분하지 않고 다양성을 인정한다.
⑤ 노사 분쟁 조정 협의회를 통해 경영자와 노동자 간의 갈등을 조정한다.

07 사회 통합을 실현하기 위한 방안으로 옳은 것을 〈보기〉에서 고른 것은?

보기
ㄱ. 개인의 이익과 권리를 최우선으로 추구한다.
ㄴ. 사회 가치를 배분하는 공정한 절차를 확립한다.
ㄷ. 다양성을 인정하고 상호 존중하는 태도를 지닌다.
ㄹ. 가치관의 차이에 대해 흑백 논리에 따라 판단한다.

① ㄱ, ㄴ   ② ㄱ, ㄷ   ③ ㄴ, ㄷ
④ ㄴ, ㄹ   ⑤ ㄷ, ㄹ

08 다음은 어느 사상가의 주장이다. 이를 통해 알 수 있는 바람직한 소통의 자세로 가장 적절한 것은?

• 사물에는 저것이 아닌 것이 없고, 동시에 이것이 아닌 것이 없다. 저것은 이것 때문에 생겨나고 이것은 저것 때문에 생겨난다.
• 삶이 있기에 죽음이 있으며 옳음이 있기에 그름이 있다. 옳고 그름을 도(道)의 입장에서 바라본다면 서로 다른 것이 아니라 똑같은 것이다.

① 절대적 기준에 맞추어 옳지 못한 의견을 배척해야 한다.
② 서로의 차이를 그 자체로 인정하고 상호 의존 관계를 이해해야 한다.
③ 도의 관점에서 모든 의견을 하나로 통일시켜 만장일치를 이룰 수 있도록 해야 한다.
④ 모든 것은 독립적으로 존재함을 이해하고 서로 다른 의견을 통합하려 해서는 안 된다.
⑤ 도의 관점에서 모든 의견이 절대적으로 다름을 인정하고 소통하려는 자세를 지녀야 한다.

09 소통과 담론이 필요한 이유로 옳지 <u>않은</u> 것은?

① 도덕적 권위를 갖춘 합의를 도출할 수 있다.
② 서로 의견을 공유함으로써 갈등을 예방할 수 있다.
③ 일방적 의사소통으로 자신의 주장을 관철할 수 있다.
④ 대화를 통해 서로 의미를 공유하고 정서적으로 공감할 수 있다.
⑤ 사회 구성원들의 자발적이고 적극적인 참여를 이끌어 낼 수 있다.

10 (가) 사상가의 입장에서 (나)의 A에게 해 줄 수 있는 조언으로 가장 적절한 것은?

(가) 참다운 모습이나 생성과 소멸의 모습은 모두 같으면서 다른 것에 불과하고, 결국 모든 종파의 주장은 다르면서도 같고, 같으면서도 다른 것이므로 다투거나 싸울 필요가 없습니다. 중요한 것은 부처의 깨달음을 실천하는 것입니다.
(나) ○○시에서 다리 건설을 둘러싸고 의견이 팽팽하게 맞서고 있다. A는 이에 대해 다리를 건설하면 물자 수송이나 여러 가지 이점들이 많은데, 일부 사람들이 왜 반대하는 것인지 도무지 이해할 수 없다고 생각하였다.

① 자신의 의견을 주장하지 말고 타인의 의견을 우선적으로 따라야 한다.
② 반대하는 입장의 오류와 문제점을 찾아낸 뒤 이를 지적하여 비판해야 한다.
③ 의견이 다른 사람들을 설득하여 자신의 주장이 옳다는 것을 증명해야 한다.
④ 타당한 근거를 제시하여 자신의 의견이 절대적으로 옳다는 것을 주장해야 한다.
⑤ 다양한 의견을 경청하고 화합을 추구하여 더욱 타당한 견해에 이르도록 해야 한다.

[11~12] 다음을 읽고 물음에 답하시오.

> ㉠ 이 사상가는 담론 윤리를 통해 생활에서 의사소통의 합리성이 작용하고 있음을 주장한다. 담론 윤리에서는 실천적 담론의 참여자로서 모든 당사자들의 동의를 얻을 수 있는 규범만이 타당하다는 실천적 담론 원칙, 그리고 모든 당사자들은 타당한 규범을 따를 때 나타날 수 있는 결과와 부작용을 알고 받아들여야 한다는 보편화 원칙을 강조한다. 이를 위해 한 사람도 빠짐없이 자신의 목소리를 낼 수 있는 ㉡ 이상적 담화 상황이 이루어져야 한다.

11 ㉠의 사상가가 지지할 입장으로 옳지 <u>않은</u> 것은?

① 담론을 통해 서로 합의해 나가는 과정을 중시한다.
② 담론에 참여하는 사람은 평등한 발언의 기회를 가져야 한다.
③ 공적 문제를 해결할 경우에 전문가 집단만 토론에 참여해야 한다.
④ 담론 참여자들은 대화에 참여할 때 외적인 강요를 받아서는 안 된다.
⑤ 합리적인 담론을 통하여 합의된 결론은 대화 당사자들이 수용할 수 있다.

12 ㉡의 조건과 설명을 옳게 연결한 것은?

① 진리성 – 대화에서 말하는 내용이 참이어야 한다.
② 정당성 – 누구나 평등하게 담론에 참여할 수 있다.
③ 진실성 – 주관적 감정이나 욕구를 표현해서는 안 된다.
④ 진리성 – 진리에 대한 의문이나 비판을 제시해서는 안 된다.
⑤ 이해 가능성 – 말하려는 바를 속이려는 의도 없이 진실하게 표현해야 한다.

01 다음을 읽고 물음에 답하시오.

> 공자는 ㉠ 화이부동(和而不同)이라는 말을 통해 조화의 중요성을 강조하였다. 이 말에서 화(和)는 ┌ ㉡ ┐ 을/를 의미하며 동(同)은 다양성을 인정하지 않고 다른 사람을 지배하거나 흡수하여 하나로 동화하는 것을 의미한다.

(1) ㉡에 들어갈 내용을 쓰시오.

(2) ㉠의 의미를 서술하시오.

(길잡이) 공자가 제시한 바람직한 소통의 자세를 고려하여 서술한다.

02 사회 갈등의 긍정적 기능과 부정적 기능을 서술하시오.

(길잡이) 갈등이 사회적으로 미치는 영향과 관련하여 갈등의 기능을 서술한다.

03 사회 통합의 실현 방안을 <u>두 가지</u> 서술하시오.

(길잡이) 사회 통합을 이루기 위한 개인적·의식적 차원의 노력과 사회적·제도적 차원의 노력을 서술한다.

1 다음은 학생이 수업 시간에 필기한 내용이다. ㉠~㉤ 중 옳지 <u>않은</u> 것은?

동양의 소통과 담론의 윤리

1. 공자
 • 군자는 자신의 도덕 원칙을 지키면서 주변과 조화를 추구하는 화이부동의 태도를 지님 ·· ㉠
 • 소인은 자신의 원칙을 버리고 남과 같아지는 데만 급급해 함
2. 원효
 • 편협한 시각을 가지고 그것에 집착하면 갈등이 발생함 ····················· ㉡
 • 화쟁 사상을 통해 각 종파의 차이를 더 높은 차원에서 통합할 것을 추구함 ········· ㉢
3. 장자
 • 만물은 상호 의존하지 않고, 독립적으로 존재하므로 가장 가치 있는 의견을 찾아 추구해야 함 ··· ㉣
 • 옳고 그름은 도의 입장에서 바라본다면 서로 다른 것이 아니라 같은 것임 ·········· ㉤

① ㉠ ② ㉡ ③ ㉢ ④ ㉣ ⑤ ㉤

▶ 동양의 소통과 담론의 윤리

| 완자 사전 |

• 종파(宗派)
불교의 갈래로, 석가모니가 입멸한 후에 교의(敎義), 행사(行事), 작법(作法) 등에 따라 갈라졌다.

2 (가)의 상황에 대해 (나)의 입장에서 제시할 수 있는 조언으로 가장 적절한 것은?

(가)	한국 사회의 이념 갈등은 주로 진보와 보수의 갈등으로 경제, 사회 문화, 교육 등과 관련된 우리 사회의 모든 쟁점을 이분법적으로 바라봄으로써 사회 갈등이 심화된다. 또한 정책 대결이 아닌 소모적 논쟁으로 이어져 많은 사회 비용이 발생하고 있다.
(나)	• 다양한 이론이 갈등하는 것은 불교의 진리가 하나의 마음과 하나의 지혜를 표현한 것임을 모르고, 자기 이론만이 옳다고 믿기 때문이다. • 내가 지금 바라보는 것이 부분에 지나지 않음을 인정하고, 다른 사람들이 바라보는 부분과의 조합을 통해 더욱 타당한 견해에 이를 수 있다.

① 절대적인 진리를 제시하여 서로 다른 의견을 하나로 통일해야 한다.
② 다양한 의견의 공존을 인정하고 서로 다른 입장 간에 조화를 추구해야 한다.
③ 갈등은 사회에 내재된 문제점을 명확히 인식하게 하므로 내버려 두어야 한다.
④ 자신의 소신을 지키려는 굳은 의지를 가지고 자기주장을 굽히지 않아야 한다.
⑤ 모든 인간은 이성을 가진 동등한 인격체라는 점을 인정하고 의견을 통일해야 한다.

▶ 원효의 화쟁 사상

완자샘의 시험 꿀팁

동서양 사상을 바탕으로 사회 갈등을 극복하기 위한 방안을 묻는 문제가 출제될 수 있으므로 갈등 해결에 도움이 되는 다양한 사상에 대하여 정리해 두어야 한다.

평가원 응용

3 다음 사상가의 입장에서 부정의 대답을 할 질문으로 가장 적절한 것은?

> 말할 수 있고 행위 능력이 있는 사람들은 모두가 자유롭게 참여할 자격이 있다. 자신의 주장뿐만 아니라 개인적인 바람, 욕구 등도 표현할 수 있다. 다른 사람의 주장에 의문을 제기하고 비판도 할 수 있다. 그리고 이와 같은 권리들을 행사할 때 내부나 외부의 강요 때문에 방해받지 않는다.

① 담론 과정에서 누구나 어떤 주장에 대해서도 문제를 제기할 수 있는가?
② 담론 과정에서 다른 사람이 이해할 수 있는 용어를 사용하여 말해야 하는가?
③ 담론에 참여한 사람들은 진실에 근거하여 자신이 말한 의도를 표현해야 하는가?
④ 담론 과정에서 주관적인 의견 표현을 금지하고 객관적인 사실만을 말해야 하는가?
⑤ 담론에 참여하는 사람은 누구나 사회적인 문제를 결정하는 주체로서 소통에서 배제되지 않아야 하는가?

> **하버마스의 담론 윤리**
>
> **완자샘의 시험 꿀팁**
> 하버마스의 담론 윤리에서 제시할 수 있는 이상적 담화 조건과 담론의 원칙을 알아야 풀 수 있는 문제가 출제되고 있으므로 그 내용을 파악해 두어야 한다.

4 다음 사상가의 관점에만 모두 '∨'를 표시한 학생은?

> 인간은 사회적 존재로서 자신을 비롯한 다른 구성원들 모두 의사소통의 합리성을 지니고 있고, 다른 사람의 주장을 수용하거나 거부할 수 있으며, 자신의 의사 표현에 대해 책임질 수 있는 존재이다.

> **하버마스의 담론 윤리**

관점 \ 학생	갑	을	병	정	무
담론에 참여하는 모든 당사자들의 동의를 얻을 수 있는 규범만이 타당하다.	∨	∨	∨		
담론에 참여하는 사람들은 타인의 주장에 대해 비판적으로 평가를 해서는 안 된다.	∨			∨	∨
정당한 담론 절차에 따라 나온 결과에 대해서는 모두가 수용할 수 있다.			∨		∨
담론에서 자신의 주장을 펼칠 때에는 자신의 진짜 의도와 다르게 거짓을 말해서는 안 된다.	∨	∨	∨	∨	∨

① 갑   ② 을   ③ 병   ④ 정   ⑤ 무

02 민족 통합의 윤리

이것이 핵심!

통일을 둘러싼 쟁점

통일에 대한 찬반 논쟁	• 찬성: 소모적인 분단 비용 제거, 통일 편익 기대 • 반대: 분단으로 인한 이질감과 불신감 심화, 막대한 통일 비용에 대한 부담
북한 인권	북한 주민의 인권 보장을 위한 개입 문제
대북 지원	대북 지원에 대한 찬반 문제

★ **통일의 필요성**
• 개인적 차원: 이산가족의 고통 해소, 자유, 평화, 풍요로운 삶 향유, 보편적 가치 보장
• 국가·민족적 차원: 국가 역량 낭비 제거, 경제 규모 확장, 전쟁 위험 해소, 민족 통합과 문화 발전
• 국제적 차원: 북한 인권, 핵 문제 해결, 동북아시아와 세계 평화에 기여

★ **출신 성분**
북한의 주민 분류 기준으로 주민 성분이라고 불리기도 한다. 북한은 주민을 '핵심 계층, 동요 계층, 적대 계층'의 3계층 51부류로 구분하여 의식주 배급, 직업 배치, 교육 기회, 사회 이동, 법적 처벌, 여행 허가증 취득 등에서 달리 대우하고 있다.

★ **상호주의**
수출입품의 제한·관세·기업 활동과 금융의 자유화 등에 대한 결정은 상대국이 자국을 어떻게 취급하느냐에 따라 달라진다고 하는 원리

1 통일 문제를 둘러싼 쟁점

1. 통일에 관한 찬성과 반대 문제
— 통일 문제에 대해 정서적 당위론을 넘어 현실 문제로 인식하고 합리적으로 논의해야 해.

찬성 논거	반대 논거
• 전쟁의 공포 및 소모적인 분단 비용 제거 • 이산가족과 실향민의 고통 해소 • 민족 동질성 회복과 민족 공동체 실현 • 경제적 번영과 국제적 위상 강화 • 동북아시아의 긴장 완화, 세계 평화에 기여	• 오랜 분단으로 인한 정치 체제 및 사회 문화 등의 이질감과 불신감 심화 • 군사 도발 등으로 북한에 대한 부정적 인식 • 막대한 통일 비용에 따른 조세 부담과 경제적 위기 • 통합 과정에서 정치적·군사적·사회적 혼란 발생

2. 통일 비용과 분단 비용 문제

(1) 통일 비용과 분단 비용

구분	통일 비용	분단 비용
의미	통일 과정과 통일 이후 남북한 간 격차를 해소하고 이질적인 요소를 통합하는 데 필요한 비용	남북 분단과 갈등으로 인해 발생하는 유·무형의 지출 비용
종류	• 제도 통합 비용: 정치, 행정, 금융, 화폐 통합 비용 • 위기관리 비용: 치안, 구호, 실업 문제 처리, 사회 갈등 해결 • 경제적 투자 비용: 생산·생활 기반 구축 비용	• 경제적 비용: 국방비, 외교비 • 경제 외적 비용: 전쟁 가능성에 대한 공포, 이산가족의 고통, 이념적 갈등과 대립, 한반도 전역의 발전 가능성 제한
특징	통일 과정에서 한시적으로 발생하는 투자적인 비용	분단이 지속되는 한 계속 발생하는 소모적인 비용

(2) 통일 편익 [자료①]

① 의미: 통일로 인해 얻을 수 있는 편리함과 이익이라는 뜻으로, 통일 이후 지속적으로 발생하는 보상과 혜택

꿀! 통일 편익은 통일 이후 지속적으로 발생하기 때문에 한시적으로 발생하는 통일 비용보다 더 크다고 볼 수 있어.

② 종류

경제적 편익	군사비 등 분단 비용 제거, 국토의 효율적 이용, 경제 통합으로 인한 시장 확대 및 생산성 향상, 동북아시아 교통·물류 중심지의 역할 담당
비경제적 편익	이산가족의 고통 해소, 남북한 주민의 인권 신장, 전쟁 위험 감소와 평화 실현, 국제 사회에서 통일 한국의 위상 제고

3. 북한 인권 문제 [교과서 자료]

(1) 북한의 인권 실태
— 북한은 국제 연합(UN) 회원국으로서 최소한의 인권을 보장해야 할 의무를 제대로 이행하지 않고 있다는 비판을 받고 있어.

① 정치범 수용소에서의 강제 노동, 구금 등 반인도적 인권 침해
② 기본적 의식주를 제공받지 못하는 주민의 생존권 위협, 감시와 강압 통치
③ 직업이나 직장을 ★출신 성분에 따라 나누는 정책으로 자율성과 선택권 제한

(2) 쟁점: 북한 인권 문제에 대한 개입은 내정 간섭에 해당한다는 입장과 인권의 보편적 원칙에 따라 국제 사회의 개입이 필요하다는 입장 사이의 갈등

4. 대북 지원 문제
우리나라 정부와 민간단체, 국제기구 등은 북한에 대해 식량난 해소를 위한 농업 개발 지원, 이재민 구호와 피해 복구 지원, 영양 결핍 아동과 노약자 지원 등을 하고 있어.

(1) 대북 지원의 의미: 북한 주민의 열악한 현실을 개선하기 위한 인도적 차원의 지원

(2) 대북 지원에 관한 쟁점: 인도주의에 따라 정치·군사 상황과 무관하게 지원해야 한다는 입장과 ★상호주의 원칙에 따라 북한에 변화를 요구하면서 지원해야 한다는 입장의 갈등

자료 ① 통일 한국의 경제적 편익

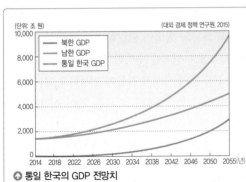

(단위: 조 원)　(대외 경제 정책 연구원, 2015)

— 북한 GDP
— 남한 GDP
— 통일 한국 GDP

2014 2018 2022 2026 2030 2034 2038 2042 2046 2050 2055(년)

⬆ 통일 한국의 GDP 전망치

대외경제정책연구원(KIEP)에서 2015년에 내놓은 「남북한의 통일편익 추정」 보고서는 "통일이 완료될 2055년경에는 통일 한국의 국내 총생산(GDP)이 8.7조 달러에 달할 것으로 전망"하였다. 이는 "통일되지 않았을 경우 남한 GDP의 약 1.7배 수준"에 달하는 수치이다. 이 보고서는 만약 통일이 된다면 "남북한 경제 규모가 증가함에 따라

세계 경제에서 (통일 한국이) 새로운 강국으로 부상할 것으로 기대되며, 주변국과의 교역 규모 역시 확대될 것으로 전망"한다고 밝혔다.

남북한의 통일 편익 추정 보고서에 따르면 미래의 통일 한국에 발생할 통일 편익이 현재 남한의 경제 규모보다 훨씬 더 큰 것으로 전망되었다. 국가적 차원에서 이러한 경제적 편익을 위해 통일은 필요하다. 그리고 통일은 경제적 측면뿐만 아니라 전쟁 위협의 완화, 이산가족의 고통 해소 등 비경제적 측면의 편익을 가져올 수 있다.

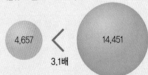

자료 하나 더 알고 가자!

통일 비용 대비 통일 편익

(단위: 조 원)

4,657　<　14,451
　　3.1배

통일 비용　　통일 편익

(국회 예산 정책처 보고서, 2014)

⬆ 통일 이후 45년간 경제적 편익 규모 추산

통일 이후 통일 한국의 경제 규모는 커질 것이며 통일을 위해 드는 비용을 회수하고도 남을 만큼의 통일 편익을 얻을 것으로 예상된다.

수능이 보이는 **교과서 자료**　**북한 인권 결의안**

국제 연합(UN)은 세계 인권 선언에서 "모든 인간은 태어날 때부터 자유롭고 평등하며 존엄과 가치를 가진다."라고 선언하였고, 국제 인권 규약 등을 통해 인권의 가치를 실현하기 위한 회원국들의 책무를 강조하고 있어.

제69차 국제 연합(UN) 총회의 북한 인권 결의안(주요 내용)

• 북한 당국의 자국민 보호 책임을 부각시키며, 국제 연합 북한인권조사위원회 권고 사항의 즉각적인 이행, 국제기구와의 협력 등을 촉구

• 모든 국제 연합 회원국이 북송 시 고문, 사형 등 비인간적 대우를 받을 우려가 있는 북한 이탈 주민에 대한 강제 송환 금지 원칙을 준수할 것을 강력히 촉구

• 북한 내 인권 침해가 '인도에 반하는 범죄'에 이르는 것으로 평가(공개 처형, 고문, 정치범 수용소 존재 및 강제 노동, 사상·양심·종교의 자유 침해, 여성·아동·노인 등 취약 계층의 인권 침해 등)

• 국제 연합 안전보장이사회가 북한 상황을 국제형사재판소(ICC)에 회부하고, 인도에 반하는 범죄 책임자에 대한 효과적 제재 범위를 포함한 적절한 조치를 취할 것을 촉구

－ 통일부, 「2015 통일 백서」

북한 인권 결의안은 1990년대 중반 이후 북한 주민들의 심각한 인권 상황이 국제 사회에 알려지게 되면서, 국제적 차원에서 이를 개선하기 위해 국제 연합(UN)에서 채택한 결의안이다. 북한의 인권 문제 개선 촉구를 기본 내용으로 하는 이 결의안은 계급, 종교, 정치 등과 연관된 북한의 인권 문제를 국제 사회가 관심을 가지고 지켜보며 그 개선을 바라는 것이다. 북한의 인권 문제를 해결하기 위해서는 국제 사회의 공조와 북한 내부에서 스스로 문제를 해결하고자 하는 노력 또한 중요하다.

완자샘의 탐구 강의

• 국제 사회가 북한 인권 결의안을 채택한 이유를 서술해 보자.

북한 인권 문제에 대한 국제 사회의 관심을 촉구하고 북한 인권 문제를 개선하기 위해서이다.

함께 보기 205쪽, 1등급 정복하기 2

02 민족 통합의 윤리

통일 한국의 가치와 통일 실현 방안

통일 한국이 지향해야 할 가치	평화, 자유, 인권, 정의, 자주성, 열린 민족주의
남북한 화해와 통일 실현 방안	• 소통과 배려 실천 및 공존의 노력 • 교류와 협력을 통한 신뢰 형성 • 점진적인 사회 통합 추진

★ **통일과 통합의 의미**
통일과 통합 모두 둘 이상의 조직이나 체제가 하나로 합쳐지는 것을 의미한다. 통일은 주로 국토, 정치와 같이 외적인 것이 하나가 되는 것을 의미하는 데 비해, 통합은 내적인 가치관, 행동 양식, 습관 등이 하나가 되는 것을 의미한다.

★ **남남 갈등**
남북 관계를 둘러싼 남한 내에서의 이념적 갈등

★ **코리아 디스카운트(Korea discount)**
남북 분단 상황과 전쟁의 위험성 때문에 우리나라 기업이 비슷한 수준의 외국 기업보다 낮게 평가되는 것을 말한다. 한반도의 전쟁 위험성은 국제 사회에서 대한민국의 이미지에 불리한 영향을 준다.

★ **열린 민족주의**
자기 민족의 주체성을 지키면서도 다양한 민족들을 열린 자세로 인정하고, 그들과 공존하려는 태도

② 통일이 지향해야 할 가치

1. 독일 통일의 사례 [자료②]

(1) 독일의 통일 준비 과정
① 분단 상황 속에서 동독과 서독의 다양한 문화 교류와 협력이 활발하게 이루어짐
② 서독이 동독을 지원함으로써 관계를 개선하고 상호 신뢰를 구축함

(2) 독일 통일의 후유증과 발전 성과: 동독과 서독 주민 간의 사회적 갈등이 발생하고, 서로 다른 이념과 체제 속에서 살아온 사람들의 내면적·정신적인 *통합을 이루는 것이 어려웠음 → 점차 정치·경제적 안정과 동·서독 주민 간의 통합이 이루어지고 있음

(3) 독일 통일의 교훈: 다양한 분야의 점진적이고 활발한 교류를 통해 통일에 대한 바른 이해와 실질적인 통일 준비가 필요함 ──〔왜?〕 서로 다른 이념과 체제, 언어와 문화의 이질성을 통합하는 과정에서 사회적 갈등과 혼란을 겪을 수 있기 때문이야.

2. 남북한의 화해와 통일을 위한 노력

(1) 개인적 차원
① 소통과 배려 실천: 통합 과정에서 남북한 출신 주민 간에 발생할 수 있는 갈등에 대해 열린 마음으로 적극적인 대화를 통해 서로 이해하도록 노력함
② 북한에 대한 올바른 인식: 북한은 군사·안보 측면에서 경계의 대상이지만, 북한 주민은 통일 한국에서 함께 살아가야 할 동반자이자 동포로서 화해와 협력의 대상임
③ 공존의 노력: 남북한의 차이를 인정하면서 동질성을 모색함
④ 통일에 대한 관심: 통일은 나와 상관없는 일이라거나 누군가로부터 주어지는 것이라는 생각을 버리고 언제든지 현실로 다가올 수 있다는 것을 인식함

(2) 사회·문화적 차원
① 점진적인 사회 통합의 노력을 통해 남북한의 긴장 관계를 해소함
② 문화·예술·스포츠 교류, 이산가족 상봉, 대북 지원과 구호 등 인도적 교류의 장 확대

(3) 국가적 차원
① 내부적 통일 기반 조성: 안보 기반의 구축, 사회·경제·문화 분야에서 교류와 협력을 통한 신뢰 형성, 평화적 통일을 위한 체계적인 준비, 통일 논의 과정에서 표출되는 *남남 갈등 해결 ──〔꼭!〕 통일에 관한 국민적 이해와 합의를 도출하고, 통합 과정에 대비한 장기적이고 계획적인 준비를 통해 통일에 따른 충격을 완화해야 해.
② 국제적 통일 기반 구축: 국제 사회와의 긴밀한 협력을 통한 통일 우호적 환경 조성

3. 통일 한국이 지향해야 할 가치 [자료③]

평화	전쟁의 위협을 벗어나 평화 공동체 건설, 국제 사회의 평화에 기여, *코리아 디스카운트 해소
자유	자신의 신념과 선택에 따른 자유로운 삶이 보장되는 국가 지향
인권	모든 사람의 존엄과 가치가 존중되는 인권 국가 지향
정의	모두가 차별 없이 풍요한 삶을 누리고 합당한 대우를 받는 정의 실현
자주성	우리의 힘으로 통일 국가를 만들어 나가고 민족의 자주적 역량 발휘
*열린 민족주의	여러 민족과의 공존 공영, 우수한 전통문화 계승 및 다양한 문화와의 조화를 통한 창조적 발전

자료 ② 독일 통일의 과정을 통해 얻을 수 있는 교훈

통일은 기적처럼, 또는 폭풍우처럼 밀어닥쳤다. 우리는 전혀 준비되어 있지 않았고, 질서 있는 통일 과정을 위해 우리 자신을 추스를 시간적 여유도 없었다. 베를린 장벽 붕괴 이후 처음 몇 달 동안은 매우 혼란스러웠다. 동독 주민들은 헌법과 법률에 따라 서독 주민들과 같은 사회적 권리(연금·건강·장기 요양 보험, 실업 수당, 공적 부조 등)를 보장받게 되었다. 그러나 동독 경제의 붕괴에 따라 발생하는 사회적 비용을 주로 서독에서 해결해야 한다는 부작용이 발생했다. 이 때문에 통일하는 데 상당한 비용이 들어갔다.

독일의 통일 과정은 대부분 일방적이었다. 서독이 거의 모든 통제권을 가지고 통일 과정을 조율하고 이끌었다. 따라서 동독인은 자신을 스스로 희생자라 여기며 서독인과 지도자들에게 분노를 느꼈다. …… 동독 지역은 서독 주민들과 크게 다르지 않은 생활 수준을 누릴 수 있는 매력적인 지역으로 탈바꿈하고 있다. 과거 서독은 서유럽의 변경 지대였다. 그러나 지금은 10개 이상의 이웃 국가에 둘러싸인 유럽의 중심 지역이 되었고, 사회적·문화적·과학적·경제적으로 큰 이득을 보고 있다. …… 통일이 가져다준 이점 중 하나는 엄청난 국방비의 절감이며, 이로 인해 동독에 대한 재정 지원이 수월해졌다. 종종 독일의 통일 비용이 과도했다는 말을 듣는다. 그러나 결과를 생각한다면 '비용은 생각지 마라. 독일 통일은 엄청난 성공이었고 매우 큰 이득이었다.'라고 인정해야 할 것이다.

– 캄페터, 「독일 통일의 기적과 그 교훈」

독일은 통일이 이루어지기 전 동독과 서독 사이에 많은 교류와 노력이 있었음에도 불구하고, 통일 이후에 사회 갈등이 발생했을 뿐만 아니라 통합을 위한 많은 통일 비용이 들었다. 하지만 통일로 인해 독일이 얻는 이익은 그것을 뛰어넘는 것이었다. 이러한 독일의 통일 사례를 통해 통일을 대비하고 준비해야 할 것이다.

자료 하나 더 알고 가자!

독일 통일 이후의 사회 갈등

독일에서는 통일이 이루어지던 순간에는 '우리는 하나의 독일'이라는 동류의식이 지배적이었다. 그러나 통합이 진척되면서 동·서독 주민 간에 편견과 차별 의식, 그리고 갈등이 나타났다. 서독인이 동독인을 비하하는 '게으른 동쪽 것(ossi)', 그리고 동독인이 서독인을 비하하는 '거만한 서쪽 것(wessi)'이라는 용어는 동·서독 주민 간 편견과 갈등을 보여 주는 대표적 예이다. 동독 출신 주민들은 새로운 가치와 생활 양식을 접하며 정신적 혼란을 경험하였고 오히려 과거를 그리워하는 오스탈기(Ostalgi) 현상도 나타났다. 서독 출신 주민들은 조세 부담이 증가하고 물가가 상승함에 따라 많은 불만이 생겨났다.

– 통일부, 「통일 문제 이해」

독일 통일의 사례를 통해 통합의 과정에서 주민들 간에 갈등과 혼란이 발생할 수 있다는 것을 알 수 있다. 우리나라도 통일 이후에 나타날 수 있는 부작용을 최소화하기 위한 노력이 필요하다.

자료 ③ 통일 한국의 미래 모습

인구와 국토의 증가로 인해 경제의 규모가 커지고, 다양한 종류의 직업과 새 일자리가 창출되면서 오늘날의 청년 실업과 일자리 부족 문제를 해결할 수 있어. 또한 막대한 양의 국방비가 줄어듦에 따라 그만큼의 돈을 더 필요한 곳에 효율적으로 쓸 수 있게 돼.

- 인구 7천600만 명, 면적 22만 ㎢
- GDP 세계 7위 기대 목표
- 생산 가능 인구 확보, 고령화 해소

G8 세계 중심 국가

- 비핵, 개방적 통상 국가
- 국제 협력 촉진
- 유라시아 대륙으로 활동 영역 확대

평화 번영 국가

선진 민주 국가

- 성숙한 민주주의, 인간 존엄성 구현
- 국가 브랜드 7~8위 기대 목표
- 국가 선진화 10위

창조적 문화 국가

- 복합 문화
- 열린 민족의 역동성 발현

통일 한국은 사회 발전과 국가 경쟁력의 원동력인 문화 자원을 발굴·육성하고, 동서양의 우수한 문화를 수용하여 세계적인 문화 국가를 이룩할 수 있도록 노력해야 해.

↑ **통일 대한민국의 위상**(통일 연구원)

위 자료는 남북한이 2030년에 통일을 할 경우에 2040년에 나타날 통일 대한민국의 위상을 예측한 것이다. 통일이 되면 경제 시장 규모가 확대되고, 남북한은 서로 보완하며 통일 한국의 경쟁력을 한 차원 높일 수 있다. 그리고 한반도의 활동 영역이 유라시아로 확장되어 한반도를 열린 공간으로 만들고, 균형 있는 국토 발전을 이룰 수 있다. 미래의 통일 한국은 자유와 평등, 인간 존엄성의 보편적 가치를 존중하고 번영과 복지를 실현하며, 세계 평화와 인류 공영에 기여하게 될 것이다.

자료 하나 더 알고 가자!

아시안 하이웨이

'아시안 하이웨이'는 아시아의 32개국을 연결하는 약 14만 km의 도로망으로 아시아 국가 간 물적·인적 교류를 확대하고 정치, 경제, 사회 등의 협력을 증진시키기 위해 아시아 태평양 경제 사회 이사회(ESCAP)가 추진 중인 고속도로이다. …… 아시안 하이웨이가 개통되면 아시아 국가들의 자산 가치가 올라가며 국가 경제에 큰 도움이 된다. 그러나 아시안 하이웨이가 빛을 발하기 위해서는 북한과 남한의 역할이 가장 중요하다.

– 시선뉴스, 2016. 2. 25.

아시안 하이웨이가 건설되면 해양과 대륙의 요충지에 있는 통일 한국은 교통·물류 중심지의 역할을 할 수 있을 것이다.

STEP 1 핵심 개념 확인하기

정답친해 51쪽

1 다음 설명에 해당하는 용어를 쓰시오.

> • 남북 분단과 갈등으로 인해 발생하는 유·무형의 지출 비용이다.
> • 국방비, 외교비, 이산가족의 고통 등이 해당한다.

2 다음 설명이 맞으면 ○표, 틀리면 ×표를 하시오.

(1) 통일은 국제적 차원에서 동북아시아의 평화에 기여할 수 있다. ( )

(2) 분단 비용은 분단 상태가 지속되는 한 계속 지출해야 하는 소모적 비용이다. ( )

(3) 독일의 통일 과정을 통해 통일에 대한 사전 준비 없이도 통일을 원만하게 실현할 수 있다는 교훈을 얻을 수 있다. ( )

3 다음 설명에 해당하는 용어를 〈보기〉에서 골라 기호를 쓰시오.

> 보기
> ㄱ. 통일 비용   ㄴ. 통일 편익   ㄷ. 상호주의 원칙

(1) 통일로 인해 얻을 수 있는 편리함과 이익이다. ( )

(2) 북한에 일정한 변화를 요구하면서 대북 지원을 해야 한다는 입장에 따르는 원칙이다. ( )

(3) 통일 과정과 통일 이후 남북한 간 격차를 해소하고 이질적인 요소를 통합하는 데 필요한 비용이다. ( )

4 통일을 찬성하는 근거로 적절한 것만을 〈보기〉에서 있는 대로 골라 기호를 쓰시오.

> 보기
> ㄱ. 전쟁의 위협 완화
> ㄴ. 막대한 통일 비용 소모
> ㄷ. 민족 공동체의 회복 기대
> ㄹ. 인도주의적 차원의 필요성

5 북한 주민들의 인권 상황이 국제 사회에 알려지면서 국제적 차원에서 이를 개선하기 위해 국제 연합(UN)에서 ( )을 채택하였다.

STEP 2 내신 만점 공략하기

01 통일의 필요성에 대한 설명으로 적절하지 **않은** 것은?

① 동북아시아 및 세계 평화에 기여할 수 있기 때문이다.
② 전쟁의 위협을 없애고 평화를 정착시키기 위해서이다.
③ 분단으로 인한 국가 역량 소모를 방지하기 위해서이다.
④ 군사력 강화 및 핵 무장을 통해 국방력을 강화하기 위해서이다.
⑤ 분단으로 인한 이산가족과 실향민의 고통을 해소하기 위해서이다.

02 다음 대화에서 (가)에 들어갈 주장으로 가장 적절한 것은?

> 남한과 북한은 너무 오랜 시간 분단되어 있었기 때문에 통일이 된다 해도 사회 통합을 이루는 데 극심한 고통을 겪을 거야. 갑

> 하지만 통합을 이루는 과정에서 겪게 될 고통보다는 전쟁이 일어날지도 모르는 불안과 공포 속에 산다는 것이 훨씬 더 큰 고통이야. 그런 의미에서 통일은 필요해. 을

> 남북한의 경제적 격차도 너무 커서 통일을 이루는 데 엄청난 규모의 통일 비용이 들 것이고 결국 우리의 세금으로 천문학적인 비용을 감당하기는 힘들어질 거야. 갑

> 하지만 [(가)] 을

① 통일 과정에서 정치적 통합을 이루는 데 실패할 확률이 훨씬 커.
② 통일 이후 남북한 주민 간의 사회적 갈등이 더욱 깊어질 수도 있어.
③ 통일 이후 통일 비용을 상쇄하고도 남을 통일 편익이 생길 것으로 예상돼.
④ 북한의 잦은 군사 도발로 인해 북한에 대한 부정적 인식을 극복하기는 힘들다고 봐.
⑤ 통일 비용이 분단 비용보다 훨씬 더 크기 때문에 지금 이 상태를 유지하는 것이 나아.

03 다음 설명에 해당하는 용어로 옳은 것은?

남북한의 서로 다른 체제와 제도, 양식 등을 통합하고 정비하는 과정에서 지출되는 비용을 의미한다. 구체적으로 정치, 행정 제도, 금융, 화폐 등을 통합하는 데 쓰이는 비용, 사회 문제 처리, 공공재 구축 비용 등을 들 수 있다. 많은 비용이 소요될 것으로 예상되지만 통일 한국을 위한 투자 개념의 비용으로 생각할 수 있다.

① 국방 비용　　② 분단 비용　　③ 외교 비용
④ 통일 비용　　⑤ 통일 편익

04 다음은 수행 평가 문제와 학생 답안이다. ㉠~㉤ 중에서 옳지 않은 것은?

수행 평가

◎ 문제: 통일 비용과 분단 비용을 비교하여 설명하시오.
◎ 학생 답안
㉠ 통일 비용은 남북통일에 소요되는 비용을 의미한다. ㉡ 통일 비용에는 정치, 행정, 금융, 화폐 통합 비용이 포함되고, ㉢ 도로, 수도, 전기 등 생산·생활 기반을 구축하는 데 드는 비용도 포함된다. 반면에 분단 비용은 남북 분단과 갈등으로 발생하는 지출 비용으로서 ㉣ 국방비, 외교비 등을 들 수 있으며 이산가족 및 실향민의 아픔과 같은 무형의 비용은 분단 비용에서 제외된다. ㉤ 분단 비용은 한반도의 긴장을 고조시키고 민족의 역량을 낭비하게 하는 비용이지만 통일 비용은 통일 한국의 번영을 위한 비용으로 다양한 통일 편익으로 이어질 수 있다. 통일을 체계적으로 준비하고 통일로 얻을 수 있는 편리함과 이익을 최대화할 수 있도록 노력한다면 통일 비용에 대한 부담을 줄일 수 있다.

① ㉠　　② ㉡　　③ ㉢　　④ ㉣　　⑤ ㉤

05 다음은 인터넷에서 (가)를 검색한 결과이다. (가)에 대한 설명으로 적절하지 않은 것은?

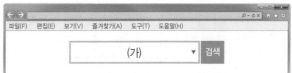

- 북한 당국의 자국민 보호 책임을 부각시키며, 국제 연합(UN) 북한인권조사위원회 권고 사항의 즉각적인 이행, 국제기구와의 협력 등을 촉구
- 북한 내 인권 침해가 '인도에 반하는 범죄'에 이르는 것으로 평가(공개 처형, 고문, 정치범 수용소 존재 및 강제 노동, 사상·양심·종교의 자유 침해, 여성·아동·노인 등 취약 계층의 인권 침해 등)

① (가)는 '북한 인권 결의안'을 말한다.
② 북한 인권 문제를 개선할 것을 주요 내용으로 한다.
③ 북한 인권 문제에 대한 국제 사회의 관심을 알 수 있다.
④ 북한 내의 인권 침해 상황에 대한 국제 사회의 개입을 반대한다.
⑤ 국제 사회와 공조하여 북한의 변화를 유도하면서 인권 문제를 해결하고자 한다.

06 다음 토론에 대한 주제로 가장 적절한 것은?

갑: 북한 주민들은 현재 경제적으로 어려움을 겪고 있습니다. 이를 개선하기 위해 지원이 필요합니다.
을: 지금까지 대북 지원은 꾸준히 있어 왔지만 그럼에도 북한의 군사 도발과 같은 평화를 위협하는 태도는 나아진 것이 없습니다.
갑: 하지만 그런 군사적 문제와 인도주의적 차원의 지원은 별개의 문제라고 생각합니다.
을: 북한이 변화된 모습을 보여 주지 않는 한 북한에 대한 지원이 이루어져서는 안 됩니다.

① 대북 지원의 범위는 어디까지인가?
② 대북 지원은 남북 관계 개선에 실용적인가?
③ 대북 지원은 국제적 차원에서 이루어져야 하는가?
④ 대북 지원은 인도주의적 차원에서 지속해야 하는가?
⑤ 대북 지원을 통해 민족 공동체 회복을 이룰 수 있는가?

07 다음 사례에서 얻을 수 있는 통일에 관한 교훈으로 적절하지 <u>않은</u> 것은?

> 냉전 체제에서 서독은 *할슈타인 원칙에 따라 동독과 대결 국면을 조성하였고, 동독은 동서 베를린을 차단하는 장벽을 쌓았다. 하지만 1960년대 후반 냉전 질서가 완화되면서 브란트 서독 수상은 *동방 정책을 통해 동독과 교류·협력하며 장기적인 통일 정책을 시작하였다. 그 결과 1989년 베를린 장벽이 무너졌고, 1990년 독일 통일이 이루어졌다. 동·서독은 분단 상태에서도 다양한 문화 교류를 추진하였고, 서독은 상대적으로 뒤떨어진 동독을 지원함으로써 관계를 개선하고 상호 신뢰를 구축하였다.
> * 할슈타인 원칙(Hallstein Doctrine): 동독 정부를 승인하는 나라와는 외교 관계를 맺지 않겠다는 서독의 외교 정책
> * 동방 정책: 동구 공산권과의 관계 정상화를 위한 통일 전 서독의 외교 정책으로 할슈타인 원칙을 폐기하였다.

① 분단 상태에서도 통일을 위한 노력은 필요하다.
② 통일은 점진적인 준비를 통해 이루어질 수 있다.
③ 통일을 이루기 위해서는 제도적인 노력이 필요하다.
④ 활발한 교류를 통해 상호 신뢰를 쌓는 것이 중요하다.
⑤ 서로 다른 경제적 수준만 맞춘다면 통일은 바로 가능하다.

08 남북한의 화해와 통일을 위한 노력으로 옳지 <u>않은</u> 것은?

① 점진적으로 사회 통합을 이루며 통일 분위기를 조성해야 한다.
② 남북한의 차이를 인정하면서 공존하기 위한 방법을 찾아야 한다.
③ 군사적 문제가 해결되기 전까지는 어떠한 교류도 해서는 안 된다.
④ 북한을 경계의 대상이자 화해와 협력의 대상으로 바라보아야 한다.
⑤ 국제 사회와의 긴밀한 협력 관계를 통해 통일에 우호적인 분위기를 형성해야 한다.

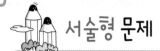 **서술형 문제**

● 정답친해 52쪽

01 (가), (나)에 들어갈 통일 실현 방안을 각각 서술하시오.

> 통일을 이루기 위해서는 개인과 사회, 국가가 모두 노력해야 한다. 먼저 개인적 차원에서는 [(가)]와/과 같은 노력이 필요하며, 사회·문화적 차원에서는 [(나)]와/과 같은 노력이 필요하다.

(길잡이) 남북한의 화해와 통일을 이루기 위한 개인적, 사회·문화적 차원의 노력을 구분하여 서술한다.

02 밑줄 친 주장에 대한 근거를 서술하시오.

> 코리아 디스카운트(Korea discount)는 남북 분단 상황과 전쟁의 위험성 때문에 우리나라 기업이 비슷한 수준의 외국 기업보다 낮게 평가되는 것을 말한다. 한반도의 전쟁 위험성은 국제 사회에서 대한민국의 이미지에 불리한 영향을 준다. 이와 관련하여 <u>통일은 분단으로 인해 발생하는 남북한 민족 역량의 낭비를 없애 줄 뿐만 아니라 '코리아 디스카운트'를 해소해 준다.</u>

(길잡이) 통일 한국이 국가 경쟁력과 국제적 위상에 미치는 영향을 고려하여 서술한다.

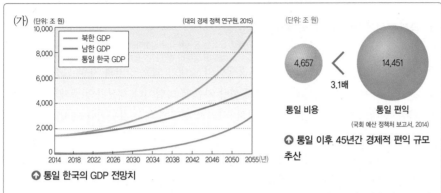

STEP 3 1등급 정복하기

1 (가), (나)에 대한 설명으로 옳지 **않은** 것은?

통일 비용과 분단 비용

완자샘의 시험 꿀팁

통일 비용과 분단 비용, 통일 편익의 의미와 이것이 분단 상황과 통일에 미치는 영향에 대하여 묻는 문제가 출제될 수 있으므로 이를 정리해 둔다.

(나) 분단 비용은 남북 분단으로 발생하는 유·무형의 지출 비용이다. 분단 비용에는 군사비, 전쟁 가능성에 대한 공포, 이산가족의 고통, 이념적 갈등과 대립 등이 해당된다.

① (가)를 통해 통일 편익은 통일 비용을 상쇄할 것이라는 점을 예상할 수 있다.
② (가)를 통해 통일이 되면 통일 한국의 경제 규모가 점점 확장될 것으로 예상할 수 있다.
③ (나)의 분단 비용은 민족 구성원 모두의 손해로 이어지는 소모적 비용이다.
④ (나)의 분단 비용에는 경제적인 비용뿐만 아니라 비경제적인 비용도 포함된다.
⑤ (가)의 통일 비용은 통일 이후 영구적으로 발생하는 비용인 반면, (나)의 분단 비용은 분단 시기에만 한시적으로 발생하는 비용이다.

평가원 응용

2 북한 인권 문제에 대한 갑, 을의 입장으로 옳지 **않은** 것은?

갑: 주권 국가 체계에서 국가는 외교 관계와 내정에서 최고 권위를 가지므로 다른 나라로부터 간섭받지 않을 권리가 있다. 인권 문제 역시 개별 국가의 책임으로 다른 나라가 간섭해서는 안 되는 문제이다.
을: 어떤 국가가 자국민의 인권을 유린하거나 인권을 보장할 역량과 의지가 부족할 경우, 국제 사회가 인도적 차원에서 해당 국가의 인권 문제에 개입할 수 있다.

① 갑은 북한 인권 문제에 대해 다른 나라가 간섭해서는 안 된다고 본다.
② 갑은 국제 사회가 북한 인권 문제에 개입하는 것은 인류의 합당한 의무라고 본다.
③ 을은 북한이 인권을 보장해야 할 의무를 제대로 이행하지 않고 있다는 비판을 제기할 수 있다.
④ 을은 북한 인권 문제에 대해 인권의 보편적 원칙에 따라 국제 사회의 개입이 필요하다고 본다.
⑤ 을은 국제 사회와 공조하여 북한의 변화를 유도하면서 북한 인권 문제를 해결해야 한다고 본다.

북한 인권 문제

완자 사전

• **주권 국가**
다른 나라의 간섭을 받지 않고, 주권을 완전히 행사할 수 있는 독립국

03 지구촌 평화의 윤리

학습목표
• 국제 분쟁의 윤리적 문제와 해결 방안을 설명할 수 있다.
• 국가 간 빈부 격차 문제와 국제 사회에 대한 책임을 설명할 수 있다.

이것이 핵심!

국제 분쟁의 원인과 해결 방안

원인	• 영역과 자원을 둘러싼 갈등 • 문화적 차이에 따른 갈등 • 인종·민족 간의 갈등
해결 방안	• 개인적 차원: 상호 존중과 관용의 자세 • 국제적 차원: 반인도적 범죄 처벌 강화, 분쟁 조정 및 해결

★ 영역
한 나라의 주권이 미치는 범위로, 영토, 영해, 영공으로 구성된다.

★ 세력 균형
특정한 집단이 다른 집단을 압도할 만큼 강대해지지 않도록 견제하여 균형을 유지하는 것을 뜻한다.

★ 환대권
적으로 간주되지 않을 권리이자 존중받을 권리를 말한다.

★ 폭력의 종류
• 물리적 폭력: 폭행·고문·테러·전쟁 등 직접적이고 의도적인 폭력
• 구조적 폭력: 사회 제도나 관습, 정치, 법률 등에서 생기는 간접적 폭력으로, 정신적이고 의도되지 않은 폭력
• 문화적 폭력: 종교·언어·예술 등의 이면에 내재한 직접적 혹은 구조적 폭력을 용인하고 정당화하는 상징적인 폭력

1 국제 분쟁의 해결과 평화

1. 국제 분쟁의 원인과 윤리적 문제 자료①

(1) 원인

① *영역과 자원을 둘러싼 갈등: 국가 경쟁력의 토대가 되는 영역과 자원 선점 경쟁

┌ Qn? 문화는 공동체의 구심점이자 집단 정체성의 토대이기 때문에 갈등이 발생하면 쉽게 분쟁으로 이어져.

② 문화적 차이에 따른 갈등: 문화의 특성상 자율적 타협이나 제삼자의 중재가 어려움

③ 인종·민족 간의 갈등: 종족 내의 정치·사회적 쟁점에 대한 갈등이나 타 민족에 대한 억압

(2) 윤리적 문제

① 지구촌 평화 위협: 분열과 갈등 초래, 군사적 우위 확보 경쟁으로 인한 지구촌 불안 가중

② 인간 존엄성과 정의 훼손: 종교나 민족 갈등과 결부 시 적대감 증폭, 반인도적 범죄 자행

2. 국제 관계에 대한 관점

현실주의	• 모겐소: "국제 정치는 국가 이익의 관점에서 정의된 권력을 위한 투쟁이다." • 국가는 이기적인 인간들로 구성되어 있고, 세계도 자국의 이익을 추구하는 국가들로 이루어짐 • 국제 관계는 국가를 통제할 상위 중앙 권위가 없는 무정부적 상태 • 국가 간 갈등 해결은 *세력 균형을 통해 가능 • 한계점: 군비 경쟁 유도, 다양한 행위 주체의 존재와 국가 간 협력 관계를 설명하지 못함
이상주의	• 칸트: "국제 분쟁은 국가 간 도덕성을 확보해야 해결된다." • 분쟁은 인간 본성에서 유래하는 것이 아닌 상대방에 대한 무지나 오해, 잘못된 제도 때문에 발생 • 국가뿐만 아니라 개인, 국제기구, 비정부 기구 등 다양한 행위 주체들의 능동적인 노력 강조 • 평화는 이성적 대화와 협력을 바탕으로 도덕·여론·법률·제도를 통해 만들어 갈 수 있다고 주장 ┐ • 한계점: 낙관적 기대는 현실의 경쟁이나 갈등과 거리가 멀고, 국제 관계를 통제할 실효성 있는 제재를 할 수 없음 └ 갈등과 대립을 완화하기 위한 요소로 정치·군사·안보 외에 경제·사회·문화 등을 중요시하였어.
구성주의	• 웬트: "국제 관계는 국가 간 상호 작용을 통해서 구성된다." • 국가는 상대국과의 상호 작용을 통해서 정체성을 형성하고 관계를 정립함 • 자국과 상대국이 어떤 관계이고 어떻게 상호 작용할 것인지에 따라서 국익이 좌우됨 • 자국과 상대국의 긍정적인 상호 작용을 통해 분쟁을 해결할 수 있음

3. 국제 분쟁의 해결과 평화의 의미

(1) 국제 분쟁 해결을 위한 노력

개인적 차원	• 상호 존중과 관용의 자세 • 묵자의 겸애(兼愛) 사상: '자국을 사랑하듯이 타국을 사랑하라.'는 존중의 자세
국제적 차원	• 반인도적 범죄에 대한 처벌 강화 • 분쟁의 중재 노력: 국제사법재판소, 국제해양법재판소 등을 통한 화해와 중재 실천 • 분쟁에 대한 적극적 개입과 해결: 국제 연합 평화 유지군 활동 등

(2) 평화의 의미 ┌ 꼭! 갈퉁은 칸트의 영구 평화는 소극적 평화를 달성하는 데 의미가 있지만, 소극적 평화만으로는 진정한 평화를 이루기 어렵고 적극적인 평화를 이루어야 한다고 주장하였어.

칸트의 영구 평화 자료②	• 칸트는 직접적인 폭력과 전쟁에서 벗어날 수 있도록 각국이 국제법의 적용을 받는 평화 연맹을 구성할 것을 요구함 • 평화를 실현하는 방안으로 *환대권을 강조함 • 국제 연맹이나 국제 연합(UN)과 같은 국제기구가 영구 평화의 실천적 형태임	
갈퉁의 평화	소극적 평화	전쟁, 테러, 폭행 등 직접적이고 물리적인 *폭력이 없는 상태
	적극적 평화	• 직접적, 물리적 폭력뿐만 아니라 구조적·문화적 폭력까지 사라진 상태 • 정의와 인간 존엄성, 삶의 질에 바탕을 둔 평화

자료 1 지구촌 평화를 위협하는 단층선 분쟁

• 단층선 분쟁은 서로 다른 문명에 속한 국가나 무리 사이의 집단 분쟁이다. 이 분쟁은 나라들 사이에서, 비정부 집단들 사이에서, 혹은 나라와 비정부 집단 사이에서 일어날 수 있다. 나라 안의 단층선 분쟁은 지리적으로 명확히 구분된 지역에 거주하는 집단들 사이에서 벌어지는 충돌이지만, 지리적으로 혼재되어 있는 집단들 사이에서 발생하기도 한다. 인도의 힌두교도와 이슬람교도, 말레이시아의 이슬람교도와 화교처럼 지속적인 긴장 관계가 때때로 폭력으로 분출되기도 하고, 신생국이 들어서면서 국경선이 확정되고 주민들을 강제로 이주시키려는 야만적 시도가 강행되어 전면전으로 치닫기도 한다. — 헌팅턴, 「문명의 충돌」

• 단층선 분쟁 예방을 위한 원칙

1. 자제의 원칙: 다른 문명의 분쟁에 개입하지 않아야 한다.
2. 중재의 원칙: 상이한 문명에 속한 집단이나 국가 간의 단층선 분쟁을 억제시키거나 종식시키기 위해 타협하게 한다.
3. 동질성의 원칙: 한 문명에 속한 인간은 다른 문명에 속한 사람들과 공유하는 가치관, 제도, 관행을 확대해 나가야 한다.

미국의 정치학자 헌팅턴은 문명 간의 충돌로 인해 발생하는 단층선 분쟁이 오늘날 세계 평화의 큰 위협 요소라고 보았다. 단층선 분쟁은 국제 사회의 분열과 갈등을 초래하고, 반인도적 범죄의 자행으로 인류의 보편적 가치를 심각하게 훼손하는 윤리적 문제를 야기한다.

자료 2 칸트의 영구 평화론

• **국가 간의 영구 평화를 위한 예비 조항**

1. 장래의 전쟁에 대비하여 물자를 비밀리에 간직해 두고 맺어진 평화 조약은 이를 평화 조약으로 인정해서는 안 된다.
2. 어떠한 독립된 국가도 상속, 교환, 매수, 증여로써 다른 국가의 소유가 될 수 없다.
3. 상비군은 점차 폐지되어야 할 것이다.
4. 국가는 대외적인 분쟁과 관련하여 어떠한 국채도 발행해서는 안 된다.
5. 어떠한 국가도 다른 국가의 제도와 통치에 대해 폭력으로써 개입해서는 안 된다.
6. 어느 국가도 다른 국가와의 전쟁에서 장래의 평화에 대한 상호 간의 신뢰를 불가능하게 하는 어떠한 적대 행위도 해서는 안 된다.

• **국가 간의 영구 평화를 위한 확정 조항**

┌ 국가 간 전쟁 억제를 위한 법적 구속력을
│ 지닌 국제법이 적용되는 체제를 의미해.

첫째, 모든 국가의 시민적 정치 체제는 국가 구성원이 자유롭고 평등하며 공통의 법을 따를 수 있는 공화 정체이어야 한다. 둘째, 국제법은 자유로운 국가들의 연방 체제에 기초해야 한다. 셋째, 국가 간 평등한 관계에 기반을 둔 세계 시민법은 보편적 우호의 조건들에 국한되어야 한다.

┌ 이방인이 다른 나라에 갔을 때, 그곳에서 이방인이 평화적으로
│ 행동하는 한 적대적으로 대우받지 않을 권리를 의미해.

— 칸트, 「영구 평화론」

칸트는 영원한 평화를 이루기 위하여 해서는 안 되는 내용을 담은 예비 조항과 영구 평화를 확정하는 확정 조항을 제시하였다. 그는 국가 간에 보편적 우호 관계에 기반을 둔 국제 연맹을 통해 자유를 보장받고 평화를 유지할 수 있다고 보았다. 또한 국가 간의 영원한 평화를 이루기 위해서 민주적 법치 국가가 되어야 한다고 주장하였다.

종교 갈등으로 인한 분쟁

⚠ 인도의 힌두교와 이슬람교 간의 분쟁

인도에서는 힌두교와 이슬람교 사이에 오랜 분쟁이 이어져 왔고, 이러한 갈등으로 인해 폭력 사태가 발생하였다. 이처럼 종교 간의 대립과 견제로 인한 갈등은 지구촌의 평화를 위협하고 평화, 인권, 정의 등의 보편적 가치를 훼손할 수 있다.

정리 비법을 알려줄게!

칸트와 갈퉁의 평화

칸트의 평화	• 평화에 이르기 위해서는 직접적인 폭력과 전쟁을 없애야 함 • 영구 평화 조항을 제시함
갈퉁의 평화	• 소극적 평화: 직접적, 물리적인 폭력이 없는 상태 • 적극적 평화: 직접적, 물리적 폭력뿐만 아니라 구조적·문화적 폭력과 같은 간접적 폭력까지 사라진 상태

03 지구촌 평화의 윤리

❙ 국제 사회에 대한 책임과 기여

이것이 **핵심!**

해외 원조에 대한 관점

싱어	공리주의적 관점에서 원조의 의무를 주장함
롤스	불리한 여건의 사회를 질서 정연한 사회로 편입시키기 위해 원조를 주장함
노직	원조는 의무가 아니라 자발적인 선택의 문제라고 주장함

★ **국제 형사 재판소(ICC)**
인간의 존엄과 가치, 국제 정의 실현을 위해 설립되어, 집단 살해죄, 전쟁 범죄, 반인도적 범죄 등을 자행한 개인을 처벌하는 기구

★ **국제 형사 경찰 기구(ICPO)**
세계 각국의 경찰이 국제 범죄를 방지하고 진압에 협력하기 위해 만든 국제 조직

★ **절대 빈곤**
• 의미: 건강을 최소한 유지할 수 있을 정도의 의식주를 획득하기 위한 자원이 결핍된 상태
• 기준: 세계은행은 1일 1.25달러 미만을 절대 빈곤으로 규정

★ **공적 개발 원조(ODA)**
한 국가의 중앙 혹은 지방 정부 등 공공 기관이나 원조 집행 기관이 개발 도상국의 경제 개발과 복지 향상을 위하여 자금을 지원하거나 기술을 지원하는 것으로, 공공 개발 원조 또는 정부 개발 원조라고도 한다.

★ **남북문제**
북반구에 위치한 선진국과 남반구에 위치한 개발 도상국 사이의 경제적 격차에서 생기는 정치적·경제적 문제의 총칭

★ **질서 정연한 사회**
독재나 착취와 같은 불합리한 사회 구조나 제도가 개선되어 정치적 전통, 법, 규범 등의 문화가 적정한 수준에 이른 사회

1. 세계화의 의미와 영향

(1) **의미**: 정보 통신 기술 등 과학 기술의 발전으로 국경을 초월하여 세계가 밀접하게 연결되고, 생활 공간이 세계로 확장되는 현상

(2) **영향**

긍정적 영향	• 각국의 교류·협력을 통해 창의성과 효율성이 확대되어 공동의 번영을 이룰 수 있게 됨 • 다양한 문화 교류를 통해 전 지구적 차원에서 문화 간 공존을 기대할 수 있는 여건이 조성됨 • 환경, 난민, 인권 등 전 지구적 문제를 해결하고 보편적 가치를 보장하기 위한 국제 협력이 이루어짐
부정적 영향	• 상업화·획일화된 선진국 중심의 문화가 전 세계적으로 확대됨 • 국가 간 상호 의존도가 높아짐에 따라 경제 의존도도 심화됨 • 강대국 중심으로 시장과 자본의 독점이 이루어져 빈부 격차와 절대 빈곤 문제가 발생함 • 문화 교류는 각 지역·국가의 고유 정체성을 약화하고 문화 획일화 현상을 가져오기도 함

2. 국제 정의와 국가 간 빈부 격차의 문제

(1) **국제 정의**

형사적 정의	• 의미: 법에 따른 정당한 처벌을 통해 실현되는 정의 • 문제: 테러, 학살, 인신 매매, 납치 등 반인도주의적 범죄 • 해결 노력: *국제 형사 재판소의 범죄자 처벌, *국제 형사 경찰 기구의 국제 범죄 수사 공조
분배적 정의	• 의미: 가치나 재화의 공정한 분배를 통해 실현되는 정의 • 문제: 국가 간 빈부 격차, *절대 빈곤, 환경 파괴 등 • 해결 노력: *공적 개발 원조를 통해 빈곤 국가의 경제 개발과 사회 복지를 돕는 자금을 지원하고 기술 협력을 제공함

(2) **국가 간 빈부 격차의 윤리적 문제**

① 절대 빈곤에 따른 굶주림과 질병으로 인해 인간다운 삶을 어렵게 만듦
② 가난한 나라는 빈곤에서 벗어나기가 힘들어 *남북문제와 같은 분배 정의의 문제가 발생함

3. 해외 원조에 대한 다양한 관점

의무의 관점	싱어 자료 3	• 해외 원조는 공리주의 입장에서 인류 전체의 고통을 감소하는 것이기 때문에 절대적 빈곤으로 고통받는 사람들을 도와주는 것은 윤리적 의무임 • 이익 평등 고려의 원칙에 따라 고통받는 사람들은 누구나 도움을 받아야 함 • 세계 시민주의 관점에서 도움의 대상을 지구촌 전체로 확대하여 해외 원조 강조
	롤스 교과서 자료	• 해외 원조는 정의 실현을 위한 의무임 • 해외 원조의 목적은 불리한 여건의 사회가 적정 수준의 문화를 형성하여 *질서 정연한 사회가 되도록 돕고, 빈곤국의 자생력을 키워 주는 것임 • 독재나 착취와 같이 사회 구조나 제도가 빈곤을 발생시킴 • 차등의 원칙을 국제 사회에 적용하는 것을 반대하고, 해외 원조를 경제적 분배의 과정으로 보아서는 안 된다고 주장함 → 빈곤국의 문제는 스스로 어려운 처지를 개선하려는 능력의 부재에 있다고 보았음 • 고통받는 사회의 불리한 여건을 개선하는 것이 전 지구적 차원의 부의 재분배나 복지 향상을 의미하는 것은 아님
자선의 관점	노직 자료 4	• 해외 원조는 의무가 아니라 자발적 선택에 따른 자선 행위임 • 자선의 관점에서 가난한 사람들을 도울 수는 있지만 이를 의무로 요구하는 것은 개인에 대한 권리 침해라고 봄

> 잠깐! 롤스는 가난한 나라일지라도 질서 정연한 사회에 진입했다면 원조를 할 필요가 없다고 보았다.

> Why? 국가 간의 부와 복지의 수준은 다양할 수 있으며 이는 자연스러운 것이라고 보았기 때문이야.

> 꽉! 개인은 정당한 절차를 통해 취득한 재산에 관한 배타적이고 절대적인 소유권을 가지므로, 해외 원조나 기부도 전적으로 개인의 자유라고 보았어.

자료 ③ 해외 원조에 대한 싱어의 관점

> 우리가 만약 어떤 사람에게 매우 나쁜 일이 일어나는 것을 방지할 힘을 가지고 있고, 그 나쁜 일을 방지함으로써 우리의 중요한 일이 희생되지 않는다면 우리는 그렇게 해야만 한다. 우리가 이 원칙에 따라 행위를 한다면 우리의 삶과 세계는 근본적으로 바뀔 것이다. …… 우리는 절대 빈곤에 빠진 사람들을 도울 의무가 있다. …… 돕는 것은 칭찬할 만한 가치가 있다. 이러한 행위는 자선적인 행위가 아니며, 모든 사람이 마땅히 해야 하는 행위이다.
> — 싱어, 『실천 윤리학』

싱어는 공리주의적 관점에서 해외 원조를 인류의 윤리적 의무라고 보았다. 그는 해외 원조를 통해 빈곤으로 어려움을 겪는 사람의 고통을 덜어 주어야 하며, 세계 시민주의의 관점에서 누구나 차별 없이 도움을 받아야 한다고 주장하였다.

수능이 보이는 교과서 자료 **롤스의 질서 정연한 사회**

> 원조의 목적은 고통을 겪는 사회가 자신의 문제들을 합당하게, 합리적으로 관리할 수 있도록 도와주어 결과적으로 그 사회가 질서 정연한 사회가 되도록 하는 것이다. 이러한 목표가 성취된 후에는 비록 여전히 빈곤하다고 할지라도 더는 원조할 필요가 없다. 국가 간의 부와 복지의 수준은 다양할 수 있고 그럴 것으로 추정된다. 그러나 이런 부와 복지의 수준을 조정하는 것은 원조 의무의 목표가 아니다. …… 천연자원과 부가 빈약한 사회라 할지라도 만약 그들의 종교적·도덕적 신념들과 문화를 떠받쳐 주는 그 사회의 정치적 평등, 법, 재산, 계급 구조가 자유적 사회나 적정 수준의 사회를 유지하게 하는 것이라면 질서 정연해질 수 있다.
> — 롤스, 『만민법』

롤스는 질서 정연한 사회에 있는 만민은 불리한 여건 아래에서 살고 있는 다른 만민을 원조할 의무가 있다고 본다. 그러나 이때 원조는 부의 재분배나 복지 향상을 의미하는 것이 아닌 질서 정연한 사회가 되도록 돕는 것을 의미한다. 따라서 가난한 나라라고 할지라도 질서 정연한 사회라면 원조는 중단된다.

자료 ④ 해외 원조에 대한 노직의 관점

> 취득에서의 정의 원칙에 따라 소유물을 획득한 사람에게는 그 소유물에 대한 소유 권리가 있다. …… 최소 국가는 강압, 절도, 사기, 강제 계약 등으로부터의 보호와 같은 협소한 기능에만 한정되기 때문에 정당화된다. 이를 넘어서는 포괄 국가는 무엇인가를 행하도록 강제되어서는 안 되는 개인의 권리를 침해할 것이다. 그리고 최소 국가는 도덕적으로 옳다. 이러한 결론에 담긴 중요한 속뜻은 시민들에게 다른 시민들을 돕게 할 목적으로 국가가 강제적인 장치를 사용해서는 안 된다는 것이다.
> — 노직, 『아나키에서 유토피아로』

노직은 개인의 소유권의 절대성을 강조하기 때문에 해외 원조를 하기 위해 개인에게 세금을 부과하는 것은 국가가 개인의 자유와 권리를 침해하는 것이라고 보았다. 따라서 <u>해외 원조는 의무가 아니라 선의를 베푸는 자유로운 선택의 문제라고 주장하였다.</u>
┗ 노직은 해외 원조를 개인의 자유에 맡기는 자선의 관점으로 보았지만 롤스와 싱어는 원조의 근거를 윤리적 의무의 관점으로 보았어.

자료 하나 더 알고 가자!

싱어의 이익 평등 고려의 원칙

> 이익 평등 고려의 원칙에서 보면, 고통을 덜어 주어야 할 궁극적이고 도덕적인 이유는 고통은 그 자체로 바람직하지 않기 때문이다. …… 어떤 고통에 관하여 그것이 특정한 인종이 겪는 고통이라는 이유로 고려를 덜 한다면 이는 자의적인 차별이 될 것이다.
> — 싱어, 『실천 윤리학』

싱어는 고통받는 사람들은 이익 평등 고려의 원칙에 따라 누구나 차별 없이 도움을 받아야 한다고 보았다.

완자샘의 탐구 강의

• 해외 원조에 대한 롤스의 관점을 서술해 보자.
해외 원조는 불리한 여건으로 인해 고통받는 사회를 질서 정연한 사회가 되도록 돕는 인류의 도덕적 의무이다.

함께 보기 215쪽, 1등급 정복하기 3

문제로 확인할까?

해외 원조에 대한 노직의 관점으로 옳은 것은?
① 해외 원조는 인류의 윤리적인 의무이다.
② 해외 원조를 통해 전 지구적 차원의 분배가 필요하다.
③ 해외 원조에 대한 책임이나 의무를 강요해서는 안 된다.
④ 빈곤국의 자생력을 키워 주는 것이 해외 원조의 목적이다.
⑤ 해외 원조를 실시하기 위해 국가가 강제적인 장치를 사용해야 한다.

Ⓒ 🔲

STEP 1 핵심 개념 확인하기

1 다음 설명이 맞으면 ○표, 틀리면 ×표를 하시오.

(1) 국제 분쟁은 국가의 영역과 자원을 둘러싼 갈등으로 인해 발생할 수 있다. ( )

(2) 세계화로 인해 시장과 자본의 독점 문제가 발생함으로써 국가 간의 빈부 격차가 심해질 수 있다. ( )

(3) 국제 관계를 바라보는 이상주의 관점에서는 자국의 이익을 추구하는 인간 본성으로 인해 국제 분쟁이 발생한다고 본다. ( )

2 다음 설명에 해당하는 폭력의 유형을 〈보기〉에서 골라 기호를 쓰시오.

보기
ㄱ. 구조적 폭력　　　　　ㄴ. 문화적 폭력

(1) 사회 제도나 관습, 정치, 법률 등에서 생기는 간접적이고 의도되지 않은 폭력을 말한다. ( )

(2) 종교, 언어, 예술 등의 이면에 내재한 폭력을 용인하고 정당화하는 상징적인 폭력을 말한다. ( )

3 다음 설명에 해당하는 용어를 쓰시오.

> 갈퉁이 제시한 평화의 개념으로, 물리적 폭력뿐만 아니라 빈곤, 정치적 억압, 종교적 차별과 같은 사회의 구조적·문화적 폭력까지 없는 상태를 말한다.

4 다음 학자가 해외 원조에 대해 주장한 내용을 옳게 연결하시오.

(1) 싱어 •

(2) 롤스 •

(3) 노직 •

• ㉠ 원조는 의무가 아닌 개인의 자발적인 선택에 의한 자선 행위이다.

• ㉡ 공리주의적 관점에서 인류의 고통을 줄이기 위해 원조를 해야 한다.

• ㉢ 불리한 여건으로 고통받는 사회가 질서 정연한 사회가 되도록 하기 위해 원조해야 한다.

5 묵자는 자국을 사랑하듯이 타국을 사랑하라는 (　　　　) 사상을 통해 전쟁을 방지하기 위해 서로 존중하는 자세가 중요함을 강조하였다.

STEP 2 내신 만점 공략하기

01 국제 분쟁의 윤리적 문제로 옳지 않은 것은?

① 인간의 존엄성과 정의를 훼손한다.

② 지구촌 전체의 불안을 가중하고 평화를 위협한다.

③ 종교나 민족 갈등과 결부되면 상호 간의 적대감이 약화된다.

④ 경쟁국에 대한 군사적 우위를 확보하려는 과정에서 불안을 가중한다.

⑤ 집단 살해, 인종 청소와 같은 반인도적 범죄의 가해자를 처벌하기가 어렵다.

02 갑, 을의 입장에 대한 설명으로 옳은 것만을 〈보기〉에서 있는 대로 고른 것은?

> 인간의 본성은 이기적이야. 그러한 본성을 지닌 인간들로 구성된 국가는 자신들의 이익만을 추구하고자 하는 속성이 있어.

> 인간은 이성적 존재야. 그러한 특성을 지닌 인간들로 구성된 국가 역시 이성적이고 합리적이야.

갑　　　　　을

보기
ㄱ. 갑은 국제 분쟁 해결이 세력 균형을 통해 가능하다고 본다.

ㄴ. 갑은 국가는 국제 관계에서 합리적 논의를 통해 분쟁을 해결할 수 있다고 본다.

ㄷ. 을은 국가 간 분쟁을 국제기구 등을 통해 해결할 수 있다고 본다.

ㄹ. 갑, 을 모두 국제 분쟁의 근본적인 원인은 국가들 간의 오해나 잘못된 제도에서 비롯된 것으로 본다.

① ㄱ, ㄴ　　　② ㄱ, ㄷ　　　③ ㄴ, ㄷ
④ ㄱ, ㄴ, ㄷ　　　⑤ ㄴ, ㄷ, ㄹ

03 다음 조항을 제시한 사상가의 입장에서 긍정의 대답을 할 질문으로 가장 적절한 것은?

> **영구 평화론 – 모든 국가가 평화를 유지하기 위한 방안**
> • 예비 조항 1: 장래에 전쟁에 대비하여 물자를 비밀리에 간직해 두고 맺어진 평화 조약은 이를 평화 조약으로 인정해서는 안 된다.
> • 확정 조항 1: 모든 국가의 정치 체제는 공화 정체이어야 한다.

① 국가 간 연맹을 통해 평화를 유지할 수 있는가?
② 국제 평화를 유지하는 방법은 존재하지 않는가?
③ 국가의 평화 유지를 위해 상비군을 확대해야 하는가?
④ 국가의 이익을 추구하기 위해서라면 전쟁에 개입해도 되는가?
⑤ 국제법은 군사력이 가장 강한 국가의 제도를 기준으로 제정해야 하는가?

04 다음과 같이 주장한 사상가가 부정의 대답을 할 질문으로 옳은 것은?

> 평화는 물리적 폭력은 물론 폭력을 자행하게 만드는 구조적 폭력과 이를 뒷받침하는 문화적 폭력까지 없는 상태이다. 여기에서 평화는 정의와 인간 존엄성, 삶의 질에 바탕을 둔 넓은 의미를 가진다.

① 물리적 폭력만 사라지면 진정한 평화가 실현되는가?
② 적극적 평화를 이루기 위해서는 물리적 폭력이 사라져야 하는가?
③ 적극적 평화를 이루기 위해서는 문화적 폭력이 사라져야 하는가?
④ 소극적 평화는 범죄, 테러 등과 같은 직접적인 폭력이 없는 상태인가?
⑤ 적극적 평화는 직접적 폭력뿐만 아니라 구조적·문화적 폭력도 사라져야 이룰 수 있는가?

05 ㉠, ㉡에 대한 설명으로 옳지 않은 것은?

> 일반적으로 평화란 물리적 폭력이 없는 것을 의미하지만 그 이상의 의미를 지니기도 한다. 갈퉁은 평화를 두 가지 의미로 나누어 보았다. 하나는 ㉠ 소극적 평화이며, 하나는 ㉡ 적극적 평화이다.

① ㉠은 물리적 폭력이 없다면 이룰 수 있다.
② ㉠은 빈곤, 정치적 억압 등이 없는 상태를 의미한다.
③ ㉡을 이루기 위해 인권과 정의가 보장되어야 한다.
④ ㉡은 구조적·문화적 폭력도 없는 상태를 의미한다.
⑤ ㉡은 ㉠만으로 진정한 평화를 이루기 어렵기 때문에 추구해야 하는 가치이다.

06 (가), (나)에 들어갈 정의의 종류를 옳게 연결한 것은?

> [(가)] 정의는 테러, 학살, 인신 매매, 납치 등과 같은 범죄에 대한 정당한 처벌을 통해 실현될 수 있으며 [(나)] 정의는 빈곤 국가에 경제 개발과 사회 복지를 돕는 자금 지원과 기술 협력을 통해 실현될 수 있다.

	(가)	(나)		(가)	(나)
①	분배적	형사적	②	비례적	분배적
③	산술적	형사적	④	형사적	분배적
⑤	형사적	산술적			

07 다음 설명에 해당하는 용어로 옳은 것은?

> 한 국가의 중앙 혹은 지방 정부 등 공공 기관이 개발 도상국의 경제 개발과 복지 향상을 위해 자금을 지원하거나 기술을 지원하는 것이다.

① 국제 연합
② 공적 개발 원조
③ 국제 사법 재판소
④ 국제 형사 재판소
⑤ 경제 협력 개발 기구

08 다음 글에 나타난 세계화에 대한 입장으로 가장 적절한 것은?

> 생활 공간이 세계로 확장되면서 소비자는 다양한 상품을 선택할 수 있는 기회를 갖고, 생산자는 더 넓은 시장에서 제품을 판매할 수 있게 되었다. 각 기업들은 국제적 경쟁력을 갖추고 생산성을 높이기 위해 노력함으로써 경제 발전에도 도움이 되고 있다. 또한 환경, 난민, 인권 문제 등 전 지구적 문제를 해결하고, 세계 여러 나라의 다양한 문화가 교류됨에 따라 개인은 풍요로운 삶을 누리고 있다.

① 세계화는 문화 획일화 현상을 가져온다.
② 세계화는 국가 간의 빈부 격차를 심화한다.
③ 세계화는 각 나라의 고유한 정체성을 약화한다.
④ 세계화는 보편적 가치를 보장하기 위한 국제 협력을 가능하게 한다.
⑤ 세계화는 경제 의존도를 심화하여 다른 나라의 경제 위기로 국내 경제가 악화될 수 있다.

⭐중요
09 다음 사상가의 입장에 대한 옳은 설명만을 〈보기〉에서 있는 대로 고른 것은?

> 원조의 목적은 고통을 겪는 사회가 자신의 문제들을 합당하게, 합리적으로 관리할 수 있도록 도와주어 결과적으로 그 사회가 질서 정연한 사회가 되도록 하는 것이다.

┌ 보기 ┐
ㄱ. 해외 원조는 정의 실현을 위한 의무이다.
ㄴ. 해외 원조가 전 지구적 차원의 복지 향상을 의미하는 것은 아니다.
ㄷ. 해외 원조는 자발적 선택으로 이루어져야 하며 이를 강요해서는 안 된다.
ㄹ. 해외 원조를 경제적 분배로 보고 국제 사회에 차등의 원칙을 적용해야 한다.

① ㄱ, ㄴ ② ㄱ, ㄷ ③ ㄴ, ㄹ
④ ㄱ, ㄴ, ㄷ ⑤ ㄴ, ㄷ, ㄹ

10 다음 사상가의 입장에서 해외 원조에 대해 주장할 의견으로 가장 적절한 것은?

> 해외 원조는 정의 실현을 위한 의무이다. 해외 원조의 목적은 불리한 여건의 사회가 적정 수준의 문화를 형성하도록 돕는 것이다.

① 이익 평등 고려의 원칙에 따라 빈곤국에 원조를 해야만 한다.
② 원조를 통해 전 세계가 경제적 평등을 이룰 수 있도록 해야 한다.
③ 빈곤국의 사회 구조나 제도를 개선하여 질서 정연한 사회가 되도록 도와야 한다.
④ 원조를 통해 질서 정연한 사회가 되더라도 가난하다면 원조를 중단해서는 안 된다.
⑤ 개인의 자유에 따라 자선의 관점에서 불리한 여건으로 고통받는 사람들을 도와야 한다.

11 그림의 강연자가 긍정의 대답을 할 질문으로 가장 적절한 것은?

> 자신의 재산을 정당하게 취득했다면 우리는 자신의 재산에 대해 절대적인 소유권을 가집니다. 세금을 거두어 부를 재분배하는 것은 강제 노역과 같습니다.

① 국가가 개인에게 빈곤국에 대한 원조를 강제해서는 안 되는가?
② 인류 전체의 행복을 확대하기 위해 빈곤국을 도와야만 하는가?
③ 자국과 지리적으로 가까운 나라부터 의무적으로 도와주어야 하는가?
④ 국가적 차원이 아닌 개인적 차원에서 의무적으로 빈곤국을 도와야 하는가?
⑤ 빈곤은 악이므로 빈곤을 해결하기 위해 모든 국가에서 의무적으로 빈곤국을 도와야 하는가?

12 다음 사상가의 입장에 대한 설명으로 옳은 것은?

> 우리가 만약 어떤 사람에게 매우 나쁜 일이 일어나는 것을 방지할 힘을 가지고 있고, 그 나쁜 일을 방지함으로써 우리의 중요한 일이 희생되지 않는다면 우리는 그렇게 해야만 한다. 우리가 이 원칙에 따라 행위를 한다면 우리의 삶과 세계는 근본적으로 바뀔 것이다. …… 우리는 절대 빈곤에 빠진 사람들을 도울 의무가 있다.

① 해외 원조는 국가 차원에서만 이루어져야 한다.
② 원조는 개인의 선택에 따라 수행하는 자선 행위이다.
③ 원조를 강제하는 것은 개인의 권리를 침해하는 것이다.
④ 다른 국가에 살고 있는 고통받는 사람들을 의무적으로 도와야 한다.
⑤ 절대 빈곤에 처한 사람을 도울 때 친분을 기준으로 도와주어야 한다.

01 (가), (나)의 국제 분쟁을 바라보는 관점이 무엇인지 쓰고, 각각의 관점에서 국제 분쟁을 해결하는 방안을 서술하시오.

> (가) 국제 분쟁은 자국의 이익만을 추구하기 때문에 발생한다.
> (나) 국제 분쟁은 국가들 간의 오해나 잘못된 제도 때문에 발생한다.

(길잡이) 국제 분쟁의 발생 원인의 차이점을 바탕으로 국제 관계를 바라보는 관점을 파악하고 국제 분쟁을 해결하는 방안을 서술한다.

13 갑, 을 사상가의 입장에 대한 설명으로 옳지 <u>않은</u> 것은?

> 갑: 고통과 쾌락을 느낄 수 있는 모든 존재를 고려해야 하므로 세계 시민적 관점에서 인류 전체의 고통을 줄이고 행복을 늘릴 수 있도록 행동해야 한다.
> 을: 빈곤의 문제는 물질적 자원의 부족에 의한 것이 아니라 정치·사회 제도의 결함 때문이므로, 기본적인 정치적 권리가 보장되는 사회를 만들도록 도와주어야 한다.

① 갑은 해외 원조의 목적을 인류의 고통 감소 및 복지 향상이라고 본다.
② 갑은 중요한 일을 희생하지 않고 남을 도울 수 있다면 그래야 한다고 본다.
③ 을은 해외 원조가 전 지구적 차원의 부의 재분배나 복지 향상을 의미하는 것으로 본다.
④ 을은 고통받는 사회가 질서 정연한 사회로 진입한 후에는 해외 원조를 중단해야 한다고 본다.
⑤ 갑, 을은 해외 원조를 의무로서 행해야 한다고 본다.

02 다음 사상가의 입장에서 해외 원조에 대하여 제시할 수 있는 주장을 서술하시오.

> 이익 평등 고려의 원칙에서 보면, 고통을 덜어 주어야 할 궁극적이고 도덕적인 이유는 고통은 그 자체로 바람직하지 않기 때문이다. 인종은 이익을 고려하는 데 아무런 상관이 없다. 왜냐하면 중요한 것은 이익 자체이기 때문이다. 어떤 고통에 관하여 그것이 특정한 인종이 겪는 고통이라는 이유로 고려를 덜 한다면 이는 자의적인 차별이 될 것이다.

(길잡이) 싱어의 공리주의 입장에서 해외 원조에 대해 주장할 내용을 서술한다.

1 (가)의 입장에서 (나)의 질문에 대해 답변할 내용으로 가장 적절한 것은?

> (가) 국가는 이기적인 인간들로 구성되어 있고 세계도 자국의 이익을 추구하는 국가들로 이루어져 있다. 국제 사회는 국가를 통제할 상위 중앙 권위가 없는 무정부적 상태이다.
>
> (나) 오늘날 세계 곳곳에는 다양한 국제 분쟁이 발생하고 있다. 이러한 분쟁의 해결 방안은 무엇일까?

① 국가 간의 세력 균형을 통해 분쟁의 발생을 억제한다.
② 국가 간에 이성적 대화와 협력을 바탕으로 분쟁을 해결한다.
③ 자국과 상대국의 긍정적인 상호 작용을 통해 분쟁을 해결한다.
④ 국제법과 국제 규범 등 제도를 개선하여 집단 안보를 형성한다.
⑤ 국제기구와 비정부 기구의 능동적인 역할을 통해 분쟁을 해결한다.

> **국제 관계의 이해**
>
> **완자샘의 시험 꿀팁**
>
> 국제 관계를 바라보는 현실주의, 이상주의, 구성주의의 관점을 비교하는 문제가 출제될 수 있다. 각 입장에서 강조하는 국제 분쟁의 원인과 이를 해결하는 방법을 구분하여 파악해 둔다.

2 다음과 같이 주장한 입장에 대한 설명으로 가장 적절한 것은?

> 1. 장래의 전쟁에 대비하여 물자를 비밀리에 간직해 두고 맺어진 평화 조약은 이를 평화 조약으로 인정해서는 안 된다.
> 2. 어떠한 독립된 국가도 상속, 교환, 매수, 증여로써 다른 국가의 소유가 될 수 없다.
> 3. 상비군은 점차 폐지되어야 할 것이다.
> 4. 국가는 대외적인 분쟁과 관련하여 어떠한 국채도 발행해서는 안 된다.
> 5. 어떠한 국가도 다른 국가의 제도와 통치에 대해 폭력으로써 개입해서는 안 된다.
> 6. 어느 국가도 다른 국가와의 전쟁에서 장래의 평화에 대한 상호 간의 신뢰를 불가능하게 하는 어떠한 적대 행위도 해서는 안 된다.

① 평화를 이루기 위해 모든 사람은 적으로 간주되지 않아야 한다.
② 개별 국가는 자국의 평화를 위해 상비군을 폐지해서는 안 된다.
③ 평화를 이루기 위해 모든 국가는 주권을 세계 정부에 양도해야 한다.
④ 자국의 국민을 보호하고 정의를 실현하기 위해 전쟁은 수단으로 사용될 수 있다.
⑤ 평화를 이루기 위해 전쟁을 통해 국제 관계에서 우위를 확보하는 것이 중요하다.

> **칸트의 영구 평화론**
>
> **| 완자 사전 |**
>
> • 상비군
> 국가 비상사태에 항상 대비할 수 있도록 편성된 군대나 군인

교육청 응용

3 (가)의 갑, 을 사상가들의 입장을 (나) 그림으로 표현할 때, A~C에 해당하는 적절한 진술만을 〈보기〉에서 있는 대로 고른 것은?

(가)	갑: 만약 어떤 사람에게 닥칠 나쁜 일을 방지할 수 있는 힘을 우리가 가지고 있고, 그 나쁜 일을 방지함으로써 그에 상당하는 도덕적 의미를 가진 다른 일이 희생되지 않는다면 우리는 그렇게 해야만 한다. 을: 천연자원과 부가 빈약한 사회라 할지라도 만약 그들의 종교적, 도덕적 신념들과 문화를 떠받쳐 주는 그 사회의 정치적 전통, 법, 재산, 계급 구조나 자유적 사회나 적정 수준의 사회를 유지하게 하는 것이라면 질서 정연해질 수 있다.
(나)	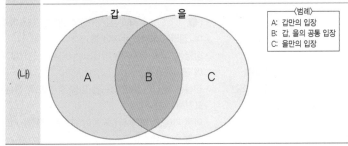

〈범례〉
A: 갑만의 입장
B: 갑, 을의 공통 입장
C: 을만의 입장

보기

ㄱ. A: 원조의 목적은 모든 국가의 경제적 수준이 일치하도록 만드는 것이다.
ㄴ. B: 해외 원조는 인간으로서 지켜야 할 의무이기 때문에 행해야 한다.
ㄷ. C: 원조의 목적은 전 인류의 고통을 줄이고 행복을 늘리는 것이다.
ㄹ. C: 빈곤하지만 질서 정연한 사회인 경우에는 원조의 대상에서 제외된다.

① ㄱ, ㄷ   ② ㄴ, ㄷ   ③ ㄴ, ㄹ
④ ㄱ, ㄴ, ㄷ   ⑤ ㄴ, ㄷ, ㄹ

▶ 해외 원조에 대한 싱어와 롤스의 관점

완자샘의 시험 꿀팁
해외 원조에 대한 사상가들의 관점을 묻는 문제가 출제되고 있으므로 각 입장의 차이점을 정리해 둔다.

---

4 다음과 같이 주장한 사상가가 긍정의 대답을 할 질문으로 옳은 것은?

자신의 재산을 정당하게 취득했다면 우리는 자신의 재산에 대하여 절대적인 소유권을 가진다. 세금을 거두어 부를 재분배하는 것은 강제 노역과 같다.

① 해외 원조는 인류 공동의 복지를 위해 해야 하는가?
② 국가적 차원에서 개인의 기부 활동을 강제해야 하는가?
③ 해외 원조는 개인의 의사에 따라 선택할 수 있는 문제인가?
④ 해외 원조의 목적은 질서 정연한 사회를 만들기 위한 것인가?
⑤ 빈곤에 처한 사람들을 도와주는 것은 인류가 따라야 할 도덕적 의무인가?

▶ 해외 원조에 대한 노직의 관점

01 갈등 해결과 소통의 윤리

1. 사회 갈등과 사회 통합

(1) 사회 갈등의 원인과 기능

원인	가치관의 차이, 이해관계의 대립, 원활한 소통의 부재
기능	• 순기능: 갈등 해결을 통한 사회 문제 인식, 사회 발전의 계기 • 역기능: 갈등 심화로 인한 사회 해체나 파괴 우려

(2) 사회 갈등의 유형

(❶)	연령과 시대별 경험의 차이로 나타남
이념 갈등	이상적으로 생각하는 가치관의 차이로 나타남
지역 갈등	지역 개발의 이해관계, 특정 지역에 대한 편견, 지역 감정, 연고주의로 인해 발생하는 갈등
계층 갈등	빈부 갈등, 사회적 자원의 분배를 둘러싼 갈등
노사 갈등	생산 효율성을 극대화하려는 기업가와 임금, 복지 개선을 요구하는 노동자 간의 갈등

(3) 사회 통합의 의미와 필요성

의미	개인이나 집단이 상호 작용을 통해 하나로 통합되는 과정
필요성	갈등으로 인한 고통과 사회적 비용 감소, 공동체 의식 함양, 사회적 역량 결집, 사회 발전과 국가 경쟁력 강화

(4) 사회 통합의 실현 방안

의식적 노력	• 상호 존중과 신뢰에 바탕을 둔 소통 • 대화와 토론을 통한 의사 결정 • 개인의 이익과 (❷)의 조화
제도적 노력	• 사회의 가치를 배분하는 공정하고 투명한 절차와 기준 확립 • 법치주의 준수, 이해 당사자가 정책 결정 과정에 참여할 수 있는 제도와 정책 마련

2. 소통과 담론의 윤리

(1) 소통과 담론의 의미와 필요성

의미	• 소통: 서로 의견을 주고받는 공유의 과정 • 담론: 갈등이나 문제 해결을 위한 이성적 의사소통 행위
필요성	• 구성원의 자발적 참여, 도덕적 권위를 갖춘 합의 도출 • 해석의 틀을 토대로 현실에 대한 인식과 가치관 형성 • 대화를 통한 의미 공유와 정서적 공감

(2) 소통과 담론에 관한 동서양 윤리

동양	공자의 '화이부동', 진실하고 바른말을 강조한 맹자, 도의 입장에서 옳고 그름을 같은 것으로 본 장자, 다양성을 인정하며 더 높은 차원의 통합을 추구하는 원효의 (❸) 사상
서양	스토아학파의 세계 시민주의, 오류 가능성을 검증하기 위한 토론을 강조한 밀, 아펠의 담론 윤리

(3) 하버마스의 담론 윤리

의사소통의 합리성	상호 간의 논증적인 토론을 거쳐 보편적 합의에 도달하는 것
이상적 담화 조건	• (❹): 대화 당사자들의 말하는 내용이 참이며, 진리에 바탕을 두어야 함 • 정당성: 대화 당사자들의 말하는 내용이 정당한 규범에 근거해야 함 • 진실성: 자신이 말한 의도를 믿을 수 있도록 진실하게 표현해야 함 • 이해 가능성: 대화 당사자들이 말하는 내용을 서로 이해할 수 있어야 함
담론의 원칙	• 실천적 담론 원칙: 모든 당사자의 동의를 얻는 규범만이 타당함 • 보편화 원칙: 모든 당사자들은 규범을 따를 때 나타날 수 있는 결과와 부작용을 알고 받아들여야 함
공론장	시민 사회 내부에서 작동하는 의사소통의 망으로, 공론장을 통해 합리적 담론을 이끌어 낼 수 있음

(4) 바람직한 소통과 담론의 자세: 소통과 담론 참여자의 권리를 인정하고 의견을 존중, 진실한 대화를 통한 상호 이해, 자신의 오류 가능성 인정, 시민의 공적 의사 결정 과정 참여

02 민족 통합의 윤리

1. 통일 문제를 둘러싼 쟁점

(1) 통일에 관한 찬성과 반대 문제

찬성	• 전쟁의 공포 및 소모적인 분단 비용 제거 • 이산가족 및 실향민의 고통 해소 • 민족 동질성 회복과 민족 공동체 실현 • 경제적 번영과 국제적 위상 강화 • 세계 평화에 기여
반대	• 분단으로 인한 이질감과 불신감 심화 • 군사 도발 등으로 북한에 대한 부정적 인식 • 통일 비용에 따른 조세 부담과 경제적 위기 • 통합 과정에서 정치적·군사적·사회적 혼란 발생

(2) 통일 비용과 분단 비용 문제

(❺)	• 의미: 남북통일에 소요되는 비용 • 종류: 제도 통합 비용, 위기관리 비용, 경제적 투자 비용 • 특징: 통일 과정에서 한시적으로 발생하고 투자적인 비용
(❻)	• 의미: 남북 분단과 갈등으로 발생하는 유·무형의 지출 비용 • 종류: 국방비, 외교비, 분단으로 인한 불안 및 이산가족의 아픔과 같은 정서적·사회적 비용 • 성격: 분단이 지속되는 한 계속 지출해야 하는 소모적 비용
통일 편익	• 의미: 통일에 따른 보상과 혜택 • 종류: 분단 비용 제거, 국토의 효율적 이용, 경제 발전 및 생산성 향상, 동북아시아 교통·물류 중심지의 역할, 이산가족의 고통 해소, 인권 신장, 전쟁 위협 감소와 평화 실현, 통일 한국의 국제적 위상 제고

(3) 북한 인권 문제: 북한 인권 문제에 대한 개입은 내정 간섭에 해당한다는 입장과 인권의 보편성에 따라 국제 사회의 개입이 필요하다는 입장의 갈등

(4) 대북 지원 문제: 인도적 차원의 대북 지원과 상호주의 원칙에 입각하여 대북 지원을 해야 한다는 입장의 갈등

2. 통일이 지향해야 할 가치

(1) 통일 한국이 지향해야 할 가치: 평화, 자유, 인권, 정의, 자주성, 열린 민족주의

(2) 독일 통일의 교훈: 다양한 분야의 점진적이고 활발한 교류와 협력을 통해 실질적인 통일 대비를 해야 함

(3) 남북한의 화해와 통일을 위한 노력: 소통과 배려 실천, 북한에 대한 올바른 인식, 다양한 분야의 교류와 협력을 통한 신뢰 형성, 국제 사회와의 협력을 통한 통일 우호적 환경 조성

03 지구촌 평화의 윤리

1. 국제 분쟁의 해결과 평화

(1) 국제 분쟁의 원인과 윤리적 문제

원인	영역과 자원을 둘러싼 갈등, 문화적 차이에 따른 갈등, 인종·민족 간의 갈등
윤리적 문제	지구촌 평화 위협, 인간 존엄성과 정의 훼손

(2) 국제 관계에 대한 관점

현실 주의	• 국가는 자국의 이익을 추구함 • 국가 간의 갈등은 (❼)을 통해 해결 가능
이상 주의	• 국가는 국가의 이익보다 보편적 가치를 우선하여 달성해야 함 • 분쟁은 상대방에 대한 무지나 오해, 잘못된 제도 때문에 발생 • 다양한 행위 주체의 대화와 협력, 제도 개선을 통해 분쟁 해결
구성 주의	• 국가 간의 상호 작용에 따라서 국익이 좌우됨 • 국가 간의 긍정적인 상호 작용을 통해 분쟁을 해결할 수 있음

(3) 국제 분쟁 해결을 위한 노력

개인적 차원	상호 존중과 관용의 자세, 묵자의 겸애 사상 실천
국제적 차원	반인도적 범죄에 대한 처벌 강화, 분쟁의 중재 노력, 분쟁에 대한 적극적 개입과 해결

(4) 평화의 의미

칸트의 영구 평화	평화를 위해 자유로운 국가들 간의 연맹에 참여할 것을 주장함
갈퉁의 평화	• 소극적 평화: 직접적이고 물리적인 폭력이 없는 상태 • (❽): 직접적, 물리적 폭력뿐만 아니라 구조적·문화적 폭력까지 사라진 상태

2. 국제 사회에 대한 책임과 기여

(1) 세계화의 영향: 세계화는 전 지구적 문제를 함께 해결해 나가는 기회가 되기도 하지만 국가 간 빈부 격차와 절대 빈곤 등의 문제를 발생시키기도 함

(2) 국가 간 빈부 격차의 윤리적 문제: 절대 빈곤에 따른 삶의 질 저하와 생명의 위협, 지구촌 분배 정의의 문제 발생

(3) 해외 원조에 대한 다양한 관점

싱어	• 공리주의적 관점에서 고통받는 사람을 돕는 것은 의무임 • (❾)의 원칙에 따라 고통받는 사람들은 누구나 도움을 받아야 함 • 도움을 받는 대상을 지구촌 전체로 확대하여 해외 원조 강조
롤스	• 해외 원조는 정의 실현을 위한 의무임 • 해외 원조의 목적은 불리한 여건의 사회가 적정 수준의 문화를 형성하여 (❿)가 되도록 돕는 것 • 차등의 원칙을 국제 사회에 적용하는 것을 반대함 • 해외 원조가 전 지구적 차원의 부의 재분배나 복지 향상을 의미하는 것은 아님
노직	• 개인은 자신의 재산에 관한 절대적 소유권을 가짐 • 해외 원조는 의무가 아닌 자발적 선택에 따른 자선 행위임

01 (가)에 대한 옳은 설명을 〈보기〉에서 고른 것은?

> (가) 은/는 칡뿌리와 등나무가 얽혀 있는 모습에서 유래한 말로, 서로 화합하지 못하거나 적대시하는 것을 뜻한다.

보기
ㄱ. 개인이 아닌 집단 간에만 발생한다.
ㄴ. 서로 이해관계가 충돌하기 때문에 발생한다.
ㄷ. 현대 사회에서 더욱 단순화된 형태로 나타난다.
ㄹ. 이로 인해 사회가 해체되거나 파괴될 수도 있다.

① ㄱ, ㄴ   ② ㄱ, ㄷ   ③ ㄴ, ㄷ
④ ㄴ, ㄹ   ⑤ ㄷ, ㄹ

02 다음에서 나타나는 갈등의 유형과 해결 방안을 옳게 연결한 것은?

> ○○ 공항 유치로 인한 □□시와 △△시의 갈등이 심화되고 있다. 지역 개발의 이해관계를 둘러싸고 유치 경쟁이 심화되어 지방 자치 단체뿐만 아니라 주민 간의 갈등으로 번지고 있다.

① 세대 갈등 – 세대 간 공감대 형성을 위해 노력한다.
② 세대 갈등 – 상대방의 가치관을 인정하고 소통한다.
③ 이념 갈등 – 연고주의를 해결하기 위해 노력한다.
④ 지역 갈등 – 계층 간의 소득 분배를 공정하게 한다.
⑤ 지역 갈등 – 정부가 균형 있는 지역 개발을 위해 노력한다.

03 다음 사상가의 입장에 대해 바르게 설명한 학생은?

> • 옳고 그름을 도(道)의 입장에서 바라본다면 서로 다른 것이 아니라 똑같은 것이다.
> • 사물에는, 저것이 아닌 것이 없고, 동시에 이것이 아닌 것이 없다. 저것은 이것 때문에 생겨나고 이것은 저것 때문에 생겨난다.

① 갑: 소인이 아닌 군자의 뜻을 따라야 해.
② 을: 오류 가능성을 인정하고 토론을 통해 해결해야 해.
③ 병: 옳고 그름을 정확히 분별하여 옳은 것을 추구해야 해.
④ 정: 종파 간의 논쟁을 조화시킴으로써 더 높은 차원의 통합을 이루어야 해.
⑤ 무: 서로 다른 것을 그 자체로 인정하고 만물의 상호 의존 관계를 이해해야 해.

04 밑줄 친 '이 사상'에 대한 설명으로 옳지 <u>않은</u> 것은?

> 원효는 이 사상을 통해 내가 지금 바라보는 것이 부분에 지나지 않음을 인정하고, 다른 사람들이 바라보는 부분과의 조합을 통해 더욱 타당한 견해에 이를 수 있음을 강조하였다.

① 사람들이 일면만을 보고 전체를 판단하는 것을 비판하는 입장이다.
② 다양한 교설들이 시비를 가리고 다투는 것을 보고 제시한 사상이다.
③ 서로 다른 이론의 특수성을 부정하고 옳고 그름을 명확하게 구분하는 관점이다.
④ 모든 교설은 부처의 가르침에서 비롯된 것으로 그 목적이 서로 다르지 않다는 입장이다.
⑤ 모든 종파의 특수성과 상대성을 인정하면서 더 높은 차원의 통합을 이루고자 하는 입장이다.

05 밑줄 친 '이상적 담화 조건'에 대한 설명으로 옳지 <u>않은</u> 것은?

> 하버마스는 담론 윤리를 통해 서로를 이해하여 합의를 이루어 나가는 과정을 중시하였고, 생활에서 의사소통의 합리성이 작용하고 있음을 주장하였다. 특히 하버마스는 <u>이상적 담화 조건</u>을 제시하여 자유롭고 평등한 토론을 이룰 수 있다고 보았다.

① 개인적인 바람이나 욕구를 표현해서는 안 된다.
② 담론 참여자는 말하려는 바를 진실하게 표현해야 한다.
③ 다른 사람의 주장에 대해 비판하거나 의문을 제기할 수 있다.
④ 담론 참여자는 외부나 내부의 강요에 의해 권리를 방해받아서는 안 된다.
⑤ 말할 수 있고 행위 능력이 있는 사람들은 모두가 담론에 자유롭게 참여할 수 있다.

06 다음 글을 근거로 들어 주장할 수 있는 통일의 필요성으로 가장 적절한 것은?

> 대외경제정책연구원(KIEP)에서 2015년에 내놓은 「남북한의 통일편익 추정」 보고서는 "통일이 완료될 2055년경에는 통일 한국의 국내 총생산(GDP)이 8.7조 달러에 달할 것으로 전망"하였다. 이는 "통일되지 않았을 경우 남한 GDP의 약 1.7배 수준"에 달하는 수치이다. 이 보고서는 만약 통일이 된다면 "남북한 경제 규모가 증가함에 따라 세계 경제에서 (통일 한국이) 새로운 강국으로 부상할 것으로 기대되며, 주변국과의 교역 규모 역시 확대될 것으로 전망"한다고 밝혔다.

① 통일은 전쟁의 위협을 제거하기 위해 필요하다.
② 통일은 동북아시아의 긴장 완화를 위해 필요하다.
③ 통일은 남북한 주민의 인권 신장을 위해 필요하다.
④ 통일은 민족의 번영과 경제 발전을 위해 필요하다.
⑤ 통일은 이산가족과 실향민의 고통을 해소하기 위해 필요하다.

07 통일 비용에 대한 설명으로 옳은 것은?

① 통일 비용은 통일 한국의 발전을 위한 투자적인 비용이다.
② 통일 비용은 통일 이후에도 영구적으로 발생하는 소모적인 비용이다.
③ 통일 비용이 통일 편익보다 크다는 근거로 통일을 찬성하는 입장도 있다.
④ 통일 비용은 통일에 따른 보상과 혜택으로 통일 이후 지속적으로 발생한다.
⑤ 통일 비용은 분단으로 인해 남북한이 부담하는 유·무형의 모든 비용을 말한다.

08 다음 토론의 주제로 가장 적절한 것은?

통일이 되면 전쟁의 공포와 분단으로 인한 소모적인 비용들을 줄일 수 있어.
갑

평화를 위한 노력에도 불구하고 계속되는 군사 도발로 북한에 대한 부정적 인식이 팽배한데 통일로 가는 것은 어려운 일이야.
을

이산가족과 실향민의 고통을 해결하기 위해서라도 인도주의적 차원에서 통일이 꼭 이루어져야 해.
갑

하지만 남북한이 분단된 지 이미 반세기가 넘었어. 정치, 사회, 문화 등 다양한 분야에서 남북 간에 이질화가 심화되어 통일로 인해 우리가 겪어야 할 고통은 분단의 상태를 유지하는 것보다 훨씬 더 클 거야.
을

① 통일을 해야 하는가?
② 통일로 인한 편익은 무엇인가?
③ 통일을 위한 준비를 미리 해야 하는가?
④ 통일을 통해 경제적 성장을 이룰 수 있는가?
⑤ 안정적인 통일을 위해 통일세를 거두어야 하는가?

09 다음 글에 나타난 입장에 대한 설명으로 옳은 것은?

> 북한 인권 문제를 둘러싸고 사람들 간에 이견이 다양하다. 하지만 국제 사회는 이미 북한의 인권 문제에 대해 심각한 우려를 나타내고 있으며 국제 연합(UN)에서는 '북한 인권 결의안'을 채택하였다. 인권은 국가에 상관없이 모든 사람, 모든 민족에게 공통적으로 적용되는 보편적인 권리이다. 인권을 보장하기 위해 국제 사회가 나서서 도울 필요가 있다.

① 북한 내부에서 스스로 인권 문제를 해결해야만 한다.
② 인권 문제에 대해 국제 사회에서 개입해서는 안 된다.
③ 국제 사회가 인도적 차원에서 북한의 인권 문제에 개입할 수 있다.
④ 북한 인권 결의안은 북한에 대한 내정 간섭이므로 폐지되어야 한다.
⑤ 주권을 지닌 국가는 어떠한 이유에서도 타국의 간섭을 받지 않을 권리가 있다.

10 (가)에 들어갈 기사문의 제목으로 가장 적절한 것은?

> ○○ 신문
>
> | (가) |
>
> 베를린 장벽은 시민들에 의해 무너졌으며 통일은 자연스럽게 이루어졌다. 하지만 통일은 하루아침에 이루어진 것이 아니다. 동독과 서독은 통일 이전에 조금씩 서로의 벽을 허물고 있었다. 경제적 지원과 문화 교류, 인적 왕래 등 통합을 위한 기초를 마련하고 있었다. 현재도 독일은 통일된 상태임에도 통합을 이루기 위한 비용을 지출하고 있다. 우리는 독일 통일을 통해 배워야 한다. ……

① 무력 통일만이 유일한 해답
② 통일 비용이 분단 비용보다 커
③ 천문학적인 통일 비용 감당 못해
④ 점진적이고 체계적인 통일 준비를 해야
⑤ 평화적 통일을 위한 안보 기반 구축의 필요성

11 선생님의 질문에 대한 학생의 답변으로 옳지 않은 것은?

주제: 통일 한국의 바람직한 모습
• 선진 민주 국가
• 평화 번영 국가
• 인류의 보편적 가치를 구현하는 국가

통일 한국이 지향해야 할 바람직한 모습을 이야기해 볼까요?

① 자유와 평등의 가치를 존중하는 민주적인 국가입니다.
② 모든 사람의 존엄과 가치가 존중되는 인권 국가입니다.
③ 민족 통합의 윤리로 배타적 민족주의를 지향하는 국가입니다.
④ 평화 공동체를 건설하여 국제 사회의 평화와 번영에 기여하는 국가입니다.
⑤ 한반도 비핵화가 이루어지고 전쟁의 공포가 사라진 평화로운 국가입니다.

12 다음 국제 분쟁 사례에 대한 설명으로 옳지 않은 것은?

> 영국으로부터 인도와 파키스탄이 독립한 후 카슈미르 지역에서 힌두교를 믿는 인도인과 이슬람교를 믿는 파키스탄인 간에 분쟁이 발생하였다. 두 지역은 독립 직후부터 영유권을 놓고 다툼을 벌였으며 그 과정에서 수많은 사람이 사망하거나 부상을 입었다.

① 종교적 차이로 인해 발생한 갈등이다.
② 인류가 지향하는 보편적 가치를 훼손할 수 있다.
③ 자율적인 타협이나 제삼자의 중재가 수월한 편이다.
④ 양국의 지속적인 긴장 관계가 폭력으로 분출되기도 한다.
⑤ 상호 간 적대감을 증폭하여 반인도적 범죄가 발생할 수 있다.

13 국제 관계를 바라보는 다음 관점에 대한 옳은 설명을 〈보기〉에서 고른 것은?

> 모든 인간은 자신의 이익을 추구하며 그러한 개인들로 이루어진 국가는 자국의 이익을 추구한다. 국제 관계는 국가를 통제할 상위 중앙 권위가 없는 무정부적 상태이다.

보기
ㄱ. 국가의 목표는 자국의 안보와 생존이다.
ㄴ. 국가 간의 갈등은 세력 균형을 통해 해결할 수 있다.
ㄷ. 국가 간의 갈등은 국제기구의 중재를 통해 해결할 수 있다.
ㄹ. 국제 분쟁은 국가 간의 도덕성을 확보해야 해결할 수 있다.

① ㄱ, ㄴ   ② ㄱ, ㄷ   ③ ㄴ, ㄷ
④ ㄴ, ㄹ   ⑤ ㄷ, ㄹ

14 다음은 어느 사상가가 제시한 조항이다. 이 사상가의 입장으로 옳은 것만을 〈보기〉에서 있는 대로 고른 것은?

> **국가 간의 영구 평화를 위한 확정 조항**
> **제1항** 모든 국가의 시민적 정치 체제는 공화 정체(共和政體)이어야 한다.
> **제2항** 국제법은 자유로운 여러 국가의 연맹 조직을 토대로 해야 한다.
> **제3항** 세계 시민법은 보편적인 우호를 위한 제반 조건에 국한되어야 한다.

보기
ㄱ. 환대권은 평화를 실현하는 방안이다.
ㄴ. 평화를 위해 상비군은 점차적으로 폐지되어야 한다.
ㄷ. 국가 간의 연맹을 통해 자유를 보장받고 평화를 유지할 수 있다.
ㄹ. 세계 단일 정부를 구성하는 것만이 평화를 이루는 유일한 방안이다.

① ㄱ, ㄴ   ② ㄱ, ㄷ   ③ ㄴ, ㄷ
④ ㄱ, ㄴ, ㄷ   ⑤ ㄴ, ㄷ, ㄹ

15 다음은 인터넷 게시판의 질문과 답글이다. ㉠~㉤ 중 옳지 않은 것은?

> ▶ 지식 Q&A
> 갈퉁의 입장에서 평화와 폭력의 의미는 무엇인가요?
>
> ▶ 답변하기
> └ 평화는 소극적 평화와 적극적 평화로 나누어 볼 수 있습니다. ㉠ 소극적 평화는 간접적인 폭력이 없는 상태이며 ㉡ 적극적 평화는 물리적 폭력뿐만 아니라 구조적·문화적 폭력까지 사라진 상태를 말합니다. ㉢ 구조적 폭력은 사회 제도나 관습, 정치 등에서 생기는 의도되지 않은 폭력을 의미합니다. 또한 ㉣ 문화적 폭력은 종교나 언어, 예술을 통해서 직접적 폭력 행위나 구조적 폭력을 용인하는 상징적인 폭력을 말합니다. 갈퉁이 말한 ㉤ 진정한 평화란 물리적 폭력뿐만 아니라 구조적 폭력과 문화적 폭력까지 없는 적극적 평화를 의미합니다.

① ㉠   ② ㉡   ③ ㉢   ④ ㉣   ⑤ ㉤

16 갑, 을의 입장에 대한 설명으로 옳은 것은?

> 갑: 우리는 절대 빈곤에 빠진 사람을 도울 의무가 있다. 이는 연못에 빠진 아이를 구할 의무보다 약한 것이 아니다. 돕지 않는 것은 나쁜 일일 것이다. 돕는 것은 칭찬할 만한 가치가 있다.
> 을: 원조의 목적은 고통을 겪는 사회가 자신의 문제들을 합당하게, 합리적으로 관리할 수 있도록 도와주어 결과적으로 그 사회가 질서 정연한 사회가 되도록 하는 것이다.

① 갑은 해외 원조를 인류의 윤리적 의무라고 보았다.
② 갑은 해외 원조가 공리주의적 관점에 어긋나는 것이라고 보았다.
③ 을은 원조는 개인의 자발적인 선택이지 의무가 아니라고 보았다.
④ 을은 빈곤국이 질서 정연한 사회에 진입한 이후에도 가난하다면 원조를 계속해야 한다고 보았다.
⑤ 갑, 을 모두 원조의 목적은 인류 전체의 고통을 감소하고 행복을 증진시키는 것이라고 보았다.

Memo

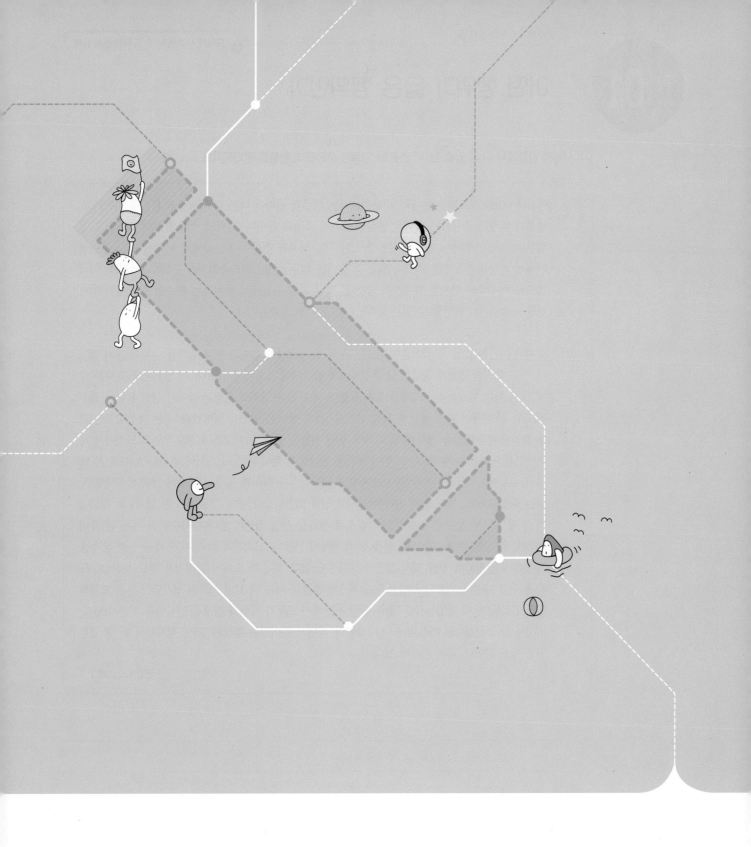

논술형 문제

≫ 정답친해 58쪽

어떤 행위가 옳은 행위인가

(가) 사상의 입장에서 (나)의 밑줄 친 '박 경위'와 '경로당 주민들'의 행동을 평가하시오.

(가) 매킨타이어로 대표되는 현대의 덕 윤리에서는 의무와 원리에 따른 행위 중심의 윤리를 비판하고, 품성과 덕성을 중시하는 행위자 중심의 윤리에 초점을 두었다. 그리고 덕성 함양이 고립되고 단절된 개인적 차원에서 이루어지는 것이 아니라, 역사와 전통이라는 구체적 맥락을 지닌 공동체 안에서 가능하다는 점을 강조하였다. 덕 윤리는 의무론이나 공리주의처럼 규칙이나 원리를 기계적으로 적용하여 문제를 해결하지 않는다. 덕 윤리의 관점에서 행위자는 특수한 상황에서 어떤 행동이 적절한지 판단할 수 있는 능력인 덕을 갖추었기 때문이다.

(나) A 씨는 지난해 12월 유난히 춥던 밤 ○○시의 한 경로당에 들어가 밥과 김치를 수차례 훔쳐 먹었다. …… 하지만 13번째 침입한 날 주민들에게 발각되며 경찰에 붙잡혔다. 박 경위에게 조사를 받게 된 A 씨는 부끄러움에 고개를 들지 못했다. 부모가 사망하고 친형과 둘이서 살던 유년 시절부터, 3년 전 친형이 죽고 세상에 혼자 남겨지기까지 살아온 인생을 털어놨다. 그는 초등학교는 겨우 졸업했지만 한글을 정확히 읽고 쓰지 못해 취업을 못했고, 배고픔에 절도죄로 교도소에서 복역하면서 어깨를 다쳐 막노동도 하지 못하게 됐다고 말했다. 성실히 조사에 임하는 A 씨를 본 박 경위는 A 씨를 데리고 부산법무보호복지공단을 찾아가 숙식과 일자리를 구해 달라며 부탁했다. 더는 죄짓지 말고, 밥도 굶지 말라며 가지고 있던 3만 원도 건넸다. 그로부터 한 달 뒤 박 경위에게 A 씨가 다시 찾아왔다. 깔끔한 차림으로 청과물 시장 직원이 됐다며 자랑한 A 씨는 땀 흘려 번 일당을 보여 주며 그중 3만 원을 박 경위에게 건넸다. 그러면서 박 경위가 베풀어 준 온정을 가슴속에 간직하며 죄를 짓지 않겠다고 다짐도 했다. 훈훈한 소식이 알려지자 경로당에서도 도움을 주고 나섰다. 경로당 주민들은 A 씨에게 벌금을 내는 데 보태 쓰라며 십시일반 돈을 모금해 건네기도 했다. 박 경위는 7일 "정을 받았다고 해서 모두가 자립과 갱생을 결심하는 것은 아닌데, 죄짓지 않고 살겠다고 마음먹어 너무 고맙다."라면서 쏟아지는 칭찬에 "담당 형사로서 할 수 있는 일을 했을 뿐이다."라며 손사래 쳤다.

– 연합뉴스, 2017. 2. 7.

안락사에 대한 입장

(가)의 갑, 을 사상가의 관점에서 (나)의 밑줄 친 '줄리아'에게 해 줄 수 있는 조언을 서술하시오.

(가)　갑: 정당한 행위에 대한 판단 근거는 결국 유용성뿐이다. 유용성은 되도록 많은 사람에게 행복을 가져다주는 '최대 다수의 최대 행복'을 의미한다.

　　　을: 자기 자신과 다른 모든 이들을 결코 한낱 수단으로서가 아니라, 항상 동시에 목적 그 자체로서 대해야 한다.

(나)　영화 「씨 인사이드」의 주인공인 라몬 삼페드로는 26년 전 바다에서 다이빙을 하다 전신 마비 환자가 되어 가족에게 의지하며 살아가고 있다. 그는 합법적인 안락사를 정부에 공식적으로 요청하지만 그의 요청은 여간해서 받아들여지기 힘들다. 그를 돕기 위해 온 변호사 줄리아는 퇴행성 질환을 앓고 있으며 조만간 식물인간이 될 처지에 놓여 있다. 동병상련의 마음으로 그를 무료로 돕기 위해 찾아온 줄리아는 유머러스하고 인간미 넘치는 그의 모습에 매력을 느낀다.

한편 근처 잼 공장에서 일하는 두 아이의 엄마 로사는 그를 찾아와 죽음 대신 삶을 선택하라고 설득하지만, 라몬의 분명한 태도와 인간적 매력에 오히려 의지하게 된다. 라몬은 주변인들의 도움으로 자신의 의지를 관철시키려 하지만, 법적으로 안락사를 인정받을 수 없게 되자 자살을 결심한다. 줄리아는 라몬이 틈틈이 써온 글들의 출판을 도우며, 책이 출간되는 날 그와 함께 안락사하겠다고 약속하지만, 죽음에 대한 두려움과 가족에 대한 사랑이 그녀의 발목을 잡는다.

－「세계영화작품사전: 죽음에 관한 영화」

동물에 대한 도덕적 고려

다음을 읽고 물음에 답하시오.

(가) 동물도 인간과 마찬가지로 즐거움과 고통을 느끼기 때문에 도덕적 지위를 가진다. 따라서 어떤 존재가 이러한 감각을 가지고 있다면 그들의 이익은 동등하게 고려되어야 한다.

(나) 150년 전에는 노예 제도를 괜찮다고 생각하였다.
125년 전에는 아동 노동을 괜찮다고 생각하였다.
100년 전에는 여성 투표권 거부를 괜찮다고 생각하였다.
75년 전에는 환자, 장애인, 배고픈 사람들을 보살피지 않아도 괜찮다고 생각하였다.
50년 전에는 인종 차별이 괜찮다고 생각하였다.
25년 전에는 동등한 업무에 차등 임금을 지불해도 괜찮다고 생각하였다.
<u>오늘날에는 인간이 동물에게 주는 고통을 괜찮다고 생각하고 있다.</u>

– 한국 동물 보호 연합(www.kaap.or.kr), 「동물 해방」

(다) 인간을 태우고 걷는 트래킹이나 구경거리 같은 관광용 돈벌이를 위해 2~3년이 채 안 된 어린 코끼리의 야생 본능을 없애는 '파잔(Phajaan) 의식'을 한다. 관광지에서 볼 수 있는 코끼리들 대부분은 야생에서 강제로 포획된 뒤 야생성을 지우는 파잔 의식을 거친 동물들이다. 파잔은 새끼 코끼리를 어미 코끼리에게서 강제로 떼어 내 비좁은 틀에 가두고 날카로운 도구로 찔러 고통을 줌으로써 점점 야성을 잃고 사람에게 복종하는 잔혹한 과정이다. …… 이러한 파잔 의식 중 절반의 새끼 코끼리가 죽는다. 학대를 견뎌 낸 절반의 코끼리들은 사람들 앞에 전시되어 관광 수입을 벌어들이는 도구로 이용된다. – EBS, 「하나뿐인 지구, 동물 권리 특집 제1부 '진짜 코끼리를 만나 본 적이 있나요?'」

---

1 (가)의 입장에서 (나)의 밑줄 친 부분을 비판적으로 서술하시오.

....

....

....

2 (가)를 바탕으로 (다)의 문제를 해결하기 위한 방안을 서술하시오.

....

....

....

성에 관한 고정 관념

다음을 읽고 물음에 답하시오.

(가) 남성들은 스스로가 강인해야 하고, 여성보다 우월해야 하며, 분노 이외의 슬픔이나 두려움 등의 감정을 드러내지 않아야 한다는 고정 관념을 가지고 있다. 남성들을 둘러싸고 있는 이러한 고정 관념의 틀인 '맨박스'에서 벗어나서 남성성에 대한 잘못된 인식을 돌아봐야 한다.

– 포터, 『맨박스(Man Box)』

(나) 페이스북 최고 운영책임자(COO) 셰릴 샌드버그가 '밴 보시(Ban Bossy)' 캠페인을 벌였다. 이 캠페인은 '우두머리 행세를 하는' 또는 '으스대는'이라는 뜻의 '보시(bossy)'라는 표현을 쓰지 말자는 운동이다. 이 표현은 앞에 나서는 것을 좋아하거나 적극적으로 행동하는 여자아이에게 사용하는 부정적인 말로, 여자가 남자처럼 적극적으로 행동하는 것은 좋지 않다는 성에 대한 고정 관념을 바탕으로 하고 있다.

1 (가), (나)에 나타나는 사회·문화적 성에 대한 고정 관념 때문에 발생할 수 있는 문제점을 서술하시오.

2 여성주의 윤리의 관점에서 (나)의 밑줄 친 부분에 대해 비판적으로 서술하시오.

기업 윤리

다음을 읽고 물음에 답하시오.

(가) 공동으로 쓰는 목초지에서 양을 키우는 목동들.
어느 날, 풀을 뜯는 양들을 보며 목동들의 머릿속에 생각이 떠올랐다.
'다른 목동들이 양을 더 풀 때 나만 풀지 않으면 내 손해!'
'목초지에 내 양들을 더 집어넣자!'
결국 목초지는 양 한 마리조차 키울 수 없는 황무지가 되어 버렸다. 누구나 제한 없이 자유롭게 사용할 수 있는 자원이 개인의 이익을 위해 남용되며 결국 전체의 손실을 가져오게 하는 '공유지의 비극'이 발생한 것이다.

(나) 자유 경제 체제에서 경영자들은 오직 기업의 소유주들에 대해서만 책임을 진다. 그 책임은 일반적으로 게임의 규칙을 준수하는 한에서 기업 이익을 극대화하기 위하여 자원을 활용하고 이를 위한 활동에 매진하는 것, 즉 속임수나 기만 없이 공개적이고 자유로운 경쟁에 전념하는 것이다. 사회적 이익을 위한다는 것은 누군가의 돈을 마음대로 쓰는 것이며, 정부의 일에 주제넘게 나서는 것이다.
— 프리드먼, 『자본주의와 자유』

(다) 기업들은 앞으로 점점 더 책임 있게 행동하게 될 것이다. 기업 경영자들의 공공 의식이 높아서라기보다는 훌륭한 시민이 되는 것이 경쟁 우위를 점하는 데 하나의 자원이 된다고 믿는 경영자들이 많아지기 때문이다. 책임 있게 경영하는 기업은 그렇지 못한 경쟁자들에 비해 사업상의 위험에 덜 노출될 것이다. 그런 기업들은 헌신적인 직원과 충성스러운 소비자들의 지지를 얻는 데 훨씬 더 유리하기 때문이다.
— 보겔, 『기업은 왜 사회적 책임에 주목하는가』

1 (나)와 (다)에서 강조하는 기업의 역할을 각각 서술하시오.

....

....

....

2 (가)를 통해 얻을 수 있는 교훈을 바탕으로 기업이 지속적으로 성장할 수 있는 방안에 대하여 논술하시오.

....

....

....

롱스의 정의론과 우대 정책

다음을 읽고 물음에 답하시오.

(가) 롱스는 정의로운 사회는 두 가지 원칙에 기반을 둔다고 추론한다.

첫째, 개개인은 모든 사람에게 평등하게 주어진 가장 광범위한 체계의 권리와 자유를 가진다. 이 같은 권리와 자유에는 민주적 권리뿐만 아니라 표현, 양심, 평화적인 집회 등의 자유가 포함된다. 이 첫 번째 원리는 절대적인 것이며, 다음의 두 번째 원리를 위해서라도 결코 위배될 수 없다.

둘째, 경제적·사회적 불평등은 그것들이 사회에서 가장 혜택을 받지 못하는 구성원들에게 이득이 될 때만 정당화된다. 또한 경제적·사회적으로 특권을 누리는 모든 지위는 모든 사람들에게 평등하게 열려 있어야 한다.

(나) 홈즈 로스쿨의 학생 중 단 3%만이 흑인이었다. 미국에서 흑인 인구는 전체의 14%를 차지하고, 홈즈가 위치한 주에서도 흑인 인구가 12%를 차지한다. 대학 교수회의와 당국은 아프리카계 미국인 법조인이 지금보다 더 많이 필요하다고 판단하여 홈즈 로스쿨 정원에서 백인 학생의 정원을 제한할 필요가 있다는 의견을 모았다. 그리고 그들은 학교가 최소한의 입학 자격을 충족하는 아프리카계 미국인 학생들의 입학을 허가하기로 하였다.

— 바칼로우, 「현대 사회와 윤리」

1 롱스가 (가)의 정의의 원칙을 도출하기 위해 설정한 가상적 상황에 대하여 설명하시오.

2 (나)의 홈즈 로스쿨의 결정이 (가)의 정의의 원칙에 어떻게 부합하는지 서술하시오.

주제 **07**

민주 시민의 참여와 시민 불복종

다음을 읽고 물음에 답하시오.

> (가) 폴리스의 시민이 된다는 것은 단순히 세금을 납부하고 투표권을 가지고 있음을 의미하는 것만이 아니라 국가의 모든 영역에서 직접적이고 적극적으로 참여함을 의미했다. 시민은 군인이었고 동시에 판사였고 공회의 구성원이었다. 또한 그의 모든 공적 의무는 대리자에 의해서 이루어지는 것이 아니라 개인이 직접 수행해야 하는 것이었다. 시민은 국가의 핵심적 영역에 참여하여 직접 공회에서 발언할 수 있어야 했다.
> – 디킨스, 『삶의 그리스적 관점』
>
> (나)   독일에 처음 나치가 등장했을 때
>
>   – 니뮐러
>
> 처음에 그들은 유대인들을 잡아갔습니다. / 그러나 나는 침묵하였습니다. / 나는 유대인이 아니었기 때문입니다. // 그 다음에 그들은 공산주의자들을 잡아갔습니다. / 그러나 나는 침묵하였습니다. / 나는 공산주의자가 아니었기 때문입니다.
>
>   ……
>
> 그러던 어느 날은 내 친구들이 잡혀갔습니다. / 그러나 그때도 나는 침묵하였습니다. / 나는 내 가족들이 더 소중했기 때문입니다. // 그러던 어느 날 그들은 나를 잡으러 왔습니다. / 하지만 이미 내 주위에는 아무도 남지 않았습니다.

1 (가)의 관점에서 (나)의 '나'에게 제기할 수 있는 정치 참여의 중요성을 쓰시오.

....

....

....

2 (나)의 '나'가 시민 불복종을 전개한다고 가정할 때, 이를 뒷받침할 수 있는 근거를 서술하시오.

....

....

....

주제 **08** 정보 사회의 명암

다음은 서울 시민의 정보 보안 및 인터넷 실태에 관한 통계 자료이다. 물음에 답하시오.

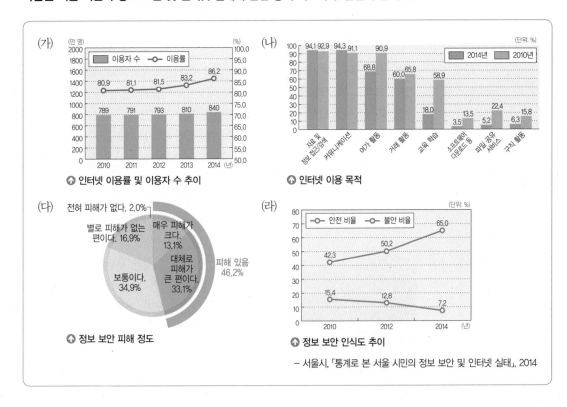

(가) 인터넷 이용률 및 이용자 수 추이

(나) 인터넷 이용 목적

(다) 정보 보안 피해 정도

(라) 정보 보안 인식도 추이

– 서울시, 「통계로 본 서울 시민의 정보 보안 및 인터넷 실태」, 2014

1 위의 자료를 바탕으로 정보 사회의 긍정적 측면과 부정적 측면을 서술하시오.

2 위의 자료를 바탕으로 정보 사회에서 지녀야 할 바람직한 태도를 논술하시오.

주제 **09** 지구촌의 환경 파괴

다음을 읽고 물음에 답하시오.

(가)
북극의 제왕에서 '기후 난민'으로 …… 북극곰의 눈물

앵커: 요즘 북극곰이 그야말로 '기후 난민'이 됐다는 소식을 자주 접할 수 있어요.

기자: 그렇죠. 북극의 기온이 올라가면서 해빙이 녹아내리고, 북극곰이 사냥할 수 있는 면적이 작아지면서 먹잇감을 구하기가 어려워진 것입니다. 해빙이 줄어들면 헤엄치는 시간이 길어지면서 체력이 떨어지고, 얼음 위에서 잠깐 쉬려고 하는데 쉴 곳이 없는 거죠. 그래서 물에 빠지거나 해빙이 녹아 떨어져 나가면서 바다 한가운데에 고립돼 죽는 북극곰도 많다고 합니다. – YTN science 2018. 1. 17.

↑ 북극곰

(나)

↑ 투발루

남태평양에 위치한 '투발루'는 전 국민의 숫자가 약 1만 명에 불과한 작은 도서국으로 최근 매년 5mm씩 해수면이 상승하고 있으며, 현재 최대 해발 고도가 5m에 불과하여 전 국토가 수몰 위기에 처해 있는 상황이다.

1 (가), (나)에 나타난 환경 문제를 각각 쓰고, 이러한 문제가 발생하게 된 공통적인 원인을 서술하시오.

....

....

2 (가), (나)에 나타난 환경 문제를 해결하기 위한 실천 방안을 논술하시오.

....

....

....

....

주제 **10** 대중음악과 자본의 관계

다음을 읽고 물음에 답하시오.

19세기 클래식 음악과 그 이후에 등장한 대중음악의 역사를 이어 온 원리는 음악의 순수성, 진실, 정직과 같은 것들이었다. 많은 음악가들이 열악한 환경에서도 혼을 불사르며 예술의 금자탑을 쌓아 왔다. 하지만 현대 사회에서는 음악도 예외 없이 생산, 유통, 소비라는 산업 경제의 틀에서 움직인다. 그래서 음반을 만들고 유통 계약을 하고 마케팅 계획을 짜는 모든 길목에서 음악과 자본주의의 만남은 불가피한 것처럼 보인다.

흔히 한 뮤지션이 주류가 됐다는 말은 대중들에게 친숙해졌다는 것을 의미하는 동시에 돈이 없어 궁상을 떠는 불우한 시대를 마감했다는 의미이기도 하다. 주류 음악계는 온통 고(高)비용이기에 여간해서는 실패한 앨범, 가수에게 재활의 기회를 주지 않는다. 거대 기획사에서 배출한 아이돌 그룹이라도 대중의 반응이 저조하면, 다시 말해 투자한 돈을 회수하지 못하면 그걸로 끝이다. 갈수록 자본은 막강하고 잔인해져 음악인들의 유일한 버팀목인 아티스트 정신을 분쇄해 버린다.

↑ 인디 가수의 거리 공연

자본의 가공할 침투력은 심지어 독립을 뜻하는 인디 음악계에도 파고들었다. '네 스스로 하라.'라는 인디의 슬로건 'DIY'는 자본으로 둘러싸인 기성 질서에 타협하지 않음을 천명하는 것이다. 독립은 말할 것도 없이 자본으로부터 독립을 의미한다. 하지만 근래는 대다수 인디 음반사들이 음원과 음반 유통의 경우 대자본의 회사와 연계하고 있다. 자본과 상업적 주류 시스템을 배격한다는 캐치프레이즈의 인디가 자본과 손잡는다는 것은 분명 모순이다.

– 경향신문, 2014. 8. 15.

1 윗글에서 지적한 문제점은 무엇인지 서술하시오.

....

....

2 윗글에서 지적한 문제점을 극복하기 위한 방안을 개인적 차원과 사회적 차원에서 각각 논술하시오.

....

....

....

....

윤리적 소비의 기준

다음을 읽고 물음에 답하시오.

(가) '미식가'란 단순히 잘 먹는 사람 또는 잘 차려진 식탁을 선호하는 사람을 의미하는 편협한 단어가
아니다. 진정한 미식가는 먹을거리의 생산부터 소비에 이르기까지 전 과정을 이해하고, 그러한 과
정에서 '좋음', '깨끗함', '공정함'이 제대로 이루어지고 있는지 감시하는 역할도 해야 한다. 나아가
이들이 '미식가 네트워크'를 형성함으로써 공동선이라는 대의명분을 수행할 수도 있을 것이다.
– 페트리니, 「슬로푸드, 맛있는 혁명」

(나) 2000년대 이후에는 패션계에서도 환경과 자원을 보호하고자 친환경 의류 상품과 지속 가능한
슬로 패션(slow fashion) 상품 개발과 홍보에 주력하고 있다. 또 기업의 윤리적·도덕적 가치를 기
반으로 박애주의적 패션 사업을 중시하고 있다. 의복을 생산할 때 친환경 공정을 늘리고, 제3 세
계의 값싼 노동력 착취를 금지하고 공정 거래를 권장하며, 사회에 기업의 이익을 환원하기 위해
광고와 불우 이웃 돕기 후원금을 지원하고 있다. – 김민자, 「20세기 패션 히스토리」

1 (가)에서 정의하는 진정한 미식가는 어떤 사람인지 윤리적 소비와 관련하여 서술하시오.

....

....

2 (나)에서 강조하는 의복과 관련한 윤리적 소비의 모습은 무엇인지 서술하시오.

....

....

3 (가), (나)에서 공통으로 추구하는 가치를 정리하고, 이를 윤리적 소비의 기준으로 제시할 수 있는지 판단하여 논술
하시오.

....

....

....

....

사회 갈등과 통합의 노력

다음을 읽고 물음에 답하시오.

(가) ○○시의 원전 건설 중단 여부를 결정할 공론화위원회의 정부 권고안 제출이 임박했습니다. ○○시의 원전은 이미 착공에 들어갔으나 정부의 탈(脫)원전 정책에 따라 공론화 기간 중 건설이 일시 중단된 바 있습니다. 공론화위원회에는 478명의 시민 참여단이 참석한 가운데 최종 권고안을 작성하여 오는 20일 정부에 제출하게 됩니다. …… 탈원전을 찬성하는 측에서는 원전의 위험성을 강조하고 있습니다. 일본 후쿠시마 원전 사고처럼 돌이킬 수 없는 피해를 끼칠 가능성이 있는 발전 방식을 경제성, 효율성을 내세워 고집해서는 안 된다는 것이죠. 사고가 일어나지 않는다 하더라도 원전 주변 지역 주민들 건강에 악영향을 끼치고 있다는 점도 간과해서는 안 된다고 주장합니다. 그리고 원전 신규 건설 중단으로 확보되는 예산으로 신·재생 에너지 산업을 지원하면 충분히 대체가 가능하다는 의견도 내세우고 있습니다.

반면, 탈원전을 반대하는 측은 원전에 대해 잘못된 정보들이 오가고 있다고 주장합니다. 찬성론자들은 천연가스나 신·재생 에너지로 얼마든지 대체할 수 있는 것처럼 말하지만, 비용이 만만치 않을 뿐더러 한국의 지형적인 특성상 태양광 등의 발전 효율이 높지 않다는 사실은 이야기하지 않는다는 겁니다. 원전을 천연가스로 대체한다고 하더라도 엄청난 양의 탄소가 추가 배출되는 문제도 제기됩니다.

– 조선멤버스, 2017. 10. 14.

(나) 말할 수 있고 행위 능력이 있는 사람들은 모두가 자유롭게 참여할 자격이 있다. 자신의 주장뿐만 아니라 개인적인 바람, 욕구 등도 표현할 수 있다. 다른 사람의 주장에 의문을 제기하고 비판도 할 수 있다. 그리고 이와 같은 권리들을 행사할 때 내부나 외부의 강요 때문에 방해받지 않는다.

– 하버마스, 『담론 윤리의 해명』

1 (가)에서 나타나는 갈등의 원인을 서술하시오.

....

....

2 (나)를 토대로 (가)의 문제를 해결하기 위한 방안을 논술하시오.

....

....

....

주제 **13** 통일의 필요성

다음을 보고 물음에 답하시오.

(가) (단위: 조 원)

4,657 < 14,451

3.1배

통일 비용 통일 편익

(국회 예산 정책처 보고서, 2014)

🔼 **통일 이후 45년간 경제적 편익 규모 추산**

남북통일이 된다면 분단 비용을 지출하지 않아도 되고, 남북 경제 통합으로 시너지 효과가 발생하는 등 장기적으로는 더 큰 통일 편익을 기대할 수 있다. …… 통일은 비용만 초래하는 것이 아니라 이를 상쇄하고도 남을 만한 편익을 가져온다. 따라서 통일의 비용 문제를 논의할 때는 분단 비용과 <u>통일 편익</u>을 함께 고려해야 한다.

(나)

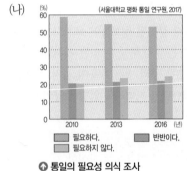

(서울대학교 평화 통일 연구원, 2017)

■ 필요하다. ■ 반반이다.
■ 필요하지 않다.

🔼 **통일의 필요성 의식 조사**

최근 조사에 따르면 통일의 필요성에 대한 긍정적 응답이 과거와 비교하면 점차 낮아지고 있고, 통일에 대해 무관심한 사람들은 증가하고 있다. 같은 민족이기 때문에 통일해야 한다는 주장은 설득력이 줄어들고 있으며, 오히려 통일보다는 평화와 공존을 우선해야 한다는 주장이 힘을 얻기도 한다.

통일에 소극적인 사람들은 <u>서로 다른 체제와 생활 방식 등에서 오는 이질화의 심화, 이로 인한 상호 간의 적대감과 불신감, 그리고 남북한의 경제적인 격차와 이로 인한 천문학적인 통일 비용 등을 근거로 들어 통일을 반대한다.</u>

1 (가)의 밑줄 친 '통일 편익'의 내용을 경제적 편익과 비경제적 편익으로 나누어 서술하시오.

....

....

....

2 (가)를 토대로 (나)의 밑줄 친 입장에 대한 반론을 서술하시오.

....

....

....

해외 원조에 대한 입장

(가) 사상가의 입장에서 (나)의 상황에 대해 주장할 내용을 서술하시오.

> (가) 우리가 만약 어떤 사람에게 매우 나쁜 일이 일어나는 것을 방지할 힘을 가지고 있고, 그 나쁜 일을 방지함으로써 우리의 중요한 일이 희생되지 않는다면 우리는 그렇게 해야만 한다. 우리가 이 원칙에 따라 행위를 한다면 우리의 삶과 세계는 근본적으로 바뀔 것이다. …… 우리는 절대 빈곤에 빠진 사람들을 도울 의무가 있다. …… 돕지 않는 것은 나쁜 일일 것이다. 돕는 것은 칭찬할 만한 가치가 있다. 이러한 행위는 자선적인 행위가 아니며, 모든 사람이 마땅히 해야 하는 행위이다.
>
> – 싱어, 『실천 윤리학』
>
> (나) 전 세계의 빈곤 아동을 돕는 국제기구인 세이브더칠드런에서 작성한 『2017 세계 아동기 보고서』에 따르면, 매일 1만 6,000명 이상의 아이들이 5번째 생일을 맞이하기 전에 사망하고, 그중 대다수는 예방 가능한 이유로 사망하는 것으로 나타났다. 또한 5세 이하 전체 아동의 4명 중 1명인 1억 5,600만 명은 영양실조로 신체적 성장과 정서 발달 저해를 경험하며, 전 세계 1억 6,800만 아동은 노동을 하고 있는 것으로 조사되었다.
>
> 이러한 실태는 2018년에 발표된 보고서에서도 유사하게 드러나는데, 보고서에 따르면 10억 명 이상의 아동이 빈곤에 시달리는 국가에 살고 있고, 2억 4,000만 명이 분쟁 국가 및 취약 국가에 살고 있는 것으로 집계되었다. 특히 전쟁 지역에서는 영양실조, 질병, 불충분한 보건 서비스로 사망하는 아동이 분쟁과 관련된 폭력으로 사망하는 아동보다 20배나 더 많은 것으로 나타났다.

Memo

Memo

· 완벽한 자율학습서 ·

완자

완자네 새주소

자율학습시
비상구

정확한 **답**과 **친절한 해설**

정답친해로
53

정답친해로
오삼~

생활과 윤리

📖 **책 속의 가접 별책** (특허 제 0557442호)
'정답친해'는 본책에서 쉽게 분리할 수 있도록 제작되었으므로
유통 과정에서 분리될 수 있으나 파본이 아닌 정상제품입니다.

visang

ABOVE IMAGINATION

우리는 남다른 상상과 혁신으로
교육 문화의 새로운 전형을 만들어
모든 이의 행복한 경험과 성장에 기여한다

완벽한 자율학습서

완자

자율학습시 비상구 정답친해로 53

정확한 답과 친절한 해설

생활과 윤리

I. 현대의 삶과 실천 윤리

01 현대 생활과 실천 윤리

STEP 1 핵심 개념 확인하기
012쪽

1 윤리 **2** (1) ㄹ (2) ㄱ (3) ㅁ (4) ㄴ (5) ㄷ **3** (1) × (2) ○ (3) ×
4 기술 윤리학

STEP 2 내신 만점 공략하기
012~014쪽

01 ④ **02** ② **03** ⑤ **04** ⑤ **05** ④ **06** ③ **07** ①
08 ②

01 윤리학의 정의
(가)에 들어갈 말은 '윤리'이다. ㄴ. 윤리는 '… 해야 한다.' 혹은 '…해서는 안 된다.'와 같은 당위적 언어로 제시되고, 인간이 지켜야할 규범이나 규칙, 지향해야 할 가치 등의 내용을 담고 있다. ㄹ. 윤리(倫理)란 인간이라면 마땅히 해야 할 이치, 도리를 뜻한다.
∥바로 알기∥ ㄱ. 과학적 지식의 발견에 주된 관심을 두는 것은 자연 과학, 사회 과학과 같은 '사실'을 다루는 학문이다. 윤리학은 도덕적 삶을 위한 지침을 제시해 주는 '당위'의 학문이다. ㄷ. 윤(倫)이라는 한자에 인간 집단, 무리라는 뜻이 담겨 있으며, 인간은 혼자서 살아갈 수 없기 때문에 집단 내에서의 규범이 필요하다.

02 새로운 윤리 문제의 특징
현대 사회는 전 지구가 하나의 네트워크로 연결된 만큼 한 가지 문제가 미치는 파급력이 매우 크며, 그 책임 소재를 가리기 쉽지 않다. 또한 새로운 분야의 발전이 가속화되면서 이러한 문제를 전통적인 윤리 규범만으로는 해결하기 어려워지고 있다.
∥바로 알기∥ ② 환경 오염과 같은 문제는 주된 원인이 무엇인지, 누구에게 책임을 물어야 하는지 분명하지 않다.

03 윤리학의 구분
(가)는 메타 윤리학, (나)는 규범 윤리학 중 이론 윤리학에 대한 설명이다. 이론 윤리학은 도덕적 언어의 의미 분석에 집중하는 메타 윤리학과는 달리, 도덕적 행위를 정당화하는 규범적 근거를 탐구하며, 도덕 원리를 옳은 행위의 기준으로 제시하는 데 중점을 둔다.
∥바로 알기∥ ① 기술 윤리학에 대한 설명이다. ② 규범 윤리학 중 이론 윤리학에 대한 설명이다. ③ 규범 윤리학은 도덕적 당위에 주목하는 학문이다. ④ 메타 윤리학에 대한 설명이다.

04 기술 윤리학
(가)에는 이론 윤리학의 입장에서 기술 윤리학을 비판하는 내용이 들어가야 한다. 기술 윤리학은 도덕 원리나 도덕적 정당화의 이론적인 근거를 제시하는 데 초점을 두지 않고, 도덕 행위를 하나의 문화적 현상으로 보고 객관적으로 서술한다.
∥바로 알기∥ ① 도덕적 추론의 타당성 입증을 연구하는 분야는 메타 윤리학이다. ② 기술 윤리학은 도덕 현상을 가치 중립적으로 서술한다. ③ 기술 윤리학은 도덕적 관행을 객관적인 하나의 사회 현상으로 보는 관점이다. ④ 기술 윤리학은 도덕적 관습이 가지는 윤리적 문제점을 해결하고자 하지는 않는다.

05 이론 윤리학과 실천 윤리학의 구분
(가)는 이론 윤리학, (나)는 실천 윤리학이다. 이론 윤리학은 윤리적 행위를 정당화하기 위한 근본 원리를 찾고자 하며, 실천 윤리학은 이론 윤리학을 적용하여 구체적인 윤리 문제를 해결하고자 한다.
∥바로 알기∥ ㄷ. 이론 분석과 정당화를 통한 원리 도출에 관심 있는 학문 분야는 이론 윤리학이다. 실천 윤리학은 이론 윤리학을 활용하여 현대인의 삶의 영역에서 제기되는 다양한 도덕 문제를 해결하는 것에 집중한다.

완자 정리 노트	규범 윤리학의 구분
이론 윤리학	윤리적 판단과 행위를 위한 근본 원리를 탐구하고, 이에 대한 정당화에 초점을 둠 예 공리주의, 의무론, 덕 윤리 등
실천 윤리학	이론 윤리학에서 제시하는 도덕 원리를 현대 사회의 여러 윤리 문제에 적용하여 구체적인 해결책을 찾고자 함 예 생명 윤리, 정보 윤리, 환경 윤리 등

06 윤리적인 숙고의 필요성
제시된 글은 요나스의 주장으로, 오늘날 과학 기술의 발달은 인간의 삶에 영향을 미치며 새로운 변화를 가져온다는 것을 알 수 있다. 따라서 그는 인간이 과학 기술을 활용하여 힘을 행사할 때 윤리적인 숙고가 필요하다고 주장한다.
∥바로 알기∥ ①, ⑤ 요나스는 과학 기술의 발전을 윤리학적 논의가 따라가지 못해 생기는 간극을 윤리적 공백이라고 칭하였다. 또한 그는 이론 윤리만으로는 윤리적 문제 상황에서 구체적인 지침을 얻을 수 없기 때문에 실천 윤리학이 필요하다고 역설하였다. ②, ④ 제시된 글과는 관련 없다.

07 이론 윤리학과 실천 윤리학
(가)는 이론 윤리학, (나)는 실천 윤리학이다. (나)는 현실에서 마주치는 다양한 삶의 문제들을 해결하는 것을 목표로 하므로 (가)에 비해 다양한 학문 분야의 전문적 지식과 기술을 필요로 한다는 특징이 있다. 또한 (가)가 정립한 도덕 이론을 현대의 도덕 문제와 위기 상황을 해결하는 데 적용하고자 한다는 특징이 있다.
∥바로 알기∥ 병: 윤리 이론의 탐구 및 정립을 최종 목표로 설정하는 것은 이론 윤리학이다. 정: 실천 윤리학은 직면한 현실의 도덕 문제를 해결하기 위해 인접 학문과 연계하여 학제적으로 탐구 목표를 설정한다.

08 기술 윤리학, 실천 윤리학, 메타 윤리학

갑은 쟁점과 관련된 사실들을 명확히 기술하고, 사실들 간의 인과 관계를 객관적으로 설명하는 것에 중점을 두는 점으로 미루어 볼 때 기술 윤리학의 관점에서 주장하고 있다. 을은 현실적인 윤리 문제를 해결하는 데 관심을 두고 있으므로 실천 윤리학의 관점을 가지고 있다. 병은 논의에 사용되고 있는 도덕적 언어들의 의미를 명확히 밝혀내야 한다고 주장하므로 메타 윤리학의 관점을 가지고 있다.

바로 알기 ② 실천 윤리학은 도덕 개념과 현상에 대한 과학적 분석이 아닌 구체적인 윤리 문제 해결에 주력한다.

완자 정리 노트 윤리학의 종류

규범 윤리학	• 인간의 도덕적 행위를 뒷받침하는 도덕 원리나 인간의 성품을 탐구하고, 이를 바탕으로 도덕적 문제의 해결 방안을 제시하고자 함 • 이론 윤리학과 실천 윤리학으로 구분할 수 있음
메타 윤리학	도덕적 언어의 의미 분석과 도덕적 추론의 타당성 검증을 통해 윤리학의 학문적 성립 가능성을 모색함
기술 윤리학	도덕 현상과 문제를 기술하고, 그 인과 관계를 설명하고자 함

서술형 문제

014쪽

01 주제: 이론 윤리학과 실천 윤리학의 관계

(1) (가) – 의무론, 공리주의, 덕 윤리 등, (나) – 생명 윤리, 환경 윤리, 성과 가족 윤리, 사회 윤리, 과학 기술·정보 윤리, 문화 윤리, 평화와 공존의 윤리 등

(2) **예시 답안** 실천 윤리학은 이론 윤리학을 활용하여 구체적인 윤리 문제의 해결 방안을 도출하므로 서로 유기적인 관계이다.

채점 기준

상	(가)와 (나)가 유기적 관계임을 정확히 서술하고, 그 근거를 충분히 설명한 경우
중	(가)와 (나)가 유기적 관계임을 밝혔으나, 그 근거를 간략히 설명한 경우
하	(가)와 (나)가 관련이 있다고만 서술한 경우

02 주제: 실천 윤리학의 영역들

예시 답안 (가)의 사회 윤리 영역에서는 '공정한 분배의 기준', '우대 정책과 이로 인한 역차별 문제' 등의 윤리적 쟁점이 발생한다. (나)의 과학 기술·정보 윤리 영역에서는 '사이버 공간의 표현의 자유', '사이버 공간에서의 사생활 침해'와 같은 쟁점이 발생한다.

채점 기준

상	사회 윤리 영역과 과학 기술·정보 윤리 영역의 쟁점을 정확하게 서술한 경우
하	사회 윤리 영역, 과학 기술·정보 윤리 영역 중 한 영역의 쟁점만 정확하게 서술한 경우

STEP 3 1등급 정복하기

015쪽

1 ⑤   2 ④

1 1 실천 윤리학의 등장 배경

자료 분석

인간은 행위하는 존재이므로 윤리는 반드시 있어야 한다. 행위는 인과적 파급 효과를 산출하기 때문에 행위의 힘이 커질수록 윤리적 책임은 더욱 강조되어야 한다. 따라서 과학 기술로 인해 인간이 갖게 되는 <u>새로운 행위 능력을 규제할 새로운 윤리가 요청되는 것이다. 이러한 새로운 윤리 없이는 기술 능력을 실현시키고자 하는 압력으로 인해 심각한 윤리적 문제가 발생하게 될 것이다.</u>
└ 기존의 윤리만으로는 새롭게 생겨날 심각한 윤리 문제를 예방하거나 해결하기 어려울 것이라고 보고 있어.

요나스는 과학 기술의 발전으로 인해 인간은 새로운 행위 능력을 가지게 되었고, 이를 규제할 새로운 윤리가 필요하다고 주장하였다. 그는 윤리적 성찰이 과학 기술의 발전 속도를 따라가지 못할 때 윤리적 공백이 발생한다고 보았다.

바로 알기 ① 과학 기술의 발달은 인간에게 새로운 윤리적 책임을 배당한다. ② 기존의 윤리만으로는 전 지구적 차원의 윤리적 문제들을 해결할 수 없다. 새로운 윤리 문제들은 파급 효과가 크고 전 지구적 차원의 협력이 필요한 경우가 많기 때문이다. ③ 과학 기술은 분명 긍정적인 영향도 크지만 이로 인해 새로운 윤리적 딜레마가 발생하는 측면이 크다. ④ 인과적 파급 효과를 고려하여 윤리적 책임을 더욱 강조한다.

2 윤리학의 종류

제시된 글을 통해 생명 윤리는 다양한 학문 분야가 얽혀 있다는 것을 알 수 있다. 실천 윤리학은 다양한 분야의 학문을 함께 탐구하는 학제적 성격을 가진다. 왜냐하면 구체적인 윤리 문제를 해결하려면 그 문제와 관련된 다양한 전문적 지식과 정보가 필요하기 때문이다.

바로 알기 ① 메타 윤리학에 대한 설명이다. ② 기술 윤리학은 현실적 도덕 현상에 대한 가치 중립적 설명의 필요성을 중시한다. ③ 기술 윤리학은 도덕적 관행과 문화 현상을 탐구하는 것을 중시한다. ⑤ 규범 윤리학 중 이론 윤리학의 특징이다.

STEP 1 핵심 개념 확인하기
020쪽

1 (1) ○ (2) ○ (3) × 2 (1) ㄴ (2) ㄷ (3) ㄱ 3 (1) - ⓒ (2) - ⊙
(3) - ⓒ 4 신경 윤리학

STEP 2 내신 만점 공략하기
020~022쪽

| 01 ③ | 02 ④ | 03 ⑤ | 04 ③ | 05 ⑤ | 06 ④ | 07 ① |
| 08 ④ | | | | | | |

01 유교 윤리 사상

유교에서 강조하는 충(忠)은 거짓이나 꾸밈없이 자신의 참된 마음에 최선을 다하는 것을 의미한다. 서(恕)는 "내 마음을 미루어 다른 사람을 헤아린다."라는 뜻으로, "내가 하기 싫은 일을 다른 사람에게 시키지 말라."라는 논어의 구절을 통해 잘 드러난다. 유교 윤리 사상은 덕목을 갖추어 도덕적으로 인격을 완성하고 나아가 도덕적 공동체를 실현하고자 하는 사상이다.

┃바로 알기┃ ① 유교 윤리에서는 형벌이나 무력보다는 도덕과 예의로써 백성을 교화해야 한다고 주장한다. 적절한 포상과 처벌로 백성을 통치한 사상은 제자백가 중 법가에 해당한다. ② 신선(神仙)과 같은 경지를 지향한 것은 도교 사상이다. ④ 현대 사회의 지나친 개인주의로 인한 문제점을 해결하는 데 유교 윤리가 기여할 수 있다. ⑤ 보살을 이상적 인간상으로 꼽는 사상은 불교 윤리이다.

02 불교 윤리 사상

불교 윤리에서는 인생을 고통으로 인식한다. 삶의 고통은 살아가는 동안 끝없이 이어지며 모든 욕심에 대한 집착을 버려야만 벗어날 수 있다. 그리고 모든 번뇌와 집착으로부터 벗어난 상태를 해탈(解脫) 또는 열반(涅槃)이라고 칭한다. 불교는 깨달음을 바탕으로 자비를 실천하여 만물을 사랑할 것을 강조한다.

┃바로 알기┃ ①, ② 모든 생명체에 불성(佛性)이 있다고 보기 때문에 모든 생명체를 존중해야 한다고 본다. 그러므로 인간 이외의 모든 존재를 도구로 활용해도 된다는 주장을 하기 어렵다. ③ 불교에서는 세상의 모든 존재들이 서로 원인과 조건으로 연결되어 있다고 본다. 이를 '연기(緣起)'라 한다. ⑤ 자신의 몸과 마음을 먼저 수양한 뒤, 다른 사람을 다스려야 한다는 수기치인(修己治人)의 자세는 유교에서 제시하였다.

03 동양 윤리의 대표적 개념

(가)의 자연스러운 도(道)의 흐름에 따라 살아가는 삶의 태도는 도가 사상의 '무위자연(無爲自然)'을 말한다. (나)의 모든 존재와 현상은 여러 가지 원인과 조건의 결합으로 생겨나 상호 연결되어 있다고 보는 관점은 불교의 '연기(緣起)' 사상이다.

┃바로 알기┃ 자비(慈悲)는 다른 존재를 불쌍히 여겨 너그럽게 대하는 것을 의미한다. 해탈(解脫)은 번뇌에서 벗어남을 말하는 불교 용어이다. 소요(逍遙)는 장자가 지향하는 것으로, 정신적 자유를 누리는 이상적 경지를 말한다. 열반(涅槃)은 불교에서 추구하는 이상이다.

04 도가 윤리 사상

제시된 글은 자연스러운 삶의 모습이 가장 바람직한 것임을 주장한 도가 사상가 장자의 글이다. 장자는 세상 만물을 차별하지 않고 평등하게 보아야 한다고 주장하면서, 그러한 상태를 '제물(齊物)'이라고 칭하였다.

┃바로 알기┃ 장자는 ① 인간의 본성이 악하다고 보지 않았다. ② 물질적으로 풍요로운 삶이 아니라, 자연 그대로의 소박한 삶을 추구하였다. ④ 인간은 무위자연의 법칙에 따라 자연스럽게 살아야 한다고 보았다. ⑤ 도의 측면에서 보면 귀천, 선악, 미추, 시비 등을 차별해서는 안 되며, 자연스럽고 소박한 삶을 통해 진인(眞人), 신인(神人), 천인(天人)의 경지에 이르러야 한다고 보았다.

05 유교 윤리 사상과 불교 윤리 사상

(가)는 유교 윤리 사상이고, (나)는 불교 윤리 사상이다. 유교 사상은 공동체 윤리를 제시하여 현대인들의 이기주의와 지나친 개인주의로 인한 문제점을 극복하는 데 도움을 준다. 또한 도덕적 공동체를 강조하므로 노인 문제 등의 해결책을 제시할 수 있다. 불교 사상은 생명의 소중함을 강조하므로 환경 보호에 기여할 수 있다. 특히 불살생(不殺生)과 같은 도덕적 계율의 실천을 강조한다는 점에서 현대 사회에 큰 시사점을 준다.

┃바로 알기┃ ⑤ 좌망과 심재는 도가 사상에서 제시하는 수양법이다. 유교는 수양을 통해 성인(聖人), 군자(君子)의 경지에 올라야 한다고 주장하며, 대승 불교는 보살(菩薩)을 이상적 인간상으로 제시한다.

완자 정리 노트 동양 윤리의 접근

유교 윤리	• 도덕적 인격 완성을 중시함 • 도덕적 공동체의 실현을 중시함 • 자연과 인간의 조화를 추구함
불교 윤리	• 연기와 자비를 강조함 • 내면의 성찰을 통한 깨달음과 실천을 중시함
도가 윤리	• 평등적 세계관을 제시함 • 자연스럽고 소박한 삶을 중시함 • 자연의 질서에 순응할 것을 강조함

06 칸트의 의무론

갑은 칸트이다. 칸트의 관점에서 본다면 A에게는 인간 존엄성을 존중하고 보편화 가능한 도덕 법칙에 따라 행위하라는 조언을 할 수 있다.

┃바로 알기┃ ① 칸트는 동정심과 같은 자연적 정념에 따르는 행위는 도덕적 가치가 없다고 보았다. ② 칸트에게 옳은 행위의 기준은 행복이나 쾌락과 같은 결과적인 것이 아니다. ③ 고통의 경감과 같은 결과적인 것은 칸트의 고려 사항이 아니다. ⑤ 특정 상황과 맥락에 따라 달라지는 행위가 아닌, 보편화 가능한 법칙에 따르는 행위여야 한다.

07 자연법 윤리의 적용

모든 인간에게 자연적으로 주어진 항구 불변하고 보편적인 법은 자연법을 의미한다. 자연법 윤리의 관점에서는 자연의 질서를 따르는 행위를 옳다고 본다. 따라서 특정 유전자를 지닌 배아를 선택적으로 출산하는 것이 신의 섭리에 어긋난다고 볼 것이다.

‖ **바로 알기** ‖ ② 선의지는 도덕 법칙을 따르려는 의지이며, 선의지를 중시하는 것은 칸트 윤리이다. ③ 유용성의 원리에 따르는 것은 공리주의 사상이다. ④ 올바른 품성 함양을 중시하는 것은 덕 윤리이다. ⑤ 자연법 윤리의 내용과 관련 없다.

완자 정리 노트   서양 윤리의 접근

의무론	• 칸트, 자연법 윤리 • 의무에 따르는 행위가 옳음
공리주의	• 벤담, 밀 • 공리의 원리에 따름
덕 윤리	• 아리스토텔레스, 매킨타이어 • 유덕한 품성 강조
도덕 과학적 접근	• 신경 윤리학, 진화 윤리학 • 인간의 도덕성에 대한 과학적 해명을 도움

08 덕 윤리적 접근

제시된 글에 나타난 관점은 덕 윤리 사상이다. 덕 윤리적 접근에서는 '어떤 행동을 할 것인가?'가 아니라, '어떤 사람이 될 것인가?'에 주목하였고, 공동체 구성원으로서 더불어 살아가는 인간으로서의 삶을 중시하였다.

‖ **바로 알기** ‖ 덕 윤리적 접근에서는 ㄱ. 도덕적 판단을 내릴 때 구체적인 상황과 맥락을 고려해야 한다고 주장한다. ㄷ. 도덕 규칙이나 원리보다는 유덕한 성품에 의한 행위인지가 도덕 판단의 기준이 된다.

완자 정리 노트   덕 윤리적 접근

특징	• 유덕한 품성 함양과 선한 행위의 습관화를 강조함 • 공동체의 전통과 역사를 강조함 • 구체적이며 맥락적인 도덕 판단을 중시함
의의	개인의 실천을 강조하며, 어떤 사람이 되고 어떤 삶을 살아야 하는지 논의함
한계	구체적 상황에서의 도덕 판단을 강조하다 보니, 윤리적 상대주의로 흐를 가능성이 있음

서술형 문제
022쪽

01 주제: 불교 윤리 사상

예시 답안 (나)의 설문 조사는 재물에 대한 욕심을 채우기 위해 큰 대가를 치르는 것도 감수하겠다는 물질 만능주의 세태를 보여 주고 있다. (가)의 불교 윤리의 관점에서 대상에 대한 지나친 집착은

오히려 더 큰 고통을 불러일으킨다. 우리는 이러한 깨달음을 얻기 위하여 참선과 같은 수행을 통해 욕심과 집착을 버리고 평정심을 찾도록 노력해야 한다.

채점 기준

상	(나)의 문제 상황을 제대로 파악하고, (가)의 관점에서 적절한 극복 방안을 정확히 서술한 경우
중	(나)의 문제 상황을 제대로 파악하고, (가)의 관점에서 적절한 극복 방안을 간략히 서술한 경우
하	(나)의 문제 상황을 제대로 파악하였으나, (가)의 관점이 단순히 불교 사상과 관련 있다고만 서술한 경우

02 주제: 공리주의적 접근

예시 답안 소녀와 가족이 겪고 있는 고통이 안락사를 통해 해소될 수 있다면 많은 사람들의 행복을 위해 의료 행위로서 안락사를 허용할 수 있다고 본다.

채점 기준

상	공리의 원리에 입각한 근거와 함께 안락사 허용 의견을 논리적으로 서술한 경우
하	공리의 원리에 입각한 근거를 제시했으나, 이에 근거한 안락사 허용 의견을 밝히지 못한 경우

STEP 3 1등급 정복하기
023쪽

1 ③   2 ⑤

1 유교 윤리적 관점

(가)에는 공자의 사상이 드러나 있다. (나)에 드러난 효제는 공자가 인(仁)을 실천함에 있어 가장 기본이 되는 덕목으로 강조한 바 있다.

‖ **바로 알기** ‖ ① 공자는 충서(忠恕)와 같은 덕목을 통해 타인에 대한 존중과 배려를 강조하였다. ② 장유의 도리는 형제자매뿐만 아니라 이웃의 어른과 아이 간에도 지켜야 하는 것이다. ④ 친구 사이에서 수직적 위계질서를 강조하는 것은 적절하지 않다. ⑤ 사회 질서의 확립은 가족 간의 도리를 실천하는 데에서 출발한다.

2 서양 윤리적 접근 방법

자료 분석

(가) 도덕적 판단의 기준을 행위의 결과가 가져다주는 쾌락이나 행복으로 보는 관점 – 공리주의 관점이야.

(나) 행위자에 초점을 두어 도덕적 행동이 행위자의 덕(德)에 따라 정해진다고 보는 관점 – 덕 윤리의 관점이야.

(다) 선의지에서 비롯된 행위, 즉 도덕 법칙에 대한 존경심에서 나오는 행위만이 옳다고 보는 관점 — 칸트는 선의지에서 나온 행위만이 도덕적이라고 보았어.

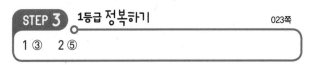

(가)는 공리주의로, '최대 다수의 최대 행복'이라는 유용성의 원리에 따르는 것을 도덕적 행위의 기준으로 본다. (나)는 덕 윤리의 관점으로, 도덕 규칙이나 원리보다는 행위자의 성품이나 덕성을 중시한다. (다)의 칸트 의무론에서는 이익이나 자연적 경향성 때문이 아니라 오로지 의무이기 때문에 행위하는 것을 옳게 본다. 공리주의와 칸트 의무론은 윤리 문제의 맥락이나 행위자의 특성 또는 감정을 고려하지 않고 도덕 원리만을 강조한다는 측면에서 비판받기도 한다.

║ 바로 알기 ║ ⑤ 윤리 문제를 해결하기 위해 훌륭한 사람이 지닌 덕에 주목해야 한다고 보는 관점은 덕 윤리적 접근법이다.

---

03 윤리 문제에 대한 탐구와 성찰

STEP 1 핵심 개념 확인하기
026쪽

1 (1) × (2) ○ (3) ○ (4) ○　　**2** ㄱ, ㄷ, ㄴ　　**3** 윤리적 성찰
4 (1) – ㉠ (2) – ㉡

STEP 2 내신 만점 공략하기
026~028쪽

01 ⑤　**02** ⑤　**03** ⑤　**04** ②　**05** ④　**06** ④　**07** ④
08 ③

01 도덕적 탐구
(가)는 도덕적 탐구이다. 도덕적 탐구를 할 때에는 ㄷ. 다른 사람의 입장에 공감할 줄 아는 배려적 사고 능력이 필요하다. ㄹ. 도덕적 탐구 과정에는 도덕 원리와 사실 판단을 근거로 하여 도덕 판단을 내리는 도덕적 추론이 포함된다.

║ 바로 알기 ║ ㄱ. 도덕적 탐구는 도덕적 가치관 정립과 도덕적 실천 모두를 위하여 필요하다. ㄴ. 참과 거짓을 밝히는 사실 탐구 역시 올바른 도덕 판단을 내리기 위하여 필요하다.

02 비판적 사고
을은 A국과 B국의 환경 오염 사례만을 듣고 곧바로 환경 오염은 해결이 불가능하다는 결론을 내리고 있다. 이는 주장과 그 근거의 적절성을 따져보는 비판적 사고가 부족하여 타당하지 않은 판단을 내린 경우라고 볼 수 있다.

03 도덕적 추론 과정

자료분석

> 뇌사 인정으로 인해 유용성이 증가한다는 것을 증명하는 사실 판단이 근거로 제시되어야 해.

| 도덕 원리: 사람들에게 이익을 가져다주는 일은 옳다. |
| 사실 판단: (가) |
| 도덕 판단: 뇌사를 죽음으로 인정하는 것은 옳다. |

옳고 그름을 판단하는 도덕 원리는 원리 근거가 된다. 이와 함께 사실 근거가 되는 사실 판단을 따져 보았을 때 (가)에는 '뇌사를 죽음으로 인정하는 것은 옳다.'라는 도덕 판단을 내리는 데 근거가 되는 사실 판단이 들어가야 한다. 도덕 원리와 사실 판단이 모두 타당할 때 올바른 도덕 판단을 확정할 수 있다.

║ 바로 알기 ║ ①, ②, ③, ④ 제시된 도덕적 추론에서 사실 판단으로 제시할 수 없다.

04 도덕 원리의 타당성 검토 방법
'만약 모두가 이렇게 남의 것을 베껴도 된다는 생각으로 살아가면 어떻게 될까?'라는 생각에서 연주가 사용한 도덕 원리의 타당성 검토 방법은 '보편화 결과 검사'이다. 이는 도덕 원리를 모든 사람에게 적용했을 때 나타나는 결과에 문제가 없는지 확인하는 방법이다.

║ 바로 알기 ║ ① 사실 판단 검사: 사실 판단을 검토할 때는 제시된 근거의 사실 여부를 확인하기 위해서 전문가의 의견, 관련 참고 문헌, 신뢰할 수 있는 대중 매체 등을 활용한다. ③ 포섭 검사: 선택한 도덕 원리를 더 일반적이고 포괄적인 도덕 원리에 따라 판단해 보는 방법이다. ④ 반증 사례 검사: 도덕 원리가 적용되지 않는 사례가 없는지 확인하는 방법이다. ⑤ 역할 교환 검사: 도덕 원리를 자신에게 적용했을 때도 받아들일 수 있는지 확인하는 방법이다.

05 도덕적 탐구 과정
제시된 글은 입장 채택 및 정당화 근거 제시의 과정을 나타낸다. 이때 정당화 근거의 타당성을 확보하기 위해 역할 교환 검사, 보편화 결과 검사 등을 활용할 수 있고, 공감과 배려 같은 도덕적 정서를 고려해야 한다.

║ 바로 알기 ║ ① 윤리적 쟁점 또는 딜레마를 확인하는 과정이다. ② 최선의 대안을 도출하는 단계이다. ③ 도덕적 정서도 함께 고려해야 한다. ⑤ 반성적 성찰 및 입장 정리의 단계이다.

완자 정리 노트　도덕적 탐구의 과정

윤리적 쟁점 또는 딜레마 확인	문제의 핵심, 관련된 사람들의 관계, 문제 발생 원인 등을 파악함
자료 수집 및 분석	다양한 자료를 수집하고 분석함
입장 채택 및 정당화 근거 제시	정당화 근거의 타당성을 확보하기 위해 도덕 원리 검사를 활용하며, 공감과 배려 같은 도덕적 정서를 고려함
최선의 대안 도출	토론을 통해 최선의 해결책을 도출함
반성적 성찰 및 입장 정리	탐구 과정에서 자신의 참여 태도와 달라진 생각, 배운 점 등을 반성적으로 성찰함

06 윤리적 성찰

밑줄 친 '이것'은 '윤리적 성찰'이다. 윤리적 성찰을 하기 위해서는 자신의 내면과 외면을 먼지 낀 거울을 닦듯이 지속적으로 살펴야 한다. 더불어 과거의 도덕적 경험을 분석하여 현재와의 관련성을 파악하고, 이를 바탕으로 미래에 실천해야 할 도덕적 실천 방안을 찾는 데 중점을 두어야 한다. 또한 거경이나 일일삼성과 같은 고전의 가르침에서 성찰의 지침을 얻을 수 있다.

┃ 바로 알기 ┃ ④ 인간의 오류 가능성을 부정하는 것은 성찰의 필요성을 부정하는 것과 같다. 인간은 불완전한 존재이므로 항상 자신의 생각과 행동을 성찰해야 한다.

완자 정리 노트 　윤리적 성찰의 의미와 방법

의미	생활 속에서 자신의 마음가짐과 행동, 그 속에 담긴 자신의 정체성과 가치관을 윤리적 관점에서 깊이 있게 반성하고 살피는 태도
방법	• 동양: 유교의 일일삼성과 거경, 불교의 참선 등 • 서양: 소크라테스의 산파술

07 증자의 '일일삼성(一日三省)'

증자는 날마다 세 가지 질문을 던지며 스스로를 성찰할 것을 강조하였다.

┃ 바로 알기 ┃ ④ 남의 일이라고 해서 소홀히 하지는 않았는지 묻는 첫 번째 질문에서 자신의 일뿐만 아니라 타인의 일에도 정성을 다했는지 반성하는 태도가 드러난다.

08 도덕 원리의 타당성 검토하기

아내 박 씨는 안락사를 허용할 수 없다는 도덕 판단을 내렸다. 따라서 자살을 조력하는 행위는 생명의 존엄성을 훼손하는 것이라는 근거를 찾아야 한다.

┃ 바로 알기 ┃ ① 안락사를 허용할 수 있다는 판단의 원리 근거이다. ② 안락사를 허용할 수 있다는 주장을 뒷받침할 수 있으며, 참인지 거짓인지를 따져 보아야 한다. ④, ⑤ 남편의 안락사를 허용해야 한다는 주장을 지지하는 근거이다.

서술형 문제
028쪽

01 주제: 도덕적 탐구의 과정

예시 답안 (가)는 최선의 대안 도출 단계이다. 이 단계에서는 토론을 통해 윤리적 쟁점이나 딜레마를 해결할 수 있는 대안을 마련할 수 있다.

채점 기준

상	단계의 명칭을 옳게 제시하고, 토론을 통해 대안을 마련할 수 있다는 내용을 서술한 경우
하	단계의 명칭만을 옳게 제시한 경우

02 주제: 현대 사회에서 윤리적 성찰이 중요한 이유

(1) 윤리적 성찰

(2) **예시 답안** 도덕적 탐구와 윤리적 성찰이 조화를 이루고, 이를 바탕으로 윤리적 실천이 이루어져야 한다.

채점 기준

상	도덕적 탐구와 윤리적 성찰의 조화가 윤리적 실천으로 이어져야 한다는 점을 옳게 서술한 경우
하	도덕적 탐구와 윤리적 성찰의 조화, 윤리적 실천으로 이어지는 관계 중 두 가지만 옳게 서술한 경우

STEP 3 　1등급 정복하기
029쪽

1 ③　　2 ⑤

1 도덕적 추론 과정

도덕 원리와 사실 판단을 근거로 하여 도덕 판단을 내리는 과정은 삼단 논법의 형태로 이루어진다. 도덕적 추론은 도덕적 탐구의 과정에서 윤리적 딜레마를 해결하기 위해 필요하다. 판단의 대전제가 되는 도덕 원리는 유사한 상황에 있는 모든 행위자에게 보편적으로 적용이 가능해야 한다. 결론으로 내려진 도덕 판단은 특정 상황에서의 행위의 도덕성을 판가름하는 규범적 역할을 한다. 도덕 판단을 올바르게 내리기 위해서는 도덕 원리가 타당해야 하고 소전제인 사실 판단이 참이어야 한다.

┃ 바로 알기 ┃ ③ '동물 복제는 멸종 위기의 동물을 보전하는 방법을 제공한다.'라는 사실 판단은 동물 복제에 대한 반대 의견의 근거로 보기 어렵다.

2 토론의 중요성

지문은 밀의 『자유론』 중 일부이다. 이에 따르면, 인간은 항상 잘못 판단할 가능성이 있는 불완전한 존재이므로 토론을 할 수 있게 해야 한다. 이러한 맥락에서 다수가 지지하는 학설이라고 할지라도 항상 오류 가능성이 있음을 알고 경계해야 한다.

┃ 바로 알기 ┃ ① 소수의 의견이고 오류가 있다 할지라도 토론에 참여할 자유를 제한해서는 안 된다. ② 학문적 권위가 있는 사람의 의견이라고 해도 오류 가능성을 배제할 수는 없다. ③ 일반적으로 받아들여지는 주장이라 할지라도 그에 동의하지 않는 사람들에게 이를 받아들이도록 강제해서는 안 된다. ④ 토론 중에는 제기되는 반론에 대해 경청할 필요가 있다.

| 01 ③ | 02 ② | 03 ③ | 04 ① | 05 ① | 06 ④ | 07 ⑤ |
| 08 ④ | 09 ④ | 10 ③ | 11 ② | 12 ⑤ | | |

01 윤리학의 구분

(가)는 이론 윤리학, (나)는 실천 윤리학이다. 실천 윤리학은 삶 속에서 만날 수 있는 구체적인 도덕 문제를 어떻게 해결할 것인가에 주된 관심을 둔다.

▮바로 알기▮ ① 이론 윤리학에는 의무론, 공리주의 등이 있다. ② 이론 윤리학은 물론 실천 윤리학도 가치 있는 삶의 방향을 제시하는 것을 중시한다. ④ 도덕적 현상에 대한 기술에 주력하는 윤리학은 기술 윤리학이다. ⑤ 인간의 윤리적 행위를 탐구하고 이론적 정당화에 집중하는 학문은 이론 윤리학이다.

02 윤리학의 구분

㉠은 규범 윤리학, ㉡은 메타 윤리학, ㉢은 기술 윤리학이다. 규범 윤리학은 도덕 원리를 바탕으로 도덕적 문제를 해결하는 것을 목표로 삼는다.

▮바로 알기▮ ① 규범 윤리학은 특정 가치를 당위적 관점에서 분석하여 도덕 문제를 해결하고자 한다. ③ 현상들 간의 인과 관계를 설명하는 데 주된 관심을 두는 것은 기술 윤리학이다. ④ 윤리학의 학문적 성립 가능성을 주로 탐구하는 분야는 메타 윤리학이다. ⑤ '선과 악은 무엇인가?'와 같은 규범적 질문에 답하고자 하는 분야는 규범 윤리학이다.

03 메타 윤리학과 실천 윤리학

> **자료 분석**
>
> 도덕적 언어의 의미 분석에 관심을 두는 분야는 메타 윤리학이야.
>
> ⎡(가)⎤ 은/는 윤리학의 문제가 올바른 대답으로 '해결'될 수 있는 문제가 아니라 언어 분석으로 '해소'되어야 할 문제라고 생각하는 윤리학의 한 분야이다. 그런데 과학 기술의 급속한 발달과 시대의 변화에 따라 정치, 경제, 의료, 환경 등 현대인의 다양한 삶의 영역에서 새롭게 제기되는 윤리 문제들을 해결하기 위한 ⎡(나)⎤ 이/가 등장하였다.
>
> 윤리 이론을 적용하여 현실의 구체적인 문제들을 해결하는 데 관심을 두는 분야는 실천 윤리학이야.

(가)는 도덕적 언어의 의미 분석을 강조하는 메타 윤리학이다. (나)는 현대인의 다양한 삶의 영역에서 새롭게 제기되는 문제들을 해결하고자 하는 실천 윤리학이다. (가)는 도덕적 신념을 표현하는 용어와 진술들의 정확한 의미를 밝혀내기 위해 논리적인 분석이 필요하다고 본다. (나)는 윤리 이론을 실생활에 적용하여 구체적인 도덕 문제를 해결하는 데 집중한다.

▮바로 알기▮ ㄱ. 메타 윤리학은 도덕적 진술이 당위적이어야만 한다고 주장하지 않는다. ㄹ. 도덕적 관습에 대한 객관적 기술에 치중하는 학문은 기술 윤리학이다.

04 유교 윤리적 접근

유교 윤리의 대표적 사상가로는 공자, 맹자 등이 있다. 맹자가 주장한 성선설의 내용을 보면 인의예지(仁義禮智)의 사덕(四德)과 측은지심(惻隱之心), 수오지심(羞惡之心), 사양지심(辭讓之心), 시비지심(是非之心)의 사단(四端)이 인간의 본성에 선천적으로 내재되어 있다고 주장한다. 한편 공자는 대동 사회를 이상 사회로 제시하였다. 대동 사회는 유능한 사람이 중용되고, 재화가 고르게 분배되며, 모든 사람들이 더불어 잘 사는 도덕적인 공동체이다.

▮바로 알기▮ ② 맹자는 대인(大人)과 소인(小人) 모두 같은 본성을 부여받는다고 보았다. ③ 무위(無爲)의 통치를 주장하는 것은 도가이다. ④ 형벌과 무력보다는 도덕과 예의로 백성들을 가르쳐야 한다고 보았다. ⑤ 욕심과 집착으로 인해 고통받는 중생을 구제하고자 하는 사상은 불교 윤리이다.

05 불교 윤리적 접근

연기설은 모든 존재와 현상은 수없이 많은 원인[因]과 조건[緣]을 바탕으로 생겨났다 사라진다고 보는 불교 윤리의 기본 입장이다.

▮바로 알기▮ ㉡ 불성은 부처가 될 수 있는 잠재적 가능성을 말한다. 불교 윤리에서는 모든 생명체에 불성이 내재되어 있다고 본다. ㉢ 자비는 연기의 깨달음을 바탕으로 남을 가엽게 여기고 너그럽게 대하는 마음을 말한다. ㉣ 보살은 위로는 깨달음을 구하고 아래로는 중생을 구제하고자 하는 대승 불교의 이상적 인간상을 뜻한다. ㉤ 해탈은 번뇌의 얽매임이 풀리고 미혹의 괴로움에서 벗어난 깨달음의 경지를 뜻한다.

06 도가 윤리적 접근

도가 윤리 사상가인 장자는 삶과 죽음을 자연스러운 순환 과정으로 파악하였으며, 세속적 차별과 시비선악의 분별에서 벗어나 제물의 경지에 이를 것을 강조하였다.

▮바로 알기▮ ① 인간을 자연 만물의 지배자가 아니라 자연의 일부라고 보았다. ② 인의(仁義)와 같은 인위적 규범으로 인해 오히려 사회가 더 혼란스러워진다고 보았다. ③ 고통에서 벗어나 열반의 경지에 이르러야 한다고 보는 입장은 불교 윤리이다. ⑤ 좌망(坐忘)과 심재(心齋)는 장자가 주장한 수양 방법이 맞지만 타인을 인위적으로 교화해야 한다고 주장하지는 않았다.

07 칸트의 의무론

인간을 수단이 아니라 목적으로 대하고 그의 무조건적 가치를 존중하여 인간 존엄성을 강조한 철학자는 칸트이다. 칸트가 주장하는 도덕 법칙은 정언 명령의 형태를 띤다. 또한 그는 인간의 이성은 보편적 도덕 법칙을 스스로 인식할 수 있다고 보았다.

▮바로 알기▮ 준칙은 개인이 가지고 있는 행동의 원리나 격률을 의미하는데, 그중 보편화 가능성 정식을 통과할 수 있는 일부 준칙만이 도덕 법칙이 될 수 있다. 자연적 경향성과 의무 의식은 항상 대립하는 것은 아니지만 항상 일치될 수도 없으며, 칸트는 자연적 경향성이 아닌 의무 의식에 따른 행위가 도덕적으로 가치 있다고 보았다.

08 자연법 윤리

(가)에 들어갈 말은 자연법이다. 자연법 윤리에서는 자연법에 따르는 행위는 옳고, 그것을 어기는 행위는 그르다고 본다. 토마스 아퀴나스의 자연법 윤리는 "선을 행하고 악을 피하라."라는 핵심 명제를 강조하였다. 자연법은 모든 인간에게 자연적으로 주어져 있는 보편적인 법이며, 자기 보존과 종족 보존, 그리고 신과 사회에 대한 진리 추구와 같은 자연적 성향을 담고 있다.

‖ **바로 알기** ‖ ㄷ. 자연법 윤리는 개인의 자유로운 행위 선택을 제한할 수 있다는 비판을 받는다.

09 양적 공리주의와 질적 공리주의

자료분석

갑: 배고픈 돼지보다는 배고픈 인간이 낫고, 만족한 바보보다는 불만족스러운 소크라테스가 낫다. 공리의 원리는 어떤 종류의 쾌락이 다른 종류의 쾌락보다 훨씬 더 바람직하고, 한층 더 가치 있다는 점을 인정한다. ┌ 쾌락에 질적 차이가 있다고 보는 질적 공리주의 입장

을: 쾌락과 고통만을 평가함에 있어 고려해야 할 것은 강력성, 지속성, 확실성, 원근성이다. 그러나 쾌락과 고통의 가치가 그것을 낳는 행위의 영향을 평가한다는 목적을 위하여 고찰되는 경우에는, 다산성과 순수성을 계산에 넣어야 한다. ── 쾌락에 질적 차이는 없으며 양적 계산이 가능하다고 보는 양적 공리주의의 입장

갑은 질적 공리주의자인 밀, 을은 양적 공리주의자인 벤담이다. A에는 갑은 '예', 을은 '아니요'로 답할 질문이 들어가야 한다. '쾌락의 양뿐만 아니라 질적인 차이도 고려해야 하는가?'에 대해 질적 공리주의는 '예', 양적 공리주의는 '아니요'라고 답하게 되므로 ㄱ은 옳다. '개인의 쾌락과 함께 사회 전체의 쾌락을 추구해야 하는가?'라는 질문은 공리주의 사상이 긍정할 질문이다. 공리주의는 '최대 다수의 최대 행복'을 도덕 원리로 설정하고 사익과 공익의 조화를 추구한다. 유용성의 증대가 도덕 판단의 기본 원리라고 할 수 있다.

‖ **바로 알기** ‖ ㄹ. 질적으로 수준 높은 쾌락을 산출한다고 하여 어떠한 고통도 가져오지 않는다는 보장은 불가능하다. 또한 을은 양적 공리주의자이므로 쾌락에 질적 차이가 있다는 전제에 동의하지 않는다.

10 덕 윤리적 접근

제시된 글은 아리스토텔레스의 덕 윤리적 접근에 관한 글이다. 아리스토텔레스는 유덕한 품성을 갖추려면 꾸준한 실천을 통해 올바른 습관을 형성해야 한다고 주장하였다.

‖ **바로 알기** ‖ ① 덕 윤리는 행위자의 내면의 성품을 중시한다. ② 덕 윤리는 보편타당한 도덕 법칙이나 획일적인 원리를 중시하지 않는다. ④ 덕 윤리는 구체적인 상황에 따른 맥락적 사고를 강조한다. ⑤ 품성은 구체적이고 반복적인 실천을 통해 획득하는 것이다.

11 도덕적 추론의 과정

(가)에는 '법을 어기는 행위는 옳지 않다.'와 같은 도덕 원리가 들어가야 한다. 대전제에 해당하는 도덕 원리는 보편타당하게 적용되는 것이어야 한다.

‖ **바로 알기** ‖ ② 소전제는 참·거짓 여부를 가리는 사실 판단 검토가 필요하다.

12 토론의 중요성

(가)에 들어갈 말은 토론이다. 토론을 통해 자신의 생각을 표현하고 다른 사람들의 의견을 열린 태도로 경청함으로써 자신의 생각이 갖는 한계와 오류 가능성을 겸허히 인정하고 보다 나은 방향으로 논의를 발전시켜 나갈 수 있다.

II. 생명과 윤리

01 삶과 죽음의 윤리

STEP 1 | 핵심 개념 확인하기 | 040쪽

1 출생 2 (1) ㄱ (2) ㄴ (3) ㄷ 3 (1) – ㉠ (2) – ㉠ 4 (1) ○
(2) ✕ 5 (1) 공리주의적 (2) 자발적 안락사 6 뇌사

STEP 2 | 내신 만점 공략하기 | 040~043쪽

01 ① 02 ⑤ 03 ③ 04 ② 05 ⑤ 06 ④ 07 ①
08 ⑤ 09 ② 10 ① 11 ② 12 ⑤

01 출생의 윤리적 의미

밑줄 친 부분에 해당하는 종의 존속을 위한 번식은 생물학적 특성과 관련된 출생의 의미이다. 자연법 윤리의 관점에서 보면 출생은 인간의 자연적 성향을 실현하는 과정을 의미한다. 이는 인간이 자신의 생명을 보전하고 종족을 번식하고자 하는 자연적 욕구가 발현된 것이다.

02 죽음에 대한 에피쿠로스와 장자의 관점

갑은 죽음에 대한 에피쿠로스의 입장이고, 을은 장자의 입장이다. 에피쿠로스는 인간이 살아 있는 동안에는 죽음을 경험할 수 없으므로 죽음을 두려워할 필요가 없다고 주장한다. 장자는 기가 모였다 흩어지는 것을 삶과 죽음으로 봄으로써, 삶과 죽음은 사계절의 운행과 같이 서로 연결된 과정이므로 죽음 앞에서 너무 슬퍼할 필요가 없다고 강조하였다.

┃바로 알기┃ ①, ④ 죽음이 생(生)·노(老)·병(病)과 더불어 인간의 대표적인 네 가지 고통 중의 하나이며, 또 다른 세계로 윤회하는 것이라고 본 석가모니의 입장이다. ② 죽음을 육체에 갇혀 있던 영혼이 해방되어 이데아의 세계로 되돌아가는 것으로 본 플라톤의 입장이다. ③ 죽음에 대한 자각을 통해 삶을 더욱 의미 있고 가치 있게 살 수 있다고 본 하이데거의 입장이다.

03 죽음에 대한 하이데거의 관점

제시된 글은 하이데거의 죽음에 대한 관점이다. 하이데거는 인간은 자신에게 언젠가 다가올 죽음 앞으로 미리 달려가 봄으로써 본래적 실존에 대해 이해할 수 있다고 보았다. 하이데거는 죽음을 자각함으로써 삶을 더욱 가치 있고 충실하게 살 수 있다고 주장하였다.

┃바로 알기┃ ①, ⑤ 죽음에 관한 에피쿠로스의 관점이다. ② 죽음에 관한 불교의 관점이다. ④ 죽음에 관한 공자의 관점이다.

완자 정리 노트 | 죽음에 대한 동서양 사상가들의 관점

동양	서양
• 공자: 죽음에 대한 관심보다 현실의 도덕적 실천을 강조 • 석가모니: 죽음은 또 다른 세계로 윤회하는 것 • 장자: 삶과 죽음은 사계절의 운행처럼 서로 연결된 과정	• 플라톤: 죽음은 영혼이 육체를 벗어나 이데아의 세계로 들어가는 것 • 에피쿠로스: 죽음은 경험할 수 없는 것이므로 두려워할 필요가 없음 • 하이데거: 죽음에 대한 자각을 통해 삶을 가치 있게 살아갈 수 있음

04 인공 임신 중절에 대한 찬성 논거

제시된 글의 주인공은 곤경에 처한 여성의 선택권을 우선적으로 보호하는 입장에서 낙태를 도운 것으로 볼 수 있다. ㄱ. 소유권 논거, ㄷ. 자율권 논거는 인공 임신 중절을 찬성하는 근거이다.

┃바로 알기┃ ㄴ. 잠재성 논거, ㄹ. 무고한 인간의 신성불가침 논거는 인공 임신 중절을 반대하는 근거이다.

05 인공 임신 중절에 대한 반대 논거

정당방위권 논거는 개인은 자기방어와 정당방위의 권리를 지니므로 일정한 조건을 충족하면 인공 임신 중절을 할 권리를 가진다고 보는 입장이다. 따라서 ㉤은 인공 임신 중절을 반대하는 학생 답안의 내용으로 적절하지 않다.

완자 정리 노트 | 인공 임신 중절에 대한 찬반 논거

찬성(선택 옹호주의)	소유권 논거, 자율권 논거, 정당방위권 논거, 평등권 논거, 생산 논거, 사생활 논거
반대(생명 옹호주의)	잠재성 논거, 존엄성 논거, 무고한 인간의 신성불가침 논거, 윤리 이론적 논거(자연법, 불교, 칸트)

06 자살에 관한 칸트의 입장

자료 분석 모방 자살, 베르테르 효과라고도 하며, 유명인이 자살할 경우 그 사람과 자신을 동일시해서 자살을 시도하는 현상을 말해.

(가) 우리나라는 몇 년째 계속 경제 협력 개발 기구(OECD)에 속한 나라 중에서 자살률이 높은 나라라는 불명예를 안고 있다. 특히 유명한 인물이 자살할 경우 <u>동조 자살</u>로 인해 사람들의 자살이 늘기도 한다.

(나) 힘든 상태를 벗어나기 위해 자신을 파괴한다면, 그는 하나의 <u>인격을 단순히, 죽을 때까지 고통스럽지 않게 지내기 위한 하나의 수단으로서만 이용하는 것</u>이다.

└ 의무론 윤리설을 주장한 칸트는 자살을 자신의 생명과 인격을 수단으로 이용하는 행위라고 보았어.

(나)는 자살에 관한 칸트의 입장이다. 칸트는 높은 자살률과 동조 자살 현상이 나타나는 (가)의 상황에 대해 자살은 생명을 수단으로 이용하는 것이고, 자율적 인간으로서 도덕 법칙을 위반하는 행위이므로 옳지 않다는 도덕 판단을 내릴 수 있다.

┃**바로 알기**┃ ① 자기 몸을 훼손하지 않는 것을 효의 시작으로 본 유교의 입장이다. ② 자살에 관한 그리스도교의 입장이다. ③ 자살은 문제를 회피하는 행위라고 본 쇼펜하우어의 입장이다. ⑤ 자살에 대한 아리스토텔레스의 입장이다.

07 자살에 관한 칸트와 아퀴나스의 입장

칸트는 고통스러운 상황을 모면하기 위해 스스로 목숨을 끊으려고 한다면, 그것은 자신의 인격을 한낱 수단으로 이용하는 것이라며 자기 보전의 의무를 위배해서는 안 된다고 주장하였다. 칸트는 인간을 언제나 목적 그 자체로 존중해야 한다고 보았다. 아퀴나스는 자살은 자연법의 측면에서 자연적 성향인 '자기 보전'을 거스르는 행위라고 보았다. 칸트와 아퀴나스는 공통적으로 자기 보전에 위배되는 행위를 해서는 안 된다고 주장하며 자살에 반대하는 입장을 취하였다.

┃**완자 정리 노트**┃ **칸트와 아퀴나스의 자살에 관한 입장**

구분	칸트	아퀴나스
공통점	자살을 자기 보전을 거스르는 행위라고 보고, 자살에 반대함	
차이점	자살은 고통에서 벗어나기 위해 자신의 생명과 인격을 수단으로 대하는 것임	자살은 자연적 성향을 거스르고, 공동체를 훼손하며, 신을 거스르는 행위임

08 안락사에 관한 공리주의적 관점

제시된 글은 쾌락이나 행복을 증진하는 유용성에 따라 행위의 옳고 그름을 판단하는 공리주의의 입장이다. 이 관점에서는 불치병 환자에게 연명 치료를 이어 나가는 것이 환자와 가족에게 고통을 주고, 사회 전체의 이익에도 부합하지 않기 때문에 안락사를 시행하는 것에 찬성한다. ⑤ 공리주의 관점에서는 사회 전체의 이익을 고려함으로써 안락사의 시행 여부를 결정한다.

┃**바로 알기**┃ ①, ③, ④ 칸트의 의무론적 관점에서 긍정의 대답을 할 수 있는 질문이다. ② 자연법 윤리의 관점에서 긍정의 대답을 할 수 있는 질문이다.

┃**완자 정리 노트**┃ **안락사에 대한 찬반 논거**

찬성	• 환자의 자율성과 삶의 질 강조: 인간은 죽음을 선택할 권리가 있음 • 공리주의 관점: 연명 치료보다 안락사가 고통과 부담을 감소할 수 있음
반대	• 생명의 존엄성 강조: 생명은 소중하며, 인간은 죽음을 선택할 권리를 갖고 있지 않음 • 자연법 윤리의 관점: 안락사는 자연의 질서에 어긋남 • 의무론적 관점: 고통을 완화하기 위해 생명을 버리는 것은 생명을 수단시하는 것이므로 옳지 않음 • 종교적 관점: 생명을 주는 것도 신의 의지이기 때문에 인간이 인위적으로 죽음을 앞당기는 행위는 옳지 않음 • 의료인의 책무 강조: 의료인의 의무는 생명을 살리는 것이므로 죽음을 앞당기는 행위는 옳지 않음

09 안락사에 대한 반대 논거

제시된 대화에서 (가)에 들어갈 내용은 안락사를 반대하는 입장의 논거이다. 이와 관련하여 인간의 생명은 존엄하므로 인위적으로 죽음을 선택하는 것이 불가하다는 근거를 들 수 있다.

┃**바로 알기**┃ ㄴ, ㄹ. 안락사를 찬성하는 입장의 논거이다. 따라서 안락사를 허용하면 안 된다는 주장의 근거인 (가)에 들어갈 내용으로 적절하지 않다.

10 안락사의 분류와 윤리적 쟁점

안락사는 현대 의학으로도 치유 불가능하고 고통을 제어할 수 없는 죽음에 임박한 환자를 의학적 판단을 통해 죽음으로 이르도록 하는 행위이다. 안락사의 찬성 논거로 환자의 자율성과 삶의 질 중시, 고통 경감, 의료 자원의 적절한 배분 등을 들 수 있다.

┃**바로 알기**┃ ② 자연법 윤리의 관점에서 볼 때 안락사는 죽음을 인위적으로 앞당기는 행위로, 자연의 질서에 부합하지 않고 생명의 존엄성을 훼손하는 일이다. ③ 안락사를 반대하는 입장에서는 환자의 생명이 소중하므로 연명 치료를 중단해서는 안 된다고 주장한다. ④ 비자발적 안락사는 환자의 선택에 의한 안락사가 아니다. 따라서 이와 관련하여 "가까운 사람이라 해도 타인의 생명을 결정지을 권리가 있는가?"의 문제가 제기될 수 있다. ⑤ 적극적 안락사는 환자의 삶을 단축시킬 것을 의도하여 치사량의 약물이나 독극물을 직접 주사하는 경우를 말한다.

11 뇌사에 관한 죽음의 판단 기준

뇌사를 죽음으로 인정하는 입장에서는 뇌사자의 장기 이식에 찬성한다. 따라서 뇌사자의 장기 이용과 관련한 실용주의를 비판하는 ②는 뇌사를 죽음으로 인정하는 입장의 논거로 적절하지 않다.

12 뇌사 인정 문제

제시된 글은 환자가 뇌사 상태일지라도 연명 의료 장치를 이용하여 아직 호흡과 심장 박동이 유지되고 있기 때문에 뇌사를 죽음으로 인정할 수 없다고 보는 입장이다. 이 입장에서는 장기 이식을 위해 환자의 장기를 떼어 내는 경우에 극도의 신중한 태도가 요구되며, 환자의 남은 생명을 단축하는 것은 일종의 안락사라는 점을 지적할 수 있다.

┃**바로 알기**┃ ①, ②, ③, ④ 뇌사를 죽음으로 인정하는 입장의 논거이다.

서술형 문제
043쪽

01 주제: 죽음에 관한 장자의 입장

┃**예시 답안**┃ 죽음은 사계절의 변화와 같이 자연스러운 것으로, 초연하게 죽음을 받아들여야 한다.

┃**채점 기준**┃

상	죽음에 대한 장자의 관점을 명확하게 서술한 경우
하	장자의 입장과 거리가 먼 죽음에 대한 관점을 서술한 경우

02 주제: 자발적 안락사의 찬성 논거

(1) 자발적 안락사

(2) **예시 답안** 환자는 자율적 주체로서 자신이 어떤 방법으로 죽을 것인지 선택하고, 인간답게 죽을 권리를 가진다. 불치병 환자를 연명 치료하는 것은 환자와 그 가족에게 심리적·경제적 부담을 주며, 제한된 의료 자원을 효율적으로 사용해야 하는 사회 전체의 이익에도 부합하지 않는다.

채점 기준

상	환자의 삶의 질과 자율성, 사회적 이익 등 안락사 찬성의 근거를 두 가지 서술한 경우
하	환자의 삶의 질과 자율성, 사회적 이익 등 안락사 찬성의 근거 중에 한 가지만 서술한 경우

03 주제: 뇌사 문제에 관한 칸트의 입장

예시 답안 장기 이식을 목적으로 뇌사를 죽음으로 인정하는 것은 환자의 인격과 생명을 장기 이식을 위한 수단으로 대하는 것이다. 따라서 뇌사를 죽음으로 인정해서는 안 되며 인간 존엄성 그 자체를 존중해야 한다.

채점 기준

상	뇌사 인정이 생명을 수단으로 대하는 것이라는 인간 존엄성 논거를 명확하게 서술한 경우
하	뇌사는 도덕적으로 옳지 않다고만 서술한 경우

STEP 3 1등급 정복하기

044~045쪽

1 ④   2 ④   3 ①   4 ②

1 죽음에 관한 동양 사상의 입장

자료 분석 ─ 불교에서는 윤회설의 입장에서 '삶과 죽음이 하나[生死一如]'이고, 윤회 과정에서 인간의 선행과 악행은 죽음 이후의 삶을 결정한다고 보았어.

(가) 전생에 뿌려진 씨앗은 이번 생에 받는 것이고, 다음 생에 거둘 열매는 이번 생에 행하는 바로 그것이다.

(나) 기(氣)가 변해서 형체가 생기며, 형체가 변해서 생명을 갖추게 된다. 이제 다시 생명이 죽음으로 변한 것뿐이다. 마치 춘하추동이 서로 되풀이하여 운행함과 같다.
─ 장자는 삶과 죽음은 기가 모였다 흩어지는 서로 연결된 과정이므로 죽음 앞에서 너무 슬퍼할 필요가 없다고 보았어.

(가)는 윤회설의 입장에서 중생이 죽은 뒤 그 업(業)에 따라 또 다른 세계에 태어난다고 본 불교의 입장이다. (나)는 죽음은 기(氣)가 흩어지는 것이고, 삶과 죽음을 사계절의 변화와 같이 연결된 흐름으로 본 장자의 관점이다.

바로 알기 ① 죽음에 관심을 가지기보다 현실에서의 도덕적 실천을 강조한 공자의 관점이다. ②, ⑤ 인간은 죽음을 경험할 수 없기 때문에 인간에게 죽음이 아무것도 아니며 죽음을 두려워할 필요가 없다고 주장한 에피쿠로스의 관점이다. ③ 인간은 언제나 죽음과 함께하고 있으므로, 죽음을 자각함으로써 삶을 더욱 가치 있고 의미 있게 살 수 있다고 주장한 하이데거의 관점이다.

2 자살의 윤리적 문제

갑은 고통을 벗어나기 위해 자살하는 것은 자신의 인격과 생명을 수단으로 대하는 것이라고 비판한 칸트의 입장이다. 칸트는 모든 행위에서 인간을 항상 목적 그 자체로 보아야 한다고 주장하였다. 따라서 그는 자살을 자기 보전의 의무를 위반한 행위로 보았고, 인간이 죽음을 스스로 선택할 수 있다는 의견에 반대한다. 을은 자살을 인간의 존재와 의식 변화에 대한 어리석은 실험으로 본 쇼펜하우어의 입장이다. 그는 한 번뿐인 삶을 임의로 종결시키는 것은 문제를 해결하거나 자신의 능력을 발휘할 가능성을 파괴하는 것이라고 보았다.

바로 알기 ㄱ. 자살은 공동체를 훼손하며 신을 거스르는 행위이기 때문에 자살을 해서는 안 된다고 보는 관점은 아퀴나스의 입장이다. 따라서 이에 대하여 갑과 을이 모두 '아니요'라고 답할 수 있기 때문에 A에 들어갈 질문으로 적절하지 않다. ㄷ. 갑은 자살을 하는 것은 인간 존엄성의 원칙을 어기는 것이라고 보고 자살에 반대하였으므로 B 질문에 대해 부정의 대답을 할 것이다.

3 안락사의 윤리적 쟁점

갑은 인간 존엄성을 강조한 칸트의 의무론의 입장이며, 을은 행위의 결과적인 유용성의 증가를 강조한 공리주의 입장이다. A 환자의 안락사 요구에 대하여 칸트는 인간 존엄성의 원칙에 따라 안락사에 반대할 것이며, 공리주의 입장에서는 안락사를 시행함으로써 발생할 수 있는 결과적 이익을 근거로 안락사에 찬성할 것이다.

바로 알기 ②, ③ 안락사와 관련한 유용성을 고려하는 을의 입장에 해당한다. ④ 안락사에 대한 환자의 동의 여부를 확인하는 것은 행위 결과의 유용성 여부를 판단 기준으로 삼는 을의 입장과 거리가 멀다. ⑤ 자살을 자연의 질서에 어긋나고, 공동체를 훼손하며, 신을 거스르는 행위라고 본 아퀴나스의 관점에 해당한다.

4 인공 임신 중절의 반대 논거

(가)에는 인공 임신 중절을 허용해서는 안 된다고 주장하는 근거가 들어갈 수 있다. 태아가 성숙한 인간으로 발달할 잠재성을 가지고 있다는 잠재성 논거는 태아의 도덕적 지위를 인정하는 입장으로, 인공 임신 중절을 반대하는 근거에 해당한다.

바로 알기 ①, ④ 태아의 생명보다 여성의 권리를 우선시하는 입장은 인공 임신 중절을 찬성하는 논거에 해당한다. ③ 태아가 모체 밖에서 성장할 수 있는 시기는 태아 상태가 아닌 출생 이후를 의미하고, ⑤는 태아를 인격체로 보지 않는 관점이다. 두 입장에서는 태아의 인간으로서의 지위를 인정하지 않으므로 (가)에 들어갈 내용으로 적합하지 않다.

02 생명 윤리

STEP 1 핵심 개념 확인하기 050쪽

1 생명 윤리   2 (1) 반 (2) 찬 (3) 찬   3 (1) ㄱ (2) ㄴ   4 (1) ×
(2) ○   5 (1) – ⓛ (2) – ⓒ (3) – ㉠

STEP 2 내신 만점 공략하기 050~053쪽

01 ②   02 ⑤   03 ②   04 ④   05 ④   06 ④   07 ④
08 ②   09 ②   10 ②   11 ③   12 ⑤

01 생명 윤리에 관한 동양의 관점

(가)는 모든 존재와 현상은 다양한 원인[因]과 조건[緣]의 결합으로 생겨난다는 연기(緣起)를 설명한 불교의 관점이다. 불교에서는 살아 있는 것을 죽이지 말라는 계율인 불살생(不殺生)을 통해 생명을 귀하게 여긴다. (나)는 무위자연(無爲自然)을 강조한 도가의 관점으로, 도가에서는 자연스럽게 태어나고 자라는 것을 인위적으로 조장하는 일이 바람직하지 못하다고 주장한다.

┃ **바로 알기** ┃ ① 효를 강조하는 유교의 생명에 대한 관점이다. ③ 공리주의 입장에서는 생명 과학 기술을 통해 얻을 수 있는 유용성을 강조한다. ④, ⑤ 신의 피조물인 생명은 존엄하면서도 일정한 위계를 가진다고 보는 그리스도교의 생명관이다.

02 배아의 도덕적 지위

제시된 글은 배아가 인격을 갖춘 인간과 동일한 유전자를 가진 존재라는 동일성 논거와 배아가 연속적 발달 과정에 있다는 연속성 논거에 해당한다. 이 입장에서는 태아를 인간으로 보기 때문에 배아에 대한 복제와 연구를 찬성하지 않는다.

┃ **바로 알기** ┃ ①, ②, ③, ④ 배아 실험을 찬성하는 입장에서 제시할 수 있는 내용이다.

완자 정리 노트 배아 복제에 대한 찬반 논거

찬성	• 배아의 도덕적 지위 부정: 배아는 아직 완전한 인간이 아님 • 의학적 효용성: 생식 초기에 관한 연구, 인체 조직 및 장기 복구, 질병 치료 등에 활용
반대	• 종의 구성원 논거: 배아는 인간 종에 속하며 도덕적 주체가 됨 • 잠재성 논거: 배아는 인간이 될 수 있는 잠재성을 지님 • 동일성 논거: 배아는 도덕적 존중의 기초가 되는 속성을 인간과 동일하게 지님 • 연속성 논거: 배아는 선명한 경계선이 없는 연속적인 인간 발달의 과정에 있음 • 여성의 인권 훼손: 난자 채취를 위해 여성의 몸을 수단으로 사용하는 것은 옳지 않음

03 배아 복제에 대한 반대 논거

갑은 배아의 도덕적 지위를 인정하며 배아 복제를 반대한다. 이를 반박하는 을의 입장에서 (가)에는 배아 복제를 찬성하는 논거가 들어갈 수 있다. ② 배아가 인간으로 성장할 수 있는 연속적인 발달 과정 중에 있다는 내용은 배아 복제 반대 논거에 해당하기 때문에 (가)에 들어갈 내용으로 적절하지 않다.

┃ **바로 알기** ┃ ①, ③, ④, ⑤ 배아 복제에 대한 찬성 논거이다.

04 생식 세포 유전자 치료 논쟁

생식 세포 유전자 치료에 관한 논란에서, ⑤ 생식 세포 유전자 치료를 통해 유전병 문제를 해결할 수 있다는 논거는 생식 세포 치료를 허용하는 입장에 해당한다.

05 유전자 치료의 찬성 논거

유전자 치료에 대한 찬성 입장으로는 선천적 유전 질환의 치료, 유전적 질병을 물려주지 않으려는 부모의 자율성 보장, 새로운 치료법 개발로 인한 경제적 유용성 증가, 의학 발전 등을 근거로 들 수 있다.

┃ **바로 알기** ┃ ㉣ 유전자 치료를 통해 생식 세포를 변화시켜 인간 성향을 개량하려는 우생학적 시도의 위험성을 비판하는 의견으로, 유전자 치료 찬성 논거에 해당하지 않는다.

완자 정리 노트 유전자 치료에 대한 찬반 논거

찬성	• 유전적 질병 치료로 인한 건강 증진 • 새로운 치료법 개발을 통한 의학적·경제적 효용 가치 산출 • 부모의 생식의 권리와 자율성 보장
반대	• 임상 실험의 위험성 존재 • 미래 세대에 대한 우생학적 시도로 변형 • 치료 혜택이 일부 사람에게 치중되어 분배 정의 훼손 • 유전적 다양성 상실 우려 • 유전 정보에 관한 사생활 침해 문제 발생

06 하버마스의 유전자 조작 연구에 대한 입장

(가)를 주장한 하버마스는 유전자 개량이나 치료를 위한 복제 배아 파괴가 개인의 선호에 따른 자율적 선택이라는 명분으로 확산되는 것을 반대한다. 이는 인간 생명의 존엄성에 대한 인식을 약화하여 존엄한 생명을 비용과 효용의 측면에서 고려하게 되기 때문이다. 따라서 개인의 선호에 따라 특정 유전 형질을 선택하는 (나)에 대하여 비판할 수 있다.

┃ **바로 알기** ┃ ①, ③, ⑤ 배아 연구로 인한 효용성과 행복의 증가를 중요시하는 입장이다. 이에 대하여 하버마스는 생명을 비용과 효용의 측면에서 고려한다면 생명 존엄성에 대한 인식이 약화될 수 있다고 보았기 때문에 이는 적절하지 않은 조언이다. ② 제시된 사례는 불임 부부가 유전적 연관성이 있는 자녀를 가지고자 하는 것이 아닌, 특정 조건을 가진 난자 공여자를 찾는 광고이므로 이에 대한 조언으로 적절하지 않다.

07 적극적 우생학에 대한 반대 논거

적극적 우생학은 원하는 유전 형질이 나타나도록 유전적 처치를 하는 것이다. 적극적 우생학을 반대하는 입장에서는 미래 세대가 아닌 현세대에 의해 유전 형질 개량이 결정되므로 유전자 조작을 통해 개량된 미래 세대의 자율적인 삶이 제약될 수 있다고 본다.

08 동물 실험에 대한 반대 입장

동물 실험에 관한 두 학생의 대화에서 (가)에는 동물 실험을 반대하는 논거가 들어갈 수 있다. 인간과 동물이 생물학적으로 유사하다는 주장에 대한 반론으로, 인간과 동물은 다르기 때문에 동물 실험 결과는 인간 임상 시험 결과와 별개이며 이를 인간에게 적용해서는 안 된다는 점을 들 수 있다. 인간과 동물 유전자의 차이는 생명체의 체계에 큰 차이를 일으킬 수 있다. 따라서 이 입장에서는 인간과 동물의 유사성보다 차이점에 주목함으로써 동물 실험의 위험성을 주의해야 한다고 본다.

│바로 알기│ ①, ⑤ 동물 실험을 옹호하는 대안 부재 논변에 해당한다. ③, ④ 동물 실험을 옹호하는 이익 논변에 해당한다.

09 동물 실험에 대한 찬성 입장

동물 실험에 대한 이익 논변은 동물 실험이 인간에게 가져다주는 의학적·경제적 유용성을 제시하는 입장이다. 이에 대한 근거로 동물 실험이 의학 발전과 인간의 생명과 건강 증진에 도움이 된다는 내용이 적절하다.

│바로 알기│ ① 유사성 논변에 대한 반론으로서 동물 실험과 인간 대상의 임상 시험 결과는 별개라는 주장이다. ③ 동물이 고통을 느끼기 때문에 동물을 실험에 사용해서는 안 된다고 본 벤담과 싱어의 관점이다. ④ 대안 부재 논변에 대한 반론으로, 다른 실험 방법으로 동물 실험을 대체할 수 있으므로 동물 실험을 하지 말아야 한다고 보는 입장이다. ⑤ 동물도 인간과 마찬가지로 고통을 피하고 쾌락을 추구하는 이익 관심을 가지는 존재로 보고, 인간과 동물의 쾌락과 고통을 정확하게 계산할 수 없다고 보는 동물 실험을 반대하는 입장이다.

10 레건의 동물 권리론

레건에 따르면 동물은 지각과 감정을 지닌 존재이고, 자신의 욕구와 목표를 위해 행동할 수 있는 삶의 주체이다. 내재적 가치를 지닌 동물은 다른 사람의 이익 관심과 욕구와 무관하게 본질적인 고유의 가치를 가진다. 따라서 레건은 동물을 수단으로 대우해서는 안 되며 목적으로 대우해야 한다고 보았다.

│바로 알기│ ㄴ. 레건은 의무론의 관점에서 동물의 권리를 인정한다. ㄹ. 레건은 동물이 도덕적 고려의 대상이 되어야 한다고 보는 이유를 도덕적 능력이 아닌 동물이 내재적 가치를 지닌 삶의 주체라는 점에서 찾았다.

11 동물에 대한 칸트의 관점

제시된 글은 동물에 대한 칸트의 관점이다. 칸트는 동물이 인간의 수단이며 도덕적으로 고려받을 권리를 가지지 않는다고 보았다. 그러나 칸트는 동물을 함부로 다루는 것은 인간의 품성에 부정적인 영향을 미칠 수 있으므로 동물을 학대하는 것에 반대하였다. 동물에 대한 잔혹한 처우는 인간에 대한 잔혹한 처우를 조장할 수 있기 때문이다.

│바로 알기│ ①, ② 동물에 대한 평등한 이익 고려의 원칙을 내세운 싱어의 관점이다. ④, ⑤ 동물은 자신의 삶을 영위할 수 있는 능력, 즉 믿음, 욕구, 지각, 기억, 감정 등을 가진 삶의 주체가 될 수 있으므로 인간처럼 내재적 가치를 지닌다고 주장한 레건의 관점이다.

12 동물의 권리에 관한 벤담의 관점

제시된 글은 동물의 권리에 대한 벤담의 입장이다. 벤담은 최대 다수의 최대 행복을 실현하는 것을 중요시하였다. 이러한 공리주의의 관점에서는 행위의 결과를 고려하는 데 이성이나 언어 구사 능력의 유무가 아니라 '고통을 느낄 수 있는 능력'의 유무를 기준으로 삼아야 한다고 강조하였다. 따라서 벤담은 동물도 고통을 느끼므로 도덕적으로 대우해야 한다고 주장하였다.

│바로 알기│ ㄱ. 동물에 대한 코헨의 관점이다. ㄴ. 동물에 대한 데카르트의 관점이다.

서술형 문제

053쪽

01 주제: 데카르트와 싱어의 동물 실험에 대한 관점

예시 답안 • 갑: 동물은 단순한 기계로서 고통을 느낄 수 없기 때문에 인간이 동물 실험을 하는 것은 정당하다.

• 을: 인간과 동물의 이익을 동등하게 고려하지 않고 동물에게 고통을 주는 동물 실험을 해서는 안 된다.

채점 기준

상	데카르트와 싱어의 동물에 대한 관점을 근거로 동물 실험에 관한 찬반 의견을 모두 서술한 경우
중	데카르트와 싱어의 동물에 대한 관점을 근거로 동물 실험에 관한 찬반 의견 중 한 가지만 서술한 경우
하	데카르트와 싱어의 관점과 거리가 먼 동물 실험에 관한 찬반 의견을 단순히 서술한 경우

02 주제: 배아 복제 실험에 대한 논증

(1) **예시 답안** 배아 복제 실험은 바람직하지 않다.

(2) **예시 답안** 배아는 인격체를 가진 완전한 인간으로 볼 수 없으므로 배아 복제 실험은 정당하다.

채점 기준

상	배아 복제 실험이 바람직하지 않다는 주장에 대하여 배아는 인격체를 가진 완전한 인간이 아니라는 반론을 명확하게 서술한 경우
하	배아의 인격체로서의 도덕적 지위와 관련이 적은 배아 복제 실험의 찬성 근거를 서술한 경우

STEP 3 1등급 정복하기
054~055쪽

1 ⑤   2 ④   3 ②   4 ②

1 배아 연구에 관한 하버마스의 관점

갑은 생명 과학 기술에 관한 하버마스의 입장이다. 하버마스는 배아 연구의 의학적 효용성을 강조함으로써 도덕적으로 무감각해지는 문제가 발생할 수 있다고 보았다. 그는 이로 인해 인간 생명 존엄성에 대한 인식이 약화될 수 있다고 비판하였다.

바로 알기 ①, ③, ④ 공리주의적인 효용성에 입각하여 배아 복제가 인간의 이익을 증가시킬 수 있다는 주장이다. ② 배아의 도덕적 지위를 인정하지 않는 주장으로, 인간 생명의 존엄성을 중요시하는 하버마스의 견해와 거리가 멀다.

2 유전자 치료의 윤리적 쟁점

체세포 유전자 치료와 달리 생식 세포 유전자 치료는 삶에 큰 영향을 끼치며 다음 세대에도 유전될 수 있다. 일반적으로 체세포 치료는 제한적으로 허용되는 반면, 생식 세포 치료는 의학적 위험성과 윤리적 문제들로 인해 금지되고 있다.

바로 알기 ④ 생식 세포 유전자 치료는 치료로 인한 유전적 변화가 다음 세대에까지 영향을 미친다.

3 동물의 도덕적 지위

자료 분석

갑: 동물을 잔혹하게 대우하는 것에 반대하는 이유는 동물 자체를 위해서라기보다 그것이 인간의 품위를 손상하는 행위이기 때문이다. └ 인간을 위한 수단으로서 동물에 대한 간접적 의무를 주장한 칸트의 입장이야.

을: 일부 동물에게도 삶의 주체로서 가지는 가치가 있으므로, 동물은 실험에 이용되지 않을 권리가 있다. └ 동물은 내재적 가치를 가지므로 존중받아야 한다고 보는 레건의 입장이야.

병: 인종 차별이나 성차별이 옳지 않은 것과 마찬가지로 인간과 동물을 차별하는 것은 종 차별주의이다. └ 쾌고 감수 능력을 가진 동물의 권리를 인정하며 종 차별주의에 반대하는 싱어의 입장이야.

갑은 동물에 대한 인간의 간접적 의무를 강조한 칸트이다. 칸트에 따르면 동물은 자의식적이지 않으며 목적이 아닌 수단이다. 다만 칸트는 동물을 인간과 관련되는 한에서 간접적 의무의 대상으로 여겨 동물을 함부로 대하는 것을 반대한다. 을은 동물이 삶의 주체로서 내재적 가치를 지녔다는 점을 강조한 레건이다. 병은 동물도 인간과 마찬가지로 고통을 느끼는 존재이므로, 이익 평등 고려의 원칙에 따라 동물에 대한 차별을 반대한 싱어의 입장이다.

바로 알기 ㄴ. B는 레건의 입장으로, 레건은 이성적 능력의 유무에 상관없이 동물이 삶의 주체이기 때문에 동물을 도덕적으로 고려해야 한다고 보았다. ㄹ. B에 해당하는 레건과 C에 해당하는 싱어는 인간과 동물의 동등한 도덕적 고려를 주장하였으나, A에 해당하는 칸트는 동물에 대한 간접적 의무만을 말했으므로 칸트에게는 해당하지 않는 진술이다.

4 싱어의 동물 해방론

싱어는 공리주의 관점에서 동물의 권리를 인정하였고, 동물이 쾌고 감수 능력과 최소한의 이익 관심을 가진 존재라고 보았다. 따라서 동물들의 전체적인 고통을 줄일 수 있도록 동물 복지 증진을 위해 노력할 것을 강조하고, 동물의 이익을 평등하게 고려해야 한다고 주장하였다.

바로 알기 ㄴ. 동물은 내재적 가치를 지닌 삶의 주체라고 보는 레건의 입장이다. ㄷ. 싱어는 쾌고 감수 능력의 정도의 차이에 따라 도덕적 지위가 다르게 부여되는 것이 아닌, 고통을 느끼는 존재라면 누구나 평등하게 이익이 고려되어야 한다고 보았다.

03 사랑과 성 윤리

STEP 1 핵심 개념 확인하기
060쪽

1 (1) × (2) ○   2 성의 자기 결정권   3 (1) - ㉠ (2) - ㉡   4 (1) ㄱ (2) ㄴ (3) ㄷ   5 ㄱ, ㄷ

STEP 2 내신 만점 공략하기
060~062쪽

01 ③   02 ①   03 ③   04 ②   05 ④   06 ①   07 ④   08 ②

01 프롬의 사랑의 특징

프롬은 사랑은 인간 존재를 타인과 결합시키는 능동적인 능력으로, 보호, 책임, 존경, 이해와 같은 인격적 가치로 이루어진다고 보았다.

바로 알기 ① 프롬은 사랑은 상대방에 대한 능동적인 태도라고 보았다. ② 프롬에 의하면, 사랑은 지배하고 소유하는 것이 아니라 상대를 있는 그대로 바라보는 것이다. ④ 프롬은 사랑에 대해 자신이 원하는 방향으로 상대방을 이끄는 것이 아니라, 사랑하는 사람을 있는 그대로 이해하고 상대방이 성장하도록 돕는 것이라고 주장한다. ⑤ 프롬이 말하는 사랑이 가진 '보호'의 속성은 상대방의 생명과 성장에 적극적인 관심을 가지고 보호함으로써 각자의 특성을 유지할 수 있게 하는 것이다.

02 성의 가치

갑은 성의 생식적 가치와 쾌락적 가치에 관해, 을은 성의 인격적 가치에 관해 말하고 있다. 갑이 말하는 성의 가치는 남녀의 생물학적 성차에 근거한 생식 본능이나 성적 행위를 의미하는 생물학적 성과 관련이 있다.

03 성에 대한 보수주의 입장

제시된 글은 결혼과 출산 중심의 성 윤리를 강조하는 보수주의의 입장이다. 이 입장은 성이 부부간의 신뢰와 사랑을 전제로 할 때만 도덕적이라고 주장한다. 즉 결혼을 통해 이루어지는 성적 관계만이 정당하며, 혼전 또는 혼외 성관계는 부도덕하다고 본다.

완자 정리 노트 사랑과 성에 관한 관점

보수주의	성은 부부간의 신뢰와 사랑을 전제로 할 때만 도덕적임
중도주의	결혼하지 않더라도 서로 사랑한다면 성적 관계는 가능함
자유주의	사랑과 관계없이 자발적 동의하에 성적 관계가 가능함

04 성과 관련된 윤리적 문제

(가)는 성 역할에 대한 잘못된 인식에서 비롯된 성차별의 사례이다. (나)는 상대방의 성의 자기 결정권을 침해한 사례이다.

05 성 상품화의 문제점

(가)에는 성 상품화를 반대하는 논거가 들어갈 수 있다. 성 상품화에 대한 반대 입장의 근거로, 성의 인격적 가치의 훼손, 외모 지상주의 조장 등이 있다.

바로 알기 ㄱ. 성 상품화를 찬성하는 근거에 해당한다. ㄷ. 성 상품화를 찬성하는 근거로 성의 자기 결정권과 표현의 자유를 강조한다는 점을 들 수 있다.

06 부부간의 윤리

(가)에 들어갈 말은 부부로, 부부에게 요구되는 윤리에는 부부상경, 부부유별, 음양론에 근거한 상호 보완과 화합, 부부간의 균형과 조화의 태도 등이 있다.

바로 알기 ② 성에 관한 고정 관념으로 부부의 역할을 분담하는 것은 부부간의 평등한 관계를 추구하는 윤리적 자세로 적절하지 않다. ③ 음양론에 따르면 음과 양은 단독으로 존재할 수 없는 상호 의존적인 관계이다. 이에 따라 부부는 서로의 부족한 점을 보완하는 것이 필요하다. ④ 부부유별은 부부가 서로 차별적 관계가 아닌 구별된 역할 속에서 서로 존중하는 것을 의미한다. ⑤ 부부는 각 주체로서 평등한 관계를 유지하면서 서로 보살핌을 주고받는 관계가 되어야 하므로, 서로 무관심한 태도는 바람직하지 않다.

07 가족 해체 현상 극복을 위해 필요한 가족 윤리

가정 내의 아동 학대가 증가하는 이유는 부모가 자신의 역할을 제대로 수행하지 못하였기 때문이다. 이를 극복하기 위해서는 부모가 자녀를 사랑해야 한다는 자애의 덕목이 필요하다.

08 전통적인 효의 실천 방법

공대(恭待)는 표정을 항상 부드럽게 하여 부모가 편안한 마음을 지닐 수 있도록 하는 것이다. 부모를 실질적으로 잘 모시는 것은 봉양(奉養)에 해당한다.

완자 정리 노트 효의 실천 방법

불감훼상	효의 시작으로, 부모로부터 물려받은 몸을 깨끗하고 온전하게 하는 것
봉양	부모를 실질적으로 잘 모시는 것
양지	부모의 뜻을 헤아려 실천함으로써 부모를 기쁘게 해 드리는 것
공대	표정을 항상 부드럽게 하여 부모가 편안한 마음을 지닐 수 있도록 해 드리는 것
불욕	부모를 욕되지 않게 해 드리는 것
혼정신성	아침저녁으로 부모에게 문안을 드리는 것
입신양명	효의 마침으로, 후세에 이름을 떨쳐 부모를 영광되게 해 드리는 것

🐦 서술형 문제
062쪽

01 주제: 성 상품화에 관한 칸트의 입장

예시 답안 성 상품화 현상은 인간을 인격적 존재로 대우하지 않고 인간의 성을 돈을 벌기 위한 수단으로 전락시키고, 물질적 가치로 환산하려 하므로 인간의 존엄성을 훼손할 수 있다.

채점 기준

상	성 상품화가 인간을 도구화, 수단시한다는 내용을 서술한 경우
하	성 상품화는 옳지 않다라고만 서술한 경우

02 주제: 성차별과 배려 윤리

(1) **예시 답안** • 의미: 성차별은 남성 혹은 여성이라는 이유로 사회적·문화적·경제적으로 부당한 대우를 하는 것이다.
• 원인: 주로 성 역할에 대한 잘못된 인식에서 시작된다.
(2) **예시 답안** 배려 윤리의 덕목에는 배려, 공감, 동정심, 관계성 등이 있다.

채점 기준

상	배려 윤리의 덕목을 두 가지 이상 서술한 경우
하	배려 윤리의 덕목을 한 가지만 서술한 경우

STEP 3 1등급 정복하기
063쪽

1 ③ 2 ⑤

1 사랑에 대한 프롬의 정의

프롬은 사랑은 상대방의 생명과 성장에 적극적 관심을 가지고 책임지고 존경하여 사랑하는 사람이 성장하고 발전하기를 원하는 것이라고 보았다. 프롬은 사랑은 상대방의 요청에 성실하게 응답하며, 자기의 능력을 발휘하도록 돌보고, 생동감을 고양하는 능동적인 힘이라고 보았다. 프롬은 사랑은 지배하고 소유하는 것이 아니라고 보았기 때문에 이를 제외한 내용에만 모두 표시한 학생은 '병'이다.

2 여성주의 윤리

자료 분석

> 보부아르는 남성은 하나의 성이자, 인간을 대표하는 전체의 개념으로 간주되는 반면에, 여성에 대한 개념은 제한되어 있다는 점을 지적하며 남녀 불평등의 문제를 제기하였어.

갑: 남녀 양성의 관계는 두 개의 전극의 관계가 아니다. 왜냐하면 <u>남성은 양극인 동시에 전체이기 때문이다. 반면 여성은 음극으로 간주되며 이러한 개념 규정은 제한을 의미한다.</u> 여성은 태어나는 것이 아니라 여성으로서 만들어진다.

을: 남성과 여성은 도덕적 딜레마에 접근할 때, 남성은 권리 혹은 정의의 관점에서, 여성은 배려의 관점에서 접근하기 때문에 그들이 인정하는 진리 또한 상반된다. <u>남성과 여성의 이러한 상이한 관점은 두 개의 다른 도덕성에 반영되어 있는데, 독립은 권리 혹은 정의의 윤리에 의해서 정당화되고, 친밀은 배려의 윤리에 의해 지지된다.</u>

> 길리건은 남성은 정의의 관점에서, 여성은 배려의 관점에서 도덕성이 발달한다고 보았어.

갑은 보부아르의 입장이고, 을은 길리건의 입장이다. 여성주의 윤리학자인 보부아르는 "여성은 태어나는 것이 아니라 여성으로서 만들어진다."라는 말을 통해 여성의 성 정체성은 사회적·문화적으로 학습되고 내면화된 것이라고 주장하였다. 한편 길리건에 의하면, 배려 윤리는 상황과 특수성을 고려하여 윤리적 판단을 하고, 인간 본성으로서 배려의 가치를 중요시한다. 이러한 여성주의 윤리는 양성평등에 대한 사회적 인식을 높이는 데 기여하였다.

┃바로 알기┃ ㄱ. 보부아르는 여성의 성 정체성은 자연적인 것이 아니라 사회적·문화적으로 학습되고 내면화된 것이라고 주장하였다. ㄴ. 길리건은 보편성과 합리성, 이성적 판단을 고려한 정의적 도덕성을 우선시한 것이 아니라, 여성의 도덕성 발달에 대한 연구를 통해 남성의 정의적 도덕성과 여성의 배려적 도덕성이 각각 다르게 발달한다고 보았다.

대단원 실력 굳히기

066~069쪽

01 ③	02 ⑤	03 ③	04 ·	05 ④	06 ①	07 ④
08 ②	09 ⑤	10 ②	11 ⑤	12 ①	13 ③	14 ①
15 ⑤	16 ④	17 ②	18 ④			

---

01 죽음에 대한 동양 사상의 관점

자료 분석

> 중국 춘추 시대의 사상가인 공자는 죽음에 관심을 가지기보다 도덕적인 삶을 살아갈 것을 강조하였어.

갑: 사람을 섬길 줄도 모르면서 어떻게 귀신을 섬길 수 있으며, <u>삶도 모르면서 어떻게 죽음을 알겠는가?</u>

을: 전생에 뿌려진 씨앗은 이번 생에 받은 것이고, 다음 생에 거둘 열매는 이번 생에서 행하는 바로 그것이다.

> 삶과 죽음을 윤회의 과정으로 바라보는 불교의 관점이야. '전생에 뿌려진 씨앗'은 이전 세상에서 어떤 행위를 했는가에 따른 업보[業]를 의미해.

갑은 죽음에 대해 물어보는 제자에게 공자가 "삶도 모르면서 어떻게 죽음을 알겠는가?"라고 이야기한 내용이다. 을은 죽음을 또 다른 세계로 윤회하는 것으로 본 불교의 입장이다. 유교에서는 죽음

에 관심을 가지기보다 현세의 윤리적 삶에 충실할 것을 강조하고, 불교에서는 죽음을 인간이 겪는 네 가지 대표적인 고통 중의 하나이자 또 다른 세계로 윤회하는 것이라고 본다.

┃바로 알기┃ ㄱ. 삶과 죽음을 사계절의 운행과 같이 필연적이고 자연스러운 과정으로 본 도가의 관점이다. ㄹ. 죽음에 관한 에피쿠로스의 입장이다.

---

02 죽음에 대한 하이데거의 관점

제시된 글은 죽음에 대한 자각을 강조한 하이데거의 입장이다. 하이데거는 현존재인 인간은 죽음 앞으로 미리 달려가 봄으로써 다가올 죽음을 염려할 수 있고 삶을 더 충실히 살 수 있다고 보았다.

┃바로 알기┃ ⑤ 인간은 죽음을 경험할 수 없으므로 죽음은 인간에게 아무것도 아니며, 죽음에 대한 공포에서 벗어날 것을 강조한 에피쿠로스의 입장이다.

---

03 인공 임신 중절에 대한 찬반 의견

갑이 제시한 잠재성 논거는 인공 임신 중절을 반대하는 입장의 근거이고, 을이 제시한 소유권 논거는 인공 임신 중절을 찬성하는 입장의 근거이다. 따라서 (가)에는 인공 임신 중절을 찬성하는 입장의 논거가 들어갈 수 있다. ③ '자율권 논거'는 여성이 자신의 삶을 자율적으로 결정할 권리를 가지므로 인공 임신 중절이 가능하다고 보는 입장이다.

┃바로 알기┃ ① 갑은 인공 임신 중절을 반대하는 입장에 해당한다. 따라서 여성의 선택권을 우선으로 보호해야 한다는 내용은 갑이 제시할 의견으로 적절하지 않다. ② 을은 여성의 선택권을 옹호하는 입장으로, 인공 임신 중절을 찬성하는 입장에 해당한다. ④, ⑤ 태아의 생명을 중요시하는 인공 임신 중절을 반대하는 논거로, (가)에 들어갈 내용으로 적절하지 않다.

---

04 자살에 대한 칸트의 입장

제시된 글은 자살이 생명을 수단시하는 행위라고 본 칸트의 입장이다. 칸트가 긍정의 대답을 할 질문으로, 자살은 자기를 보전해야 할 의무, 즉 자율적 인간으로서 지켜야 할 도덕 법칙을 위반한 행위인가에 대한 물음이 제시될 수 있다.

┃바로 알기┃ ①, ② 칸트는 자살을 인정하지 않으므로 부정의 대답을 할 것이다. ④ 쇼펜하우어의 입장에서 긍정의 대답을 할 질문이다. ⑤ 칸트는 자살을 자기 자신을 수단으로 대우하는 행위라고 보았으므로, 부정의 대답을 할 것이다.

---

05 안락사에 대한 칸트의 입장

자료 분석

> 칸트는 자살이 인간의 인격을 한낱 수단으로 이용하는 것인데, 인간은 물건이 아니므로 한낱 수단으로 이용하는 것은 옳지 않다고 주장하였어.

인간의 최우선적 의무는 자연 그대로의 자신을 보존하고 자신의 자연적 능력을 개발하고 증진하는 것입니다. 자기 자신을 죽이는 일은 이러한 의무에 전적으로 반대되므로 그 까닭이 무엇이든 옳지 않은 행위입니다. <u>현재의 괴로운 상태에서 벗어나고자 자살한다면, 이는 자신의 인격을 한낱 수단으로 이용하는 것이며, 인간을 목적으로 대우해야 한다는 도덕 법칙에 어긋납니다.</u>

> 칸트는 "네가 너 자신의 인격에서나 다른 모든 사람의 인격에서 인간을 항상 동시에 목적으로 대하고, 결코 한낱 수단으로 대하지 않도록 그렇게 행위하라."라는 정언 명령을 제시해.

그림의 강연자는 칸트의 입장을 말하고 있다. 칸트의 의무론의 관점에서 볼 때, 삶이 고통스럽다는 이유로 죽음을 인위적으로 앞당기는 안락사는 인격을 수단으로 대우하고 인간 생명의 존엄성을 훼손하는 일이다.

06 뇌사의 윤리적 쟁점

㉠은 뇌사를 죽음으로 인정하는 입장으로, 뇌사자의 장기 이용을 찬성한다. ㉡은 심폐사를 죽음으로 인정하는 입장으로, 뇌사자의 호흡과 심장 박동이 유지되므로 생명을 존중해야 한다고 본다.

바로 알기 ②, ③, ④, ⑤ 뇌사를 죽음으로 인정하는 입장에 해당하는 논거이다.

완자 정리 노트 뇌사에 대한 찬반 논거

찬성(뇌사 인정)	• 뇌사자가 존엄하게 죽을 권리를 존중해야 함 • 뇌 기능이 정지하면 인간 고유의 활동을 할 수 없게 됨 • 가까운 시기에 심장과 폐의 기능도 정지하므로 이미 죽음의 단계에 들어선 것임 • 한정된 의료 자원의 효율적 이용에 도움이 됨 • 뇌사자의 장기를 이용하여 다른 환자의 생명을 구할 수 있음 • 장기적 연명 치료로 인한 부담을 줄일 수 있음
반대(심폐사 인정)	• 연명 의료 기기를 이용하면 짧은 시간이나마 호흡과 심장 박동이 유지되므로 아직 죽음에 이른 것이 아님 • 뇌사 인정은 생명을 수단으로 여기는 것임 • 실용주의 관점은 생명의 존엄성을 경시하는 것임 • 뇌사를 인정한다면 사망 시점을 명시할 수 없으며, 여러 가지 법적인 문제가 발생할 수 있음 • 뇌사 판정 과정에서 오류가 있을 수 있음

07 배아의 도덕적 지위

갑은 배아는 인간이 될 수 있는 잠재성을 가진다는 잠재성 논증, 을은 배아가 인간 존엄성을 지닌다는 인격체 논증이다. 갑, 을 모두 배아 복제 실험을 반대하며, 배아의 인간으로서의 도덕적 지위를 인정한다.

바로 알기 ㄱ. 갑은 배아 복제 실험에 반대하는 입장이다. ㄷ. 을은 배아의 생명으로서의 권리를 인정한다.

08 인간 개체 복제에 대한 찬성 입장

제시된 글은 인간 개체 복제를 통해 불임 부부가 유전적 연관이 있는 자녀를 가짐으로써 결과적으로 사회적 유용성이 증대한다고 보는 입장이다.

바로 알기 생명 복제가 자연의 질서를 해친다고 보는 입장은 생명 복제에 관한 반대 논거로, 인간 개체 복제를 찬성하는 밑줄 친 주장의 근거로 적절하지 않다. 불임 부부의 고통을 해소하기 위해 개체 복제를 허용해야 한다는 입장에서는 복제된 인간을 자녀로 인정할 것이다. 따라서 복제 인간이 불임 부부의 진정한 자녀가 아니라는 근거는 제시된 주장에 부합하지 않는다.

09 유전자 치료에 대한 반대 논거

(가)에는 유전자 치료에 대한 반대 논거가 들어갈 수 있다. 유전자 치료를 반대하는 입장에서는 경제적 차이에 따른 계층 간 유전 격차와 이로 인한 차별이 발생하여 분배 정의에 어긋날 수 있다고 본다.

바로 알기 ①, ②, ③, ④ 유전자 치료를 찬성하는 논거이다.

10 레건의 동물 실험에 대한 입장

레건은 동물도 인간처럼 내재적 가치를 지니며 그 자체로 존중받아야 한다고 보았다. 레건의 입장에서는 삶의 주체로서의 동물의 권리를 보호하기 위해 동물을 수단으로 삼는 동물 실험에 대해 반대할 것이다.

바로 알기 ① 이익 논변, ③ 유사성 논변, ④ 인간을 위해 동물을 수단으로 사용해도 된다고 보는 입장, ⑤ 대안 부재 논변은 동물 실험을 옹호하는 입장의 논거에 해당한다. 따라서 위의 논거들은 동물 실험을 반대하는 레건의 주장으로 적절하지 않다.

11 동물 권리에 관한 싱어와 칸트의 입장

갑은 싱어, 을은 칸트의 입장이다. 싱어는 쾌고 감수 능력을 가진 동물의 이익을 평등하게 고려해야 하고, 종이 다르다는 이유로 동물을 차별해서는 안 된다고 보았다. 칸트는 동물을 도덕적 고려의 대상으로 보지 않았지만, 인간에게 미칠 영향을 근거로 하여 동물을 잔혹하게 대우하지 말 것을 간접적인 의무로 주장하였다.

바로 알기 ㄱ, ㄴ. 을의 입장에서 긍정의 대답을 할 질문으로, C에 해당하는 내용이다. 칸트는 인간이 목적이고, 동물은 인간을 위한 수단일 뿐이라고 보았으므로 동물을 도덕적 고려의 대상으로 보지 않는다. 한편, 싱어는 고통을 느낄 수 있는 존재인 인간과 동물 모두를 도덕적 고려의 대상으로 봄으로써 동물의 권리를 인정하였다.

12 프롬의 사랑의 의미

프롬은 사랑이 보호, 책임, 존경, 이해의 요소를 포함한다고 보았다. 그는 사랑하는 사람을 보호하는 것, 사랑하는 사람의 요구를 배려하면서 자신의 행동에 책임을 지는 것, 사랑하는 사람을 있는 그대로 받아들이며 존경하는 것, 사랑하는 사람을 올바로 이해하는 것이 진정한 사랑의 모습이라고 주장하였다.

바로 알기 ① 사랑에 관한 마르셀의 정의이다.

완자 정리 노트 사랑의 윤리적 의미

프롬	• 책임: 사랑은 상대의 요구에 책임 있게 반응하는 것 • 이해: 사랑은 상대의 독특한 개성을 알고 그를 이해하는 것 • 존경: 사랑은 상대를 있는 그대로 보는 것 • 보호: 사랑은 사랑하는 사람의 생명과 성장에 적극적인 관심을 가지고 보호하는 것
스턴버그	사랑의 삼각형 이론: 사랑은 친밀감, 열정, 책임감으로 구성됨
마르셀	• 사랑은 '창조적 성실'임 • 친밀한 유대와 참여를 기반으로 한 사랑의 관계를 맺을 때 헌신과 신뢰가 발휘됨

13 사랑과 성에 대한 관점

(가) 보수주의 관점에서는 결혼 제도 내의 사랑을 전제로 한 성을 중시한다. (나) 자유주의 관점에서는 자발적 동의에 의한 성을 인정하되, 타인에 대한 해악 금지의 범위를 설정한다.

│바로 알기│ ㄱ. (가)는 사랑과 성을 바라보는 보수주의 관점, (나)는 자유주의 관점이다. ㄷ. 자유주의 관점에서는 성적 자유를 무제한적으로 허용하는 것이 아니라 성숙한 사람들이 상호 동의하에 타인에게 해를 끼치지 않는 범위 안에서의 성을 허용한다.

14 성차별의 문제

성차별은 인간의 기본 권리인 자유권과 평등권 그리고 행복 추구권을 침해한다. 성차별을 받는 개인은 자아실현의 기회를 잃게 되고, 이러한 불평등한 현실은 공동체의 발전과 통합을 가로막는 결과를 가져올 수 있다.

│바로 알기│ ① 성 상품화의 문제점으로 볼 수 있다.

완자 정리 노트		성과 관련된 윤리 문제
성차별	의미	남성, 혹은 여성이라는 이유로 사회적, 문화적, 경제적으로 부당한 대우를 하는 것으로, 주로 성 역할에 대한 잘못된 인식에서 비롯됨
	문제점	자아실현을 방해하고, 인간으로서의 평등성과 존엄성을 훼손하며 인권을 침해함
성 상품화	의미	직접적 성매매뿐 아니라 성을 상업적 목적을 위한 소비 욕구를 자극하는 행위까지 포함
	문제점	성의 자기 결정권과 표현의 자유 억압, 성을 수단화, 외모 지상주의 초래
성의 자기 결정권	의미	• 성에 대한 행동을 자율적으로 책임 있게 결정하고 선택할 권리 • 상대방으로부터 일방적으로 강요받지 않는 것 • 타인의 권리를 침해하지 않는 범위로 제한하며, 방종과 다름
	문제점	• 타인의 성의 자기 결정권을 침해하는 것은 육체적·정신적·인격적 피해를 끼침 • 성의 자기 결정권을 무책임하게 행사하면 무고한 인간 생명을 훼손할 수 있음

15 성의 자기 결정권

성의 자기 결정권은 타인에게 해가 되지 않는 범위 안에서 행사해야 한다. 자신의 성의 자기 결정권을 존중받기 위해서는 타인의 성의 자기 결정권도 동등하게 존중해야 한다.

│바로 알기│ ⑤ 성의 자기 결정권은 타인의 권리를 침해하지 않고, 타인에게 해악을 끼치지 않는 범위로 제한된다.

16 성 상품화의 문제

④는 성 상품화에 대한 반대 의견으로, 인격적 가치를 지니는 성의 본래적 가치와 의미가 변질되어 가치 전도 현상이 발생할 수 있다는 문제점을 지적하고 있다.

17 음양론의 부부 윤리

음양론의 관점에서 부부는 자연의 음과 양의 관계처럼 상호 보완적이고 대등한 관계로, 부부간에 서로의 차이를 인정하고 존중하며 협력하는 태도가 필요하다고 본다.

│바로 알기│ ①, ③ 음양론에서는 음과 양이 서로 없어서는 안 될 원리이자 원동력으로 보므로, 부부간의 지위와 우열을 나누는 것은 이에 부합하지 않는다. ④ 부부가 모든 면에서 일치하는 것이 아닌, 서로의 차이를 인정하는 자세이다. ⑤ 배우자를 자신의 부족한 부분을 채워 주는 수단으로 삼는 것이 아니라, 오히려 자신이 먼저 배우자의 부족한 부분을 채워 주어 사랑의 연합을 이루는 것이 바람직한 자세이다.

18 가족 해체 현상의 극복 방법

(가)에는 가족 해체 현상의 극복 방안 중 전통적인 효의 실천 방법이 들어갈 수 있다. 효의 실천 방법에는 불감훼상, 봉양, 양지, 공대, 불욕, 혼정신성, 입신양명이 있다.

│바로 알기│ ④ 상경여빈은 부부가 서로 공경하기를 손님같이 대한다는 뜻으로, 부부 관계에서 지켜야 할 덕목이다.

Ⅲ. 사회와 윤리

01 직업과 청렴의 윤리

STEP 1 핵심 개념 확인하기   076쪽

1 직업   **2** (1) × (2) × (3) ○   **3** (1) – ⓒ (2) – ⑤   **4** (1) ㄷ
(2) ㄱ (3) ㄴ   **5** ㄱ, ㄴ, ㄹ

STEP 2 내신 만점 공략하기   076~078쪽

01 ④   **02** ③   **03** ⑤   **04** ③   **05** ④   **06** ③   **07** ⑤
08 ②

01 직업의 가치

맹자는 "항산이 없으면 항심이 유지되기 어렵다."라는 점을 강조하였는데 이는 경제적 안정이 윤리적 삶의 토대가 된다는 것을 말해 주는 것이다.

┃바로 알기┃ ①, ② 개인의 자아실현과 관련 있다. ③, ⑤ 사회적 역할 분담과 관련 있다.

완자 정리 노트   직업의 의의

내용	의의
경제적 안정성	일정한 보수를 통해 삶을 영위함
개인의 자아실현	자신의 능력을 발휘하여 보람과 성취감을 느낌
사회적 역할 분담	사회 발전에 기여함

02 직업과 행복한 삶의 관계

사람은 직업 생활을 통해 경제적으로 안정적인 삶을 살 수 있으며, 자신의 능력을 발휘하여 성취감과 보람을 느낄 수 있다. 또한 사회적 역할을 수행하는 과정을 통해 사회 발전에 기여하고 타인과 바람직한 관계를 형성하여 행복한 삶을 살 수 있다.

┃바로 알기┃ ③ 직업 생활을 한다고 해서 다른 사람보다 높은 사회적 지위를 보장받는 것은 아니다.

03 순자의 직업관

제시된 글을 주장한 사람은 순자이다. 순자는 예(禮)로써 사람들의 적성과 능력에 따라 사회적 역할을 분담하고, 모든 사람들이 자기 직분을 성실히 수행할 때 천하가 태평해진다고 주장하였다.

┃바로 알기┃ ① 마르크스, ② 칼뱅, ③ 베버의 직업관이며, ④ 장인 정신에 관한 설명이다.

04 칼뱅과 마르크스의 직업관

갑은 칼뱅, 을은 마르크스의 입장이다. 칼뱅에게 직업은 신이 인간에게 내려 준 소명이다. 또한 그는 직업 생활에서 얻게 되는 경제적 이익에 대하여 긍정하였다. 마르크스는 본래 노동은 인간의 본질을 실현하는 것이지만, 자본주의의 분업이 인간 소외 현상을 낳았다고 주장하였다.

┃바로 알기┃ ① 갑, 을 모두 상관없는 내용이다. ② 칼뱅에게 직업은 신의 소명이기 때문에 귀천이 없다고 보았다. ④ 마르크스는 자본주의의 분업이 인간 소외의 원인이라고 생각하였다. ⑤ 마르크스는 인간은 자발적인 노동을 통해 인간으로서의 본질을 실현한다고 보았다.

05 기업 윤리

제시된 글은 기업의 사회적 책임 범위에 관한 미국의 경제학자인 프리드먼의 견해를 드러낸다. 프리드먼은 기업에게 합법적인 이윤 추구를 넘어서는 사회적 책임을 강요해서는 안 된다고 보았다.

┃바로 알기┃ ①, ②, ③ 이윤 극대화를 넘어서는 사회적 책임이다. ⑤ 프리드먼은 부정한 방법으로 이윤을 창출하는 것에 반대하였다.

완자 정리 노트   기업의 사회적 책임

경제적 책임	생산한 제품을 적절한 가격에 판매하여 수익을 창출함
법적 책임	법을 지키면서 기업을 경영함
윤리적 책임	사회가 요구하는 윤리를 준수함
자선적 책임	기부, 봉사, 문화 활동 등 지역 사회 발전에 기여함

06 전문직 윤리

㉠에 들어갈 말은 전문직이다. 전문직은 다른 직종보다 더 높은 보수와 존경을 받으며 사회에 주는 영향력이 크기 때문에 공공선을 위해 행동할 것을 요구받는다. 만약 전문직 종사자가 자신의 전문 지식과 기술을 악용하여 비윤리적인 행동을 할 경우 사회에 큰 악영향을 끼칠 수 있다.

┃바로 알기┃ ⓒ 자율성은 전문직 종사자들이 전문성에 기초하여 자율적으로 업무를 수행한다는 뜻이다.

완자 정리 노트   전문직 윤리

전문직의 의미	고도의 교육과 훈련을 거쳐 일정한 자격을 취득함으로써 전문 지식과 기술을 독점적으로 사용하는 직업
전문직의 특징	• 전문성 • 독점성 • 자율성
전문직 윤리	• 사회에 주는 영향력이 크기 때문에 공공선을 위해 행동해야 함 • 높은 직업적 양심과 책임 의식을 고취해야 함

07 공직자 윤리

국민을 위해 공무를 수행하는 대리인인 공무원 '을'은 공직자로서 업무 처리에서 엄격함과 공평함을 잃지 말아야 한다. 또한 봉공의 자세가 필요하며 청백리 정신을 본받아야 한다.

∥ 바로 알기 ∥ ⑤ 공무원인 을의 의사 결정은 법적인 구속력을 가질 수 있으므로 연고주의에 근거한 특정 개인이나 집단의 이익에 치중해서는 안 된다.

08 부정부패 방지를 위한 노력

부정부패를 방지하기 위해서는 직업인이 올바른 직업 윤리를 갖추려는 노력도 필요하지만, 내부 공익 신고 제도, 청렴도 측정 제도 등의 제도적 장치도 필요하다.

∥ 바로 알기 ∥ ② 부패를 예방하기 위한 개인적 차원의 노력이다.

서술형 문제
078쪽

01 주제: 직업 생활과 행복한 삶

(1) 경제적 보상, 자발성, 지속성

(2) **예시 답안** 사람은 직업을 통해 경제적으로 안정된 삶을 살 수 있고, 사회 구성원으로서 소속감을 느낄 수 있으며, 올바른 자아 정체성을 형성할 수 있기 때문에 행복한 삶을 살게 된다.

채점 기준

상	직업 생활이 행복한 삶을 사는 데 바탕이 되는 이유를 경제적, 사회적, 개인적 측면으로 접근하여 두 가지 이상 서술한 경우
하	직업 생활이 행복한 삶을 사는 데 바탕이 되는 이유를 경제적, 사회적, 개인적 측면으로 접근하여 한 가지만 서술한 경우

02 주제: 부정부패를 방지하려는 노력

예시 답안 ㉠의 관점에서는 공정하고 투명한 업무 처리 자세를 유지하려는 노력과 청렴의 자세를 확립하기 위한 노력이 필요하다. ㉡의 관점에서는 부패를 방지할 수 있는 법률을 제정하거나 제도를 개선하고 정비하려는 노력이 필요하다.

채점 기준

상	㉠은 개인의 도덕성 실현의 관점, ㉡은 사회 제도의 개선과 관련된 관점에서 부패 방지를 위해 필요한 노력을 각각 서술한 경우
하	㉠은 개인의 도덕성 실현의 관점, ㉡은 사회 제도의 개선과 관련된 관점에서 부패 방지를 위해 필요한 노력을 한 가지만 서술한 경우

STEP 3 1등급 정복하기
079쪽

1 ④   2 ②

1 순자와 칼뱅의 직업관

자료 분석

갑: 땅을 가꾸어 북돋우고 풀을 뽑아 곡식을 심으며 거름을 많이 하여 논밭을 걸게 함은 바로 농부와 모든 백성이 하는 일이다. 때를 지켜 백성이 힘쓰도록 독려하고 사업을 촉진해 그 이득의 성과를 크게 하며 백성들을 고루 화합하도록 하고 사람들이 게으르지 않게 함은 바로 사람을 거느리는 사람이 하는 일이다. – 순자는 직업이 사회적 역할을 분담하게 한다고 보았어.

을: 신은 여러 가지 삶의 계층과 삶의 양식들을 구분함으로써 각 사람이 해야 할 일의 순서를 정해 두셨다. 신은 그 같은 삶의 양식들을 소명(召命)이라 명하였다. 그러므로 각 사람들은 자기 자신의 위치를 신께서 정해 주신 초소라고 생각해야 한다. – 칼뱅은 직업 활동을 신의 소명이라 보았으며, 직업 생활에서의 성공은 신의 구원을 받았다는 증거라고 주장하였어.

갑은 순자, 을은 칼뱅이다. 순자는 예에 따른 사회적 역할 분담을 긍정적으로 보았으며 사회가 원활하게 운영되기 위해서는 각자가 자신의 직분을 성실하게 수행해야 한다고 강조하였다. 칼뱅은 직업은 신의 소명이기 때문에 직업에는 귀천이 없다고 보았으며 직업에서의 성공이 구원의 증거라고 보았다.

∥ 바로 알기 ∥ ㄹ. 순자와 칼뱅 모두 사유 재산의 소멸을 주장한 것과는 거리가 멀다. 특히 칼뱅은 직업에서의 성공이 구원의 징표라고 보았고, 이를 통해 직업 생활을 통한 부의 축적을 긍정적으로 여겼다는 것을 알 수 있다.

2 기업 윤리

기업의 책임 범위와 관련하여 갑은 합법적 이윤 추구를 강조하고, 을은 기업 활동에 영향을 주는 모든 이해 당사자들의 이익을 고려하며, 병은 기업 활동에 영향을 주는 모든 사람을 동등하게 대우하되, 당사자들 간 이익이 충돌할 경우 주주의 이익을 우선적으로 고려해야 한다는 입장이다.

∥ 바로 알기 ∥ ①, ④ 갑은 기업과 기업가의 이익 추구를 목표로 한다. ③, ⑤ 을과 병은 모두 기업의 활동과 관련 있는 사람들의 이익을 고려해야 한다고 본다. 다만, 병은 기업과 관련된 모든 사람들의 이익을 고려하되, 이해 당사자들 간 이익이 충돌할 경우 주주의 이익을 우선에 둔다.

02 사회 정의와 윤리

STEP 1 핵심 개념 확인하기
086쪽

1 ㉠ 분배적 ㉡ 교정적 2 (1) ○ (2) × 3 (1) ㄱ (2) ㄴ 4 ㄷ, ㄹ
5 (1) – ㉠ (2) – ㉡

| 01 ① | 02 ⑤ | 03 ③ | 04 ③ | 05 ② | 06 ⑤ | 07 ④ |
| 08 ⑤ | 09 ⑤ | 10 ⑤ | 11 ⑤ | 12 ③ | | |

01 니부어의 사회 윤리

니부어는 개인의 도덕성과 집단의 도덕성을 구분하며 집단이 개인에 비해 이기심을 조절하고 억제하는 힘이 현저히 떨어진다는 점을 지적하였다. 따라서 도덕적인 사회로 나아가기 위해서는 개인의 도덕성 함양과 함께 사회의 도덕성을 고양해야 한다고 주장하였다. 사회의 도덕성을 고양하기 위해서는 사회 제도와 정책의 개선이 필요하다.

바로 알기 ② 개인의 도덕성 확충과 사회 제도나 정책의 개선이 병행되어야 한다. ③ 공리주의 입장이다. ④, ⑤ 개인의 노력만으로는 사회 문제를 해결하기 어렵다.

완자 정리 노트   니부어의 사회 윤리

| 특징 | • 개인의 도덕성과 사회의 도덕성을 구분함
• 사회의 도덕성은 개인의 도덕성에 비해 떨어진다고 봄 |
| 문제 해결 방법 | 개인의 도덕성 함양+사회 구조와 제도의 개선 |

02 사회 윤리

갑은 개인 윤리의 관점, 을은 사회 윤리의 관점을 취한다. 갑은 개인의 이기심과 비양심을 사회 문제의 원인으로 보기 때문에 개인의 도덕성 함양을 통한 문제 해결을 강조한다. 을은 개인의 양심이나 도덕성만으로는 한계가 있으므로 사회 문제를 해결하기 위해 사회 구조와 제도를 바로잡으려는 노력이 필요하다고 본다.

03 롤스의 사회 정의

자료 분석   롤스는 원초적 입장의 당사자들은 자신의 처지를 모르며, 타인에게 무관심하다고 가정해. 그리고 이러한 입장에서 개인은 최소 수혜자의 처지를 고려하는 정의의 원칙에 합의한다고 보았어.

원초적 입장에서 합의된 정의의 원칙에 따라 재화의 분배가 이루어져야 한다. 정의의 원칙은 특정한 상황에서 합의될 수 있다. 그 상황의 본질적 특성은 아무도 자신의 지위나 소질, 능력을 모른다는 점이다.

제시된 글은 롤스와 관련된 글이다. 롤스는 정의의 원칙을 도출하기 위해 가상적 상황인 원초적 입장을 설정하였다. 그는 원초적 입장에서의 개인은 자신이 최소 수혜자가 될 가능성을 염두에 두므로 각 개인들은 평등한 기본적 자유의 원칙을 바탕으로 최소 수혜자에게 최대의 이익을 주는 분배 방식에 합의할 것이라고 보았다.

바로 알기 ①, ④ 공리주의적 관점에서의 분배이다. ② 롤스는 공정한 절차를 통해 합의된 것을 정의롭다고 보는 절차적 정의를 주장하였다. ⑤ 롤스는 천부적 재능을 통해 얻은 이익의 일부를 사회에 환원해야 한다고 보았다.

04 롤스의 정의관

제시된 글은 롤스의 차등의 원칙과 관련 있는 내용이다. 롤스는 정의의 원칙을 도출하기 위해 원초적 상황을 가정하였다. 그리고 원초적 입장에 있는 개인은 타인의 이해관계에 관심이 없으며, 자신의 이익을 합리적으로 추구하는 존재이다.

05 노직과 왈처의 정의관

(가)는 노직, (나)는 왈처의 정의관이다. 노직은 어떤 사람이 처음에 정당하게 재화를 취득했다면 그 사람은 그 재화에 대해 정당한 소유 권리를 가진다고 본다. 왈처는 사회적 가치의 다원성을 기초로 하여 다양한 삶의 영역에서 각기 다른 공정한 기준에 따라 사회적 가치가 분배될 때 사회 정의가 실현된다고 주장한다.

바로 알기 최소 수혜자의 이익을 고려하는 분배는 롤스가 강조한다.

06 롤스, 노직, 왈처의 정의관

갑은 공정으로서의 정의를 주장한 롤스, 을은 소유 권리로서의 정의를 주장한 노직, 병은 다원적 평등으로서의 정의를 주장한 왈처의 입장이다. ⑤ 롤스와 노직의 정의관은 다르지만, 사회 전체의 효용이나 공익을 증진하기 위해 개인의 기본적 자유를 제한해서는 안 된다고 보았다는 점에서 공통점을 찾을 수 있다.

바로 알기 ① 절차적 정의를 중시한 롤스는 절차의 공정성이 유지되어 나타난 결과가 불평등하다면 그것은 받아들여야 한다고 보았다. ② 사람의 모든 욕구를 충족하는 것은 불가능하다. ③ 노직은 국가가 타인의 침해로부터 개인을 보호하는 최소한의 역할만 해야 한다고 본다. ④ 왈처는 서로 다른 영역에 따라 서로 다른 정의의 기준을 적용해야 한다고 보았다.

완자 정리 노트   다양한 정의관

사상가	내용
롤스	• 무지의 베일을 쓴 원초적 상황에서 정의의 원칙을 도출함 • 절차의 공정성이 결과의 공정성을 보장한다는 절차적 정의를 중시함 • 정의의 원칙: 1원칙-평등한 기본적 자유의 원칙 / 2원칙-차등의 원칙, 공정한 기회균등의 원칙
노직	• 재화의 최초 취득, 양도 혹은 이전, 교정의 과정이 정당하면 현재의 소유권이 정당함 • 정의의 원칙: 취득의 원칙, 이전의 원칙, 부정의 교정의 원칙
왈처	• 복합 평등: 지배를 막을 정의의 기준이 필요함 • 다원적 정의: 영역에 따라 다른 정의의 기준이 필요함

07 우대 정책

밑줄 친 제도는 사회 구조적인 문제로 발생한 불평등을 바로잡기 위한 우대 정책의 사례이다. 우대 정책은 과거 오랜 기간 부당한 차별로 고통받아 온 사회적 약자의 삶을 보장해 주기 위한 사회 제도로 이들의 차별에 대한 윤리적 반성에서 시작되었다.

┃바로 알기┃ ④ 우대 정책은 사회적으로 불리한 위치에 있는 집단에 대한 차별을 교정하기 위한 정책이다. 따라서 사회에 기여한 몫을 고려하여 기회와 혜택을 제공한다는 내용은 틀리다.

08 우대 정책에 대한 논쟁

제시된 글을 주장하는 사람은 우대 정책 시행을 긍정적으로 본다. 따라서 (가)에는 우대 정책이 역차별로 인한 갈등을 낳기 때문에 반대한다고 주장하는 사람들을 비판하는 내용이 들어가야 한다.

09 사형 제도에 관한 루소의 생각

제시된 글은 사회 계약론자인 루소의 글이다. 루소에 따르면 사람들은 자신의 생명을 보호받기 위해 살인자를 사형에 처하는 것에 동의하였으며, 살인범은 스스로 사회의 구성원이기를 포기한 것이다. 이처럼 루소는 사회 계약론의 관점에서 사형 제도를 정당화하였다.

┃바로 알기┃ ①, ②, ③, ④ 모두 사형 제도를 반대하는 논거이다.

10 교정적 정의에 대한 윤리적 쟁점

〈자료 분석〉

갑: 형벌은 범죄자 자신이나 시민 사회를 위해서 어떤 다른 선을 촉진하기 위한 수단으로서가 아니라 범죄자가 범죄를 저질렀기 때문에 가해져야만 하는 것이다. - 처벌에 관한 응보주의 관점이야.

을: 처벌의 본질은 사회 전체의 이익을 극대화하는 데 있다. 따라서 사회적 이익을 고려하여 범죄가 재발하지 않는 결과를 도출하여 처벌의 경중을 결정해야 한다. - 처벌에 관한 공리주의 관점이야.

갑은 형벌에 관한 응보주의, 을은 공리주의의 입장이다. 갑은 처벌이 범죄 행위에 대한 응분의 대가로 시행되어야 한다고 본다. 을은 사회 전체의 이익을 처벌의 근거로 보고, 사회 전체의 이익에 따라 처벌의 경중을 결정해야 한다고 본다.

┃바로 알기┃ ① 갑은 부정, 을은 긍정 ② 갑은 부정, 을은 긍정 ③ 갑은 부정, 을은 긍정 ④ 갑은 긍정, 을은 부정의 대답을 할 것이다.

11 처벌에 대한 공리주의 관점

공리주의 관점에서는 처벌을 사회 전체의 이익 증진을 위한 필요악으로 이해한다. 공리주의 관점에서 처벌은 타인과 사회에 피해를 주는 행위를 예방하는 목적에 기여할 때, 사회 전체의 행복 증진이라는 결과를 가져올 때 정당화될 수 있다.

┃바로 알기┃ ⑤ 공리주의자의 관점에서 범죄자를 처벌하는 것은 사회적 이익을 증진하기 위한 수단이지, 범죄자의 존엄성을 실현하고자 하는 것은 아니다.

완자 정리 노트 처벌에 대한 관점

공리주의	• 벤담은 처벌의 목적은 범죄자의 행동을 통제하고 교화하는 데 있으며, 잠재적인 범죄자에 대하여 처벌이 본보기 역할을 하여 범죄를 예방하는 데 있다고 봄 • 사회 전체의 이익을 처벌의 근거로 보고, 사회 전체의 이익에 따라 처벌의 경중을 결정함 • 처벌은 범죄 예방과 사회 전체의 행복 증진에 기여할 때 정당화될 수 있음 • 한계: 처벌의 예방적 효과를 증명하기 어려운 측면이 있으며, 다수의 행복을 추구하는 과정에서 인간의 존엄성이 훼손될 수 있음
응보주의	• 칸트는 처벌은 범죄자가 범죄를 저질렀기 때문에 가해지는 것이며, 다른 이익을 증진하기 위한 수단으로 가해질 수 없다고 봄 • 타인에게 해악을 준 사실만을 처벌의 근거로 보고, 범죄의 해악 정도에 비례하여 처벌의 경중을 결정함 • 처벌이 위법에 대한 '응분의 대가'로 시행될 때 사회 정의가 실현됨 • 한계: 범죄 예방과 범죄자의 교화에 무관심해질 가능성이 있음

12 사형 제도에 대한 윤리적 쟁점

갑은 베카리아, 을은 칸트의 입장이다. 베카리아는 처벌이 지속적 효과를 가질 때 범죄를 예방할 수 있다고 보았기 때문에 사형보다 종신 노역형이 효과적인 처벌이라고 주장하였다. 칸트는 범죄자의 잘못된 행동에 대하여 동등성의 원칙을 따라 처벌을 가하는 것이 마땅하다고 보았다.

┃바로 알기┃ ① 갑이 긍정할 내용이다. 을은 처벌을 사회적 효용의 관점으로 보지 않는다. ②, ④ 갑은 긍정, 을은 부정할 내용이다. ⑤ 을이 명확히 부정할 내용이다.

서술형 문제

089쪽

01 주제: 우대 정책

(1) 여성 할당제, 대학의 농어촌 특별 전형, 지역 균형 선발 등

(2) **예시 답안** ㉠은 역차별이다. 역차별로 인한 문제점을 최소화하기 위해 우대 정책을 입안하는 과정에서 시민의 참여를 보장하고, 다양한 주장을 수렴하여 사회적 합의를 이루려는 노력이 필요하다.

채점 기준

상	㉠이 역차별이라는 점을 제시하고, 역차별이 낳을 문제점을 최소화하기 위한 노력을 서술한 경우
하	㉠이 역차별이라는 점만 제시하거나, 역차별이 낳을 문제점을 최소화하기 위한 노력만 서술한 경우

02 주제: 사형 제도에 대한 윤리적 쟁점

예시 답안 을이 생각하는 처벌의 목적은 범죄 예방이다. 그리고 범죄 예방에 효과를 미치는 것은 형벌의 지속성이기 때문에 사형 제도는 범죄 예방의 효과가 떨어진다. 따라서 사형은 효과적인 형벌이 아니므로 부당한 제도이다.

채점 기준

| 상 | 을인 베카리아가 생각하는 처벌의 목적을 바탕으로 사형을 찬성하는 입장에 대하여 비판하는 내용을 서술한 경우 |
| 하 | 범죄 예방 효과와 관계없이 사형 제도를 비판하는 내용을 서술한 경우 |

STEP 3 1등급 정복하기 090~091쪽

1 ① **2** ④ **3** ④ **4** ④

1 분배의 기준

분배의 기준에 관하여 갑은 절대적 평등, 을은 노력, 병은 업적, 정은 필요에 의한 분배를 주장한다.

▌바로 알기▌ ㄷ. 업적에 따른 분배는 사회적 약자를 배려하지 못한다. ㄹ. 필요에 따른 분배는 근로 의욕을 저하한다는 한계가 있다.

완자 정리 노트 다양한 분배의 기준

기준	장점	단점
절대적 평등	기회와 혜택의 균등이 보장됨	• 생산 의욕 및 효율성이 저하됨 • 개인의 자유와 책임 의식이 약화됨
노력	개인의 노력에 비례한 분배가 가능함	• 노력과 업적의 불일치로 인한 혼선이 야기됨 • 노력의 객관적 평가가 어려움
업적	• 객관적 평가 및 측정이 용이함 • 동기 부여 및 생산성이 높아짐	• 서로 다른 종류의 업적에 대한 평가가 어려움 • 사회적 약자에 대한 고려가 부족함
능력	능력이 뛰어난 사람에게 적절한 보상이 가능함	• 능력 획득에 선천적 요소가 개입됨 • 능력을 평가하는 명확한 기준 수립이 어려움
필요	사회적 약자를 보호할 수 있음	• 모든 사람의 필요 충족은 불가능함 • 경제적 효율성이 저하됨

2 니부어의 사회 윤리

니부어는 정의로운 사회를 실현하기 위해 개인의 도덕성 함양과 더불어 사회의 도덕성을 고양해야 한다고 주장하였다. 그리고 사회의 도덕성을 고양하는 과정에서 강제력에 의한 방법도 병행할 수 있다고 보았다.

▌바로 알기▌ ㄴ. 니부어는 개인의 도덕성 함양만으로는 정의로운 사회를 실현하기 힘들다고 보았다.

3 다양한 정의관

갑은 노직, 을은 롤스, 병은 아리스토텔레스의 입장이다. 노직은 어떤 사람이 처음에 정당하게 재화를 취득했다면 그 사람은 그 재화에 대해 정당한 소유권을 가진다고 보았다. 롤스는 공정으로서의 정의를 주장하였으며, 아리스토텔레스는 같은 것은 같게, 다른 것은 다르게 분배하는 것이 정의롭다고 보았다.

▌바로 알기▌ ㄷ. 롤스는 절차가 공정하면 그 절차에 따른 결과도 공정하다고 보았다.

4 사형 제도에 대한 관점

갑은 루소, 을은 칸트, 병은 베카리아의 주장이다. 루소는 사회 계약의 입장에서 타인의 희생으로 자기 생명을 보존하려고 한 사람은 타인을 위해 자신의 생명을 희생하겠다는 것에 동의했다고 보았다. 칸트는 사형은 동등성의 원리에 근거한 형벌로, 범죄자의 인격을 보장하기 위하여 응분의 책임을 지우는 것이라고 보았다. 베카리아는 형벌은 공공의 이익에 기여해야 한다고 주장하며 사회 공헌도가 낮고 비효율적인 사형을 반대하였다.

▌바로 알기▌ ④ 갑은 사형 제도를 정당한 것으로 파악하였으며, 을은 사형을 집행하는 것이 오히려 범죄자의 존엄성을 지켜 주는 것이라고 보았다.

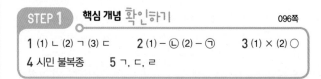

03 국가와 시민의 윤리

STEP 1 핵심 개념 확인하기 096쪽

1 (1) ㄴ (2) ㄱ (3) ㄷ **2** (1) – ㉡ (2) – ㉠ **3** (1) ✕ (2) ○
4 시민 불복종 **5** ㄱ, ㄷ, ㄹ

STEP 2 내신 만점 공략하기 096~099쪽

01 ⑤ **02** ① **03** ⑤ **04** ⑤ **05** ⑤ **06** ① **07** ①
08 ⑤ **09** ① **10** ④ **11** ② **12** ④

01 국가 권위의 정당화 관점

제시된 글은 국가는 국민에게 공공재를 제공하기 때문에 권위를 가진다는 내용이다. 이러한 관점에서는 국민은 국가로부터 혜택을 받았고, 그 혜택을 누리기를 원한다면 국가의 권위에 복종해야 한다고 본다.

인간의 본성	인간은 사회적 존재로, 국가는 인간의 본성에 따라 자연스럽게 형성된 산물이며 국가에 복종하는 것이 본성에 부합한다고 봄
동의	국가는 시민의 자발적 동의와 계약에 의해 구성되었기 때문에 계약을 준수해야 할 의무가 발생한다고 봄
공공재와 관행의 혜택	국민은 국가로부터 공공재나 관행의 혜택을 받았고, 그 혜택을 누리기를 원한다면 국가에 동의해야 한다고 봄
천명(天命)	동양에서는 국가의 권위를 민의에 기초한 천명(天命)의 관점에서 정당화함

02 맹자의 국가관

을은 맹자이다. 맹자는 왕에게 인의(仁義)에 기초하여 나라를 다스릴 것을 강조하였으며, 왕의 통치는 백성을 위한 것이어야 한다고 보았다.

▎바로 알기 ▎ ② 맹자는 사람들은 본래 선한 마음을 가지고 태어난다고 보았다. ③ 한비자의 입장이다. ④ 묵자의 입장이다. ⑤ 맹자는 국가가 국민의 기본적인 생활 수준을 보장해 주어야 도덕적인 삶을 살 수 있다고 주장하였다. 따라서 백성들이 궁극적으로 이익을 추구하도록 지원해야 한다는 내용은 틀리다.

03 유교 사상에서의 국가의 역할

(가)는 유교의 이상 사회인 대동 사회이다. 대동 사회는 공자가 제시한 이상 사회의 모습으로서 큰 도(道)가 이루어진 사회이다. 대동 사회에서는 유능한 사람이 중용되고, 재화가 고르게 분배되며, 모든 사람들이 더불어 잘 사는 도덕적인 공동체의 모습을 담고 있다.

▎바로 알기 ▎ ① 대동 사회와 관련 없다. ② 공자는 백성들의 본성이 이기적이라고 말하지 않는다. ③ 묵자와 관련된 내용이다. ④ 한비자와 관련된 내용이다.

04 한비자의 국가의 역할

한비자는 이기적인 백성들을 효과적으로 통치하기 위해서는 엄격한 법에 따라 통치해야 한다고 하였다. 그는 군주가 포상과 처벌을 적절하게 제공하면서 백성들을 통치할 때 사회의 질서가 유지될 수 있다고 보았다.

▎바로 알기 ▎ ①, ③ 유학 사상과 관련된 내용이다. ②, ④ 한비자는 인간의 본성을 이기적이라고 여겼다.

05 묵자의 국가의 역할

묵자는 모든 사람에 대한 차별 없는 사랑인 겸애(兼愛)와 서로에게 이익을 주는 교리(交利)를 강조하였다. 묵자가 생각하는 이상적인 나라 역시 겸애와 교리가 실현되는 나라이다.

▎바로 알기 ▎ ①, ③ 묵자는 타인과 타국에 대하여 무차별적인 사랑인 겸애를 실천할 것을 강조하였다. ② 한비자에 대한 내용이다. ④ 맹자와 관련된 내용이다.

06 사회 계약론 관점에서 국가의 역할

자료 분석

　　　　　　　┌ 자연 상태를 투쟁 상태로 본 사람은 홉스야.
갑: 자연 상태는 '만인의 만인에 대한 투쟁 상태'이므로 이로부터 벗어나기 위해 절대적 주권자에게 모든 권리를 양도해야 한다.
을: 자연 상태에서 <u>인간은 자유롭고 평화로운 상태에 있지만</u> 실정법과 재판관이 없어서 불안정하다. 따라서 개인은 계약을 맺어 시민 사회를 형성한다. 이러한 점에서 국가는 시민의 자유와 평등을 안전하게 보장해야 한다.
　└ 로크는 자연 상태를 평화로운 상태라고 보았지만 불안정하다고 보았어.

갑은 홉스, 을은 로크이다. 홉스와 로크는 사회 계약론자로서 국가가 시민들의 계약에 의해 형성된 것이라고 보았다. 홉스는 국가가 '만인의 만인에 대한 투쟁' 상태에서 벗어나 사람들의 안전을 보장해 주어야 한다고 주장하였다. 한편 로크는 시민들의 명시적 또는 묵시적 동의에 의해 국가가 구성되며, 국가는 시민들이 안전하게 살 수 있도록 보장해 주어야 한다고 보았다.

▎바로 알기 ▎ ② 홉스는 인간의 본성이 이기적이라고 보았고, 로크는 인간의 본성은 백지와도 같다는 백지설을 주장하였다. ③ 홉스는 긍정, 로크는 부정한다. ④, ⑤ 홉스는 절대 군주제를 옹호하므로 답이 될 수 없다.

07 롤스가 지향하는 국가의 모습

연관 검색어는 모두 롤스와 관련된 용어들이다. 따라서 (가)에 들어갈 말은 롤스이며, 롤스는 '질서 정연한 사회'를 추구하였다.

08 민본주의와 민주주의

(가)는 민본주의, (나)는 민주주의를 설명한다. 민본주의는 백성을 나라의 근본으로 삼고, 근본을 탄탄히 해야 나라가 평안하다는 사상을 의미한다. 민본주의는 백성을 위한 정치를 지향하고 민주주의는 시민을 위한 정치를 지향한다는 점에서 유사하다. 하지만 민본주의는 대체로 백성을 자율적으로 정치에 참여할 수 있는 주체가 아니라 군주에게 통치를 받는 대상으로 여기고 있어서 민주 시민과는 차이가 있다. 그리고 민본주의에서는 모범적인 군주의 덕에 감화된 백성들이 자발적으로 군주가 부여한 의무를 따를 것을 강조한다.

▎바로 알기 ▎ ①, ② 민주주의에 대한 설명이다. ③ 민주주의와 관련 없는 내용이다. ④ 민본주의에서 강조할 내용이다.

09 시민 참여의 중요성

대의 민주주의는 선출된 대표가 국민의 의견을 충분히 반영하지 못한다는 한계를 안고 있다. 이러한 대의 민주주의의 한계를 해결하기 위해서 다양한 시민 참여가 필요하다. 시민 참여는 특정 개인 또는 집단의 이익만을 위해서가 아니라 사회의 공공선을 목적으로 하는 것이 바람직하다.

10 대의 민주주의의 한계

(가)는 대의 민주주의를 뜻한다. 대의 민주주의의 한계를 보완하기 위해서는 투표에 적극적으로 참여하기, 언론에 의견 전달하기, 대표자의 활동 감시하기, 시민 단체 활동에 참여하기 등 다양한 방법을 통해 시민 모두에게 이익이 될 수 있는 방안을 찾아야 한다. 즉 시민이 정책의 입안, 결정, 집행 과정에 적극 참여하는 자세가 필요하다.

11 소로의 시민 불복종

소로는 시민 불복종의 근거를 개인의 양심에서 찾았다. 소로는 법에 대한 존경심보다는 인간으로서의 양심을 우선시해야 한다고 주장하였다.

|| 바로 알기 || ① 소로의 시민 불복종은 양심에 반하는 법이나 정책에 저항하는 것이다. ③ 소로가 불복종 행위를 정당화하는 근거는 개인의 양심이다. ④ 다수결이 항상 합리적이고 정의로운 것은 아니다. ⑤ 소로의 견해와 거리가 멀다.

12 롤스의 시민 불복종

롤스에게 시민 불복종의 근거는 다수의 정의관이다. 롤스는 평등한 자유의 원칙이나 공정한 기회균등의 원칙과 같은 정의의 원칙에 어긋나는 법이나 정책에 대해 저항할 수 있다고 보았다.

|| 바로 알기 || ① 시민 불복종은 다수의 정의관에 근거한다. ② 정의롭지 않은 법에 저항하는 행위이다. ③ 법에 대한 충실성의 한계 내에서 마지막 수단이어야 한다. ⑤ 정치 체제의 변혁을 추구하는 것이 아니라 체제 안에서의 정의롭지 않은 법이나 정책을 개선하고자 한다.

서술형 문제

099쪽

01 주제: 국가 권위의 정당성 조건

(1) (가) – 공공재와 관행의 혜택, (나) – 시민의 동의

(2) **예시 답안** 국가는 시민의 생명이나 인권 등 기본권을 보호하고 사람들이 인간다운 삶을 살 수 있도록 사회 보장과 복지를 증진해야 한다.

채점 기준

상	시민의 생명과 안전을 보장하고 복지를 증진해야 한다는 국가의 의무를 명확하게 서술한 경우
하	국가의 의무에 관해 광범위하게 서술한 경우

02 주제: 시민의 참여

예시 답안 현재의 대의 민주주의 체제는 선출된 대표가 국민의 의견을 반영하지 못한다는 한계를 가지고 있기 때문에 시민들이 직접 정책의 입안 및 집행 과정 등에 참여하려는 노력이 필요하다.

채점 기준

상	대의 민주주의의 한계와 시민 참여의 필요성을 연관 지어 서술한 경우
하	대의 민주주의의 한계를 제시하지 않고 시민 참여의 중요성만 서술한 경우

STEP 3 **1등급 정복하기**

100~101쪽

1 ②   2 ③   3 ④   4 ①

1 홉스와 로크가 바라본 국가의 역할

(가)는 홉스, (나)는 로크의 주장이다. 홉스는 자연 상태를 전쟁과 같은 혼란한 상태로 보았으며, 시민들은 이러한 자연 상태에서 벗어나 자신의 생명과 안전을 보장받기 위해 계약을 맺어 국가를 형성한다. 따라서 국가는 시민의 생명과 재산, 자유를 보호할 의무가 있다. 또한 로크도 국가가 개인의 생명과 자유, 재산을 보호하여 시민들이 평화롭고 안전한 삶을 살도록 해야 한다고 주장하였다.

|| 바로 알기 || ㄴ. 홉스에 따르면 개인은 이기적인 존재이므로 자연 상태는 전쟁과도 같다. 국가는 이러한 자연 상태에서 벗어나 시민들의 생명과 안전을 보호하려는 목적으로 만들어진 것이므로 ㄴ은 답이 될 수 없다. ㄹ. 로크의 관점에서 인간은 오류를 저지를 수 있는 존재이기 때문에 자연 상태를 불완전한 평화 상태라고 보았다.

2 시민 참여의 필요성

민주주의 사회에서 시민의 참여가 필요한 까닭은 참여가 시민의 주인 의식을 반영하고, 개인의 권리를 보장하며, 공동체의 발전을 도모할 수 있기 때문이다.

|| 바로 알기 || ③ 참여를 통해 시민이 가진 다양한 의견을 검토하고 이를 공공 정책에 반영하는 과정을 통해 더 좋은 민주주의를 실현할 수 있다.

3 소로의 시민 불복종

(가)에는 시민 불복종에 관한 소로의 관점이 드러난다. 소로는 시민 불복종의 근거를 개인의 양심에서 찾는다.

|| 바로 알기 || ① 다수의 의견이 아니라 개인의 양심을 따라야 한다고 보았다. ②, ③ 소로는 양심에 어긋나는 법에 대하여 저항할 수 있다고 보았다. ⑤ 소수 의견이 항상 정당하다고 말할 수 없으며, 시민 불복종의 목표는 양심에 어긋나는 법에 저항하는 것이지 국가의 체제를 바꾸는 것이 아니다.

4 소로와 롤스의 시민 불복종

자료 분석

갑: 법에 대한 존경심보다 정의에 대한 존경심을 길러야 한다. 법에 대한 존경심 때문에 선량한 사람조차도 불의의 하수인이 될 상황이라면 그 법을 어겨라. 양심에 따라 그 법에 저항하라. └ 소로는 시민은 양심에 어긋나는 법에 저항할 수 있는 권리를 가진다고 보았어.

을: 국가가 시행하는 법이나 정책이 '평등한 자유의 원칙', '공정한 기회균등의 원칙'과 같은 정의의 원칙들에 위배될 경우 우리는 그 법에 저항하고 압박함으로써 정의로운 사회를 만들어 나가야 한다. └ 롤스는 정의의 원칙에 어긋나는 법이나 정책에 대하여 저항할 수 있다고 주장하였어.

갑은 소로, 을은 롤스의 입장이다. 소로는 시민 불복종의 근거를 개인의 양심에서, 롤스는 다수가 공유하는 정의관에서 찾는다.

바로 알기 ㄴ. 롤스는 시민 불복종이 법에 대한 충실성의 한계 내에서 법에 대한 불복종을 표현하는 것이라고 보았다. ㄹ. 롤스는 시민 불복종을 정당화하려면 불복종 행위가 법에 대한 충실성의 한계 내에서 최후의 수단이 되어야 하고, 공개적이어야 하며, 성공에 대한 합당한 전망이 있어야 한다고 보았다.

대단원 실력 굳히기
104~107쪽

01 ③ 02 ⑤ 03 ③ 04 ⑤ 05 ② 06 ⑤ 07 ③
08 ③ 09 ⑤ 10 ④ 11 ⑤ 12 ① 13 ② 14 ④
15 ③ 16 ③

---

01 직업의 의의

맹자는 국가가 백성들에게 경제적 안정성[항산]을 보장해 주어야 도덕적인 마음[항심]이 유지될 수 있다고 강조하였다. 그는 직업 활동을 통한 경제적 안정성을 실현하는 것이 통치자가 중요하게 고려해야 할 점이라고 보았다.

02 직업 윤리

직업 윤리는 직업 생활에서 지켜야 할 윤리 규범을 의미한다. 일반 직업 윤리는 직업 생활을 하는 사람이라면 누구나 가져야 할 정직, 성실, 배려, 직업적 양심 등을 의미하며, 특수 직업 윤리는 법조인, 기술자, 의사 등과 같이 특정 직업에서 지켜야 할 윤리이다.

바로 알기 ⑤ 특수 직업 윤리는 일반 직업 윤리의 보편성을 토대로 정립되는 것이 바람직하다.

완자 정리 노트 직업 윤리의 의미와 종류

의미	직업 생활에서 지켜야 할 윤리 규범
종류	• 일반 직업 윤리: 직업 생활인 모두에게 요구되는 윤리 규범 • 특수 직업 윤리: 각각의 직업에서 요구되는 윤리 규범

03 기업 윤리

갑은 기업의 책임 범위를 정당한 경제적 이윤 추구에 두는 입장이다. 을은 기업이 이윤 추구를 목적으로 하지만 사회 구성원에게도 큰 영향을 끼치기 때문에 사회적 책임을 가져야 한다고 주장하였다.

바로 알기 ① 갑, 을 모두 기업을 운영하기 위해 근로자가 필요하다는 데 동의한다. ② 갑의 입장에서 기업의 유일한 책임은 정당하게 이윤을 추구하는 것이므로 부정의 대답을 할 것이다. 을은 긍정의 대답을 할 것이다. ④ 갑과 을 모두 부정의 대답을 할 것이다. ⑤ 갑은 기업의 이윤 중 일부를 사회에 환원해야 한다고 보지 않는다.

04 부정부패 방지를 위한 제도적 노력

제시된 글은 조직 내 부정부패를 예방하기 위한 내부 고발을 지지하는 입장을 취하고 있다. 내부 고발은 개인의 양심에 비추어 조직 내부에 발생한 부조리를 알림으로써 부정의를 시정하여 결과적으로 조직과 사회에 장기적인 이익을 주고자 하는 것이다.

05 직업 생활에서의 청렴

제시된 글은 정약용의 「원목」의 일부로 목민관은 백성을 위해 존재한다는 점을 강조하였다. 정약용은 목민관이 갖추어야 할 자세로 특히 청렴을 강조하였다. 또한 공직자는 업무 처리에서 공정함을 추구해야 한다.

06 니부어의 사회 윤리

밑줄 친 '어떤 서양 사상가'는 니부어이다. 니부어는 개인의 도덕성과 집단의 도덕성을 구분하며 집단이 개인에 비해 이기심을 조절하고 억제하는 힘이 현저히 떨어진다는 점을 지적하며 도덕적인 사회로 나아가기 위해서는 개인의 도덕성을 함양해야 할 뿐만 아니라 사회의 도덕성도 고양해야 한다고 주장하였다. 그리고 사회의 도덕성도 고양하기 위해서는 사회 제도와 정책의 개선이 필요하다고 보았다.

바로 알기 ㄱ. 니부어는 개인의 도덕성과 집단의 도덕성을 구분하였다. ㄴ. 사회 문제를 해결하기 위해서는 개인의 도덕성 함양과 사회 제도의 개선이 함께 요구된다.

07 다양한 정의관

갑은 롤스, 을은 아리스토텔레스, 병은 마르크스의 입장이다. 롤스는 공동체의 구성원들이 합의한 원칙의 절차를 존중할 경우 정의가 실현된다고 보았다. 아리스토텔레스는 같은 것은 같게, 다른 것은 다르게 분배하는 비례적 평등을 실현해야 한다고 주장하였다. 마르크스는 능력에 따라 일하고 필요에 따라 분배받는 사회를 정의롭다고 보았다.

바로 알기 ㄱ. 롤스는 기본적 자유의 원칙을 바탕으로 최소 수혜자에게 최대 이익을 주는 경우 발생하는 불평등을 인정하였다. ㄹ. 마르크스의 분배 방식은 경제적 불평등을 완화하지만, 인간의 모든 욕구를 충족하기 힘들다는 한계가 있다.

08 노직의 정의관

노직은 어떤 사람이 처음에 정당하게 재화를 취득했다면 그 사람은 그 재화에 대해 정당한 소유권을 갖는다고 보았다. 따라서 그는 개인의 소유권에 대한 절대적 가치가 보장되어야 하며 국가의 개입은 최소화되어야 한다고 주장하였다.

▮바로 알기▮ ④ 우연적 차이에 의해 발생한 것이더라도 소유의 과정에 부정의가 존재하지 않는다면 이는 정당한 것으로 보았다.

09 노직과 롤스의 정의관

갑은 노직, 을은 롤스이다. 롤스는 자신의 이익 증진에 관심을 가진 자유롭고 합리적인 사람들이 자신들의 공동체를 운영하기 위해 합의를 통해 정의의 원칙을 도출할 수 있다고 여겼다. 그리고 정의의 원칙을 마련하기 위해 '무지의 베일'을 쓴 평등한 개인을 가정하였다. 노직은 어떤 사람이 처음에 정당하게 재화를 취득했다면 그 사람은 그 재화에 대해 정당한 소유권을 가진다고 보았다. 롤스와 노직 모두 개인의 기본적 자유를 중시하였으며, 정의로운 사회에서도 사회적·경제적 불평등이 존재한다고 인정한다는 점에서 공통점을 찾을 수 있다.

▮바로 알기▮ ① 개인의 타고난 능력을 사회적 공동 자산으로 보는 사람은 롤스이다. ② 노직과 롤스 모두 개인의 기본적 자유를 제한하는 것에 반대한다. ③ 마르크스의 입장이다. ④ 노직과 롤스 모두 부정하는 내용이다.

10 우대 정책

우대 정책은 과거 오랜 기간 부당한 차별로 고통받아 온 사회적 약자의 삶을 보장해 주기 위한 사회 제도로 이들의 차별에 대한 윤리적 반성에서 시작되었다. 갑은 우대 정책에 찬성하는 입장이고, 을은 우대 정책에 반대하는 입장이다.

▮바로 알기▮ ㄱ. 우대 정책의 반대 논거이다. ㄷ. 우대 정책의 찬성 논거이다.

완자 정리 노트   우대 정책의 찬반 논거

찬성	• 보상의 논리: 과거 부당한 차별에 대한 보상임 • 공리주의의 논리: 사회적 갈등이 완화되고 사회 전체의 이익이 극대화됨 • 재분배의 논리: 자연적, 사회적 운으로 발생한 불평등을 시정하여 기회의 평등을 보장함
반대	• 특정 집단에 대한 특혜는 업적주의에 위배됨 • 과거의 피해와 현재의 보상 간의 불일치 문제가 발생함 • 역차별로 인한 새로운 사회 갈등이 유발됨

11 사형 제도에 관한 칸트의 입장

제시된 글에는 사형 제도에 대한 칸트의 입장이 드러나 있다. 칸트는 동등성의 원리에 따라 살인범을 사형에 처하는 것은 정당한 것이라고 보았으며, 오히려 사형을 집행하는 것이 범죄자의 존엄성을 지키는 것이라고 주장하였다.

▮바로 알기▮ ①, ③ 공리주의에서 긍정할 내용이다. ② 사형 제도를 반대하는 사람이 긍정할 내용이다. ④ 베카리아가 긍정할 내용이다.

완자 정리 노트   사형 제도에 대한 다양한 입장

칸트	동등성의 원칙에 따라 누군가가 타인의 생명을 해쳤다면 그의 생명을 박탈하는 것이 정당하다고 주장함
루소	사회 계약론의 관점에서 살인자가 된다는 것은 자신도 죽임을 당해도 좋다는 것을 동의한 것이라고 봄
베카리아	사형보다 종신 노역형이 범죄 예방에 효과적이라고 봄
특수 예방주의	사형 제도는 범죄자의 재사회화를 불가능하게 하므로 사형 제도에 반대함

12 국가 권위의 정당성 조건

국가 권위의 정당화 근거와 관련하여 갑은 공공재와 관행의 혜택을, 을은 동의의 관점을 채택하고 있다.

▮바로 알기▮ ① 갑은 인간의 본성이 아닌 국가로부터 받는 이익과 혜택을 고려함으로써 국가 권위를 정당화한다.

13 국가의 역할

(가)는 자연 상태를 비참하다고 표현한 것으로 보아 사회 계약론자인 홉스의 입장이라는 것을 알 수 있으며, (나)는 군주가 상벌로 백성을 다스린다는 것으로 보아 한비자의 입장이라는 것을 알 수 있다.

▮바로 알기▮ ㄴ. 홉스는 인간의 이기적 본성 때문에 사회 질서가 필요하다고 보았다. ㄷ. 묵자의 겸애 교리 사상이다.

14 민본주의

제시된 글은 맹자의 민본주의에 관한 내용이다. 맹자는 백성을 나라의 근본으로 생각하고 백성의 입장에서 정치를 하는 민본주의를 주장하였다.

▮바로 알기▮ ㄱ, ㄷ. 민주주의에 대한 설명이다.

15 시민 참여의 필요성

대의 민주주의의 한계를 극복하기 위해서는 시민들의 적극적인 참여가 필요하다.

16 롤스와 소로의 시민 불복종

갑은 롤스, 을은 소로이다. 롤스에게 시민 불복종은 법에 대한 충실성의 한계 내에서 법에 대한 불복종을 의미하며, 마지막 수단이 되어야 하고, 공개적이어야 하며, 성공에 대한 합당한 전망이 있어야 하는 것이다. 소로는 자신의 양심에 따라 정의롭지 못한 국가 권력이나 부당한 법률에 불복종하는 것이 자신을 지키는 방법이라 보았다.

▮바로 알기▮ ① 부당한 법이나 제도의 개선이 목적이다. ② 롤스는 다수가 공유하는 정의관을 시민 불복종의 근거로 본다. ④ 소로는 다수의 정의관이 아닌 개인의 양심을 중시하였다. ⑤ 롤스는 시민 불복종이 공개적으로 행해져야 한다고 보았다.

Ⅳ. 과학과 윤리

01 과학 기술과 윤리

STEP 1 핵심 개념 확인하기   114쪽

1 ㄱ, ㄷ   2 과학 기술 지상주의   3 (1) ○ (2) × (3) ○ (4) ×
4 (1) - ㉢ (2) - ㉠   5 책임 윤리

STEP 2 내신 만점 공략하기   114~117쪽

01 ④   02 ④   03 ⑤   04 ①   05 ①   06 ④   07 ⑤
08 ①   09 ④   10 ④   11 ④   12 ②

01 과학 기술의 발전에 따른 문제점
과학 기술이 발전하면서 생겨난 문제점으로는 환경 문제, 사생활 침해, 생명의 존엄성 훼손, 비인간화 현상 등을 들 수 있다. 그중 개인 정보 유출이나 감시 카메라, 위치 추적 시스템의 등장은 인권 및 사생활 침해 문제를 일으켰고, 생명 복제나 유전자 조작 등의 실험은 생명 존엄성 훼손이라는 문제를 발생시켰다.

02 비인간화 현상
과학 기술의 발전은 비인간화 현상을 초래하여 인간의 주체성을 약화하고 인간을 마치 기계의 부품처럼 여기도록 하는 풍토를 조성하였다. 다시 말하여 과학 기술이 인간의 목적을 위해 통제되지 않고 기계가 인간을 지배하는 상황이 발생한 것이다. 대표적으로 인간이 컴퓨터나 휴대 전화에 지나치게 의존하는 현상을 예로 들 수 있다.

03 판옵티콘과 빅브라더
(가)는 판옵티콘, (나)는 빅브라더에 대한 설명이다. 판옵티콘과 빅브라더는 사람들이나 사회를 감시하는 거대한 체제를 상징하는 것으로, 인권 및 사생활 침해와 관련된 과학 기술의 부정적 측면을 보여 준다.

04 과학 기술 혐오주의
제시된 글은 러다이트 운동으로, 과학 기술 혐오주의의 대표적인 사례이다. 과학 기술 혐오주의는 과학 기술의 발전을 비관적으로 바라보는 입장으로, 과학 기술의 비인간적이며 비윤리적인 측면을 부각하며 과학 기술의 긍정적인 가치를 인정하지 않는다는 문제점이 있다.

05 과학 기술의 가치 중립에 대한 사상가들의 입장

자료 분석

┌ 과학 기술을 가치 중립적인 것으로 보고 있어.

갑: 기술은 수단일 뿐이며 그 자체로 선도 아니고 악도 아닙니다. 과학 기술이 선한지 악한지는 인간이 기술로부터 무엇을 만들어 내고, 기술을 어디에 사용하고, 어떤 조건에서 기술이 만들어지느냐에 달려 있습니다.

을: 과학 기술은 좀처럼 상상하지 못하는 방식으로 우리들의 존재를 철저하게 지배하고 있습니다. 최악의 경우 과학 기술을 가치 중립적인 것으로 고찰할 때, 우리는 무방비 상태로 과학 기술에 내맡겨집니다.

└ 과학 기술을 가치 중립적인 것으로 보는 것에 반대하고 있어.

갑은 야스퍼스의 입장으로, 과학 기술이 가치 중립적이라고 강조하면서 과학 기술에 대한 윤리적 평가와 비판을 유보해야 한다고 본다. 그리고 과학 기술의 결과에 대한 책임은 과학자가 아닌 사용자에게 있다고 본다. 반면, 을은 하이데거의 입장으로, 과학 기술의 가치 중립성을 부정하면서 과학 기술을 개발하고 활용하는 과정은 가치 평가에 의해 규제되어야 한다고 본다.

┃바로 알기┃ ② 과학 기술에 대해 가치 판단을 해야 한다고 보는 것은 을이다. ③, ④ 과학 기술을 가치 중립적으로 보고 윤리적 판단의 개입에 반대하는 것은 갑이다. ⑤ 갑은 과학 기술의 결과에 대한 책임이 사용자에게만 있다고 보고, 을은 사용자와 과학자 모두에게 있다고 본다.

06 과학 기술의 가치 중립성에 대한 바람직한 입장
갑은 과학 기술의 가치 중립성을 강조하는 입장이고, 을은 과학 기술의 이론적 정당화 맥락과 연구 목적 설정 및 결과 활용의 맥락을 구분해야 한다는 입장이다. 을의 경우, 과학 기술의 이론적 정당화 맥락, 즉 과학 기술이 객관적 타당성을 갖춘 지식이나 원리로 인정받는 과정에서는 가치 중립적이어야 하지만, 과학 기술의 연구 목적을 설정하고, 연구 결과를 현실에 활용하는 과정에서는 과학자의 가치가 개입될 수밖에 없으므로 가치 판단이 필요하다고 본다.

┃바로 알기┃ ①, ③ 갑과 을 모두 과학 기술의 이론적 정당화 과정에서는 가치 중립성이 보장되어야 한다고 본다. ② 제시된 내용은 갑의 입장으로, 을은 과학자가 연구 결과에 대해 책임이 있다고 본다. ⑤ 과학 기술에 가치 판단을 하지 말아야 한다는 것은 갑이 강조할 내용이다.

07 과학 기술의 개발 및 활용 과정에서의 가치 판단
제시된 글은 과학 기술을 개발하고 활용하는 과정은 정치적·경제적 목적 등에 따라 다양한 가치가 개입되므로 가치 평가에 의해 규제되어야 한다는 내용이다. 따라서 (가)에는 어떤 연구를 하고 연구 결과를 어떻게 활용할지 논의하는 과정에서 다양한 가치가 개입된다는 내용이 들어가야 한다.

┃바로 알기┃ ⑤ 과학 기술의 연구 과정, 즉 이론적 정당화 과정에 대한 설명으로, 이 과정에서는 가치 중립성을 확보하는 것이 중요하다.

08 과학 기술의 가치 중립성 논쟁

과학 기술의 가치 중립성을 강조하는 입장에서는 연구의 자유를 보장해야 한다고 본다. 반면, 과학 기술의 가치 중립성을 부정하는 입장에서는 과학 기술에 윤리적 검토나 통제가 필요하다고 본다.

바로 알기 ② ⓒ 과학 기술은 윤리적 평가에서 자유로워야 한다고 본다. ③ ⓒ 과학 기술의 결과에 대한 책임은 과학 기술을 활용하는 사용자에게 있다고 본다. ④ ⓔ 과학 기술의 발견과 활용 과정에서는 다양한 가치가 개입되므로 바람직한 가치 판단이 필요하다고 본다. ⑤ ⓜ 과학 기술의 개발 및 활용 과정은 가치 평가에 의해 규제되어야 한다고 보므로 과학 기술과 도덕적 가치를 분리할 수 없다는 입장임을 알 수 있다.

09 과학 기술의 사회적 책임의 등장 배경

현대의 과학 기술은 그 영향력의 파급 속도와 범위가 넓어지고, 미래에 어떤 영향력을 미칠지 예측하기가 어려워졌으며, 과학 기술의 적용에 대한 요구가 커지면서 비윤리적인 과학 기술의 개발과 적용을 막기가 어려워졌다. 이러한 이유로 과학 기술의 사회적 책임 문제가 등장하게 되었다.

바로 알기 ④ 과학 기술에 대한 윤리적 규제가 과학 기술이 미래에 가져올 무한한 가능성을 훼손하기 때문이 아니라, 현세대가 개발하고 활용하는 과학 기술이 미래에 어떤 부정적인 결과를 가져올지 정확히 예측할 수 없기 때문에 과학 기술의 사회적 책임 문제가 등장한 것이다.

10 과학 기술자의 내적 책임과 외적 책임

갑은 과학 기술자의 내적 책임을 강조하는 입장이다. 을은 과학 기술자의 내적 책임과 함께 외적 책임도 강조하는 입장으로, 과학 기술자는 자신의 연구 결과가 사회적 위기를 가져올 수 있음을 인식하여 사회적 책임 의식을 가져야 한다고 본다.

바로 알기 ㄱ, ㄴ. 과학 기술자의 내적 책임에 대한 내용이다.

완자 정리 노트 과학 기술자의 책임

구분	내용
내적 책임	연구 윤리의 준수 및 연구 자체에 대한 책임
외적 책임	연구 결과가 사회에 미칠 영향에 대한 책임

11 과학 기술의 사회적 책임을 실현하기 위한 노력

사회적 차원에서 과학 기술의 부작용을 최소화하기 위해서는 기술 영향 평가 제도를 철저하게 시행하고, 국가의 각종 윤리 위원회 활동으로 과학 기술 연구에 대한 윤리적 규제를 강화할 필요가 있다. 또한 과학 기술의 활용에 관한 시민들의 감시와 참여를 이끌어 내는 제도를 마련해야 한다. 시민 차원에서도 과학 기술의 연구 개발과 관련된 사회적 토론과 합의 과정에 적극적으로 참여함으로써 과학 기술과 관련된 문제에 관심을 가지고 윤리적으로 성찰하는 태도를 가져야 한다.

바로 알기 ㄴ. 과학 기술의 연구 및 활용 과정에 대하여 전문가뿐만 아니라 일반 시민들도 함께 의견을 주고받으며 과학 기술이 가져올 수 있는 부정적인 영향을 최소화하고 긍정적인 영향을 최대화하기 위해 노력해야 한다.

12 요나스의 책임 윤리

제시된 글은 책임 윤리를 제시한 요나스의 주장이다. 그는 기존의 전통 윤리로는 과학 기술 시대에 새롭게 등장한 윤리적 문제들을 해결할 수 없다고 보았다. 그래서 과학 기술의 발전이 미래에 끼치게 될 결과를 미리 예측하고, 과학 기술 시대에 걸맞은 새로운 책임 윤리를 확립해야 한다고 주장하였다. 또한 과학 기술의 발달로 인한 환경 파괴와 관련하여, 인간을 포함한 자연에 대한 책임뿐만 아니라 미래 세대에까지 책임의 범위를 넓혀야 한다고 주장하였다.

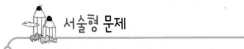 서술형 문제
117쪽

01 주제: 과학 기술을 바라보는 바람직한 태도

예시 답안 과학 기술의 긍정적 측면을 발전시키고 부정적 측면을 최소화하기 위해 이를 끊임없이 성찰하는 비판적 자세를 지녀야 한다.

채점 기준

상	과학 기술의 긍정적 측면과 부정적 측면을 균형적으로 서술하며 윤리적 성찰과 비판적 자세를 언급한 경우
중	과학 기술의 긍정적 측면과 부정적 측면을 균형적으로 서술하였으나 윤리적 성찰과 비판적 자세를 언급하지 않은 경우
하	과학 기술의 긍정적 측면과 부정적 측면 중 한쪽 측면에 대해서만 서술한 경우

02 주제: 과학 기술의 가치 중립성에 대한 입장

(1) 과학 기술의 가치 중립성을 강조한다.

(2) **예시 답안** 과학 기술의 이론적 정당화 맥락에서는 객관적 방법을 통한 검증이 필요하므로 과학 기술의 가치 중립성을 확보해야 한다. 하지만 발견 및 활용의 맥락에서는 정치적·경제적 목적 등 다양한 가치가 개입될 수밖에 없으므로 과학 기술이 가치 중립적이어서는 안 되며, 윤리적 가치에 의해 지도되고 규제되어야 한다. 따라서 (가)와 같은 입장은 바람직하지 않다.

채점 기준

상	과학 기술의 이론적 정당화 맥락과 발견 및 활용의 맥락을 모두 포함하고 이와 관련지어 (나)의 입장에서 (가)의 입장을 비판하는 내용을 서술한 경우
하	(나)의 입장에서 볼 때 (가)의 입장이 바람직하지 않다고만 서술한 경우

1　과학 기술의 가치 중립성에 대한 논쟁

그림의 강연자가 한 말은 과학 기술의 가치 중립성을 강조한 야스퍼스의 주장이다. 야스퍼스는 과학 기술 그 자체는 선도 악도 아니므로, 과학 기술을 사용함으로써 나타나는 부작용은 과학 기술을 사용하는 사람에게 달려 있다고 보았다.

‖ **바로 알기** ‖ ㄷ. 야스퍼스에 따르면, 기술은 그 자체로 선도 아니고 악도 아니다. ㄹ. 인간이 기술을 어떻게 사용하고 어떤 조건 아래 놓는가 하는 것이 중요하다고 하였으므로 인간이 기술을 선하게 활용할지, 악하게 활용할지에 따라 선이나 악을 만들어 낼 수 있다고 본다.

2　과학 기술의 사회적 책임

자료 분석　과학 기술의 부정적 측면을 고려하여 윤리적 성찰과 규제가 필요하다고 보고 있어.

(가) 프로메테우스는 과학을 통해 이제까지 알려지지 않았던 힘을 부여받아 마침내 사슬로부터 풀려났지만, 그는 <u>자신의 힘이 불행을 자초하지 않도록 스스로를 제어해야 한다.</u>

(나) 과학은 관찰과 실험에 기초해 자연을 객관적으로 이해한다. 우리는 이러한 <u>과학을 활용하여 자연을 지배하고 통제함으로써 인간의 복지를 무한히 증대할 수 있다.</u>
　　└ 인간을 자연보다 더 위에 두며 자연을 인간을 위한 수단으로만 보고 있어.

(가)는 과학 기술에 대한 인간의 반성을 촉구하고 윤리적 규제의 필요성을 강조한 요나스의 주장이고, (나)는 과학 기술을 통해 자연을 지배하고 통제해야 한다는 베이컨의 주장이다.

‖ **바로 알기** ‖ ④ (나)의 관점으로 알맞다.

3　과학 기술자의 사회적 책임에 대한 논쟁

갑은 과학 기술자의 외적 책임을 부정한 오펜하이머의 주장이고, 을은 과학 기술자의 외적 책임을 강조한 하이젠베르크의 주장이다. 과학 기술의 가치 중립성을 강조하는 입장에서는 과학 기술자의 외적 책임을 부정하고, 과학 기술의 가치 중립성을 부정하는 입장에서는 과학 기술자의 외적 책임을 강조한다.

‖ **바로 알기** ‖ ①, ②, ③ 갑은 긍정, 을은 부정의 대답을 할 질문이다. ④ 갑과 을 모두 긍정의 대답을 할 질문이다.

4　요나스의 책임 윤리

요나스는 선에 대한 인식보다 악에 대한 인식이 훨씬 쉽기 때문에 과학 기술이 가져올 부정적 영향에 대해 고찰할 때 미래 세대의 존속에 대한 의무가 도출될 수 있다고 보고, 이를 '공포의 발견술'이라 불렀다. 따라서 그는 새로운 윤리학이 악에 대한 인식으로부터 출발할 필요가 있다고 보았고, 미래에 닥칠 위험을 예견하여 미연에 방지하고자 노력하는 사전적 책임의 필요성을 촉구하며, 새로운 생태학적 정언 명법을 제시하였다. 이때 정언 명법이란 조건이 붙지 않는 무조건적인 명령의 형식을 취한다.

‖ **바로 알기** ‖ ② 악의 인식이 선의 인식보다 쉽다고 하였다. ③ 요나스는 과학 기술에 대한 반성적 사고가 필요하다고 보았다. ④ 요나스는 조건이 없는 정언 명법을 제시하였다. ⑤ 새로운 윤리학은 공포를 논의 대상으로 삼아야 한다고 하였으므로 과학 기술의 부정적인 영향에 주목한다는 것을 알 수 있다.

02　정보 사회와 윤리

01　정보 통신 기술의 발달에 따른 변화

정보 통신 기술의 발달에 따른 긍정적 변화는 삶의 편의성이 향상되고, 일반인도 전문적인 정보를 쉽게 접하고 얻을 수 있게 되었다는 것이다. 그러나 사이버 폭력, 사생활 침해, 저작권 침해 등 새로운 다양한 윤리적 문제를 발생시켰다.

‖ **바로 알기** ‖ ㄴ. 다양한 문화를 경험하고 이해할 수 있는 기회가 늘어났다. ㄹ. 가상 공간의 등장으로 의사 결정 과정에 참여할 기회가 늘어나는 등 사회 참여의 기회가 확대되었다.

02　저작권에 관한 두 입장

갑은 저작권 보호를 주장하는 입장(카피라이트), 을은 정보 공유를 주장하는 입장(카피레프트)이다. 카피라이트는 저작권의 보호가 창작 의욕을 고취시키므로 창작자의 노력에 대한 경제적 이익을 보장할 필요가 있다는 입장이다. 반면, 카피레프트는 지식과 정보를 인류의 공동 자산으로 보고 정보를 공유할 때 정보의 질적인 발전이 가능하다는 입장이다. 이 입장에서는 저작물에 대한 과도한 권리 행사가 새로운 창작을 방해할 수 있다고 본다.

‖ **바로 알기** ‖ ①, ③ 을이 갑에게 제기할 반론으로 알맞다. ② 을은 저작권을 과도하게 행사할 경우 정보 격차에 따른 불평등이 발생할 수 있다고 본다. ⑤ 갑은 창작자에게 경제적 이익을 보장함으로써 창작 의욕을 높여 정보의 질적 수준이 향상된다고 본다.

03 사이버 폭력의 문제점

제시된 글은 사이버 폭력에 대한 설명이다. 사이버 폭력은 가상 공간에서 허위 사실 유포, 악성 댓글 등 언어나 이미지 등을 통해 상대방에게 정신적·심리적·물질적으로 피해를 주는 행위로, 한번 정보가 유포되면 피해자에게 지속적인 고통을 준다. 또한 가해자들이 피해자들의 고통을 직접 목격하기가 어려워 폭력의 심각성을 인식하지 못한다.

┃바로 알기┃ ④ 사이버 폭력은 가상 공간에서 악성 게시물이나 댓글 등을 통해 피해자에게 정신적 피해를 준다.

완자 정리 노트 　정보 통신 기술의 발달에 따른 문제점

구분	내용
사이버 폭력	• 사이버 공간에서 상대방이 원하지 않는 언어, 이미지 등으로 정신적·심리적 피해를 주는 행위 • 정보의 유포 후 수정 및 회수가 어려워 피해자가 지속적으로 고통에 시달림
저작권 침해	• 저작물을 무단으로 사용하여 저작자의 권리를 침해하는 행위 • 저작자의 창작 의욕을 저하시키고 양질의 정보 생산을 방해함
사생활 침해	• 개인 정보가 노출되거나 악용되는 것 • 개인의 자유와 행복 추구를 방해하여 인간의 존엄성을 해침

04 표현의 자유

제시된 글은 가상 공간에서의 표현의 자유에 대한 설명이다. 표현의 자유는 단지 가상 공간에서만이 아니라 현실 공간에서도 기본적인 권리로서 보장되어야 하는 것으로, 민주주의 사회에서 매우 중요한 가치이다.

05 표현의 자유에 대한 제한

표현의 자유는 누구에게나 기본적으로 보장되어야 하는 권리이지만, 사회 질서를 심각하게 훼손하거나 타인에게 해악이나 상처를 입히는 경우에는 제한될 수 있다.

┃바로 알기┃ ㄱ, ㄹ. 표현의 자유를 행사하는 방식 중 하나이다.

06 잊힐 권리와 알 권리

갑은 잊힐 권리를 강조하는 입장이고, 을은 알 권리를 강조하는 입장이다.

┃바로 알기┃ ② 알 권리를 강조하는 을이 주장할 내용으로 알맞다.

07 정보 사회에서 요구되는 정보 윤리

가상 공간에서 지켜야 할 윤리로는 일반적으로 인간 존중, 책임, 정의, 해악 금지 등을 들 수 있다. 우리는 가상 공간에서도 타인의 인격을 존중하고 자신의 행동에 대한 책임을 지며 공동체의 조화로운 삶과 복지 증진에 힘쓰고, 타인에게 피해를 주지 말아야 한다.

┃바로 알기┃ ③ 표현의 자유는 타인의 인권과 사회 질서를 침해하지 않는 범위 내에서 허용되어야 한다.

완자 정리 노트 　가상 공간에서의 윤리 원칙

구분	내용
인간 존중의 원칙	타인의 인격, 사생활, 명예, 지적 재산권 등을 존중해야 함
책임의 원칙	익명성으로 인한 비윤리적 행위를 막기 위해 책임 의식을 지녀야 함
해악 금지의 원칙	사이버 폭력, 개인 정보 유출, 해킹 등의 행위로 타인에게 해를 끼치지 말아야 함
정의의 원칙	타인의 권리나 공평한 기회를 침해하지 말아야 함

08 대중 매체의 순기능과 역기능

갑과 을은 대중 매체의 순기능과 역기능에 관해 대화하고 있다. 대중 매체의 순기능에는 각종 정보 제공, 정보의 의미에 대한 해석과 평가, 한 사회의 전통·가치·규범의 전수, 오락과 휴식 제공 등이 있다. 반대로 역기능에는 각종 위험 정보를 통한 심리적 긴장감이나 공포 유도, 편견이 개입된 불공정 보도, 사회의 다양성과 창의성 저하, 사회적·정치적 문제에 대한 대중의 무관심 조성 등이 있다.

09 뉴 미디어의 특징

제시된 글은 인터넷의 등장으로 국민과 정치인이 서로 의견을 제시하고 공유할 수 있게 되었음을 보여 준다. 이를 통해 양방향으로 이루어지는 정보의 소통이 증가하고 실시간으로 의견을 제시하고 여론까지 형성할 수 있게 되어 참여 민주주의가 가능해졌다.

┃바로 알기┃ ④ 뉴 미디어는 정보의 생산자와 소비자를 엄격히 분리시키지 않고, 정보의 소비자인 동시에 생산자가 될 수 있도록 해 주었다.

10 기존 매체와 뉴 미디어의 특징

기존 매체는 권위 있는 전문가에 의해 정보가 생산되고, 그 정보가 일방적으로 전달되었던 반면, 뉴 미디어는 정보 생산자와 소비자가 비교적 수평적인 관계를 바탕으로 쌍방향적인 의사소통을 할 수 있다.

┃바로 알기┃ ㉣ 뉴 미디어는 정보 교환에서 송수신자가 동시에 참여하지 않아도 수신자가 원하는 시간에 정보를 볼 수 있는 '비동시화'의 특징이 있다.

완자 정리 노트 　뉴 미디어의 특징

구분	내용
상호 작용화	정보를 생산하는 주체와 소비하는 주체의 쌍방향적인 의사소통이 이루어짐
비동시화	정보 교환에서 송수신자가 동시에 참여하지 않아도 수신자가 원하는 시간에 정보를 얻을 수 있음
탈대중화	대규모 집단에 획일적 메시지를 전달하는 방식에서 벗어나 특정 대상과 특정 정보를 상호 교환할 수 있음
능동화	사용자가 정보의 생산과 유통을 직접 할 수 있고, 이를 소비하면서 동시에 감시할 수 있어서 능동적인 활동이 가능함
디지털화	모든 정보를 디지털화함으로써 신속하고 정확하게 정보를 처리할 수 있음

11 정보 사회에서 언론인의 매체 윤리

제시된 글에서 말하는 도덕적인 사유란 무조건적인 알 권리의 충족이 사생활을 침해할 수 있으므로, 사적 정보를 공개할 때는 그것이 진정으로 공익을 위한 일인지 판단할 수 있는 분별력을 말한다. 최근 등장한 잊힐 권리는 개인이 가지는 정보의 자기 결정권을 강조하여, 사적 정보의 공개로 발생할 수 있는 사생활 침해 문제를 해결할 대안으로 떠오르고 있다. 또한 알 권리가 보장되는 경우라고 하더라도 그 권리는 해당자의 인격권과 공익을 침해하지 않는 한도에서 추구되어야 한다.

▌바로 알기▐ ㄱ. 정보 공개와 관련한 분별력은 정보의 자기 결정권을 고려해야 한다는 것이다. ㄹ. 정보 공개의 목적이 무엇인지 고려해야 한다고 하였다.

12 뉴 미디어의 문제점

뉴 미디어는 전문성이 검증되지 않는 경우가 많고, 불필요한 정보나 허위·유해 정보들이 쏟아져 나오는 데이터 스모그 현상을 일으킨다는 문제점이 있다. 또한 폭력적이고 자극적인 정보를 이용하여 이윤을 추구하는 경우도 있어서 문제가 되고 있다.

▌바로 알기▐ ⑤ 모든 정보가 디지털화됨으로써 정보는 미디어의 종류와 관계없이 매체와 독립적으로 활용 가능해졌다.

13 정보 사회에서 소비자의 매체 윤리

제시된 글은 정보 사회에서 새롭게 등장한 디지털 네이티브에 대한 설명이다. 정보 사회에서 정보 생산자에게 필요한 매체 윤리로는 진실 보도, 공정한 편집과 편성, 타인의 인격 존중, 표절 금지 등이 있다. 또한 정보 소비자는 미디어 리터러시를 함양하여 정보의 가치를 평가하고 그것을 비판적으로 이해할 수 있어야 하며, 사용자 간에 서로 대화하며 협력하는 자세가 필요하다.

서술형 문제

127쪽

01 주제: 사이버 따돌림의 의미와 심각성

(1) 사이버 따돌림

(2) **예시 답안** 익명성을 바탕으로 은밀하고 가혹한 폭력이 행해지며, 한번 유포된 정보를 수정하거나 회수하기 어려워서 피해자가 지속적인 고통에 시달린다. 가해자는 피해자의 고통을 직접 목격하지 못해 사이버 폭력의 심각성을 제대로 인식하지 못한다.

채점 기준

상	사이버 공간의 특성인 익명성, 정보의 신속한 확산, 비대면성에 초점을 맞추어 문제의 심각성을 구체적으로 서술한 경우
중	사이버 공간의 특성인 익명성, 정보의 신속한 확산, 비대면성 중 한 가지에만 초점을 맞추어 문제의 심각성을 서술한 경우
하	사이버 공간의 특성과 연결하지 않고 문제의 심각성만 간단히 서술한 경우

02 주제: 저작권에 대한 입장

예시 답안 저작권을 보호하면 창작자에게 경제적 이익을 보장함으로써 창작 의욕을 높이고 양질의 정보와 지적 산물을 생산하는 데 기여하는 것과 달리, 정보를 공유하면 창작자의 의욕을 감소시키고 양질의 정보를 생산할 수 없다. 따라서 정보 공유는 바람직하다고 볼 수 없다.

채점 기준

상	저작권 보호를 주장하는 입장과 정보 공유를 주장하는 입장의 차이점이 잘 드러나도록 비판하는 내용을 서술한 경우
하	두 입장의 차이점은 쓰지 않고 저작권 보호를 주장하는 입장에서 정보 공유를 주장하는 입장이 바람직하지 않다고만 간단히 서술한 경우

03 주제: 미디어 리터러시

예시 답안 미디어 리터러시는 정보 사회에서 매체를 사용하고 이해하는 데 필요한 기본적인 읽기 및 쓰기 능력으로, 자신이 찾아낸 정보의 가치를 제대로 평가하고 자신의 목적에 맞게 기존의 정보를 새로운 정보로 조합할 수 있게 해 준다.

채점 기준

상	미디어 리터러시의 의미와 역할을 모두 정확히 서술한 경우
하	미디어 리터러시의 의미와 역할 중 한 가지만 서술한 경우

STEP 3 1등급 정복하기

128~129쪽

1 ② **2** ② **3** ⑤ **4** ⑤

1 정보 소유 권리에 대한 입장

자료 분석

"대지에서 자연적으로 산출되는 모든 열매와 거기에서 자라는 짐승들은 인류에게 공동으로 속한다. 그러나 한 개인이 모두에게 공동으로 주어진 것에 자신의 노동을 투입하면 그것은 그의 소유가 되며 타인의 권리는 배제된다."라는 재산권 이론은 노동의 형태가 어떤 것이든 간에 인간의 노동을 통해 산출된 모든 산물에 적용될 수 있다.
└ 개인의 노동이 투입된 결과물은 개인의 소유, 즉 사유물이 된다는 입장이야.

제시된 글은 한 개인이 자신의 노동력을 바탕으로 만들어 낸 모든 생산물에 대한 권리는 그 개인에게 있다고 본다. 이는 저작권 보호를 주장하는 정보 사유론의 입장에 부합한다고 볼 수 있다. 따라서 제시된 글의 입장에서는 개인이 시간과 노력을 들여 만든 예술 작품의 저작권 보장을 강조하는 조언을 할 것이다.

│ 바로 알기 │ ① 지적 산물의 가치는 개인의 노동과 밀접한 관련이 있다고 본다. ③ 무형의 정신노동이 들어간 지적 창작물도 소유권이 인정된다고 본다. ④, ⑤ 정보 공유를 주장하는 정보 공유론의 입장이다.

2 잊힐 권리

그림의 강연자는 온라인상에서 사생활 보호를 위해 자신과 관련된 모든 정보에 대한 삭제 및 확산 방지를 요구할 수 있는 정보 주체의 자기 결정권 및 통제 권리인 잊힐 권리를 강조하고 있다.

3 잊힐 권리와 알 권리에 대한 입장

㉠은 개인의 잊힐 권리를, ㉡은 알 권리를 주장하는 입장이다.

│ 바로 알기 │ ⑤ 개인의 알 권리보다 사생활 보호를 중시하는 ㉠만 해당한다.

4 표현의 자유

제시된 글은 공리주의 철학자인 밀의 주장으로, 밀은 개인의 자유가 타인에게 해를 끼치면 그 자유를 제한할 수 있다고 보았다.

03 자연과 윤리

STEP 1 **핵심 개념 확인하기** 136쪽

1 인간 중심주의 2 (1) – ㉡ (2) – ㉣ (3) – ㉢ (4) – ㉠ 3 (1) × (2) ○ (3) × (4) ○ 4 ㉠ 기후 정의 ㉡ 탄소 배출권 거래 제도
5 책임 윤리

STEP 2 **내신 만점 공략하기** 136~140쪽

01 ①	02 ③	03 ⑤	04 ④	05 ①	06 ①	07 ⑤
08 ③	09 ①	10 ③	11 ②	12 ⑤	13 ②	14 ①
15 ④	16 ②

01 인간 중심주의

제시된 인물들은 모두 인간 중심주의의 대표적인 사상가들이다. 인간 중심주의는 인간을 다른 존재들보다 우월하고 귀한 존재로 여기고, 인간과 자연을 분리하여 바라보는 이분법적 세계관을 지니며, 도구적 자연관을 토대로 자연을 인간의 생존과 복지를 위한 수단으로 여긴다. 또한 인간만이 직접적인 도덕적 고려의 대상이라고 본다.

│ 바로 알기 │ ② 동물 중심주의의 입장이다. ③, ④ 생태 중심주의의 입장이다. ⑤ 생명 중심주의의 입장이다.

완자 정리 노트 **인간 중심주의를 대표하는 사상가들의 말**

구분	내용
아리스토텔레스	"식물은 동물의 생존을 위해, 동물은 인간의 생존을 위해서 존재한다."
아퀴나스	"신의 섭리에 따라 동물은 인간이 사용하도록 운명 지어졌다."
베이컨	"방황하고 있는 자연을 사냥해서 노예로 만들어 인간의 이익에 봉사하도록 해야 한다."
데카르트	"나는 생각한다. 그러므로 나는 존재한다."
칸트	"동물에 대한 우리의 의무는 인간성 실현을 위한 간접적인 도덕적 의무에 불과하다."

02 온건한 인간 중심주의

제시된 글은 온건한 인간 중심주의에 대한 설명이다. 온건한 인간 중심주의는 강경한 인간 중심주의에 비해 자연에 대한 존중과 책임 문제에 관심을 기울이지만, 여전히 인간의 이익이나 관심을 벗어난 환경 문제를 고려하지 않는다는 한계를 지닌다.

│ 바로 알기 │ ㄴ. 미래 세대의 생존 근거를 악화시키지 않기 위해 자연을 존중해야 한다고 하였으므로 미래 세대에 대한 책임을 완전히 부정하는 것은 아니다. ㄷ. 인간 중심주의이므로 인간을 다른 존재보다 가치 있는 존재라고 본다.

03 싱어의 동물 중심주의

싱어는 동물 중심주의를 주장한 사상가로, 동물도 쾌고 감수 능력을 지니고 있으므로 도덕적 고려의 대상이라고 보았다. 그리고 이익 평등 고려의 원칙에 근거해 인간과 동물의 이익을 평등하게 고려하지 않는 태도를 종 차별주의라고 비판하였다. 또한 공리주의에 근거한 동물 해방론을 주장하면서, 공장식 동물 사육과 동물에게 과도한 고통을 가하는 동물 실험에 반대하였다.

04 싱어와 레건의 동물 중심주의 비교

자료 분석

(가) 동물도 인간처럼 고통을 싫어하고 쾌락을 좋아하는 이익 관심을 가지고 있기 때문에 인간과 동물의 이익을 평등하게 고려해야 한다. └ 공리주의적 관점에서 동물에 대한 도덕적 고려를 주장하고 있어.

(나) 일부 동물은 본래적 가치를 지닌 목적적 존재로서 삶을 살아갈 권리를 가지므로 도덕적 고려의 대상으로 보아야 한다. ┐ 의무론의 관점에서 동물을 도덕적으로 고려해야 한다고 주장하고 있어.

(가)와 (나)는 모두 동물 중심주의의 입장으로, (가)는 공리주의에 근거하여 동물의 이익 관심을 강조한 싱어, (나)는 의무론에 근거하여 동물도 삶의 주체임을 강조한 레건의 주장이다. 동물 중심주의는 도덕적 고려의 대상을 인간뿐만 아니라 쾌고 감수 능력을 가진

또는 삶의 주체인 동물에까지 확대시켰지만, 여전히 식물과 같은 생명체나 생태계 전체까지 고려하고 있지는 못하다.

05 슈바이처와 테일러의 관점

갑과 을은 모두 도덕적 고려의 범위를 모든 생명체로 확대한 생명 중심주의의 입장으로, 갑은 슈바이처, 을은 테일러의 주장이다. 슈바이처는 살고자 하는 의지를 지닌 생명을 그 자체로 신성하므로 모든 생명을 소중히 여기고 존중하라는 생명 외경 사상을 주장하였다. 또한 자기 존재를 유지하기 위해 불가피하게 다른 생명을 해쳐야 할 경우가 발생할 때도 생명에 대해 무한한 책임을 지녀야 한다고 강조하였다. 테일러는 모든 생명체는 의식 유무와 상관없이 생존, 성장, 발전, 번식 등의 목적을 가지고 있으며, 이러한 목적을 지향한다는 점에서 목적론적 삶의 중심이라고 하였다.

┃ 바로 알기 ┃ ① 생태 중심주의의 입장이다.

06 생명 중심주의의 특징

생명 중심주의는 생태 중심주의와 달리 개별 생명체의 존중에 초점을 두며, 생태계 내의 무생물까지 고려하지는 않는다.

┃ 바로 알기 ┃ ㄷ. 생태 중심주의의 의의이다. ㄹ. 생태 중심주의의 한계이다.

07 생태 중심주의의 입장

제시된 글은 생태 중심주의를 주장한 레오폴드의 입장으로, 그는 대지 윤리를 주장하였다. 생태 중심주의는 무생물을 포함한 생태계 전체를 도덕적 고려의 대상으로 여기고, 생태계 전체의 상호 의존성을 강조하는 전일론적 관점을 취한다.

┃ 바로 알기 ┃ ⑤ 동물 중심주의를 주장한 레건은 자신의 삶을 영위할 수 있는 삶의 주체인 동물(최소한 몇몇 포유류)은 내재적 가치를 지니므로 도덕적으로 존중받을 권리가 있다고 하였다.

완자 정리 노트	개체론과 전일론	
구분	개체론	전일론
차이점	• 개별 생명체들의 존중에 초점을 맞추는 환경 윤리 이론 • 동물 중심주의, 생명 중심주의가 해당함	• 전체로서 자연 환경, 종과 생태계의 보존에 초점을 맞추는 환경 윤리 이론 • 생태 중심주의가 해당함

08 생태 중심주의의 한계

생태 중심주의는 환경 문제를 해결하기 위해 생태계 전체에 대한 포괄적 시각이 필요함을 일깨워 주었으며, 이전까지의 개체 중심적 환경 윤리의 한계를 극복하는 데 도움이 되었다. 그러나 생태계 전체의 이익을 위해 개별 생명체를 희생시킬 수 있다는 환경 파시즘으로 흐를 위험이 있다.

┃ 바로 알기 ┃ ㄱ. 동물 중심주의, 생명 중심주의의 한계이다. ㄷ. 인간 중심주의의 입장이다.

09 유교의 자연관

제시된 글은 유교 사상가인 맹자의 자연관이다. 유교에서는 만물이 본래의 가치를 지닌다고 보며, 인간과 자연이 조화를 이루는 천인합일(天人合一)의 경지를 지향한다. 그러나 도덕적 고려에 있어서는 인간과 자연 존재 간에 차이를 둔다.

┃ 바로 알기 ┃ ① 유교의 자연관으로 인간과 자연의 조화를 지향한다. ③ 인간과 자연을 상호 유기적인 관계로 본다. ④ '천지는 나와 함께 살고 만물은 나와 더불어 하나'라는 물아일체는 도가의 장자가 주장한 것이다. ⑤ 불살생의 계율을 가장 중시하는 것은 불교이다.

10 불교와 도가의 자연관

불교는 모든 존재가 원인과 조건으로 연결되어 서로 영향을 주고받는다는 연기론을 주장하면서 만물의 상호 의존성을 강조한다. 도가의 사상가인 노자는 자연의 순리에 따르는 무위자연의 삶을 추구해야 한다고 주장하였다.

11 현대 환경 문제의 특징

제시된 사례를 통해 오늘날 환경 문제는 전 지구적으로 영향을 끼치는 초국가적 성격을 지닌다는 것을 알 수 있다. 따라서 한 국가만의 노력으로 해결할 수 없고 전 세계적인 협력이 필요하다.

┃ 바로 알기 ┃ ③ 지구의 환경은 이미 자정 능력을 넘어서 복구가 어려운 수준으로 파괴되었다. ④ 환경 문제는 그 영향력이 현세대에 국한되지 않고 미래 세대에까지 미친다. ⑤ 한 지역 또는 국가에서 발생한 환경 문제가 다른 지역이나 국가에 연쇄적으로 영향을 미친다.

12 기후 변화를 해결하기 위한 국제적 노력

지구 온난화는 기후 변화 문제의 대표적인 사례이다. 세계 각국은 기후 변화와 지구 온난화에 대응하기 위해 국제적 협력이 필요하다고 판단하여 교토 의정서(1997), 파리 기후 협약(2015) 등을 체결하여 문제를 해결하고자 하였다. 탄소 배출권 거래 제도는 지구 온난화 문제를 해결하기 위해 교토 의정서(1997)에서 최초로 도입된 제도로, 국가나 기업별로 탄소 배출량을 미리 정해 놓고 탄소 배출량을 목표보다 많이 줄이면 그렇지 못한 국가나 기업에 팔 수 있도록 하는 제도이다. 시장 경제의 원리에 따라 운영되는 효율적인 제도이지만, 탄소 배출권을 돈으로 거래한다는 발상은 기후 변화에 책임이 큰 선진국들에게 도덕적인 면죄부를 준다는 문제점이 있다.

13 기후 정의

개발 도상국은 온실가스의 배출량이 선진국보다 훨씬 적지만 지형적인 이유나 기후 변화에 대처할 수 있는 경제력이 부족하여 기후 변화의 피해를 선진국보다 더 크게 입는 경우가 많다. 이러한 기후 변화에 따른 불평등을 해소하기 위하여 등장한 것이 기후 정의이며, 기후 정의는 기후 변화 문제를 형평성의 관점에서 바라본다.

14 요나스의 책임 윤리

독일의 철학자 요나스는 인류가 존재해야 한다는 당위적 요청을 근거로 인류 존속에 대한 현세대의 책임을 강조하는 책임 윤리를 주장하였다. 다시 말하여 현세대는 미래 세대의 존재를 보장해야 할 책임과 그들의 삶의 질을 배려할 책임이 있다는 것이다. 요나스는 "너의 행위의 결과가 미래에 지구상에서 인간이 살아갈 수 있는 가능성을 파괴하지 않도록 행위하라."라는 새로운 생태학적 정언 명법을 제시하며 미래 세대에 대한 현세대의 책임을 강조하고 환경 문제를 해결하고자 하였다.

15 성장과 보존의 딜레마

갑은 개발론자의 입장으로, 인류의 풍요로운 삶을 환경 보존보다 우선시한다. 이러한 입장에 따르면, 자연은 도구적 가치를 지니며 개발로 인한 환경 문제는 경제 성장과 기술의 발달로 해결할 수 있다. 을은 보존론자의 입장으로, 자연 보존이 장기적으로도 인류에 큰 이익이라고 본다. 그러나 보존론자의 입장은 지나친 환경 보존으로 성장을 둔화할 수 있다는 문제점이 있다.

16 환경적으로 건전하고 지속 가능한 발전

환경적으로 건전하고 지속 가능한 발전이라는 개념은 개발론과 보존론의 딜레마를 해결하기 위해 등장하였다. 이는 미래 세대에게 남겨 주어야 할 자연환경을 파괴하지 않는 범위에서 현세대의 필요를 충족하는 발전을 의미한다. 환경적으로 건전하고 지속 가능한 발전을 실현하기 위해 개인적 차원에서는 친환경적·윤리적 소비와 같이 생태계에 도움이 되는 생활 습관을 형성해야 한다. 예를 들어 일회용품 사용 줄이기, 재활용 및 재사용하기, 가까운 거리는 걸어 다니거나 자전거 이용하기, 에너지 효율성이 높고 환경을 고려하여 생산된 제품을 구매하기 등이 있다.

┃바로 알기┃ ⓒ 경제적 효율성과 편리함을 추구하는 생활 양식이 아니라, 생태계를 고려하는 생활 양식을 습관화해야 한다.

서술형 문제
140쪽

01 주제: 인간 중심주의의 문제점

예시 답안 인간 중심주의는 자연을 인간의 이익과 욕구 충족을 위한 수단으로 여겨 자연을 무분별하게 개발하고 훼손함으로써 오늘날 각종 환경 문제를 발생시켰다.

채점 기준

상	도구적 자연관과 연관 지어 자연을 파괴하고 환경 문제를 발생시켰다는 내용을 구체적으로 서술한 경우
하	'자연 파괴' 또는 '환경 오염'이라고만 쓴 경우

02 주제: 생명 중심주의와 생태 중심주의

(1) (가) – 생명 중심주의, (나) – 생태 중심주의

(2) **예시 답안** 자연 전체가 도덕적 고려의 대상이 되어야 하는데, 생명 중심주의는 개별 생명체에 중점을 두고 있어 생태계 전체를 고려하지 못하기 때문에 환경 문제를 극복하는 데 한계를 지닌다.

채점 기준

상	생태 중심주의의 입장을 기준으로 생명 중심주의가 개별 생명체에 중점을 둔다는 것과 생태계 전체를 고려하지 못한다는 내용을 모두 포함하여 비판하는 내용을 서술한 경우
하	생명 중심주의가 개별 생명체에 중점을 둔다는 것과 생태계 전체를 고려하지 못한다는 내용 중 한 가지만 포함하여 비판하는 내용을 서술한 경우

03 주제: 미래 세대에 대한 책임

예시 답안 제시된 글에는 미래 세대에 대한 책임과 관련된 쟁점이 나타나 있다. 이를 해결하기 위해 우리는 미래 세대의 존재를 보장하고 그들의 삶의 질을 배려해야 한다는 책임감을 바탕으로 친환경적·윤리적 소비 습관을 길러야 한다.

채점 기준

상	'미래 세대에 대한 책임'과 책임의 구체적인 내용, 책임의 실천 사례로 친환경적·윤리적 소비 습관을 길러야 한다는 내용을 모두 서술한 경우
중	'미래 세대에 대한 책임'과 친환경적·윤리적 소비 습관을 길러야 한다는 내용만 서술한 경우
하	'미래 세대에 대한 책임'만 서술한 경우

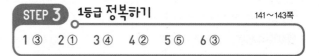

STEP 3 1등급 정복하기
141~143쪽

1 ③　2 ①　3 ④　4 ②　5 ⑤　6 ③

1 자연에 대한 다양한 관점(싱어, 테일러, 레오폴드)

갑은 동물 중심주의의 싱어, 을은 생명 중심주의의 테일러, 병은 생태 중심주의의 레오폴드이다. 테일러는 생명체에 대한 인간의 네 가지 의무로 성실(신의)의 의무, 불침해의 의무, 불간섭의 의무, 보상적 정의의 의무를 제시하였다.

┃바로 알기┃ ㄱ. 쾌고 감수 능력을 지닌 동물을 도덕적 고려 대상으로 포함시키는 것은 동물 중심주의의 싱어, 생명 중심주의의 테일러, 생태 중심주의의 레오폴드 모두에 해당되므로, D에 알맞다. ㄹ. 개체주의적 관점을 지양하고 인간 중심주의에서 벗어나야 한다는 것은 생태 중심주의의 레오폴드만 해당되므로 C에 알맞다.

2 자연에 대한 다양한 관점(레오폴드, 싱어)

갑은 생태 중심주의의 레오폴드, 을은 동물 중심주의의 싱어이다. 생태 중심주의와 동물 중심주의는 모두 탈인간 중심주의적 관점을

취한다. 레오폴드는 무생물을 도덕 공동체에 포함시키지만, 싱어는 그렇지 않다. 싱어와 레오폴드 모두 동물을 도덕적 고려의 대상에 포함시킨다.

┃**바로 알기**┃ ⓒ 개별 생명체에 초점을 맞추어 생태계 전체를 보지 못하는 것은 싱어만 해당되므로 '아니요'에 표시해야 한다. ⓔ 인간을 포함한 자연 전체를 도덕적 고려의 대상에 포함시키는 것은 레오폴드만 해당되므로 '아니요'에 표시해야 한다.

3 자연에 대한 다양한 관점(아퀴나스, 테일러, 레오폴드)

갑은 인간 중심주의의 아퀴나스, 을은 생명 중심주의의 테일러, 병은 생태 중심주의의 레오폴드이다. 이성적 존재인 인간 상호 간의 의무만이 직접적 의무라고 보는 것은 아퀴나스만 해당한다. 생명이 없는 무생물은 도덕적 고려의 대상이 아니라고 보는 입장은 테일러만 해당한다. 생태계의 모든 존재들은 상호 의존적이고 평등하며, 인간을 대지 공동체의 구성원 중 하나라고 보는 것은 레오폴드만 해당한다.

┃**바로 알기**┃ ㄷ. 병의 레오폴드가 '예'라고 대답할 질문이다.

4 생태 중심주의(네스)

네스는 환경 위기를 극복하기 위해서는 인간의 세계관이나 사고방식 자체를 바꾸어 한다는 심층 생태주의를 주장하면서 '큰 자아실현', '생명 중심적 평등'을 제시하였다.

완자 정리 노트　네스가 제시한 심층 생태주의의 개념

용어	의미
큰 자아	자신을 자연이라는 더 큰 전체의 일부로 인식하는 것
큰 자아실현	자신을 자연과의 상호 연관 속에서 존재하는 것으로 이해하는 과정
생명 중심적 평등	모든 생명체가 상호 연결된 전체의 평등한 구성원이며 동등한 가치를 가진다는 것

5 기후 변화와 기후 정의

탄소 배출권 거래 제도는 국제적 차원에서 합의를 통해 회원국들에 온실가스 감축 의무를 부여한 것으로 법적 강제력이 있다. 시장 경제의 원리에 따라 운영되므로 합리성과 효율성을 지니지만, 돈만 지불하면 온실가스를 배출해도 된다는 그릇된 인식을 지니게 할 우려가 있다.

┃**바로 알기**┃ ① 국제적으로 합의한 의무이므로 법적 강제력이 있다. ② 기후 변화 문제를 해결하기 위해 도입한 제도이다. ③ 온실가스 감축을 위한 제도로, 경제 성장 속도를 가속화한다고 볼 수는 없다. ④ 자연환경을 보존하기 위한 제도로, 산업 발전과 경제 개발을 적극 찬성하는 것은 아니다.

6 요나스의 책임 윤리

요나스는 인류의 존속을 위해 현세대는 미래 세대에 대한 책임을 가진다고 주장하였다. 따라서 미래 세대가 깨끗하고 풍요로운 삶을

누릴 수 있도록 현세대는 환경을 보호하고 겸손한 태도를 지니며 절제하는 소비 습관을 실천해야 한다고 주장하였다.

┃**바로 알기**┃ ㄴ. "네 행위의 결과가 지구상의 인간의 삶에 대한 미래의 가능성을 파괴하지 않도록 행위하라."라고 하였으므로 과학 기술의 결과까지 책임져야 할 의무가 있다고 본 것이다. ㄷ. 자연이 인간에 대하여 책임질 의무가 있는 것은 아니다.

╔══════════════════════════════╗
║ **대단원 실력 굳히기**　　146~149쪽 ║
╚══════════════════════════════╝

01 ③	02 ⑤	03 ②	04 ③	05 ③	06 ②	07 ④
08 ⑤	09 ⑤	10 ⑤	11 ①	12 ③	13 ⑤	14 ③
15 ②	16 ④					

01 과학 기술에 대한 하이데거와 야스퍼스의 입장

갑은 과학 기술에 대한 가치 판단이 필요하다고 주장한 하이데거, 을은 과학 기술의 가치 중립성을 주장한 야스퍼스의 입장이다.

┃**바로 알기**┃ ㄱ. 과학 기술의 가치 중립성을 인정한 것은 을인 야스퍼스이다. ㄹ. 을인 야스퍼스는 과학 기술의 결과에 대한 책임은 과학자가 아닌, 과학 기술을 사용한 사람에게 있다고 본다.

02 과학자의 사회적 책임에 대한 하이젠베르크의 입장

제시된 글은 하이젠베르크의 입장으로, 그는 과학이 사회적 맥락 속에서 이루어지는 것이므로 과학자는 자신의 연구가 가져올 사회적 영향력을 고려해야 한다고 본다.

┃**바로 알기**┃ ① 과학은 사회로부터 독립적이지 않다고 본다. ② 과학자의 사회적 책임을 인정한다. ③ 과학 기술에 대한 가치 판단이 필요하다는 입장이다. ④ 과학자의 연구는 윤리적 평가로부터 자유로울 수 없으며 과학자에게 사회적 책임이 필요하다고 본다.

03 오펜하이머의 입장

그림의 강연자는 오펜하이머의 주장을 말하고 있다. 오펜하이머는 과학적 발견 자체는 가치 중립적 영역이므로 사회적 책임의 대상이 아니라고 주장하였다. 또한 오펜하이머는 과학자는 연구를 충실히 할 책임만 있을 뿐, 과학적 발견의 결과를 활용하는 것과 관련된 책임은 과학자가 아니라 그것을 활용한 사람이 져야 한다고 하였다.

04 과학 기술에 대한 입장

(가)는 과학 기술 지상주의 또는 과학 기술 낙관주의의 입장이고, (나)는 과학 기술의 위험성을 경고하며 과학 기술 시대에 적합한 새로운 책임 윤리가 필요하다고 주장한 요나스의 입장이다.

┃**바로 알기**┃ ① (가)는 과학 기술의 발전을 지나치게 낙관적으로 본다. ② (가)는 과학 기술의 긍정적 측면에만 집중한다. ④ 요나스는 과학 기술의 위험성을 경고한다. ⑤ 과학 기술의 발전이 오늘날 환경 문제를 충분히 해결할 수 있다고 보는 것은 (가)만의 입장이다.

05 과학 기술의 가치 중립성

과학 기술의 이론적 정당화 과정에서는 가치 중립성이 보장되어야 하지만, 과학 기술의 연구 대상을 선정하거나 연구 결과를 활용하는 과정에는 가치 판단이 개입되어야 한다.

바로 알기 ③ ⓒ 과학 기술의 이론적 정당화 과정에서는 관찰과 실험을 통해 철저한 검증이 필요하므로 가치 중립성을 확보하는 것이 요구된다.

06 정보 사회의 특징

정보 사회의 긍정적 측면에는 삶의 편리성 증대, 시공간적 제약의 극복, 정치 참여 기회의 확대, 인간관계의 다양성 확대, 다양성을 존중하는 사회 분위기 조성 등이 있고, 부정적 측면에는 감시와 통제의 가능성 증가 등이 있다.

바로 알기 ㄴ. 교통과 정보 통신 기술의 발전으로 시공간적 제약을 극복할 수 있게 되었다. ㄹ. 위치 추적 시스템, 감시 카메라 등을 통한 감시와 통제의 가능성이 증가하였다.

07 정보 사유론과 정보 공유론

갑은 정보 생산자의 소유권을 인정해야 한다는 정보 사유론, 을은 정보를 인류 공동의 자산으로 여기는 정보 공유론의 입장이다.

바로 알기 ①, ②, ③, ⑤ 정보 사유론의 입장인 갑은 부정, 정보 공유론의 입장인 을은 긍정의 대답을 할 질문이다.

08 정보 사유론에 대한 정보 공유론의 비판

을은 정보 공유론의 입장이므로, 정보 공유론의 입장에서 정보 사유론에 대해 반박하는 내용을 고르면 된다. 정보 공유론의 입장에서는 과도한 저작권 행사가 새로운 창작을 방해하고 정보 격차에 따른 불평등을 발생시킬 수 있다고 본다.

바로 알기 ①, ②, ③, ④ 갑의 입장에서 을에게 제기할 수 있는 반론으로 알맞은 내용이다.

09 정보 사회에 필요한 정보 윤리

정보 윤리의 원칙에는 인간 존중의 원칙, 책임의 원칙, 해악 금지의 원칙, 정의의 원칙 등이 있다.

바로 알기 ⑤ 표현의 자유는 타인의 인권과 공익을 침해하지 않는 범위 내에서 누릴 수 있다.

10 매체 윤리

제시된 글은 뉴 미디어 시대의 도래로 정보의 생산자와 소비자의 경계가 허물어지면서 새로운 매체 윤리가 요청된다는 내용이다.

바로 알기 ⑤ 매체가 개인적이고 주관적인 정보를 생산한다면 공정한 보도를 목적으로 하는 매체의 기능을 상실하고 사회에 악영향을 끼치게 된다.

11 자연에 대한 다양한 관점(테일러, 싱어)

갑은 생명 중심주의자인 테일러, 을은 동물 중심주의자인 싱어의 입장이다. 모든 생명체가 내재적 가치를 지닌다고 보는 것은 갑인 테일러만 해당한다.

바로 알기 ② 갑과 을 모두 부정의 대답을 할 질문이다. ③ 갑은 부정, 을은 긍정의 대답을 할 질문이다. ④ 생태 중심주의의 입장으로, 갑과 을 모두 부정의 대답을 할 질문이다. ⑤ 인간 중심주의의 입장으로, 갑과 을 모두 부정의 대답을 할 질문이다.

12 자연에 대한 다양한 관점(레오폴드, 칸트)

(가)는 대지 윤리를 주장한 생태 중심주의자인 레오폴드, (나)는 동물과 자연에 대한 간접적 의무를 주장한 인간 중심주의자인 칸트의 입장이다. 생태 중심주의는 도덕 공동체의 범위를 생태계까지 확대하고자 하지만, 인간 중심주의는 도덕 공동체의 범위를 인간으로 한정한다.

바로 알기 ① (가)는 '아니요'이다. ② 생명 중심주의의 입장으로 (가)와 (나) 모두 '아니요'이다. ④ (가)는 '아니요', (나)는 '예'이다. ⑤ (가)는 '예', (나)는 '아니요'이다.

13 자연에 대한 다양한 관점(슈바이처, 아리스토텔레스)

갑은 생명 중심주의자인 슈바이처, 을은 인간 중심주의자인 아리스토텔레스이다. 인간 중심주의는 자연을 인류의 복지를 위한 수단으로 본다.

바로 알기 ① 이익 평등 고려의 원칙에 근거하는 사상가는 동물 중심주의자인 싱어이다. ② 생태계 전체에 초점을 맞추는 것은 생태 중심주의이다. ③ 무생물까지 도덕적 고려의 대상으로 보는 것은 생태 중심주의이다. ④ 모든 생명이 내재적 가치를 지닌다고 보는 것은 생명 중심주의이다.

14 레건의 동물 중심주의

(가)는 의무론의 입장에서 일부 동물도 삶의 주체로서 도덕적 권리를 갖는다고 본 레건의 입장이다. 레건에 의하면, 동물을 수단으로 취급하는 실험, 매매, 사냥 등이 비윤리적인 이유는 그것이 동물에게 고통을 줄 뿐만 아니라 동물이 지닌 가치와 권리를 부정하기 때문이다.

바로 알기 ① 싱어의 입장이다. ② 인간도 쾌고 감수 능력이 있다. ④ 생태 중심주의의 입장이다. ⑤ 생명 중심주의자인 슈바이처의 입장이다.

15 자연에 대한 다양한 관점(테일러, 싱어, 레오폴드)

갑은 생명 중심주의자인 테일러, 을은 동물 중심주의자인 싱어, 병은 생태 중심주의자인 레오폴드이다.

바로 알기 ㄴ. 자연의 모든 존재가 그 자체로 존중의 대상이라고 본 것은 생태 중심주의이므로, 병만 해당한다. ㄹ. 자연 전체에 대한 직접적인 의무를 지닌다는 것은 자연 전체를 도덕적 고려의 대상으로 포함시킨다는 것을 의미하므로, 병만 해당한다.

16 환경 문제에 대한 윤리적 쟁점

제시된 글은 요나스의 책임 윤리에 대한 설명이다. 그는 새로운 생태학적 정언 명법을 제시하면서 환경 문제에 있어서 미래 세대에 대한 현세대의 책임을 강조하였다.

V. 문화와 윤리

01 예술과 대중문화 윤리

STEP 1 핵심 개념 확인하기   156쪽

1 예술   2 예술 지상주의   3 (1) × (2) ○ (3) ×   4 (1) ㄱ (2) ㄷ
(3) ㄴ   5 (1) – ⓒ (2) – ⓐ

STEP 2 내신 만점 공략하기   156~159쪽

01 ④   02 ③   03 ③   04 ③   05 ①   06 ⑤   07 ④
08 ②   09 ⑤   10 ③   11 ⑤   12 ②

01 도덕주의의 특징

제시된 자료는 예술과 윤리의 관계에 대하여 동양의 유교 사상이 가지는 관점이다. 첫 번째 내용은 공자가 한 말이고, 두 번째 내용은 『예기(禮記)』, 「악기」 편에 나오는 내용이다. 유교에서는 예술과 윤리의 관계에 대하여 미적 가치와 윤리적 가치의 관련성을 강조하는 도덕주의 입장을 지닌다.

┃바로 알기┃ ④ 예술이 미적 가치 실현을 위해 현실로부터 벗어나야 한다는 것은 예술 지상주의이다.

02 도덕주의와 예술 지상주의의 특징

갑은 예술이 도덕적 선을 지향해야 한다고 보는 도덕주의, 을은 예술이 '예술을 위한 예술'이 되어야 하며 다른 어떤 것을 위한 수단으로 활용되어서는 안 된다고 보는 예술 지상주의를 지지하고 있다.

┃바로 알기┃ ①, ② 예술 지상주의에 대한 설명으로 을의 입장에 해당한다. ④, ⑤ 도덕주의에 대한 설명으로 갑의 입장에 해당한다.

완자 정리 노트   도덕주의와 예술 지상주의

	도덕주의	예술 지상주의
공통점	예술은 미적 가치를 표현하고 형상화하는 활동임	
차이점	• 예술의 사회성 강조 • 참여 예술론 지지 • 플라톤, 톨스토이, 유교 사상	• 예술의 자율성, 독창성 강조 • 순수 예술론 지지 • 와일드, 스핑건

03 플라톤을 통해 본 도덕주의

제시된 글은 고대 그리스의 철학자 플라톤이 쓴 『국가』의 일부분으로, 그는 예술과 윤리의 관계에 대한 도덕주의의 대표적인 사상가이다.

플라톤은 예술의 존재 이유가 선을 권장하고 덕성을 장려하는 데 있다고 보았으며, 예술 작품이 도덕적 가치를 담고 있는지를 국가가 판단하여 선별해야 한다고 주장하였다.

┃바로 알기┃ ③ 예술의 자율성과 독립성을 강조하는 것은 예술 지상주의이다.

04 정약용을 통해 본 도덕주의

제시된 글은 조선 시대의 유학자 정약용이 쓴 『여유당전서』의 일부분으로, 그는 음악을 통해 인간의 마음을 정화하고 인격을 갈고닦아 품성을 향상할 수 있다고 보았다. 이러한 관점은 예술을 통해 도덕성을 강화할 수 있다고 보는 도덕주의에 해당한다.

┃바로 알기┃ ① 순임금의 사례를 든 것으로 보아 음악이 정치와 관계가 있다고 본다. ② '인간은 반드시 음악으로써 가르치는 것이 알맞지 않은가.'라고 하며 인간은 음악으로써 교화된다고 본다. ④ 음악을 통해 인격을 갈고닦아 성인(聖人)이 될 수 있다고 하였다. ⑤ 순임금의 사례와 음악을 통해 품성을 함양할 수 있다는 내용으로 보아, 예(禮)와 악(樂)이 인간과 사회로부터 독립된 영역이 아니라 서로 밀접한 관계가 있다고 본다.

05 스핑건을 통해 본 예술 지상주의

제시된 글은 미국의 문학 평론가 스핑건이 한 말로, 예술을 도덕적 가치를 기준으로 평가해서는 안 된다는 것을 의미한다. 스핑건은 예술에 대한 윤리적 규제에 반대하는 예술 지상주의의 대표적인 사상가이다.

┃바로 알기┃ ②, ③, ④, ⑤ 미적 가치와 윤리적 가치의 관련성을 강조하는 도덕주의에 대한 설명이다.

06 예술의 사회 참여

제시된 글은 예술을 통해 사회를 변화시킬 수 있다는 내용으로, 예술의 사회성을 강조하는 도덕주의, '참여 예술론'과 연결된다. 참여 예술론은 예술가도 사회 구성원이고 예술 활동도 하나의 사회 활동이므로, 예술은 현실을 반영하고 개선하며 이를 통해 역사 발전에 기여해야 한다고 본다.

┃바로 알기┃ ①, ②, ③, ④ 예술 지상주의의 관점으로, '순수 예술론'과 연결된다.

07 예술의 상업화에 대한 긍정적 입장

제시된 글은 예술의 상업화에 대하여 긍정적 측면을 강조한 앤디 워홀의 주장이다. 예술의 상업화를 긍정적으로 보는 입장에서는 예술의 상업화를 통해 일부 계층만 누리던 예술을 일반 대중들도 누릴 수 있게 되었다는 점과 예술가에게 경제적 이익을 줌으로써 창작 활동을 보장하여 예술의 발전에 기여할 수 있다는 점을 강조한다.

┃바로 알기┃ ① 예술가에게 경제적 이익을 제공할 수 있다고 본다. ② 일반 대중도 예술을 즐길 수 있게 되었다고 본다. ③ 예술가가 예술 활동에 전념할 수 있으므로 경제적 이익도 중요하다고 본다. ⑤ 일반 대중도 예술에 쉽게 접근할 수 있어 다양한 분야의 예술이 발달할 수 있다고 본다.

08 예술의 상업화가 가져온 부정적 측면

예술의 상업화를 부정적으로 보는 입장에서는 예술의 상업화가 예술 작품의 경제적 가치만을 중시하기 때문에 예술의 본질이 왜곡될 수 있다고 본다.

바로 알기 ㄴ. 예술의 상업화를 부정적으로 보는 입장에서는 예술의 상업화가 예술 작품의 경제적 가치만을 중시한 나머지 미적 가치나 윤리적 가치를 간과하고 있다고 본다.

09 대중문화의 특징

밑줄 친 '이것'은 대중문화이다. 대중문화는 그 속에 내포한 생각이나 가치를 통해 개인의 가치관이나 행동 양식, 사회 변화에 많은 영향을 주며, 현대인의 삶과 현대 사회에서 차지하는 비중이나 영향력이 매우 크다.

바로 알기 ⑤ 대중문화는 대중 매체 및 뉴 미디어를 통해 짧은 시간에 많은 사람에게 전파되며, 현대인의 삶과 현대 사회에서 차지하는 비중이나 영향력이 매우 크다.

10 대중문화의 자본 종속 문제

제시된 글은 거대 자본이 대중문화에 진출함으로써 대중문화의 다양성이 위축되고 대중문화가 획일화되는 문제를 지적하고 있다.

바로 알기 ① 예술가가 자본에 종속되지 않고 독립적으로 활동하는 사례이다. ② 거대 자본은 상업적 수익을 기준으로 검증된 것만을 생산한다. ④ 대중문화가 자본에 종속되면 다양성이 위축될 수 있다. ⑤ 대중문화에 진출한 자본은 이윤과 대중의 기호를 중시하여 창작자가 예술가 정신을 발휘하기 어렵다.

완자 정리 노트 대중문화의 자본 종속 문제

의미	자본의 힘이 대중문화를 지배하는 현상
영향	• 투자자나 자금력을 갖춘 일부 문화 기획사가 대중문화를 주도할 수 있게 됨 • 상업적 이익을 우선시하여 비슷한 문화 상품만 양산함으로써 대중문화의 다양성이 떨어지고 획일화될 수 있음 • 대중문화를 생산하고 소비하는 각 개인을 문화 산업의 도구로 전락시킬 수 있음

11 대중문화의 선정성 문제

제시된 신문 기사는 기획사가 오직 이윤만 추구하여 소비자들의 관심을 끌기 위해 지나치게 선정성을 추구하는 문제를 제기하였다. 이처럼 대중문화가 흥행이나 수익성만을 지나치게 추구한 나머지 과도한 선정성 및 폭력성을 띠게 되면 대중의 정서에 나쁜 영향을 미칠 수 있다.

바로 알기 ⑤ 제시된 신문 기사는 일부 기획사에 의해 대중문화의 흥행이 좌우되면서 대중문화에 대한 투자가 줄어드는 문제가 아니라, 대중문화의 선정성과 관련된 문제를 제기하고 있다.

12 대중문화에 대한 윤리적 규제 문제

대중문화에 대한 윤리적 규제에 갑은 반대하는 입장, 을은 찬성하는 입장이다. 갑과 같은 입장에서는 대중문화의 자율성과 표현의 자유를 강조하는 반면, 을과 같은 입장에서는 미풍양속과 청소년 보호 등을 강조한다.

바로 알기 ㄴ, ㄹ. 대중문화에 대한 윤리적 규제에 반대하는 갑이 강조할 내용이다.

완자 정리 노트 대중문화에 대한 윤리적 규제 논쟁

입장	근거
찬성	대중이 문화에 대하여 반성적 사고를 하지 않고 문화의 본래적 가치를 인식하지 못하면 시장의 논리에 따라 강요된 문화만을 접할 수 있음
반대	• 특정한 기준으로 대중문화를 규제하면 공정성을 잃을 수 있음 • 다수나 강자의 목소리 혹은 정치적 이데올로기를 일방적으로 전달하는 도구가 될 수 있음 • 대중이 다양한 문화를 창조하는 역할을 방해하여 대중문화의 본질을 잃게 할 수도 있음

서술형 문제

159쪽

01 주제: 도덕주의와 예술 지상주의의 특징

(1) (가) – 도덕주의, (나) – 예술 지상주의

(2) **예시 답안** (가)의 도덕주의는 예술의 자율성을 침해할 수 있고, (나)의 예술 지상주의는 예술의 사회적 영향과 책임을 간과할 수 있다.

채점 기준

상	(가)와 (나)에 나타난 입장의 문제점을 모두 정확히 서술한 경우
하	(가)와 (나)에 나타난 입장의 문제점 중 한 가지만 정확히 서술한 경우

02 주제: 예술의 사회 참여

예시 답안 제시된 작품은 스페인 내전 중 폭격받은 마을의 모습을 통해 전쟁의 참혹함을 알리고 있다. 따라서 이 작품에는 예술의 사회 참여를 지지하는 입장이 나타나 있다고 볼 수 있다. 이러한 입장에서는 예술이 사회의 모순을 지적하고 비판하며 사회를 바람직한 방향으로 이끌어 사회의 도덕적 성숙에 기여해야 한다고 본다.

채점 기준

상	작품에 나타난 내용과 관련짓고 '예술의 사회 참여를 지지하며, 예술이 사회를 비판하고 바람직한 방향으로 이끌어야 한다고 본다.'라는 내용을 포함하여 도덕주의와 참여 예술론의 입장을 구체적으로 서술한 경우
중	작품에 나타난 내용과 관련지었으나 입장을 '예술의 사회 참여를 지지한다.' 정도로만 서술한 경우
하	'도덕주의 입장, 참여 예술론 지지' 등과 같이 간단히 서술한 경우

03 주제: 대중문화의 윤리적 문제와 소비 주체로서의 자세

예시 답안 (가) – 다양성

(나) – 대중문화에 대한 비판적 시각을 기르고, 대중문화를 맹목적으로 받아들이기보다 주체적으로 선별하여 받아들여야 한다.

채점 기준

상	(가)에는 '다양성'을 정확히 쓰고, (나)에는 '대중문화에 대한 비판적 시각과 주체적인 수용 자세를 지닌다.'라는 내용을 모두 포함하여 서술한 경우
중	(가)에는 '다양성'을 정확히 썼으나 (나)에는 '비판적 자세를 지닌다.' 정도로만 서술한 경우
하	(가), (나) 중 한 가지만 쓴 경우

STEP 3 **1등급 정복하기** 160~161쪽

1 ④ 2 ④ 3 ① 4 ①

1 예술과 윤리의 관계

자료분석 좋은 예술 작품은 훌륭한 사람을 만들 수 있고 좋지 않은 예술 작품은 추한 사람을 만들 수 있다고 보는 도덕주의 입장이야.

갑: 리듬과 선법은 그 무엇보다 더 깊숙이 혼의 내면으로 침투하며 우아함을 가져다줌으로써 혼에 가장 큰 영향을 끼치네. 그것들은 좋게 교육받은 사람을 우아하게 만들고 나쁘게 교육받은 사람을 그와 반대되는 사람으로 만드네.

을: 세상에 도덕적인 책이나 비도덕적인 책은 없다. 책은 잘 쓰여 있거나 아니면 형편없이 쓰여 있거나 둘 중의 하나일 뿐이다.

예술에 대한 도덕적 평가가 무의미하다고 보는 예술 지상주의 입장이야.

갑은 예술과 도덕이 밀접한 관련이 있다고 보는 도덕주의자 플라톤이다. 그는 좋은 예술 작품이 자라나는 청소년들의 인격, 도덕성 함양에 기여할 수 있다고 보았다. 을은 예술과 도덕이 별개의 영역이라고 보는 예술 지상주의자 와일드이다. 그는 예술은 도덕이 미칠 수 있는 영역 밖에 있으며, 예술가에게 윤리적 공감은 독창성을 잃게 한다고 하였다.

바로 알기 ①, ②, ③, ⑤ 갑은 부정, 을은 긍정의 대답을 할 질문이다.

2 예술과 윤리의 관계

갑은 유교 사상가인 순자, 을은 제정 러시아의 소설가인 톨스토이의 입장이다. 순자와 톨스토이는 모두 예술의 사회적, 교육적 기능을 중시하는 도덕주의의 관점을 가지고 있다.

바로 알기 ㄹ. 예술 지상주의의 입장이다.

3 예술의 상업화

갑은 예술의 상업화를 긍정적으로 평가한 앤디 워홀, 을은 예술의 상업화를 부정적으로 평가한 구겐하임의 입장이다. 앤디 워홀은 예술의 상업성을 옹호하며 자신을 '사업 미술가', 자신의 작업실을

'공장'으로 표현할 정도로 예술 작품을 하나의 상품으로 취급할 수 있음을 강조하였다. 구겐하임은 미술계 전체가 투기사업으로 변질되었다며 사람들이 미술 작품이 주는 내재적 가치나 의미, 카타르시스보다는 미술 작품을 사고파는 과정을 통해 얼마나 많은 경제적 수익을 올릴 수 있는지에 관심을 가지는 행태를 비판하였다.

바로 알기 ②, ③, ④, ⑤ 을의 구겐하임은 예술의 상업화가 예술의 질적 저하를 가져왔고, 대중들로 하여금 심미적 가치를 향유하지 못하도록 방해한다며 예술의 상업화가 가져온 폐단을 지적하였다.

4 대중문화의 윤리적 문제

그림의 강연자가 한 말은 상업화된 예술을 '문화 산업'이라고 비판한 아도르노의 주장이다. 아도르노는 현대 예술은 자본에 종속되어 문화 산업으로 획일화되었고, 이러한 획일화된 문화 상품을 추구하는 동안 대중의 사유 가능성은 사라진다고 주장하였다.

바로 알기 ㄷ. 문화 산업이 대중의 심미적 경험의 빈곤화를 극한으로 진행한다고 하였다. ㄹ. 문화 산업이 독점한 대중문화는 사람들의 모든 사고를 동질적으로 반응하게 한다고 하였다.

---

02 의식주 윤리와 윤리적 소비

STEP 1 **핵심 개념 확인하기** 166쪽

1 (1) × (2) × (3) ○ 2 (1) – ㉠ (2) – ㉡ 3 (1) ㄴ (2) ㄷ (3) ㄱ

4 합리적 소비 5 윤리적 소비

STEP 2 **내신 만점 공략하기** 166~168쪽

01 ③ 02 ⑤ 03 ③ 04 ③ 05 ② 06 ⑤ 07 ⑤

08 ④

01 패스트 패션의 특징

제시된 글은 패스트 패션에 대한 설명이다. 패스트 패션은 유행이 빠르게 변화하는 시대의 흐름에 발맞추어 소비자의 기호에 맞게 새롭게 신제품을 출시하여 제품 수명이 짧은 의류를 뜻한다. 패스트 패션은 소비자의 욕구를 만족시켜 주며 대량 생산을 통해 의복의 가격을 낮출 수 있다는 점에서 긍정적으로 평가되기도 한다.

┃바로 알기┃ ③ 패스트 패션은 의복 문화의 전통을 반영하는 것이 아니라 최신 유행과 소비자의 기호를 반영하는 것이다.

02 유행 추구 현상에 대한 입장

갑은 유행 추구 현상이 개성을 표현하는 행위이므로 이를 존중해야 한다고 보는 반면, 을은 유행 추구 현상이 몰개성화를 초래하므로 바람직하지 않다고 본다.

┃바로 알기┃ ①, ②, ③ 유행 추구 현상을 부정적으로 바라보는 을의 논거로 알맞다. ④ 유행 추구 현상을 긍정적으로 바라보는 갑의 논거로 알맞다.

완자 정리 노트   유행 추구 현상에 대한 입장

긍정적 입장	• 개성과 가치관을 표현하는 데 효과적임 • 개인의 미적 감각을 높여 줌
부정적 입장	• 몰개성화를 초래함 • 환경 파괴 및 자원 낭비, 노동 착취 등을 초래함

03 음식과 관련된 윤리적 문제

제시된 신문 기사는 일부 닭 사육 농가에서 인체에 유해한 살충제를 사용하여 문제가 된 사건을 다루고 있다. 이처럼 살충제에 오염된 음식 재료는 소비자의 건강과 생명을 위협할 수 있다.

04 볼노브의 주거 윤리

제시된 글은 인간에게는 자신의 공간을 자기 삶의 중심으로 형성하고 지켜 내야 할 책임이 있다는 공간 책임론을 제시한 볼노브의 주장이다. 그는 집이 그곳에 거주하는 인간의 체험으로 구성되어 있으므로 자기 세계의 중심점이자 자기 존재의 뿌리가 되는 곳이라고 보았다.

┃바로 알기┃ ③ 볼노브는 인간은 특정한 자리에 정착하여 거주할 공간인 집을 필요로 한다고 하며 주거가 인간의 삶을 위한 기본 바탕이라고 보았다.

05 바람직한 주거 문화 형성을 위한 노력

제시된 신문 기사에서 소개하는 공동체 주택이 소통을 위해 제작되었다는 것과, 가족의 독립적 공간과 지역 주민들을 위한 공간이 공존하는 모습을 통해 공동체를 고려하는 주거 문화가 형성되고 있음을 알 수 있다.

┃바로 알기┃ ① 지역 간 주거 환경의 격차가 아니라 이웃 간의 소통 단절 문제가 해소되는 모습이 나타나 있다. ③ 집을 타인을 배제한 공간이 아니라 이웃과 함께 사용하며 소통하는 공간으로 활용하는 모습이 나타나 있다. ④ 집을 투자 수단으로 활용하기보다 집의 본질적 가치를 되살리려고 하는 모습이 나타나 있다. ⑤ 개인의 사생활 보호를 우선한다기보다 이웃과의 유대감과 소속감을 형성하려고 하는 모습이 나타나 있다.

06 윤리적 소비의 특징

제시된 글은 단순히 자신의 경제력 내에서 비용 대비 가장 큰 만족을 추구하는 합리적 소비를 벗어나 인권, 환경, 정의 등 도덕적 가치를 실현하는 윤리적 소비를 실천할 것을 주장하고 있다.

┃바로 알기┃ ㄱ. 자신의 소득 범위 내에서 최대의 효율성을 주는 소비는 합리적 소비이다. ㄴ. 윤리적 소비는 지구촌 환경을 보호함으로써 미래 세대를 고려하는 소비이다.

07 윤리적 소비의 실천

제시된 글에는 경제적인 합리성과 효율성을 중시한 합리적 소비가 가져오는 다양한 문제들이 나타나 있다. 이러한 문제를 해결하기 위해서 윤리적 소비가 필요하다.

┃바로 알기┃ ㄱ, ㄴ. 패스트 패션이나 공장식 동물 사육으로 생산된 식품을 구매하는 것은 윤리적 소비에 해당하지 않는다.

완자 정리 노트   윤리적 소비의 의미와 특징

의미	윤리적인 가치 판단에 따라 상품이나 서비스를 구매하고 사용하는 것
특징	• 소비자의 이익을 넘어 환경, 인권, 경제 정의 문제 등을 적극적으로 고려함 • 원료의 재배 및 제품의 생산과 유통에 이르는 전 과정이 윤리적인지에 관심을 가짐

08 윤리적 소비로서 공정 여행의 특징

밑줄 친 '이것'은 공정 여행이다. 공정 여행은 대형 항공사나 여행사, 대형 숙박업소의 이익보다는 현지인들의 이익을 고려하면서 그들과 함께하는 관계를 중시하는 특징을 지닌다. 즉, 단순한 경제적 효율성만을 따지는 것이 아니라 환경과 인권, 현지인들과의 소통이나 관계를 중요하게 여긴다.

┃바로 알기┃ ④ 공정 여행은 다국적 기업에서 운영하는 대규모 호텔보다 현지인들이 운영하는 숙소 이용을 더 권장한다.

서술형 문제

168쪽

01 주제: 명품 선호 현상에 대한 입장

예시 답안 (가) – 만족감을 주고 소유자의 품격을 높여 주며 제품의 질적 향상을 가져온다 (나) – 과소비와 사치 풍조를 조장하여 사회 계층 간의 위화감을 조성한다

채점 기준

상	명품 선호 현상을 긍정적으로 보는 입장과 부정적으로 보는 입장의 논거를 모두 정확히 서술한 경우
하	명품 선호 현상을 긍정적으로 보는 입장과 부정적으로 보는 입장의 논거 중 한 가지만 정확히 서술한 경우

02 주제: 음식과 관련된 윤리적 문제

예시 답안 로컬 푸드 운동이나 슬로푸드 운동에 동참한다. 과식으로 낭비하는 음식 문화를 개선하여 음식물 쓰레기를 줄여 나간다. 육류 소비를 절제한다.

상	음식과 관련된 윤리적 문제를 해결하기 위한 방안 두 가지를 정확히 서술한 경우
하	음식과 관련된 윤리적 문제를 해결하기 위한 방안을 한 가지만 정확히 서술한 경우

03 주제: 주거와 관련된 윤리적 문제

(1) 이웃과의 소통 단절

(2) 예시 답안 공동체를 고려하는 주거 문화를 형성한다. 이웃에 관심을 가지고 지역 사회의 일에 적극적으로 참여하여 유대감과 소속감을 형성한다.

채점 기준

상	'공동체를 고려하는 주거 문화 형성, 이웃에 대한 관심, 지역 사회의 일에 참여' 등을 포함하여 구체적으로 서술한 경우
하	'공동체 고려, 이웃에 대한 관심' 등과 같이 간단히 서술한 경우

STEP 3 1등급 정복하기

169쪽

1 ① 2 ②

1 합리적 소비와 윤리적 소비

자료분석

갑: 소비의 목적은 소비자의 만족감 충족이다. 소비자는 자신의 욕구와 상품에 대한 정보를 바탕으로 소득 범위 내에서 상품을 적절하게 선택하여 최소 비용으로 최대 만족을 얻을 수 있어야 한다. → 합리성과 효율성을 중시하는 합리적 소비를 강조하고 있어.

을: 소비는 자신을 넘어 사회 및 환경에 이르기까지 영향을 미친다. 따라서 자신에게 돌아오는 직접적인 혜택만 생각하지 말고, 장기적 관점에서 사회와 자연에 미치는 영향도 고려하여 소비해야 한다. → 도덕적 가치 실현을 중시하는 윤리적 소비를 강조하고 있어.

갑은 합리적 소비를 강조하는 입장으로, 개인의 경제적 이익이나 만족감을 중시하여 똑같은 효용 가치를 지닌 물건 중 가격이 더 저렴한 것을 구매하는 것이 현명하다고 본다. 을은 윤리적 소비를 강조하는 입장으로, 소비 행위가 타인과 사회, 생태계, 미래 세대에 미칠 영향을 고려하여 윤리적 가치 판단과 신념에 따라 소비를 해야 한다고 본다.

바로 알기 을은 갑에 비해 X는 낮지만 Y, Z는 높다. 반면, 갑은 을에 비해 X는 높지만 Y, Z는 낮다.

---

2 현대인의 소비문화의 문제

자료분석

→ 현대인들이 사회적 지위를 과시하기 위해 소비한다고 보고 있어.

현대 사회의 사람들은 상품을 소비한다고 생각하지만 정작 소비하는 것은 상품의 기호(記號)와 상품이 지니고 있는 이미지이다. 광고 속에 나오는 상품이 기호라면 행복, 풍요로움, 성공, 권력 등은 그 상품에 부여된 이미지이다. 사람들은 상품의 구입과 사용을 통해 자신을 돋보이게 하며 동시에 사회적 지위와 위세를 드러내고자 한다. 하지만 실제로는 욕구의 체계를 발생시키고 관리하는 생산 질서의 지배를 받고 있다. 그 결과 사람들은 자율성과 창의성을 박탈당하여 사물과 같은 존재가 된다.

제시된 글은 현대인의 소비문화를 기호 소비라고 한 장 보드리야르의 견해이다. 그는 현대인들의 소비는 상품 자체가 아니라 그 상품에 담긴 행복, 풍요로움, 성공, 권력 등의 이미지를 소비하는 것이라고 보았다. 다시 말하여 현대인들은 상품이 지닌 이미지를 통해 사회적 지위와 위세를 과시하기 위해 소비한다는 것이다.

---

03 다문화 사회의 윤리

STEP 1 핵심 개념 확인하기

174쪽

1 (1) ○ (2) ○ (3) × 　 2 (1) 국수 대접 모형 (2) 샐러드 볼 모형

3 (1) ㄱ (2) ㄴ 　4 관용의 역설 　5 (1) - ㉡ (2) - ㉠

STEP 2 내신 만점 공략하기

174~177쪽

01 ③	02 ③	03 ②	04 ④	05 ④	06 ⑤	07 ⑤
08 ①	09 ④	10 ⑤	11 ③	12 ④		

01 용광로 모형의 특징

용광로 모형은 동화주의의 대표적인 모형으로, 이주민의 문화를 주류 문화에 적응시키고 통합하려는 입장이다. 이 모형은 사회적 연대감이나 결속력을 강화할 수 있다. 그러나 이주민이 자신의 언어·문화·사회적 특성을 포기하고 주류 사회의 일원이 되게 함으로써 문화적 역동성과 문화 다양성을 훼손할 수 있다.

┃바로 알기┃ ① 외래문화의 유입과 수용을 거부하는 것이 아니라 주류 문화를 중심으로 이주민 문화를 통합한다. ② 주류 문화를 비주류 문화보다 우위에 둔다. ④, ⑤ 소수 문화를 주류 문화에 통합하려는 것이므로 문화 다양성과 문화적 역동성이 훼손될 수 있다.

02 국수 대접 모형과 샐러드 볼 모형의 특징

갑은 주류 사회의 문화를 바탕으로 하여 문화적 다양성을 수용하는 국수 대접 모형을, 을은 다양한 문화들이 대등한 입장에서 조화와 공존을 이루어야 한다고 보는 샐러드 볼 모형을 지지하고 있다.

┃바로 알기┃ ③ 갑이 주장하는 국수 대접 모형은 이주민 문화의 고유성과 자율성을 인정하지만 주류 문화를 우위에 둔다.

완자 정리 노트   국수 대접 모형과 샐러드 볼 모형

	국수 대접 모형	샐러드 볼 모형
공통점	타 문화에 대한 존중과 관용을 통해 문화적 다양성을 실현하고자 함	
차이점	문화의 다양성을 인정하면서도 주류 문화의 역할을 강조함	한 국가나 사회 안에 있는 다양한 문화를 평등하게 인정함

03 문화 상대주의의 특징

제시된 글은 문화 상대주의에 대한 설명으로, 문화의 다양성을 인정한다고 해서 모든 문화를 무조건 존중해야 한다는 것을 의미하지는 않는다.

┃바로 알기┃ ㄴ. 문화 상대주의와 대립되는 개념인 문화 절대주의에 대한 설명이다.

04 다문화에 대한 관용의 한계

제시된 글에 나타난 명예 살인은 타인의 인권을 침해하는 관습이다. 아무리 한 사회의 고유한 관습이라고 해도 이처럼 타인의 인권과 자유 등 보편적 가치를 훼손하는 문화까지 존중해서는 안 된다. 문화는 보편적 가치와 사회 질서를 훼손하지 않는 범위 내에서 관용해야 한다.

┃바로 알기┃ ① 문화는 보편 윤리에 어긋나지 않는 범위 내에서 존중받을 수 있다. ②, ③ 문화 상대주의가 윤리적 상대주의로 이어지지 않도록 해야 한다. ⑤ 한 사회의 고유한 전통과 관습이라고 해서 윤리적으로 문제가 없는 것이 아니며, 보편적 가치를 훼손할 경우에는 존중받을 수 없다.

05 다문화 사회의 윤리적 자세

윤리적 상대주의는 문화의 이면에 있는 보편적 가치와 규범을 무시할 수 있고, 비도덕적인 행위까지 관습이나 전통이라는 명목으로 정당화할 위험성이 있으므로 문화 상대주의가 윤리적 상대주의로 흐르지 않도록 주의해야 한다.

┃바로 알기┃ ⓔ 그 사회의 관습이나 전통이라고 모두 존중해야 하는 것이 아니라 보편적 가치와 사회 질서를 훼손하지 않는 문화를 존중해야 한다.

06 다문화 사회의 바람직한 문화적 정체성

공자의 화이부동을 통해 다문화 사회에서 자신의 문화적 정체성을 지키면서도 타 문화와 조화를 이루며 살아가는 태도가 바람직함을 알 수 있다.

자료 분석 자신의 주관이나 문화적 정체성을 버리지 않고도 사람들과 조화를 이루며 살아갈 수 있음을 강조함.
- 군자는 다른 사람들과 화합하되 동화되지는 않는다.
- 군자는 천하의 일에 있어서 이것만이 옳다고 주장하거나 이것은 절대로 안 된다고 주장해서는 안 된다. 다만 의(義)에 따를 뿐이다. ┌ 문화 다양성을 수용하면서도 보편적 규범을 간직하는 것이 중요하다는 것을 알 수 있어.   — 공자

┃바로 알기┃ ① 다른 사람들과 화합하되 동화되지는 않는다고 하였다. ② 이것만이 옳다고 주장하거나 이것은 절대로 안 된다고 주장해서는 안 된다고 하였다. ④ 이질적 문화에 대한 제한 없는 관용이 아니라 '다만 의(義)에 따를 뿐'이라고 하였다.

07 종교의 기능

제시된 대화는 종교의 발생과 기능에 대한 내용이다. 인류의 역사에서 종교는 개인이 마음의 안정을 얻게 해 주고 삶의 바람직한 방향을 모색할 수 있도록 해 주며 사회 통합을 이루는 데 기여하였다.

┃바로 알기┃ ⑤ 어떤 현상을 검증할 때 과학은 객관적 사실을 증거로 제시하지만, 종교는 신앙이라는 주관적 믿음을 기초로 하기 때문에 과학으로 설명할 수 없는 부분이 많다.

08 엘리아데의 성현

제시된 글은 엘리아데의 주장으로, 그는 저서 『성과 속』에서 성스러움의 세계와 세속의 세계가 공존하고 조화를 이룰 수 있다고 보았다. 또한 인간을 종교적 존재로 규정하며 인간의 세속적인[俗] 삶 속에서도 언제든지 성스러움[聖]이 드러날 수 있다고 하였다.

┃바로 알기┃ ㄷ. 엘리아데는 인간이 초월적 존재와 연관을 맺고자 하는 종교적 존재라고 규정하였으므로, 인간의 이성과 종교적 성스러움은 조화될 수 있다고 보았음을 알 수 있다. ㄹ. 엘리아데는 세속에서 성스러움을 충분히 경험할 수 있다고 보았다.

09 종교 간의 갈등 양상

카슈미르 분쟁은 인도와 파키스탄 사이의 영토 귀속 문제이자 힌두교와 이슬람교 사이의 종교 갈등이 정치 분쟁으로 확대된 사건이다. 카슈미르 분쟁을 통해 종교 간의 갈등은 영토 분쟁과도 밀접한 관련을 맺을 수 있으며, 지도층의 독단적인 결정은 종교 갈등의 원인이 될 수 있음을 알 수 있다.

┃바로 알기┃ ① 카슈미르 분쟁을 통해 종교 간의 갈등은 종교 영역의 문제로만 한정되지 않음을 알 수 있다. ② 카슈미르 지역의 힌두교도 영주의 독단적인 결정으로 갈등이 심화되었음을 알 수 있다. ③ 카슈미르 분쟁은 종파 간의 갈등이 아니라 영토 및 정치 분쟁 등이 연관되어 종교 갈등이 심화된 사건이다. ⑤ 종교 갈등은 개인적 차원의 노력으로 쉽게 극복할 수 있는 문제가 아니다.

10 종교 갈등의 극복 방안

종교적 진리에 대한 인간의 인식은 상대적이고 오류가 있을 수 있기 때문에 관용의 자세가 필요하다. 또한 종교 간에 보편적 가치를 바탕으로 서로 대화하고 협력하여야 한다.

11 황금률을 통해 본 종교와 윤리의 공통점

황금률은 "남에게서 바라는 대로 남에게 해 주어라."라는 내용으로, 다양한 종교와 사상에서 제시되는 원리이다. 이러한 원리는 종교와 윤리가 공통적으로 강조하는 보편적 규범으로, 이는 다양한 종교가 소통할 수 있는 기반이 된다.

12 퀑의 종교관

제시된 글은 신학자 한스 퀑의 주장이다. 그는 세계 평화를 위해서는 종교 평화가, 종교 평화를 위해서는 종교 간에 대화가 필요하다고 주장하였다. 퀑은 종교 간의 조화를 위한 전제 조건으로 다른 견해에 대한 비판 이전에 자신의 실수와 과오의 역사를 비판적으로 성찰하는 자아비판을 강조하였다.

| 바로 알기 | ①, ② 퀑은 종교의 단일화나 종교 간의 경쟁을 주장하지 않았다. ③ 퀑은 종교적 행위를 자제할 것을 주장한 것이 아니라 종교 간에 서로 대화하는 자세를 강조하였다. ⑤ 퀑은 대화 역량을 통해 종교 간의 평화가 가능하다고 보았지만, 교리를 하나로 통일해야 한다고 주장하지는 않았다.

서술형 문제

177쪽

01 주제: 동화주의와 다문화주의의 특징

예시 답안 동화주의는 사회적 연대감이나 결속력을 강화할 수 있지만 각 문화의 고유성과 다양성이 훼손될 수 있다. 반면 다문화주의는 다양한 문화가 각각의 정체성을 유지하며 조화를 이룰 수 있지만 사회적 통합을 이루기 어렵다.

채점 기준

상	동화주의와 다문화주의의 장단점을 모두 정확히 서술한 경우
중	동화주의와 다문화주의 중 한 가지의 장단점만 정확히 서술한 경우
하	동화주의와 다문화주의 중 한 가지의 장점 또는 단점만 정확히 서술한 경우

02 주제: 다문화 사회에서 관용의 한계

예시 답안 (가) – 관용의 역설, (나) – 보편적 가치와 사회 질서를 훼손하지 않는 범위

채점 기준

상	(가)와 (나)의 내용을 모두 정확히 서술한 경우
중	(가)의 '관용의 역설'을 정확히 썼으나, (나)의 내용을 한 가지만 서술한 경우
하	(가)와 (나) 중 한 가지만 정확히 서술한 경우

03 주제: 볼테르의 종교적 관용

예시 답안 다른 사람에게 자신의 종교를 강요하지 말고 타 종교에 대한 관용의 자세를 가져야 한다.

채점 기준

상	'타 종교에 대한 관용'을 포함하여 종교 갈등을 극복하기 위한 자세를 구체적으로 서술한 경우
하	'관용'이라고만 서술한 경우

STEP 3 1등급 정복하기

178~179쪽

1 ①   2 ③   3 ②   4 ④

1 동화주의와 다문화주의의 특징

갑은 외래문화를 수용하되 그들의 정체성을 인정하기보다는 기존 사회의 고유한 문화적 정체성에 흡수·통합되어야 한다고 보는 동화주의의 입장이다. 을은 다양한 이주민 문화를 수용하고 기존 사회의 고유한 문화와 적절히 조화를 이루어야 한다고 보는 다문화주의의 입장이다. 을은 갑에 비해 '단일한 문화적 정체성으로의 통합을 강조하는 정도'는 더 낮고, '이주민 문화의 다양한 정체성을 강조하는 정도'와 '기존의 고유문화와 이주민 문화의 동등성을 강조하는 정도'는 더 높다.

2 다문화에 대한 관용의 한계

(가)는 문화의 다양성을 인정하되 보편적 가치를 훼손하지 않는 범위 내에서 관용이 허용되어야 한다는 입장이다. (나)에서 어린 딸은 자신의 의사와 상관없이 교육을 받지 못하고 외출도 할 수 없다. 이는 개인의 인권을 침해한 것이므로 (가)의 입장에서는 (나)의 사례를 용인해서는 안 된다고 주장할 것이다.

| 바로 알기 | ①, ②, ④, ⑤ (나)의 사례는 인권이라는 보편적 가치를 침해한 것이므로 용인해서는 안 된다.

3 종교 갈등의 극복 방안

그림의 강연자가 한 말은 종교 평화와 세계 평화를 위해 대화 역량의 중요성을 강조한 퀑의 주장이다. 퀑은 대화 역량이 인간의 정신적 생존과 윤리적 생존을 좌우한다고 말하며 인간의 이론과 실천의 문제는 대화에 의해 좌우될 수 있다고 하였다. 그는 세계 평화는 종교 평화에서, 종교 평화는 종교 대화에서, 종교 대화는 신학적인 기본 연구에서 출발한다고 보았다.

| 바로 알기 | ㄴ. 퀑은 다른 종교와 대화 역량을 키우기 위해 다른 종교에 대한 적절한 이해와 학습이 필요하다고 보았다. ㄹ. 퀑은 종교의 단일화를 주장하지는 않았다.

4 종교 갈등의 극복 방안

제시된 글은 다양한 종교에서 공통으로 나타나는 황금률의 계율이다. 이를 통해 종교 간의 갈등을 극복하기 위해서는 종교 간에 관용의 정신을 기반으로 서로 대화를 통해 올바르게 이해하고 협력하여야 한다는 것을 알 수 있다.

01 도덕주의와 예술 지상주의의 특징

(가)는 도덕주의, (나)는 예술 지상주의이다. 도덕주의 관점에서 예술은 도덕적 선을 지향하는 것이 바람직하고, 예술 작품에 대해서는 적절한 윤리적 규제가 필요하다고 본다. 예술 지상주의 관점에서 예술은 미적 가치를 구현할 뿐, 도덕적 선을 추구하거나 도덕을 위해 존재할 필요는 없다고 본다.

┃ **바로 알기** ┃ ①, ② (나)의 예술 지상주의에 대한 설명이다. ③ 참여 예술론의 내용으로, (가)의 도덕주의에 대한 설명이다. ⑤ (가)의 도덕주의는 예술에 대한 윤리적 규제에 찬성하고 (나)의 예술 지상주의는 반대한다.

02 도덕주의의 특징

도덕주의는 미적 가치와 윤리적 가치의 관련성을 강조한다. 또한 예술이 도덕적 교훈이나 모범을 제공하며 올바른 품성을 기르고 도덕적 가치를 실현하는 데 기여할 때 의미가 있다고 본다.

┃ **바로 알기** ┃ ㄷ, ㄹ. 예술 지상주의 입장인 (나)에서 긍정의 대답을 할 질문이다.

03 도덕주의와 예술 지상주의를 대표하는 사상가

갑은 도덕주의를 대표하는 플라톤의 주장이고, 을은 예술 지상주의를 대표하는 와일드의 주장이다. 플라톤은 예술과 윤리가 밀접한 관련이 있다고 보고, 예술이 인간의 영혼에 영향을 미치므로 윤리의 관점에서 예술 작품을 선별해야 한다고 주장하였다. 와일드는 예술과 윤리를 별개의 영역이라고 보고, 예술은 예술 자체를 목적으로 삼아야 하며 도덕적 선이 아니라 미적 가치를 구현해야 한다고 보았다.

┃ **바로 알기** ┃ ① 갑은 예술 작품이 도덕적 가치를 담아야 한다고 본다. ② 을은 예술이 그 자체로 가치가 있으며 도덕이나 다른 가치를 위한 수단이 되어서는 안 된다고 본다. ③ 내용을 배제하고 형식적인 미를 추구하는 것은 미적 가치의 추구를 강조하는 입장이다. 갑은 도덕적 가치가 미적 가치보다 우위에 있다고 본다. ⑤ 예술이 인격 함양과 사회의 도덕적 성숙에 기여해야 한다고 본 것은 갑만의 입장이다.

04 예술 지상주의의 특징

와일드는 예술가가 다른 사람의 욕구를 만족하게 하려는 순간 그는 예술가이기를 포기한 것이며, 예술가에게 윤리적 공감은 독창성을 잃게 하는 것이라고 보았다.

┃ **바로 알기** ┃ ① 예술의 의미를 설명한 것으로, 갑과 을 모두 인정할 내용이다. ②, ④, ⑤ 도덕주의와 참여 예술론의 입장으로, 갑이 을에게 제기할 수 있는 반론이다.

05 예술의 상업화에 대한 부정적 입장

그림의 강연자는 예술의 상업화를 부정적으로 평가한 구겐하임의 주장을 말하고 있다. 이와 같은 입장에서는, 예술의 상업화가 예술 작품의 경제적 가치만을 중시하여 예술의 미적 가치나 윤리적 가치를 간과하며 예술 작품을 부의 축적 수단으로만 여기게 한다고 본다.

┃ **바로 알기** ┃ ① 예술의 경제적 가치를 강조하는 것은 예술의 상업화를 긍정적으로 보는 입장이다. ③, ④, ⑤ 예술의 상업화를 부정적으로 바라보는 입장에서는 예술의 상업화가 예술이 지닌 미적 가치나 윤리적 가치를 간과하여 예술의 본질이 왜곡될 수 있다고 본다.

06 대중문화의 윤리적 문제

대중문화가 상업화되면서 더 많은 사람들이 예술 작품을 경험할 수 있게 되었지만, 지나친 선정성과 폭력성 및 거대 자본의 진출로 인한 다양성 위축 등의 문제가 나타나게 되었다.

┃ **바로 알기** ┃ ④ 오늘날 대중문화는 상업화를 통해 더 많은 사람들이 예술을 즐길 수 있도록 하였다.

07 대중문화에 대한 윤리적 규제

대중문화에 대한 윤리적 규제에 찬성하는 입장에서는 대중문화의 선정성과 폭력성이 높아지므로 유해 요소를 규제해야 한다고 본다. 한편 반대하는 입장에서는 대중의 문화적 권리를 중시하며 대중문화가 정치적으로 악용될 수 있기 때문에 규제하면 안 된다고 본다.

┃ **바로 알기** ┃ ㄱ, ㄹ. 대중문화에 대한 윤리적 규제에 반대하는 입장의 근거로 알맞다. ㄴ, ㄷ. 대중문화에 대한 윤리적 규제에 찬성하는 입장의 근거로 알맞다.

08 의복과 관련된 윤리적 문제

제시된 글의 저자는 패스트 패션 현상의 윤리적 쟁점을 다루고 있다. 저자는 패스트 패션이 기업의 판매 전략이자 과소비의 원인이라고 보고, 이로 인해 환경 문제 등이 초래된다고 비판한다. ③은 패스트 패션에 대해 부정적인 입장을 취하는 저자와 달리 이를 개성의 표현이자 개인의 선택권 차원에서 긍정하고 있다.

┃ **바로 알기** ┃ ①, ②, ④, ⑤ 패스트 패션 현상에 대한 부정적 입장이다.

09 음식과 관련된 윤리적 문제

음식과 관련된 윤리적 문제의 해결을 위해 사회적 차원에서는 안전한 먹거리 인증이나 성분 표시 등을 의무화하고, 육류 생산 과정에서 동물의 고통을 최소화하는 제도 등을 마련해야 한다.

완자 정리 노트 음식과 관련된 윤리적 문제

식품 안정성 문제	인체에 해로운 첨가제, 유전자 변형 식품(GMO), 이윤 극대화를 위한 부정 식품 등 인체에 해로운 음식 섭취 → 질병의 원인, 생명권 위협
환경 문제	• 음식의 생산 과정: 목초지 조성 및 벌목으로 숲 파괴, 화학 비료나 제초제 등으로 인한 토양 및 수질 오염 발생 • 유통 과정: 식품의 원거리 이동에 따른 탄소 배출량 증가 • 소비 과정: 음식물 쓰레기 증가
동물 복지 문제	육류 소비 증가로 인한 대규모 공장식 사육 및 도축 → 동물에 대한 비윤리적 처우 문제 발생
음식 불평등 문제	제3 세계 인구의 증가, 국가 간 빈부 격차 심화, 식량 수급의 불균형 → 비만으로 건강을 해치는 사람과 굶주림으로 고통받는 사람이 공존

10 주거와 관련된 윤리적 문제

현대 사회에서는 집을 주거 목적이 아닌 투기의 수단으로 인식하는 경향이 높아지면서 주거의 불안정성과 불평등의 윤리 문제를 불러일으키고 있다.

┃바로 알기┃ ①, ②, ③, ⑤ 제시된 글에서는 집의 경제적 가치만을 중시하는 현상을 문제로 제기하였다.

11 합리적 소비와 윤리적 소비

갑은 최소의 비용으로 최대의 만족과 효용을 추구하는 합리적 소비를 지지한다. 을은 환경, 인권, 사회 정의 등의 보편적 가치를 추구하는 윤리적 소비를 지지한다.

┃바로 알기┃ ㄷ. 윤리적 소비의 입장인 을이 갑에 비해 노동 조건, 공동체를 중시한다.

12 윤리적 소비를 실천하기 위한 방법

개인적으로 윤리적 소비를 실천하려면 공정 무역 제품이나 친환경 농산물 등을 구매하고, 환경 오염을 유발하지 않도록 재사용·재활용 등을 적극적으로 실천할 수 있다.

┃바로 알기┃ 병. 기업의 유명세가 아닌, 생산자와 노동자를 보호하는지에 초점을 맞추어 상품을 구매하는 것이 윤리적 소비에 해당한다.

13 문화 상대주의, 자문화 중심주의, 문화 사대주의

(가)는 문화 상대주의, (나)는 자문화 중심주의, (다)는 문화 사대주의이다. 문화 상대주의는 각각의 문화를 이해하고 존중하며 상대방의 문화를 인정하는 입장이다. 자문화 중심주의는 자신의 문화를 최고라고 여기며 다른 민족이나 나라의 문화를 열등한 것으로 보는 입장이다. 문화 사대주의는 자기 문화에 대한 열등감을 가지고 막연하게 다른 나라나 민족의 문화를 우월하다고 보는 입장이다.

┃바로 알기┃ ㄹ. (다)의 문화 사대주의는 다른 나라의 문화를 맹목적으로 따르는 문제점을 지니고 있다.

14 다문화 사회의 바람직한 태도

장자는 인간 중심적 관점에서 자연이나 사물을 대해서는 안 된다고 강조하고 있는데, 이는 문화에 대해서도 마찬가지이다. 다문화 사회에서 노나라 임금처럼 자기중심적 사고를 하면서 자문화 중심주의에 근거하여 다른 문화를 바라보는 태도는 갈등의 원인이 되며, 폭력 사태와 국가 간의 분쟁으로 이어질 수 있다. 따라서 자신과 다른 문화적 배경을 지닌 사람에게 자신의 문화를 강요하지 않고, 보편적 가치를 침해하지 않는 범위 내에서 다른 문화에 대한 관용의 자세를 가져야 한다.

15 동화주의, 문화 다원주의, 다문화주의

(가)는 동화주의의 용광로 모형, (나)는 문화 다원주의의 국수 대접 모형, (다)는 다문화주의의 샐러드 볼 모형이다. 국수 대접 모형이나 샐러드 볼 모형은 다양한 이주민 문화가 서로 조화롭게 공존할 수 있다고 본다.

┃바로 알기┃ ① 용광로 모형은 이주민이 고유한 정체성을 포기하고 주류 문화나 기존 문화에 흡수·통합되어야 한다는 입장이다. ② 국수 대접 모형은 주류 문화가 중심적 역할을 담당하는 가운데 비주류 문화가 조화를 이루어야 한다는 입장이다. ③ 샐러드 볼 모형은 이주민의 고유한 문화와 자율성을 존중하여 문화 다양성을 실현하려는 입장이다. ④ 용광로 모형과 국수 대접 모형은 주류 문화를 우위에 둔다.

16 큉의 종교관

큉은 세계 평화를 위한 가장 중요한 전제 조건이 있는데, 그것은 바로 종교 평화이며 종교 평화를 위해서는 종교 간의 대화가 필수적이라고 보았다. 또한 그는 종교 간의 대화를 위해서 자기 종교에 대한 철저한 비판 의식이 전제되어야 하며, 자신의 종교만이 옳다는 생각에서 벗어나야 한다고 주장하였다.

┃바로 알기┃ ① 큉은 대화를 지지하는 자는 이단자와의 투쟁이라는 형태를 혐오한다고 하였다. ②, ③, ④ 큉은 다양한 종교를 하나로 통합하거나 새로운 종교를 창시하자고 주장한 것이 아니라, 다양한 종교의 특성을 각각 이해하고 종교 간의 대화를 통해 종교 평화를 이루자고 주장하였다.

VI. 평화와 공존의 윤리

01 갈등 해결과 소통의 윤리

STEP 1 핵심 개념 확인하기   192쪽

1 (1) ○ (2) ✕   2 (1) ㄴ (2) ㄹ (3) ㄷ (4) ㄱ   3 ㄱ, ㄷ, ㄹ
4 (1) – ㉁ (2) – ㉃ (3) – ㉂ (4) – ㉠

STEP 2 내신 만점 공략하기   192~195쪽

01 ⑤   02 ④   03 ③   04 ③   05 ①   06 ②   07 ③
08 ②   09 ③   10 ⑤   11 ③   12 ①

01 사회 갈등의 원인과 기능

제시된 글은 발전소 건설을 둘러싸고 주민 간에 갈등이 있었지만 시에서 공청회를 열어 소통함으로써 갈등을 해결한 사례이다. 이를 통해 갈등을 조정하며 관리하는 사회는 사회의 문제를 명확히 인식하고 이를 해결하려는 노력을 함으로써 더욱 발전할 수 있다는 것을 알 수 있다.
┃바로 알기┃ ① 주민 간에 발생한 갈등을 해결하기 위해 공청회를 여는 등 적극적으로 노력하였다. ②, ③ 개인의 도덕적 해이, 공동체 해체와 같은 사회 갈등의 역기능에 대한 특징은 제시되어 있지 않다. ④ 같은 지역 내 주민 간의 의견 차이에서 비롯된 갈등이다.

02 갈등의 양상

제시된 글은 정년 연장법이 통과됨에 따라 일할 수 있는 기간이 늘어나는 중·장년층과 일자리가 부족하여 취업난이 예상되는 청년층 간에 갈등이 발생할 수 있음을 보도한 기사이다. 이를 통해 일자리를 둘러싸고 세대 갈등이 심화될 수 있음을 알 수 있다.

03 공유지의 비극을 통해 본 사회 갈등

제시된 사례와 같이 한정된 자원을 가지고 서로 자신의 이익만을 추구하면 갈등이 발생하고 공동체가 파괴될 수 있다. 따라서 사회 갈등을 줄이고 사회 통합을 실현하기 위해 개인의 이익과 공동선의 조화를 추구해야 한다.
┃바로 알기┃ ①, ②, ④ 사례에서는 개인만의 이익을 지나치게 추구하여 갈등이 생겼다고 볼 수 있다. 그러나 개인의 자유와 권리를 희생시켜야만 사회 갈등을 해결할 수 있는 것은 아니다. 사회 통합을 위해서는 개인의 이익과 공동선의 조화를 추구하는 것이 가장 적절하다. ⑤ 서로 좀 더 많은 이익을 얻기 위해 소를 늘려 나감으로써 목초지가 황폐화된 사례로, 경쟁이 아닌 공동체를 고려하여 서로 조화를 이루는 자세가 필요하다.

04 볼테르의 관용

┃자료 분석┃ 여기에서 말하는 '나'는 자연으로, 볼테르가 말하는 자연은 보편적인 이성을 의미해. 보편적인 이성이란 올바르게 판단하고 참과 거짓을 구별할 수 있는 능력이야.

나는 당신들 인간에게 땅을 경작할 팔을, 그리고 자신을 인도해 줄 한 줌의 이성을 주었소. 나는 당신들 각자의 가슴에 서로를 도와 삶을 견디어 나갈 수 있도록 동정심의 싹을 심어 주었소. …… 당신네 인간들이 걸핏하면 벌이는 잔인한 전쟁, 과오와 우연과 불행이 펼쳐지는 영원한 무대인 그 전쟁 한복판에서도 오직 나 자연만이 당신들을, 당신들은 원하지 않더라도, 당신들 서로 간의 필요로 결합하게 할 수 있소. 오로지 나 자연만이 국가의 귀족층과 사법부 사이, 세속 권력 집단과 성직자 사이, 도시민과 농민 사이의 끊임없는 분열로 빚어지는 참담한 재앙에 종지부를 찍을 수 있소.

└ 볼테르는 보편적 이성을 지닌 인간은 자신의 무지와 연약함을 깨닫고 상대방을 관용함으로써 종교적 대립이나 사람들 사이의 분열을 막을 수 있다고 주장하였어.

제시된 글은 볼테르의 견해로, 볼테르는 보편적 이성을 통해 서로를 이해하고 존중하는 태도를 가져야 한다고 보았다. 즉, 서로 다름을 인정하고 존중하는 관용의 자세를 통해 갈등과 분열을 막을 수 있다고 주장하였다.

05 세대 갈등의 양상

제시된 글에 나타나는 갈등의 유형은 세대 갈등으로, 연령과 시대별 경험의 차이에 의해 발생하는 갈등이다. 세대 갈등은 우리나라뿐만 아니라 어느 사회에서나 나타나는 보편적인 현상이다.
┃바로 알기┃ ① 지역 갈등에 대한 설명이다.

완자 정리 노트   세대 갈등

의미	서로 다른 세대가 차이를 이해하고 인정하지 못하여 발생하는 갈등
발생 원인	• 신세대는 급속한 사회 변화에 빠르게 적응하는 반면 상대적으로 기성세대는 그렇지 못한 경우 • 기성세대의 권위가 약화하면서 신세대에게 존경심을 잃게 되는 경우
특징	어느 사회에나 존재하는 일반적인 현상임
사례	일자리나 노인 부양 문제 등에 관하여 서로 다른 세대 간에 의견이 충돌하는 경우

06 사회 갈등의 해결 방안

제시된 글은 광역 화장장 시설의 입지 선정과 관련하여 인근 주민들이 이를 반대함으로써 갈등이 발생한 사례이다. 이러한 갈등은 자신이 속한 지역의 이익만을 추구하는 지역 이기주의로 나타나기도 한다. 이를 해결하기 위해 사회 전체의 이익을 함께 고려하는 태도를 가지고, 공공 기관과 지역 주민이 함께 대화하고 소통하는 자세가 필요하다.
┃바로 알기┃ ① 세대 갈등의 해결 방안, ③ 계층 갈등의 해결 방안, ④ 이념 갈등의 해결 방안, ⑤ 노사 갈등의 해결 방안으로서 제시된 사례의 광역

화장장 시설의 입지 선정과 관련된 지역 갈등을 해결하는 방안으로 적절하지 않다.

07 사회 통합의 실현 방안

사회 통합은 개인이나 집단이 상호 작용을 통해 하나로 통합되는 과정으로, 공동의 목표를 향해 조화롭게 결속된 상태를 말한다. 사회 통합은 사회 갈등을 해소하여 사회 구성원이 평등하고 서로 신뢰하는 사회를 실현하는 것을 의미하며, 이를 위해서는 의식적 차원의 노력과 제도적 차원의 노력이 필요하다.

바로 알기 ㄱ. 개인의 이익을 최우선으로 추구할 경우 개인 대 개인, 개인 대 집단 간의 갈등이 깊어질 수 있기 때문에 사회 통합의 실현 방안으로 적절하지 않다. ㄹ. 흑백 논리의 이분법적 사고로 구분할 경우 갈등이 더욱 심화될 수 있다.

완자 정리 노트   사회 통합의 실현 방안

의식적 노력	• 상호 존중과 신뢰에 바탕을 둔 소통, 관용과 역지사지의 자세 • 다양성을 인정하면서 대화와 토론을 통해 의사 결정을 하는 성숙한 민주 시민의 자세 • 사회 구성원들 간의 연대 의식 형성을 통한 개인의 이익과 공동선의 조화
제도적 노력	• 공정하고 투명한 절차와 기준 확립을 통한 사회 가치의 배분, 법치주의 준수 • 이해 당사자가 정책 결정 과정에 참여할 수 있는 제도와 정책 마련 • 대화와 타협, 협상과 합의를 통해 문제를 해결할 수 있는 합리적 절차 마련 및 공정한 운영 • 지방 분권, 지역 균형 발전, 복지 정책 등의 확대를 통한 불평등과 격차 완화

08 장자의 입장에서 본 소통의 자세

제시된 글은 장자의 주장이다. 장자는 서로 다른 것의 상호 작용을 통해 만물이 존재하고, 옳고 그름을 도의 입장에서 바라보면 모든 것은 서로 다르지 않다고 보았다. 장자는 진정한 의미의 소통을 위해 서로 다른 것을 있는 그대로 인정하고 상호 의존 관계를 이해해야 한다고 주장하였다. 이러한 장자의 관점은 우리 사회의 갈등을 해소하고 바람직한 소통을 하는 데 도움을 줄 수 있다.

바로 알기 ①, ③ 장자의 관점에서는 절대적인 기준을 근거로 다른 의견을 배척하거나 하나로 통일시키는 것이 아닌, 서로 다른 것을 그 자체로 인정하고 상호 의존 관계를 이해하는 것을 중시한다. ④, ⑤ 도의 관점에 의하면 모든 것은 상호 의존 관계에 있고, 옳고 그름은 서로 다른 것이 아니라 같으므로 적절하지 않은 설명이다.

09 소통과 담론의 필요성

소통과 담론이 잘 이루어지면 갈등을 예방하고 진정한 사회 통합을 이루어 낼 수 있다. 소통과 담론은 대화 당사자들 간의 평등한 관계 속에서 자발적인 상호 작용을 통해 이루어지는 과정이므로, ③ 일방적으로 자신의 주장을 관철하는 것은 소통과 담론의 필요성으로 적절하지 않다.

10 화쟁 사상에 나타난 소통의 자세

(가)는 원효가 주장한 화쟁 사상으로, 화쟁 사상은 모든 종파와 사상을 분리시켜 고집하지 말고, 더 높은 차원에서 하나로 종합해야 한다는 견해이다. (나)의 A는 다리 건설을 찬성하는 자신의 입장과 달리 이를 반대하는 사람들을 이해할 수 없다고 생각하였다. 이에 대해 원효의 화쟁 사상을 바탕으로 자신과 다른 의견도 경청하고 서로 화합하고 포용함으로써 갈등을 해소해야 한다는 조언을 제시할 수 있다.

11 하버마스의 담론 윤리

㉠의 '이 사상가'는 의사소통의 합리성을 강조한 담론 윤리학자 하버마스이다. 하버마스는 합리적인 의사소통이 이루어지기 위해서는 모든 사람에게 담론에 참여할 기회가 개방되어야 하고, 담론에 참여하는 사람들은 누구나 자신의 생각과 원하는 바를 평등하게 발언할 수 있어야 한다고 본다. 따라서 전문가 집단만 토론에 참여해야 한다는 것은 하버마스가 지지할 입장에 해당하지 않는다.

완자 정리 노트   하버마스의 담론 윤리

의사소통의 합리성	• 의미: 상호 간의 논증적인 토론 과정을 거쳐 보편적 합의에 도달하는 것 • 필요성: 대화 당사자들이 합의한 결과를 수용하고 의무로 받아들이기 위해서는 대화가 합리적 의사소통의 과정을 거쳐야 함
이상적 담화 조건	• 진리성: 대화 당사자들의 말하는 내용이 참이며, 진리에 바탕을 두어야 함 • 정당성: 대화 당사자들의 말하는 내용이 정당한 규범에 근거해야 함 • 진실성: 자신이 말한 의도를 믿을 수 있도록 진실하게 표현해야 함 • 이해 가능성: 대화 당사자들이 말하는 내용을 서로 이해할 수 있어야 함

12 하버마스의 이상적 담화 조건

하버마스는 이상적 담화 조건으로 진리성, 정당성, 진실성, 이해 가능성을 언급한다. 진리성은 말하는 내용이 참이어야 한다는 것이며, 진실성은 말하는 내용을 속이려는 의도 없이 진실하게 표현해야 한다는 것이다. 이해 가능성은 대화에 참여한 사람들이 말하는 내용을 서로 이해할 수 있어야 한다는 것이며, 정당성은 대화에 참여한 사람들이 말하는 내용이 규범에 비추어 볼 때 타당해야 한다는 의미이다.

바로 알기 ③ 이상적 담화 조건의 진실성은 자신이 말한 의도를 믿을 수 있도록 진실하게 표현해야 한다는 의미이다. 한편, 하버마스는 대화에 참여한 사람들은 자신의 주장뿐만 아니라 개인적인 바람, 욕구 등도 표현할 수 있다고 보았다.

서술형 문제

195쪽

01 주제: 공자의 소통의 윤리

(1) 여러 부분들이 조화롭게 공존하는 상태

(2) **예시 답안** 남과 화목하게 지내지만 자기의 중심과 원칙을 잃지 않는 것이다.

채점 기준

상	남과 화목하게 지내되 자기의 중심을 잃지 않는다는 의미를 명확하게 서술한 경우
하	남과 화목하게 지낸다고만 서술한 경우

02 주제: 갈등의 기능

예시 답안 • 긍정적 기능: 배려와 관용의 정신을 바탕으로 갈등을 예방하고 조정하며 관리하는 사회는 갈등을 통해 사회에 내재된 문제를 명확히 인식함으로써 발전의 계기로 삼을 수 있다.

• 부정적 기능: 서로 이해관계와 가치관을 고집하며 상대방의 문제점만을 지적하고 양보가 없는 경우 갈등이 깊어져 사회가 해체되고 파괴될 수 있다.

채점 기준

상	사회 갈등의 긍정적 기능과 부정적 기능을 모두 명확하게 서술한 경우
하	사회 갈등의 긍정적 기능과 부정적 기능 중 한 가지만 서술한 경우

03 주제: 사회 통합의 실현 방안

예시 답안 상호 존중과 신뢰에 바탕을 둔 소통을 한다. 관용과 역지사지의 자세를 지닌다. 다양성을 인정하면서 대화와 토론을 통해 의사 결정을 하는 성숙한 민주 시민의 자세를 지닌다. 제도적으로 공정하고 투명한 절차와 기준을 확립한다.

채점 기준

상	사회 통합의 실현 방안을 두 가지 서술한 경우
하	사회 통합의 실현 방안을 한 가지만 서술한 경우

STEP 3 1등급 정복하기

196~197쪽

1 ④ 2 ② 3 ④ 4 ③

1 동양의 소통과 담론의 윤리

공자는 '화이부동'이라는 말을 통하여 자기의 중심과 원칙을 잃지 않으면서 주변과 조화를 추구하고자 하였다. 원효는 화쟁 사상을 통해 시비를 가리며 다투기보다 더 높은 차원의 통합을 추구하였다. ㉣ 장자는 만물은 도의 관점에서 하나이며 상호 의존한다고 보고, 서로 다른 것을 그 자체로 인정해야 한다고 주장하였다.

완자 정리 노트 소통과 담론에 관한 동양의 윤리

공자	남과 화목하게 지내지만 자기의 중심을 잃지 않는다는 화이부동(和而不同)을 통해 조화 강조
맹자	소통을 방해하는 그릇된 언사로 피사, 음사, 사사, 둔사를 제시하여, 진실하고 바른말 강조
장자	옳고 그름은 도(道)의 입장에서 다르지 않음. 차이에 대한 인정과 상호 의존 관계 강조
원효	화쟁(和諍) 사상: 논쟁을 벗어나 더 높은 차원에서 종합하는 포용과 존중의 자세 강조

2 원효의 화쟁 사상

(가)에서는 한국 사회의 이념 갈등이 이분법적인 흑백 사고로 인해 더욱 심화되며 결국 소모적 논쟁으로 이어져 많은 사회 비용이 발생하는 상황이 제시되었다. (나)의 원효는 화쟁 사상을 통해 편견과 집착을 넘어 소통하면서 대립을 극복하고, 서로 통합을 이룰 수 있음을 강조하였다. 따라서 (가)에 대하여 서로 다름을 인정함으로써 갈등을 완화하고 조화를 추구해야 한다는 조언을 제시할 수 있다.

3 하버마스의 담론 윤리

제시된 글은 하버마스의 입장이다. 하버마스는 합리적 의사소통을 통해 서로 이해하고 합의를 이루어 나가는 과정을 중시하였다. 또한 누구나 담론에 참여할 수 있으며 자신의 생각과 원하는 바를 표현할 수 있고, 이러한 권리는 누구에게도 방해받아서는 안 된다고 보았다. 따라서 주관적인 의견을 표현하는 것을 금지해야 하는가에 대한 질문에 부정의 대답을 할 것이다.

4 하버마스의 담론 윤리

제시된 글은 의사소통의 합리성을 강조한 하버마스의 관점이다. 하버마스의 담론 윤리에서는 실천적 담론의 참여자로서 모든 당사자들의 동의를 얻을 수 있는 규범만이 타당하다는 실천적 담론 원칙, 그리고 모든 당사자들은 타당한 규범을 따를 때 나타날 수 있는 결과와 부작용을 알고 받아들여야 한다는 보편화 원칙을 강조한다. 담론에 참여하는 사람들은 자유롭게 자신의 생각과 원하는 바를 표현할 수 있으며 자신의 주장을 펼칠 때에는 참되고 진실한 말을 해야 한다.

┃바로 알기┃ 담론에 참여하는 사람들은 타인의 주장을 수용하거나 거부할 수 있으므로, "타인의 주장에 대해 비판적으로 평가를 해서는 안 된다."라는 견해는 하버마스의 관점으로 적절하지 않다. 따라서 이를 제외하고 하버마스의 관점에만 표시한 학생은 '병'이다.

02 민족 통합의 윤리

STEP 1 핵심 개념 확인하기
202쪽

1 분단 비용 2 (1) ○ (2) ○ (3) × 3 (1) ㄴ (2) ㄷ (3) ㄱ
4 ㄱ, ㄷ, ㄹ 5 북한 인권 결의안

STEP 2 내신 만점 공략하기
202~204쪽

01 ④ 02 ③ 03 ④ 04 ④ 05 ④ 06 ④ 07 ⑤
08 ③

01 통일의 필요성

통일은 개인적 차원에서 이산가족과 실향민의 고통을 해소하고, 자유롭고 평화로운 삶과 인간의 존엄성과 인권을 보장하기 위해 필요하다. 또한 국가·민족적 차원에서는 전쟁의 위협을 제거하고 평화를 정착하며, 분단으로 인한 국가 역량 낭비를 방지하고 경제적 발전을 이룰 수 있다. 국제적 차원에서는 북한 인권 및 핵 문제를 해결하고, 세계 평화에 기여할 수 있다. ④ 통일은 군사력을 강화하고 핵 무장을 통해 국방력을 강화하기 위해서가 아닌, 한반도의 비핵화를 통해 평화를 정착시키기 위해 필요하다.

02 통일 찬성과 반대의 논거

갑은 통일을 반대하는 입장, 을은 통일을 찬성하는 입장이다. 갑은 통일을 이루는 데 많은 비용이 들고, 사회적 갈등이 발생할 것이라는 예상을 근거로 통일을 반대한다. 을은 통일은 전쟁의 공포에서 벗어날 수 있기 때문에 필요하다고 본다. 따라서 (가)에는 통일 비용의 부담으로 인해 통일을 반대하는 의견에 대한 반론이 들어가는 것이 적절하다.

▌바로 알기▐ ①, ② 통일로 인해 발생할 수 있는 부정적 영향을 우려하는 의견에 해당한다. ④ 군사 도발 등으로 인해 북한에 대한 부정적 인식이 생기는 것은 통일을 반대하는 입장에 해당한다. ⑤ 통일 비용이 분단 비용보다 더 크기 때문에 분단 상태를 유지하는 것이 낫다는 주장은 통일을 반대하는 근거에 해당한다.

완자 정리 노트 ▶ 통일에 대한 찬반 논거

찬성	반대
• 소모적인 분단 비용 제거 • 이산가족과 실향민의 고통 해소 • 민족 동질성 회복과 민족 공동체 실현 • 경제적 번영과 국제적 위상 강화 • 동북아시아의 긴장 완화, 세계 평화에 기여	• 오랜 분단으로 인한 정치 체제 및 사회 문화 등의 이질감과 불신감 심화 • 북한에 대한 부정적 인식 • 막대한 통일 비용에 따른 조세 부담과 경제적 위기 • 통합 과정에서 정치적·군사적·사회적 혼란 발생

03 통일 비용

제시된 글은 통일 비용에 대한 설명으로, 통일 비용은 남북통일을 이루고 정착시키는 데 드는 비용이다. 통일 비용은 통일 과정 및 통일 이후에 한시적으로 발생하며, 투자적인 성격의 비용이다.

▌바로 알기▐ ①, ②, ③ 분단 비용은 남북 분단으로 발생하는 유·무형의 지출 비용으로, 분단이 지속되는 한 계속 지출해야 하는 소모적 비용이다. 국방 비용과 외교 비용은 대표적인 경제적 분단 비용에 해당한다. ⑤ 통일 편익은 통일로 인해 얻을 수 있는 보상과 혜택을 의미한다.

04 통일 비용과 분단 비용

통일 비용은 남북통일에 소요되는 비용으로 제도 통합 비용, 사회 문제 처리 비용 등을 예로 들 수 있다. 이는 많은 비용으로 부담이 되지만 통일 이후 발전을 위한 투자적 성격의 비용이다. 분단 비용은 분단으로 인해 발생하는 비용으로 국방비, 외교비, 이산가족의 아픔 등을 예로 들 수 있다. 이 비용은 분단이 지속되는 한 계속 지출해야 하는 소모적 성격의 비용이다. ㉣ 이산가족 및 실향민의 아픔과 같은 사회·정서적 비용도 분단 비용에 속한다.

완자 정리 노트 ▶ 통일 비용과 분단 비용

통일 비용	분단 비용
• 의미: 통일 과정 및 통일 이후에 발생하는 비용 • 종류: 제도 통합 비용, 위기관리 비용, 경제적 투자 비용 • 특징: 통일 과정과 통일 이후에 한시적으로 발생하는 투자적인 성격의 비용	• 의미: 남북 분단과 갈등으로 발생하는 유·무형의 지출 비용 • 종류: 국방비, 외교비, 분단으로 인한 불안 및 이산가족의 아픔과 같은 정서적·사회적 비용 • 특징: 분단이 지속되는 한 계속 지출해야 하는 소모적인 성격의 비용

05 북한 인권 문제

(가)에 들어갈 내용은 '북한 인권 결의안'이다. 이는 북한 주민들의 심각한 인권 상황이 국제 사회에 알려지면서 이를 개선하기 위해 마련된 것이며 북한의 인권 문제 개선을 촉구할 것을 기본 내용으로 하고 있다.

▌바로 알기▐ ④ 북한 인권 결의안은 국제 사회가 북한의 인권 문제에 개입하는 것이 필요하다고 보는 입장이므로 적절하지 않은 설명이다.

06 대북 지원에 대한 입장

갑은 인도적 차원에서 북한에 대한 지원이 필요하다고 보는 입장이다. 을은 지금까지의 대북 지원에도 불구하고 북한이 군사 도발을 일으키고 평화를 위해 변화된 모습을 보여 주지 않는 이상 대북 지원을 해서는 안 된다는 입장이다. 따라서 갑, 을의 토론 주제로 가장 적절한 것은 "대북 지원은 인도주의적 차원에서 지속해야 하는가?"이다.

▌바로 알기▐ ② 대북 지원이 남북 관계 개선에 실용적이라는 측면은 갑의 주장에서 드러나지 않는다. 갑은 인도주의적인 이유를 근거로 대북 지원을 찬성하고 있다.

07 독일 통일의 교훈

독일은 다양한 문화 교류와 경제적 지원 등을 통해 통일을 장기적으로 준비하였으나, 통일 이후 동독과 서독 간의 사회 갈등이 나타났다. 따라서 통일 이전과 이후 모두 장기적이고 체계적인 계획을 세워 사회 통합을 이루기 위한 노력이 필요하다. ⑤ 경제적 수준만 맞다고 해서 바로 통일을 이룰 수 있는 것이 아니다. 사회·문화적인 통합을 점진적으로 이루기 위해 다양한 분야의 교류와 협력이 필요하다.

08 통일을 위한 노력

남북한의 화해와 통일을 위해 북한에 대한 올바른 인식을 가지고, 점진적인 사회 통합의 노력을 통해 남북한의 긴장 관계를 해소해야 한다. 또한 국제 사회와의 협력 관계를 긴밀히 함으로써 통일에 우호적인 분위기를 조성해야 한다. ③ 남북한의 화해와 통일을 이루어 나가기 위해 인도적 교류의 장을 확대하고 다양한 분야의 교류로 발전시켜 나가면서 남북한의 긴장 관계를 해소하고 통일 분위기를 조성해야 한다.

서술형 문제

204쪽

01 주제: 통일을 이루기 위한 노력

예시 답안 (가) – 통합 과정에서 발생할 수 있는 갈등에 대해 열린 마음으로 적극적으로 대화하며 서로 이해한다. 북한에 대한 올바른 인식을 가진다. 남북한의 차이를 인정하면서 동질성을 모색한다. 통일에 대해 관심을 가진다.
(나) – 점진적인 사회 통합의 노력을 통해 남북한의 긴장 관계를 해소한다. 인도적 교류의 장을 확대한다.

채점 기준

상	통일을 이루기 위한 개인적 차원의 노력과 사회·문화적 차원의 노력을 모두 명확하게 서술한 경우
하	통일을 이루기 위한 개인적 차원의 노력과 사회·문화적 차원의 노력 중 한 가지만 서술한 경우

02 주제: 통일 한국의 미래상

예시 답안 통일은 전쟁의 위협이 사라진 평화로운 한반도를 만들 수 있다. 이는 동북아시아의 긴장 완화는 물론 지구촌 평화의 실현에도 이바지한다. 통일이 되면 분단 비용이 해소되고, 통일 한국은 경제적 번영과 평화가 조화를 이룬 나라로 자리매김하여 국제적 위상이 더욱 높아질 수 있다.

채점 기준

상	통일로 인해 평화가 실현되고, 분단 비용이 해소되며, 통일 한국의 국제적 위상이 높아질 수 있다는 내용을 서술한 경우
하	통일은 남북한의 발전을 가져온다고 단순하게 서술한 경우

1 ⑤   2 ②

1 통일 비용과 분단 비용

(가)를 통해 통일 이후에 한국의 국내 총생산(GDP)이 점차 증가하고, 통일 편익이 통일 비용을 상쇄할 것이라는 점을 예상할 수 있다. 통일 비용은 통일 과정 및 통일 이후에 한시적으로 발생하는 비용이며, (나)의 분단 비용은 분단이 계속되는 한 지속적으로 발생하는 비용이다.

2 북한 인권 문제

갑은 다른 국가가 개별 국가 내의 문제에 대해 내정 간섭을 해서는 안 된다고 보는 입장이다. 을은 국제 사회가 인도적 차원에서 개별 국가의 인권 문제에 개입할 수 있다고 보는 입장이다. ② 갑은 국가 내의 문제에 대해 다른 나라가 개입해서는 안 된다고 보기 때문에 북한 인권 문제에 대해서도 간섭해서는 안 된다고 주장할 것이다.

완자 정리 노트 북한 인권 문제

북한의 인권 실태	· 정치범 수용소에서의 강제 노동, 구금 등 반인도적 인권 침해 · 북한 주민의 생존권 위협, 감시와 강압 통치 · 출신 성분에 따라 직업이나 직장 선택에 대한 자율성이 제한됨
북한 인권 문제의 쟁점	· 북한 인권 문제에 대한 개입은 내정 간섭에 해당한다는 입장 · 인권의 보편적 원칙에 따라 국제 사회의 개입이 필요하다는 입장

03 지구촌 평화의 윤리

STEP 1   핵심 개념 확인하기   210쪽

1 (1) ○ (2) ○ (3) × 2 (1) ㄱ (2) ㄴ 3 적극적 평화 4 (1) – ⓒ
(2) – ⓒ (3) – ㉠ 5 겸애

STEP 2   내신 만점 공략하기   210~213쪽

01 ③   02 ②   03 ①   04 ①   05 ②   06 ④   07 ②
08 ④   09 ①   10 ③   11 ①   12 ④   13 ③

01 국제 분쟁의 윤리적 문제

국제 분쟁은 국제 사회의 분열과 갈등을 초래하며, 평화, 인권, 정의 등 인류가 지향하는 보편적 가치를 훼손한다. 또한 종교나 민족 갈등과 결부되면 상호 간 적대감을 증폭하여 반인도적 범죄가 자행되기도 한다.

02 국제 관계에 대한 관점

갑은 국제 관계를 바라보는 현실주의 입장이다. 이 관점에 따르면 인간의 본성은 이기적이고 그러한 인간들로 구성된 국가는 자국의 이익을 최우선으로 추구하며, 국가 간의 갈등은 세력 균형을 통해 해결할 수 있다. 반면, 을은 이상주의 입장이다. 이 관점에 따르면 인간은 이성적인 존재이며 그러한 인간들로 구성된 국가 역시 이성적이고 합리적이므로 도덕과 규범이 중요하다. 따라서 이 입장에서는 국가 간의 분쟁은 합리적 논의를 통해 해결할 수 있고, 국가뿐만 아니라 국제기구나 비정부 기구 등 다양한 행위 주체들의 노력도 중요하다고 본다.

┃바로 알기┃ ㄴ. 갑은 현실주의 관점에서 합리적 논의를 통해 분쟁을 해결하는 것이 아닌 국가 간의 세력 균형을 통한 힘의 논리로써 분쟁을 해결할 수 있다고 본다. ㄹ. 갑은 국제 분쟁이 자국의 이익을 최우선으로 여기는 태도에서 비롯된다고 보는 입장이고, 을은 상대방에 대한 무지나 오해, 잘못된 제도 때문에 국제 분쟁이 발생한다고 보는 입장이다.

03 칸트의 영구 평화론

제시된 입장은 칸트의 견해로, 칸트는 평화에 이르기 위해서는 전쟁을 없애야 한다고 주장하면서 영구 평화를 위하여 해서는 안 되는 내용을 담은 예비 조항과 영구 평화를 확정 짓는 확정 조항을 제시하였다. 칸트는 국가가 자유로운 국가들 간의 연맹을 통해 자유를 보장받고 평화를 유지할 수 있다고 보았다.

┃바로 알기┃ ② 국제 연맹을 통해 국제 평화를 유지할 수 있다고 보았다. ③ 상비군은 점차적으로 폐지해야 한다고 보았다. ④ 직접적인 폭력과 전쟁에서 벗어날 것을 강조하였다. ⑤ 국제법은 자유로운 국가들의 연방 체제에 기초해야 한다고 보았다.

04 갈퉁의 평화

제시된 글은 갈퉁의 주장이다. 갈퉁은 폭력을 물리적 폭력, 구조적 폭력, 문화적 폭력으로 분류하고 진정한 평화는 물리적 폭력은 물론 구조적 폭력과 문화적 폭력까지 없는 상태를 의미한다고 보았다. 따라서 "물리적 폭력만 사라지면 진정한 평화가 실현되는가?"의 질문에 대해 부정의 대답을 할 수 있다.

완자 정리 노트	소극적 평화와 적극적 평화
소극적 평화	전쟁, 테러, 폭행 등 직접적이고 물리적인 폭력이 없는 상태
적극적 평화	• 직접적, 물리적 폭력뿐만 아니라 구조적·문화적 폭력까지 사라진 상태 • 정의와 인간 존엄성, 삶의 질에 바탕을 둔 평화

05 소극적 평화와 적극적 평화

갈퉁에 의하면 소극적 평화는 전쟁, 테러, 범죄 등 직접적이고 물리적인 폭력으로부터 해방된 상태를 의미한다. 적극적 평화는 직접적인 폭력뿐만 아니라 빈곤, 정치적 억압, 종교적 차별과 같은 사회의 구조적·문화적 폭력이 제거되어 인간답게 살아갈 수 있는 삶의 조건이 갖추어진 상태를 가리킨다. 갈퉁은 소극적 평화만으로는 진정한 평화를 이루어 내기 어렵고, 직접적인 폭력과 구조적·문화적 폭력을 제거하여 적극적 평화를 이루어야 한다고 주장한다.

06 국제 정의 이해

(가) 형사적 정의는 정부 또는 반정부 단체, 개인 등이 테러, 학살, 인신 매매, 납치 등 반인도적 범죄를 일으키는 것에 대해 법에 따른 정당한 처벌을 함으로써 실현된다. (나) 분배적 정의는 절대 빈곤, 자연재해 등으로 고통받는 국가에 대해 가치나 재화를 공정하게 분배함으로써 실현된다.

07 공적 개발 원조

제시된 글은 공적 개발 원조(ODA)에 대한 설명이다. 공적 개발 원조는 개발 도상국의 경제 개발과 사회 복지를 돕는 지원으로 유·무상의 자금 지원과 기술 협력을 포함한다. 공적 개발 원조는 공공 개발 원조 또는 정부 개발 원조라고도 한다.

08 세계화의 윤리성

제시된 글은 세계화의 긍정적 측면을 강조하고 있다. 이 입장에 따르면, 세계화를 통해 경제가 발전하고 국제적 차원의 협력이 이루어짐으로써 전 지구적인 문제를 해결할 수 있다.

┃바로 알기┃ ①, ②, ③, ⑤는 세계화의 부정적 측면을 주장하는 입장이다.

완자 정리 노트	세계화의 의미와 영향	
의미	정보 통신 기술 등 과학 기술의 발전으로 국경을 초월하여 세계가 밀접하게 연결되고, 생활 공간이 세계로 확장되는 현상	
영향	긍정적 영향	• 국가 간의 교류 및 협력 증가 • 각국 경제의 결합으로 공동 번영 • 전 지구적 문제의 공동 해결 • 다양한 문화의 공존과 질적 향상
	부정적 영향	• 상업화·획일화된 선진국 중심의 문화 확대 • 국가 간 상호 의존에 따른 경제 의존도 심화 • 시장과 자본 독점으로 인한 국가 간 빈부 격차 심화 • 각 지역 및 국가의 고유 정체성 약화, 문화 획일화

09 롤스의 해외 원조에 대한 입장

제시된 글은 해외 원조를 의무의 관점에서 본 롤스의 입장이다. 롤스는 불리한 여건으로 고통받는 정의롭지 않은 사회를 질서 정연한 사회가 될 수 있도록 도와야 한다고 주장한다. 롤스는 고통받는 사회의 불리한 여건을 개선해 준다는 것이 전 지구적 차원의 부의 재분배나 복지 향상을 의미하는 것은 아니라고 말한다.

┃ **바로 알기** ┃ ㄷ. 해외 원조에 대한 노직의 입장이다. ㄹ. 롤스는 해외 원조를 전 지구적 차원의 경제적 분배의 과정으로 보아서는 안 된다고 주장하고, 차등의 원칙을 국제 사회에 적용하는 것을 반대한다.

10 롤스의 해외 원조 관점

제시된 글은 롤스의 입장이다. 롤스는 사회 구조나 제도가 빈곤을 발생시킨다고 보았다. 따라서 롤스는 사회 구조나 제도를 개선하여 불리한 여건으로 고통받는 국가가 질서 정연한 사회가 되도록 도와야 한다고 주장한다.

┃ **바로 알기** ┃ ① 해외 원조에 대한 싱어의 관점이다. ② 롤스는 해외 원조의 목적은 세계의 경제적 평등을 이루는 것이 아니라 질서 정연한 사회가 되도록 돕는 것이라고 주장한다. ④ 원조를 통해 질서 정연한 사회가 되면 경제적으로 빈곤하더라도 원조를 중단해야 한다고 본다. ⑤ 해외 원조에 대한 노직의 관점이다.

11 노직의 해외 원조 관점

그림의 강연자는 노직의 입장을 이야기하고 있다. 노직에 따르면 개인은 자신의 재산에 대해 절대적인 소유권을 가지므로 원조를 의무로 요구하는 것은 개인의 권리를 침해하는 것이고, 해외 원조는 국가에서 강제하거나 의무로 강요할 수 없는 자발적인 선택에 따른 행위이다. 따라서 노직이 긍정의 대답을 할 질문으로 "국가가 개인에게 빈곤국에 대한 원조를 강제해서는 안 되는가?"가 적절하다.

12 싱어의 해외 원조 관점

제시된 글은 싱어의 입장이다. 싱어는 공리주의적 관점에서 타인에게 일어날 수 있는 나쁜 일을 방지하는 것이 우리의 중요한 일을 희생하지 않고도 가능하다면 이를 실천해야 한다고 본다. 그는 원조는 인류 전체의 고통을 감소시키기 위한 보편적 의무이기 때문에 나와 다른 국가에서 빈곤으로 고통받는 이들에 대한 원조와 기부를 적극적으로 해야 한다고 주장한다.

┃ **바로 알기** ┃ ① 싱어는 해외 원조는 모든 사람이 마땅히 해야 하는 행위라고 본다. 국가적 차원뿐만 아니라 개인적 차원에서도 기부 등을 통해 해외 원조에 참여할 수 있다. ②, ③ 싱어에 의하면 해외 원조는 개인의 선택이 아니라 의무의 영역으로, 개인의 권리를 침해하는 것이 아니다. ⑤ 친소 관계를 기준으로 해외 원조를 하는 것이 아닌, 이익 평등 고려의 원칙에 따라 쾌락을 느낄 수 있는 모든 존재를 평등하게 고려해야 한다고 주장한다.

13 싱어와 롤스의 해외 원조에 대한 관점 비교

갑은 싱어의 입장으로, 해외 원조의 목적을 공리주의적 관점에서 이해하며 자신의 중요한 일을 희생하지 않고도 남을 도울 수 있다면 그래야 한다고 주장한다. 을은 롤스의 입장이다. 롤스는 불리한 여건으로 고통받는 사회가 질서 정연한 사회로 진입할 수 있도록 돕기 위해 해외 원조를 해야 하며, 빈곤국이 질서 정연한 사회에 진입한 이후에는 원조를 중단해야 한다고 본다. 롤스와 노직 모

두 해외 원조를 의무로 주장한다.

┃ **바로 알기** ┃ ③ 롤스는 해외 원조는 전 지구적 차원의 부의 재분배나 인류의 복지를 향상하기 위한 것이 아닌, 질서 정연한 사회로 이행할 수 있도록 돕기 위한 것이라고 본다.

완자 정리 노트　해외 원조에 대한 관점

싱어	• 공리주의적 관점에서 원조는 의무임 • 이익 평등 고려의 원칙에 따라 고통받는 사람을 도와야 함 • 원조의 대상을 지구촌 전체로 확대함
롤스	• 해외 원조는 정의 실현을 위한 의무임 • 해외 원조의 목적은 질서 정연한 사회가 되도록 돕는 것임 • 차등의 원칙을 국제 사회에 적용하는 것을 반대함 • 해외 원조가 전 지구적 차원의 부의 재분배나 복지 향상을 의미하는 것은 아님
노직	• 개인은 자신의 재산에 관한 절대적 소유권을 가짐 • 해외 원조는 의무가 아닌 자발적 선택에 따른 자선 행위임

서술형 문제

213쪽

01 **주제: 국제 분쟁을 바라보는 관점**

예시 답안 (가) – 현실주의 관점이다. 이 관점에 의하면, 국제 분쟁은 세력 균형을 통해 해결할 수 있다.

(나) – 이상주의 관점이다. 이 관점에 의하면, 국제 분쟁은 국가뿐만 아니라 개인, 국제기구, 비정부 기구 등 다양한 행위 주체들의 이성적 대화와 협력을 바탕으로 도덕, 여론, 법률, 제도를 통해 해결할 수 있다.

채점 기준

상	현실주의 관점과 이상주의 관점을 명확히 쓰고, 각각의 국제 분쟁 해결 방안을 모두 서술한 경우
하	현실주의 관점과 이상주의 관점을 명확히 쓰고, 각각의 국제 분쟁 해결 방안 중 한 가지만 서술한 경우

02 **주제: 해외 원조에 대한 싱어의 입장**

예시 답안 고통받는 사람들은 이익 평등 고려의 원칙에 따라 누구나 차별 없이 도움을 받아야 하며, 인간은 빈곤에 따른 개인의 고통을 덜어 주어야 할 의무가 있다. 따라서 해외 원조가 필요하다.

채점 기준

상	이익 평등 고려의 원칙에 근거하여 고통받는 사람을 도와주는 것이 인류의 의무이고, 이를 위해 해외 원조가 필요하다는 점을 명확하게 서술한 경우
하	고통받는 사람을 돕기 위해 해외 원조를 해야 한다고만 단순하게 서술한 경우

1 국제 관계의 이해

(가)는 현실주의 입장에서 국제 분쟁이 발생하는 원인에 대해 설명하는 내용이다. (나)의 질문에 대해 (가)의 입장에서는 국가 간의 세력 균형을 통해 국제 분쟁을 해결할 수 있다고 답변할 수 있다. (가)와 같은 입장에서는 국가의 목표는 자국의 안보와 생존이며 타국은 자국의 생존을 위협하는 잠재적 위협 요소로 보기 때문에 타협이나 협력이 아닌 힘의 균형을 통해 국제 분쟁을 억제할 수 있다고 본다.

∥바로 알기∥ ②, ④, ⑤ 이상주의 입장에서 제시할 수 있는 국제 분쟁의 해결 방안이다. ③ 구성주의 입장에서 제시할 수 있는 국제 분쟁의 해결 방안이다.

2 칸트의 영구 평화론

제시된 글은 칸트가 주장한 국가 간의 영구 평화를 위한 예비 조항이다. 칸트는 전쟁의 폭력성과 적대성이라는 악순환에서 벗어나 평화를 유지하기 위해 영구 평화론을 제시하였다. 또한 평화를 실현하는 방안으로 서로 적으로 간주되지 않을 권리이자 존중받을 권리인 환대권을 강조하였다. 또한 보편적 우호 관계에 기반을 둔 국제법이 적용되는 국제 연맹이 필요하다고 보았다.

∥바로 알기∥ ② 상비군의 점차적인 폐지를 주장하였다. ③ 평화를 이루기 위해 국제 연맹을 맺어야 한다고 주장하였다. ④, ⑤ 직접적인 폭력과 전쟁에 반대하였다.

3 해외 원조에 대한 싱어와 롤스의 관점

(가)의 갑은 싱어, 을은 롤스이다. 싱어와 롤스는 공통적으로 해외 원조를 의무의 관점에서 바라보았다. 한편, 싱어는 공리주의적 관점에서 인류의 행복 증진 및 고통의 감소를 해외 원조의 목표로 보았고, 롤스는 불리한 여건의 사회가 질서 정연한 사회가 될 수 있도록 돕는 것을 원조의 목적으로 보았다. 따라서 롤스에 의하면 빈곤하지만 질서 정연한 사회는 원조의 대상이 아니다.

∥바로 알기∥ ㄱ. 싱어는 경제적 수준이 일치하도록 만들기 위해 해외 원조를 하는 것이 아니라, 인류의 행복 증진을 위해 해외 원조를 실시해야 한다고 주장하였다. ㄷ. 롤스만의 입장인 C의 진술이 아닌, 싱어만의 입장인 A의 진술에 해당한다.

4 해외 원조에 대한 노직의 관점

제시된 글은 노직의 주장이다. 노직은 개인은 자신의 재산에 대해 배타적 소유권을 지닌다고 보고, 자선의 관점에서 해외 원조를 자발적인 선택의 문제로 본다. 따라서 "해외 원조는 개인의 의사에 따라 선택할 수 있는 문제인가?"라는 질문에 긍정의 대답을 할 것이다.

01 갈등의 의미

(가)에 들어갈 말은 갈등이다. 갈등은 사회적 가치의 희소성, 가치관과 이해관계의 차이, 원활한 의사소통의 부재 등으로 인해 발생한다. 갈등을 예방하고 조정하는 사회는 갈등을 통해 사회의 문제를 명확히 인식함으로써 발전의 계기로 삼을 수 있지만, 갈등이 심화될 경우에는 사회가 해체되거나 파괴될 수 있다.

∥바로 알기∥ ㄱ. 갈등은 개인 간, 집단 간, 개인과 집단 간에 다양하게 발생한다. ㄷ. 현대 사회에서 갈등은 더욱 복잡한 양상으로 나타난다.

02 지역 갈등의 해결 방안

제시된 글은 공항 유치를 둘러싼 지역 갈등의 사례이다. 지역 갈등을 해결하기 위해서는 공공 기관이 지역 주민과 서로 관용과 역지사지의 자세로 소통하고, 균형 있는 지역 개발을 하기 위해 노력하는 것이 필요하다.

03 장자의 관점에서 본 소통과 담론의 윤리

장자는 서로 다른 것들의 상호 작용을 통해 만물이 존재할 수 있으며, 도의 관점에서 보면 옳고 그른 것은 서로 다르지 않고 같다고 보았다. 장자는 진정한 소통을 위해 서로 다른 의견을 그 자체로 인정하고 상호 의존 관계를 이해하는 것이 필요하다고 본다.

∥바로 알기∥ ① 공자는 화이부동이라는 말을 통해 군자는 자신의 도덕 원칙을 지키면서 주변과 조화를 추구하지만, 소인은 자신의 원칙을 버리고 남과 같아지는 데만 급급해한다고 보았다. ② 인간은 오류를 범할 수 있기 때문에 이를 검증하는 토론을 강조한 밀의 입장이다. ③ 장자는 도의 입장에서 옳고 그름이 다르지 않다고 보았기 때문에 적절하지 않은 설명이다. ④ 원효의 화쟁 사상이다.

04 원효의 관점에서 본 소통과 담론의 윤리

원효는 화쟁 사상을 통해 일면만을 보고 전체를 판단하지 말고 다양성을 인정하면서 더 높은 차원의 통합을 추구해야 한다고 주장하였다.

∥바로 알기∥ ③ 원효는 모든 이론과 종파의 특수성과 상대적 가치를 인정하면서 대승적으로 융합할 것을 강조하였다.

05 하버마스의 담론 윤리

하버마스는 담론 윤리를 통해 서로 이해하고 합의를 이루어 나가는 과정을 중시하고 의사소통 합리성을 실현해야 담론에 참여한 사람들이 합리적으로 논의한 결과를 수용할 수 있다고 보았다. 의사소통 합리성을 실현하기 위해서는 이상적 담화 상황의 규칙들이 지켜져야 한다. 이 규칙에 따르면 말할 수 있고 행위 능력이 있는 사람은 모두 담론에 참여할 수 있으며 다른 사람의 주장에 대해 비판하거나 의문을 제기할 수 있다.

▎바로 알기 ▎ ① 담론 참여자들은 개인적인 바람이나 욕구를 표현할 수 있다.

06 통일의 필요성

┌─ 자료 분석 ─────────────────────────────────
│   통일 편익은 통일에 따른 보상과 혜택으로, ─┐
│   통일 이후 지속적으로 발생해.
│ 대외경제정책연구원(KIEP)에서 2015년에 내놓은 「남북한의 통일
│ 편익 추정」 보고서는 "통일이 완료될 2055년경에는 통일 한국의
│ 국내 총생산(GDP)이 8.7조 달러에 달할 것으로 전망"하였다. 이는
│ "통일되지 않았을 경우 남한 GDP의 약 1.7배 수준"에 달하는 수치
│ 이다. 이 보고서는 만약 통일이 된다면 "남북한 경제 규모가 증가
│ 함에 따라 세계 경제에서 (통일 한국이) 새로운 강국으로 부상할
│ 것으로 기대되며, 주변국과의 교역 규모 역시 확대될 것으로 전망"
│ 한다고 밝혔다.   └─ 통일이 되면 남북한의 시장 규모가 확대되면서 교역이 증가하고,
│   생산성이 향상되며, 국토를 효율적으로 이용할 수 있기 때문이야.
└──

제시된 글을 통해 남북한이 통일을 완료하면 국내 총생산(GDP)이 증가하고 경제 규모가 확대되는 통일 편익이 발생하는 것을 알 수 있다. 이와 같이 통일은 민족의 번영을 가져올 수 있다. 통일로 인해 국토 면적이 확장되고 인구가 증가하여 내수 시장이 확대될 수 있고, 남한의 기술력과 자본이 북한의 노동력 및 천연자원과 결합하여 동반 상승효과를 낼 수 있다. 특히 해양과 대륙의 요충지에 있는 통일 한국은 동북아시아의 교통·물류 중심지의 역할을 할 수 있다.

07 통일 비용

통일 비용은 통일 과정 및 통일 이후에 한시적으로 발생하는 비용이며, 통일 한국의 번영을 위한 투자적인 성격의 비용으로 다양한 통일 편익으로 이어질 수 있다.

08 통일에 관한 쟁점

갑은 통일이 되면 전쟁의 공포가 사라지고, 소모적인 분단 비용을 줄일 수 있으며, 이산가족과 실향민의 고통을 해결할 수 있으므로 통일을 해야 한다고 주장하고 있다. 반면에 을은 북한의 군사 도발로 인한 부정적 인식, 남북한의 이질화 심화를 근거로 통일을 반대한다. 이를 통해 갑과 을이 통일의 필요성을 주제로 토론하는 것을 알 수 있다.

09 북한 인권 문제의 쟁점

제시된 글은 북한의 인권 문제에 대해 국제 사회가 도울 필요가 있다고 주장하는 입장이다. 이 입장에서는 인권은 국가에 상관없이 모든 사람에게 공통적으로 적용되는 보편적인 권리이므로 국제 사회가 인도적 차원에서 북한의 인권 문제에 개입할 수 있다고 본다.

10 독일 통일의 교훈

제시된 기사문을 통해 독일의 통일은 하루아침에 이루어진 것이 아니라 통일이 이루어지기 전부터 다양한 분야의 교류를 통해 통일의 기초가 마련되어 왔고, 통일이 된 이후에도 사회 통합을 위한 비용이 지출되고 있음을 알 수 있다. 이에 따라 점진적이고 체계적인 통일 준비가 필요하다는 내용이 기사문의 제목으로 적절하다.

완자 정리 노트   독일 통일의 사례

통일 준비 과정	• 분단 상황 속에서 동독과 서독의 다양한 문화 교류와 협력이 활발하게 이루어짐 • 서독이 동독을 지원함으로써 관계를 개선하고 상호 신뢰를 구축함
후유증	• 동독과 서독 주민 간의 사회적 갈등 발생 • 서로 다른 체제 속에서 살아온 사람들의 내면적·정신적인 통합을 이루는 것이 어려움
발전 성과	• 정치·경제적으로 안정됨 • 동·서독 주민 간의 통합이 이루어지고 있음
독일 통일의 교훈	• 서로 다른 이념과 체제, 언어와 문화의 이질성을 통합하는 과정에서 사회적 갈등과 혼란을 겪을 수 있음 • 통일에 대한 바른 이해와 실질적인 통일 준비가 필요함

11 통일 한국의 미래상

통일 한국이 지향해야 할 바람직한 모습은 자유와 평등의 가치를 존중하는 민주주의 사회, 인간 존엄성의 가치를 실현하는 사회, 한반도 비핵화가 이루어지고 전쟁의 공포가 사라진 평화로운 사회이다. ③ 통일이 지향하는 민족 통합의 윤리는 배타적인 폐쇄적 민족주의가 아니라, 여러 민족과 공존 공영할 수 있는 열린 민족주의이다.

완자 정리 노트   통일 한국이 지향해야 할 가치

평화	신뢰를 바탕으로 전쟁의 위협을 벗어나 평화 공동체 건설, 국제 사회의 평화와 번영에 기여
자유	자신의 신념과 선택에 따른 삶의 보장
인권	모든 사람의 존엄과 가치가 존중되는 인권 국가 지향
정의	모두가 차별 없이 풍요한 삶을 누리고 합당한 대우를 받는 정의 실현
자주성	우리의 힘으로 통일 국가를 만들어 나가고 민족의 자주적 역량 발휘
열린 민족주의	여러 민족과의 공존 공영, 우수한 전통문화 계승 및 다양한 문화와의 조화를 통한 창조적 발전

12 국제 분쟁의 특징

제시된 글은 서로 다른 종교 간의 갈등에서 비롯된 국제 분쟁의 사례이다. 이러한 국제 분쟁은 국제 사회의 분열과 갈등을 초래하며, 지구촌 전체의 불안을 가중하고 평화를 위협한다. 또한 인류가 지향하는 보편적 가치를 훼손하는 윤리적 문제를 일으킬 수 있다.

바로 알기 ③ 종교 등을 포괄하는 문화는 공동체의 정체성의 토대가 된다. 따라서 이와 관련하여 갈등이 발생하면 자율적인 타협이나 제삼자의 중재가 어려워 쉽게 분쟁으로 이어질 수 있다.

완자 정리 노트 국제 분쟁의 원인과 윤리적 문제

원인	• 영역과 자원을 둘러싼 갈등: 국가 경쟁력의 토대가 되는 영역과 자원 선점 경쟁 • 문화적 차이에 따른 갈등: 문화의 특성상 자율적 타협이나 제삼자의 중재가 어려움 • 인종·민족 간의 갈등: 종족 내의 정치·사회적 쟁점에 대한 갈등이나 타 민족에 대한 억압
윤리적 문제	• 지구촌 평화 위협: 분열과 갈등 초래, 군사적 우위 확보 경쟁으로 인한 지구촌 불안 가중 • 인간 존엄성과 정의 훼손: 종교나 민족 갈등과 결부 시 적대감 증폭, 반인도적 범죄 자행

13 국제 관계에 대한 현실주의 관점

제시된 글은 국제 관계를 바라보는 현실주의 관점이다. 이 관점에 따르면 모든 인간은 자신의 이익을 추구하며 그러한 개인들로 이루어진 국가는 자국의 이익을 우선시한다. 따라서 국가 간에 타국을 자국의 생존을 위협하는 대상으로 인식하기 때문에 세력 균형을 통해 국제 분쟁을 해결할 수 있다고 본다.

바로 알기 ㄷ, ㄹ. 국제 관계를 바라보는 이상주의 관점에 대한 설명이다.

14 칸트의 영구 평화론

자료 분석

제1항 모든 국가의 시민적 정치 체제는 공화 정체(共和政體)이어야 한다.

제2항 국제법은 자유로운 여러 국가의 연맹 조직을 토대로 해야 한다. ┌ 칸트는 직접적인 폭력과 전쟁에서 벗어날 수 있도록 각국이 국제법의 적용을 받는 평화 연맹을 구성할 것을 요구하였어.

제3항 세계 시민법은 보편적인 우호를 위한 제반 조건에 국한되어야 한다. ─ 이방인이 낯선 땅에서 적으로 간주되지 않을 환대권과 관련이 있어.

칸트는 평화를 실현하기 위한 방안으로 환대권을 강조하였고, 모든 국가가 보편적 우호 관계에 기반을 둔 국제법이 적용되는 국제 연맹에 참여할 것을 주장하였다. 또한 국가 간의 영구 평화를 위한 예비 조항에서 상비군은 점차 폐지되어야 한다는 조항을 제시하였다.

바로 알기 ㄹ. 단일 정부를 구성하는 것은 이상적이지만 실현되기 어렵다. 칸트는 평화 유지하기 위해서 국가 간의 연맹을 구성할 것을 요구한다.

15 갈퉁의 평화와 폭력의 의미

갈퉁에 의하면 평화는 소극적 의미의 평화와 적극적 의미의 평화로 나눌 수 있다. 갈퉁은 소극적 평화만으로는 진정한 평화를 이루기 어렵다고 보고, 적극적인 평화를 이루어야 한다고 주장하였다.

바로 알기 ㉠ 소극적 평화는 직접적이고 물리적 폭력이 없는 상태를 말한다.

16 국제 원조에 대한 입장

갑은 해외 원조에 대한 싱어의 입장이고, 을은 롤스의 입장이다. 갑, 을 모두 해외 원조를 의무의 관점에서 본다.

바로 알기 ② 갑은 공리주의적 관점에서 고통받는 사람들을 돕기 위한 해외 원조의 중요성을 강조하였다. ③ 해외 원조를 개인의 자발적인 선택의 문제로 보는 것은 노직의 입장이다. ④ 을은 불리한 여건의 사회가 질서 정연한 사회가 되면 해외 원조가 필요하지 않다고 보았다. ⑤ 갑의 입장에만 해당하는 설명이다.

논술형 문제 풀이

주제 01 어떤 행위가 옳은 행위인가

논술 SOLUTION

(가)는 의무와 원리에 따라 행위할 것을 주장하는 '행위 중심'의 윤리를 비판하고 품성과 덕성을 갖춘 인간이 될 것을 강조하는 '행위자 중심'의 윤리, 즉 덕 윤리적 관점에 대한 설명이다.

⬇

(나)는 경로당의 음식을 지속적으로 훔쳐 먹은 A 씨를 엄벌에 처하지 않고, 경찰과 경로당 주민들이 오히려 청년에게 돈을 모아서 주는 등 온정을 베풀었다는 내용의 신문 기사이다.

⬇

●POINT● 담당 형사와 경로당 주민들이 청년을 대하는 행동을 집중적으로 분석하고, 의무론이나 공리주의와 대비하여 덕 윤리적 관점이라면 어떤 평가를 내릴지 탐구하여 논술한다.

예시 답안 덕 윤리적 관점에서는 한 개인이 내면에 갖추고 있는 품성과 덕성을 중시한다. 즉, 어떠한 상황에서 규칙이나 원리를 기계적으로 적용할 것이 아니라 행위자가 도덕적인 행위를 할 만한 품성과 덕성을 갖출 것을 강조한다. 이러한 관점에서 박 경위와 경로당 주민들은 타인에 대한 '온정과 베풂'이라는 훌륭한 품성을 내면화한 사람으로 평가받을 수 있다. 그뿐만 아니라 이러한 덕성 함양은 개인이 혼자서 할 수 있는 것이 아니라 역사와 전통을 지닌 공동체 안에서 가능한 것이다. 그러므로 공동체적 가치를 지켜 내는 것 역시 덕 윤리의 주요한 과제라 할 수 있다. 이에 비추어 보았을 때, A 씨를 처벌하는 것에만 급급하지 않고 공동체의 구성원으로 떳떳하게 생활할 수 있도록 도움을 아끼지 않은 것 또한 나눔과 배려라는 공동체적 가치를 반영한 훌륭한 행동이라 볼 수 있다.

주제 02 안락사에 대한 입장

논술 SOLUTION

(가)의 갑은 최대 다수의 최대 행복을 가져오는 유용성의 증가로 행위의 정당성을 판단하는 공리주의 입장이다.

⬇

(가)의 을은 인간을 목적 그 자체로 대우해야 한다는 정언 명령을 강조한 칸트의 의무론의 입장이다.

⬇

(나)의 줄리아는 전신 마비 환자인 라몬 삼페드로의 고통을 줄이고 그와의 약속을 지키기 위해 안락사를 선택하는 것이 옳은지 고민하고 있다.

●POINT● 공리주의의 입장에서 결과적 유용성의 증가와 관련하여 안락사에 대해 내릴 수 있는 판단과 칸트의 입장에서 안락사는 인간을 수단시하는 행위라는 점을 고려하여 서술한다.

예시 답안 •갑의 조언: 안락사 실행 여부는 결과의 좋고 나쁨에 따라 판단해야 합니다. 따라서 만약 라몬의 안락사를 돕는 것이 그렇지 않은 것보다 라몬과 가족의 고통을 감소시키고·관련된 사람들에게 더 큰 행복과 유용한 결과를 낳는 것이 분명하다면, 당신은 그의 안락사를 도울 수 있습니다.
•을의 조언: 라몬의 고통을 줄인다는 이유로 그의 안락사를 돕는 것은 환자의 인격과 생명을 수단시하는 것입니다. 인간의 생명은 그 자체로 존엄하며 인위적으로 죽음을 선택해서는 안 됩니다. 따라서 당신은 라몬의 안락사를 도와서는 안 됩니다.

주제 03 동물에 대한 도덕적 고려

논술 SOLUTION

(가)는 고통을 느끼는 존재에 대한 이익 평등 고려의 원칙을 주장한 싱어의 주장이다.

⬇

(나)는 노예 제도, 아동 노동, 여성 투표권 문제, 인간 차별 문제의 개선이 이루어진 현실과 달리, 아직까지도 인간이 동물에게 주는 고통을 괜찮다고 생각하는 현상에 대해 비판하는 내용이다.

⬇

(다)는 코끼리에게 고통을 가하여 야생 본능을 없애고, 코끼리를 관광용 돈벌이에 이용하는 파잔 의식을 설명한 글이다.

●POINT● 동물의 쾌고 감수 능력을 인정하는 싱어의 동물 해방론의 관점에서 동물에 대한 인간 중심주의적인 시각을 비판적으로 논술한다.

1. 예시답안 동물은 즐거움과 고통을 느낄 수 있는 능력인 쾌고 감수 능력을 가지며 동물도 인간처럼 고통을 당하지 않을 이익에 관심을 가진다. 따라서 동물도 도덕적 지위를 가지기 때문에 동물이 어떤 다른 목적을 위해 희생되거나 고통을 받아서는 안 된다. 인간이 동물에게 고통을 주어도 괜찮다고 여기는 것은 고통을 느끼는 동물에 대하여 종이 다르다는 이유로 차별하는 것이므로 옳지 않다.

2. 예시답안 동물을 관광 상품으로 이용하는 파잔 의식 과정에서 코끼리는 심각한 고통을 겪는다. 따라서 동물의 이익을 고려하고, 동물에 대한 차별을 없애기 위해 동물을 이용하고 학대하는 행위를 중지해야 한다. 이를 위해 동물의 권리에 관심을 가지고, 동물 복지 개선을 위한 법과 제도를 마련하여 동물의 고통을 줄이기 위해 노력해야 한다.

주제 **04** 성에 관한 고정 관념

논술 SOLUTION

(가)의 맨박스는 남자라면 어떻게 행동해야 하는지에 대한 규약이 담긴 박스를 의미한다. 맨박스는 남자들에게 공격적이고, 독립적이며 더 강인할 것을 요구함으로써 남성에 대한 고정 관념을 형성한다.

(나)의 '보시(bossy)'라는 말에 내포되어 있는 여성에 대한 고정 관념이 여성의 성 정체성에 미치는 영향을 여성주의 윤리와 관련지어 생각해 본다.

● POINT ● 남자다움과 여자다움을 사회적·문화적으로 규정한 후 이를 따르게 하였을 때 발생할 수 있는 성차별 문제에 관하여 서술한다.

1. 예시답안 남성성과 여성성에 관한 고정 관념으로 인해 특정한 성향만을 남성적인 것, 여성적인 것으로 한정하면 성차별이 발생할 수 있다. 성차별은 인간으로서의 평등성과 존엄성을 훼손하며, 인권을 침해한다. 또한 성차별은 남녀 각 개인의 잠재력을 충분히 발휘할 수 없도록 하여 사회적 진출이나 역할을 제한하고, 국가 차원에서 인적 자원의 낭비를 초래할 수 있다.

2. 예시답안 여성주의 윤리학자인 보부아르는 여성의 성 정체성은 자연적인 것이 아니라 역사적으로 학습되고 사회적으로 내면화된 것이라고 주장하였다. '보시'라는 말에 담긴 여성에 대한 평가는 자연적으로 타고난 여성의 성 정체성에서 비롯된 것이 아니라 이러한 역사적·사회적 고정 관념에서 비롯된 것이라고 볼 수 있다. 이처럼 인간으로서 여성이 가지는 다양한 특성을 인정하지 않고, 남성의 기준으로 여성의 특성을 제한적으로 규정하면 성차별이 발생하여 양성평등이 저해될 수 있다.

주제 **05** 기업 윤리

논술 SOLUTION

(가)는 공유지의 비극에 대한 내용이다.

(나)는 기업에게 있는 유일한 책임은 기업의 이익을 극대화하는 것이라는 주장이다.

(다)는 기업은 이윤 추구뿐만 아니라 사회적 책임에도 관심을 가져야 한다는 주장이다.

● POINT ● 공유지의 비극을 교훈으로 삼아 기업이 사회 전체의 이익을 증진하기 위해 사회적 책임을 진다면 장기적으로 성장하는 데 도움이 될 수 있다는 내용을 중심으로 논술한다.

1. 예시답안 (나)는 기업의 가장 중요한 역할은 정당한 방법으로 이익을 극대화하는 것이라고 본다. (다)는 기업은 경제적 이익 창출뿐만 아니라 사회적 책임에도 관심을 기울여야 한다고 본다.

2. 예시답안 (가)에는 사람들이 자신의 이익만을 위하여 사회적 자원인 목초지를 제한 없이 이용하였고, 그 결과 목초지가 아무도 사용할 수 없는 황무지로 변하여 결국 전체의 손실이 된 상황이 제시되어 있다. 기업 역시 (나)의 내용과 같이 1차적인 목표가 이윤 추구이지만, 기업이 기업가와 주주의 이익만 대변하여 단기간의 이익만을 추구하거나 이기적인 경영을 한다면 소비자가 생각하는 기업에 대한 이미지가 한정될 수 있다. 따라서 장기적인 시각에서 보면 (다)의 내용처럼 기업이 사회적 책임을 지는 것이 기업 간 경쟁에서 우위를 점하여 기업의 경제적 이익 창출과 성장에도 도움이 된다.

주제 **06** 롤스의 정의론과 우대 정책

논술 SOLUTION

(가)에는 롤스가 제시한 정의로운 사회를 이루기 위해 지켜져야 할 정의의 원칙이 제시되어 있다.

(나)는 홈즈 로스쿨에서 아프리카계 미국인 법조인이 더 필요하다고 판단하여 로스쿨 정원에서 백인 학생의 정원을 제한하고 흑인 학생에게 더 많은 입학 기회를 제공하기로 했다는 내용이다.

● **POINT** ● 롤스가 주장하는 정의의 원칙을 적용하여 소수 인종 우대 정책을 정당화하는 내용을 중심으로 논술한다.

1. 예시 답안 롤스는 정의의 원칙을 도출하기 위해 원초적 입장이라는 가상적 상황을 설정하였다. 원초적 입장의 개인은 자신의 사회적 위치나 조건 등을 모르며 자신의 이익에만 관심이 있고, 타인의 이익에는 관심이 없다. 이러한 입장에서 개인은 자신이 최소 수혜자가 될 가능성을 염두에 두고 위험을 최소화할 것이기 때문에 (가)와 같은 정의의 원칙에 합의할 것이라고 보았다.

2. 예시 답안 홈즈 로스쿨의 흑인 학생 비율이 낮은 것을 통해 지역 내에서 흑인의 이익을 대변해 줄 법조인이 부족하며, 흑인은 법률 서비스에서 소외될 가능성이 높다고 추론해 볼 수 있다. 따라서 흑인들의 삶을 개선하기 위해서는 그들의 이익을 대변해 줄 법조인이 필요하다. 이를 위해서 흑인들에게 로스쿨의 입학 기회를 보다 넓게 부여하는 것은 최소 수혜자에게 최대의 이익을 줄 수 있다. 이러한 측면에서 홈즈 로스쿨의 결정은 (가)에서 강조한 정의의 원칙에 부합한다.

2. 예시 답안 (나)에서 나치의 유대인 박해는 인간이 만든 법이 상위의 자연법이나 도덕률에 위배되어 인간의 존엄성이나 사회 정의를 훼손하는 것이므로 이러한 법을 시정하기 위한 노력으로서의 시민 불복종은 정당하다. 부당한 법이나 정책을 개선하는 것을 목적으로 하는 시민 불복종을 통해 인간의 존엄성을 보호하고 사회 정의를 실현할 수 있다.

 주제 08 정보 사회의 명암

논술 SOLUTION

인터넷 이용률 및 이용자 수 추이, 인터넷 이용 목적을 바탕으로 정보 사회의 긍정적 측면을 생각해 본다.

↓

정보 보안 피해 정도, 정보 보안 인식도 추이를 바탕으로 정보 사회의 부정적 측면을 생각해 본다.

● **POINT** ● 통계 자료를 통해 정보 사회의 긍정적·부정적 측면을 추론하고, 이를 바탕으로 정보 사회에 필요한 윤리적 자세를 논술한다.

1. 예시 답안 (가)와 (나)의 자료를 통해 인터넷 이용률과 이용자 수가 점점 늘어나고 있으며, 시민들이 인터넷을 통해 다양한 정보를 얻고, 교육·거래·구직·여가 활동 등 생활에 필요한 많은 것들을 편리하게 해결하고 있음을 알 수 있다. 반면, (다)와 (라)의 자료를 통해 인터넷에서 정보 보안 피해를 입은 사람이 그렇지 않은 사람보다 많고, 정보 보안에 대한 불안감이 점점 커지고 있는 것으로 보아 인터넷에서 사생활 침해, 개인 정보 유출, 사이버 폭력 등 정보 보안과 관련된 문제가 심각하다는 것을 알 수 있다.

2. 예시 답안 인터넷을 사용할 때에는 사생활 침해나 개인 정보 유출을 막기 위해 방화벽을 설치하고, 백신 프로그램으로 자주 위험 요소를 확인하며, 인터넷 서핑이나 쇼핑몰을 이용할 경우 인증된 웹 사이트를 이용하는 등 일상생활에서부터 정보 보안에 신경을 써야 한다. 또한 정보 사회에 필요한 정보 윤리의 기본 원칙인 존중, 책임, 해악 금지, 정의 등의 원칙을 잘 알고, 인터넷을 이용할 때 스스로 실천해야 한다.

 주제 07 민주 시민의 참여와 시민 불복종

논술 SOLUTION

(가)는 고대 그리스에서는 시민이 갖추어야 할 자질로 국가의 일에 관심을 가지고 직접 참여하는 것을 강조하였다는 내용이다.

↓

(나)는 사회의 부당한 정책이나 법에 무관심하다면 자신의 기본권과 자유를 침해당할 수 있다는 내용의 시이다.

● **POINT** ● 민주주의 사회에서 시민 참여의 중요성을 바탕으로 부당한 법이나 정책에 대하여 불복종하는 행위에 대한 찬반 여부를 논술한다.

1. 예시 답안 (나)의 '나'는 자신의 일에만 관심을 가졌기 때문에 자유와 권리를 보장받지 못하였다. 따라서 (가)에서 강조한 것처럼 시민으로서 직접 정치에 참여하는 것은 국가 권력이 부당하게 개인의 권리를 침해하는 것을 막아 주기 때문에 중요하다.

주제 09 지구촌의 환경 파괴

논술 SOLUTION

(가)는 지구 온난화로 인해 북극의 해빙이 녹아 북극곰이 서식지가 줄어들어 생존을 위협받는 문제를 지적하고 있다.

↓

(나)는 지구 온난화로 인해 해수면이 상승하면서 남태평양의 섬나라 투발루의 전 국토가 수몰될 위기에 처한 문제를 지적하고 있다.

●POINT● 두 가지 자료 모두 지구 온난화로 인한 기후 변화 때문에 발생하는 문제점을 보여 준다. 지구 온난화의 주요 원인이 온실가스 배출임을 기억하고, 온실가스 배출을 줄일 수 있는 일상생활 속 실천 방법을 떠올리며 논술한다.

1. 예시 답안 (가)에는 극지방의 해빙이 녹아 북극곰이 서식지가 줄어들어 생존을 위협받는 문제, (나)에는 해수면 상승으로 투발루의 전 국토가 수몰 위기에 처한 문제가 나타나 있다. 이러한 문제가 발생하게 된 공통적인 원인은 지구 온난화이다. 지구 온난화는 주로 화석 연료를 사용할 때 나오는 이산화탄소 등의 온실가스가 지구를 감싸면서 지구의 온도를 점점 높이기 때문에 발생한다.

2. 예시 답안 지구 온난화의 주요 원인이 되는 온실가스의 배출을 줄여야 한다. 이를 위해서는 온실가스를 대량으로 배출하는 에너지 사용 기기를 고에너지 효율, 저탄소 배출 기기로 대체해 나가야 한다. 그리고 태양, 풍력, 수소 및 해양 에너지와 같은 새로운 에너지 자원을 적극 개발해야 한다. 그뿐만 아니라 개개인도 에너지를 낭비하지 않기 위해 일상생활에서부터 대중교통 이용하기, 물 아껴 쓰기, 사용하지 않는 콘센트 빼 놓기 등을 실천해야 한다.

주제 10 대중음악과 자본의 관계

논술 SOLUTION

제시된 글은 인디 음악계에까지 자본의 영향력이 미치게 된 사례를 통해 음악이 예술적 가치나 음악 자체의 순수성을 발휘하기 어렵게 되었다는 점을 지적하고 있다.

대중음악이 자본의 논리에 종속되고 수익 구조에 영향을 받아 존폐가 결정되어야 하는 상황임을 파악한다.

●POINT● 오늘날 대중음악이 자본주의와의 만남으로 순수하게 예술적 아름다움이나 메시지를 전달하기보다는 대중에게 얼마나 인기를 끌고 수익을 창출할 수 있느냐에 따라 좌우되고 있는 문제를 파악하고, 예술가 정신으로 음악 활동을 하고자 하는 사람들에 대한 다양한 지원이 필요함을 구체적인 방안과 함께 논술한다.

1. 예시 답안 오늘날 대중음악이 자본주의와 만나 상업화되면서 음악인들의 예술적 가치 추구나 아티스트 정신보다 대중의 반응과 수익 창출을 더욱 중요하게 여기게 되고, 음악가의 순수한 상상력이나 독립성이 발휘되기 어렵게 된 문제를 지적하고 있다.

2. 예시 답안 개인적 차원에서 대중은 거대 기획사에 의해 생산된 음악을 수동적으로 소비하는 데에서 벗어나 자신의 취향과 기호에 따라 주체적으로 다양한 음악을 소비하여야 한다. 또한 사회적 차원에서는 음악가들에게 문화 예술과 관련된 행사나 무대에 참여할 수 있는 기회를 마련해 줌으로써 음악가들이 거대 자본이나 문화 산업의 흐름에 휘둘리지 않고 자신의 상상력과 창조성을 마음껏 발휘할 수 있는 기반을 마련해 주어야 한다.

주제 11 윤리적 소비의 기준

논술 SOLUTION

(가)는 진정한 미식가는 단순히 개인적 차원에서 잘 먹거나 화려한 식탁을 선호하는 사람이 아니라 음식의 생산, 유통, 소비의 전 과정에서 바람직한 가치가 실현되고 있는지 살펴보고, 공동선의 관점에서 생각하고 행동하는 사람임을 강조하고 있다.

(나)는 2000년대 이후 슬로 패션 운동이 나타나면서 패션계에서도 윤리적·도덕적 가치를 바탕으로 환경을 고려할 뿐만 아니라 공정한 임금 지불, 노동력 착취 금지 등을 중요시하고 있음을 강조하고 있다.

●POINT● (가), (나)의 사례에서 공통적으로 중시하는 보편적 가치가 무엇인지 살펴보고, 이를 윤리적 소비의 기준으로 제시하며 논술한다.

1. (예시 답안) (가)에서 정의하는 진정한 미식가는 음식의 생산부터 소비에 이르는 모든 과정에서 인간과 사회, 생태계에 가져올 결과를 고려하여 바람직한 방향으로 행동하는 사람이다. 이들은 단순히 잘 먹거나 화려한 음식을 잘 차리는 단계를 넘어 음식의 생산, 유통, 소비, 사후 처리의 모든 과정에서 인권이나 환경과 관련된 윤리적 문제는 없었는지 적극적으로 고려한다.

2. (예시 답안) (나)에서는 의복과 관련한 윤리적 소비의 모습으로 슬로 패션을 강조하고 있다. 슬로 패션은 친환경 공정으로 의류를 생산하고, 값싼 노동력 착취를 금하여 노동자에게 정당한 임금을 지불하는 공정 거래를 권장하며, 불우 이웃 돕기를 통해 기업의 이익을 사회에 환원하는 것이다.

3. (예시 답안) (가)의 진정한 미식가나 (나)의 슬로 패션은 공통으로 인권, 사회 정의, 생태계 보호 등의 가치를 강조하고 있다. 윤리적 소비 또한 소비 행위가 타인과 사회는 물론 생태계에 미치는 영향을 고려하여 바람직한 방향으로 소비하는 것을 의미하므로, 진정한 미식가나 슬로 패션을 윤리적 소비의 기준으로 제시할 수 있다고 본다.

주제 **12** 사회 갈등과 통합의 노력

논술 SOLUTION

> (가)는 원전 건설을 둘러싸고 찬성과 반대 측으로 나뉘어 갈등하는 사례이다. 탈원전을 찬성하는 입장은 원전의 위험성을 주장하고, 탈원전을 반대하는 입장은 대체 에너지의 실효성의 문제를 지적한다.

> (나)는 담론 윤리를 통해 의사소통의 합리성을 실현할 것을 강조한 하버마스의 입장이다.

●POINT● (가)에서 나타난 갈등의 양상을 파악하고 (나) 사상가가 주장하는 관점에서 (가)의 갈등을 어떻게 해결할 수 있는지를 논술한다.

1. (예시 답안) 원전 건설을 둘러싸고 원전이 현실성, 경제성, 효율성을 고려할 때 합의적 방안이라고 주장하는 찬성 측과 원전의 위험성을 근거로 원전 건설을 반대하는 사람들 간의 입장 차이로 인해 갈등이 발생하였다.

2. (예시 답안) 하버마스의 담론 윤리에 의하면 전문가뿐만 아니라 이 일과 관련된 이해 당사자를 비롯한 모든 사람들이 담론에 참여할 수 있다. 담론의 참여자들은 자유롭게 자신의 의견을 말할 수 있고, 담론의 정당한 절차에 의해 합의된 결과에 대해서는 모두가 합리적으로 받아들일 수 있을 것이다. 다만 이러한 합리적 의사소

통을 실현하기 위해서는 원전 건설을 둘러싼 담론 참여자들이 자신의 주장을 말할 때 진실하게 표현하고, 정당한 근거를 들어 자신의 주장을 말해야 하며, 누구든 다른 사람의 주장에 대해 의문을 제기하고 비판을 할 수 있어야 한다. 이러한 소통과 담론의 과정을 통해 원전 건설 여부를 결정한다면 바람직한 결과를 도출할 수 있을 것이다.

주제 **13** 통일의 필요성

논술 SOLUTION

> (가)를 통해 통일 비용이 분단 비용을 상쇄하고도 남을 만한 통일 편익을 가져옴으로써 통일 한국의 번영과 발전에 도움을 줄 수 있다는 것을 알 수 있다.

> (나) 통일의 필요성에 대한 의식을 조사한 자료에 의하면, 통일을 찬성하는 의견은 점차 줄어들고 통일에 대해 무관심하거나 통일을 반대하는 의견은 늘어나는 추세이다.

●POINT● 통일 편익이 통일을 위한 투자적인 성격의 비용이며, 통일 비용보다 통일에 따른 보상과 혜택이 더 크다는 것을 근거로 통일의 필요성을 주장한다.

1. (예시 답안) **•경제적 편익:** 군사비 등 분단으로 인해 지출되었던 비용이 사라지고, 경제 통합으로 인한 시장 규모 확대와 교역의 증가 및 생산성 향상, 그리고 국토의 효율적 이용 등이 있다.
•비경제적 편익: 남북한 주민의 인권 신장과 국제 사회에서 통일 한국의 위상 제고, 전쟁에 대한 위험의 감소로 인한 문화, 관광, 여가의 기회 증가 등이 있다.

2. (예시 답안) 반세기가 넘는 분단의 고통 속에서 우리는 많은 분단 비용을 지불하여 왔다. 특히 국방비를 비롯하여 외교비, 눈에 보이지 않는 이산가족의 고통 등 유·무형의 분단 비용을 지불했으며 지금도 지불하고 있다. 특히 국방비는 날이 갈수록 점점 더 증가하는 추세이다. 이러한 분단 비용은 통일이 된다면 줄어들게 되지만 통일이 되지 않는 한 계속 지출되는 소모적인 비용이다. 그러나 통일 비용은 통일 과정 및 통일 이후에 한시적으로 발생하는 비용이며, 통일 한국의 번영을 위한 투자적인 성격의 비용으로 다양한 통일 편익으로 이어질 수 있다. 따라서 경제적 측면에서 보더라도 불필요한 비용을 줄이고 통일 한국의 더 나은 발전을 위해 통일이 필요하다.

주제 14 해외 원조에 대한 입장

논술 SOLUTION

(가) 싱어의 입장에서는, 인류의 행복을 증진하고 고통을 감소하는 것은 도덕적 의무이므로 해외 원조를 해야 한다고 주장한다.

⬇

(나)는 세계 아동 빈곤의 실태를 다룬 글이다. 분쟁 지역을 포함한 전 세계의 많은 아동들이 빈곤으로 인해 건강이 악화되거나 목숨을 잃는 등 여러 고통에 시달리고 있음을 알 수 있다.

●POINT● 싱어의 입장에서 이익 평등 고려의 원칙에 따라 빈곤 문제를 해결하기 위해 해외 원조를 찬성하는 내용을 논술한다.

예시 답안 (가)의 싱어는 공리주의 입장에서 인류의 행복을 증진하고, 고통을 감소하기 위해 해외 원조를 해야 한다고 본다. 나쁜 일을 방지하는 것이 우리의 중요한 일을 희생하지 않고도 할 수 있다면 그래야만 하며 이는 해외 원조를 인류의 의무라는 차원에서 바라보는 것이다. (나)에서는 빈곤으로 인해 고통받는 아동들이 전 세계적으로 매우 많은 것으로 나타나 있다. 이에 대해 싱어는 국가 간의 경계나 친소 여부에 따라 남을 돕는 것이 아니라 쾌락과 고통을 느끼는 모든 존재를 동등하게 바라보고 원조해야 한다고 주장할 수 있다.

Memo

완자가 PICK한 내신 기출의 모든 것

- 전국 학교 내신 기출문제 고빈출 유형 완벽 분석
- 시험 출제 가능성이 높은 내신 필수 문제 주제별/난이도별로 구성
- 1등급을 결정짓는 최고 수준의 고난도 문제 수록

통합과학 / 물리학I / 화학I / 생명과학I / 지구과학I
통합사회 / 한국사 / 생활과 윤리 / 사회문화 / 윤리와 사상 / 정치와 법

VISANG

발행일 2018년 12월 1일
펴낸날 2020년 11월 1일
펴낸곳 (주)비상교육
펴낸이 양태회
신고번호 제2002-000048호
출판사업총괄 최대찬
개발총괄 채진희
개발책임 송경화
디자인책임 김재훈
영업책임 이지웅
마케팅책임 이은진
품질책임 석진안
대표전화 1544-0554
주소 경기도 과천시 과천대로2길 54

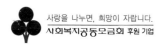

사랑을 나누면, 희망이 자랍니다.
사회복지공동모금회 후원 기업